INTELIGÊNCIA EMOCIONAL

Daniel Goleman, ph.D.

INTELIGÊNCIA EMOCIONAL

A TEORIA REVOLUCIONÁRIA QUE REDEFINE O QUE É SER INTELIGENTE

Tradução
Marcos Santarrita

47ª reimpressão

Grafia atualizada segundo o Acordo Ortográfico da Língua Portuguesa de 1990, que entrou em vigor no Brasil em 2009.

Título original
Emotional Intelligence

Capa
Marcelo Pereira

Tradução do material inédito
Fabiano Morais

Revisão da tradução
Ana Amelia Schuquer
David Neiva Simon

Revisão
Joana Milli

Produção gráfica
Marcelo Xavier

CIP-Brasil. Catalogação na fonte
Sindicato Nacional dos Editores de Livros, RJ

G625i
Goleman, Daniel, ph.D.
Inteligência emocional : A teoria revolucionária que redefine o que é ser inteligente / Daniel Goleman. — 2ª ed. — Rio de Janeiro : Objetiva, 2012.

Tradução de: Emotional Intelligence.
ISBN 978-85-7302-080-9

1. Psicologia - Inteligência. 2. Inteligência emocional. I. Título.

CDD: 153

EDITORA SCHWARCZ S.A.
Praça Floriano, 19, sala 3001 — Cinelândia
20031-050 — Rio de Janeiro — RJ
Telefone: (21) 3993-7510
www.companhiadasletras.com.br
www.blogdacompanhia.com.br
facebook.com/editoraobjetiva
instagram.com/editora_objetiva
twitter.com/edobjetiva

Para Tara, fonte de saber emocional

Sumário

Introdução

Em 1990, quando era repórter de ciência no *The New York Times*, topei com um artigo em uma pequena revista acadêmica escrito por dois psicólogos, John Mayer, hoje na Universidade de New Hampshire, e Peter Salovey, de Yale. Meyer e Salovey apresentaram a primeira formulação de um conceito que chamaram de "inteligência emocional".

Naquela época, a proeminência do QI como critério de excelência na vida era inquestionável; discutia-se acaloradamente se ele estava inscrito em nossos genes ou se era alcançado pela experiência. Porém, eis que surge, de repente, uma nova forma de pensar sobre os ingredientes do sucesso na vida. Fiquei entusiasmado com o conceito, que usei como título deste livro em 1995. Como Mayer e Salovey, utilizei a expressão para sintetizar uma ampla gama de descobertas científicas, unindo ramos diferentes de pesquisa — analisando não só a teoria deles, mas também uma grande variedade de outros avanços científicos empolgantes, como os primeiros frutos do campo incipiente da neurociência afetiva, que explora como as emoções são reguladas pelo cérebro.

Lembro-me de ter pensado, logo antes de este livro ser publicado, dez anos atrás, que se um dia eu ouvisse uma conversa em que dois estranhos usassem o termo *inteligência emocional* e ambos entendessem o que isso significava, eu teria conseguido disseminar o termo de forma mais ampla na cultura. Mal podia imaginar.

A expressão *inteligência emocional*, ou sua abreviação QE, se tornou onipresente, aparecendo em lugares tão improváveis quanto nas tirinhas *Dilbert* e *Zippy the Pinhead* e na arte sequencial de Roz Chast na *The New Yorker*. Já vi caixas de brinquedos que dizem aumentar o QE das crianças; pessoas buscando parceiros às vezes alardeiam a expressão em anúncios pessoais. Uma vez, eu encontrei uma piadinha sobre QE no rótulo de um xampu no meu quarto de hotel.

E o conceito se espalhou pelos cantos mais distantes do mundo. Contam-me que QE se tornou uma expressão conhecida em línguas tão distintas quanto alemão e português, chinês, coreano e malaio (ainda assim, eu prefiro EI, abreviação em inglês para inteligência emocional [*emotional intelligence*]). A caixa de entrada do meu e-mail tem sempre perguntas, por exemplo, de um doutorando búlgaro, um professor polonês, um aluno de graduação indonésio, um consultor de negócios sul-africano, um especialista em gerenciamento do sultanato de Omã, um executivo em Xangai. Estudantes de negócios na Índia leem sobre QE e liderança; um CEO na Argentina recomenda o livro que escrevi posteriormente sobre este tópico. Eruditos religiosos dentro do cristianismo, judaísmo, islamismo, hinduísmo e budismo me disseram que o conceito de QE encontra ressonância em suas próprias crenças.

Mais gratificante para mim foi a maneira como o conceito foi ardentemente abraçado pelos educadores, na forma de programas de "aprendizado social e emocional", ou SEL (*social and emotional learning*). Nos idos de 1995, havia apenas um punhado desses programas ensinando habilidades de inteligência emocional a crianças. Agora, uma década depois, dezenas de milhares de escolas em todo o mundo oferecem SEL às crianças. Hoje em dia, nos Estados Unidos, o SEL é requisito curricular em vários distritos, e até mesmo em estados inteiros, exigindo que os alunos, da mesma forma que precisam alcançar um determinado nível de competência em matemática e linguagem, dominem essas fundamentais aptidões para a vida.

Em Illinois, por exemplo, modelos específicos de aprendizagem em habilidades de SEL vêm sendo estabelecidos em todas as séries, desde o jardim de infância até o último ano do ensino médio. Tomando apenas um exemplo de um currículo notavelmente detalhado e abrangente, nos primeiros anos do ensino fundamental, os alunos devem aprender a reconhecer e classificar com precisão seus sentimentos e como eles os levam a agir. Nas séries do segundo ciclo fundamental, as atividades de empatia devem tornar a criança capaz de identificar as pistas não verbais de como outra pessoa se sente; nos últimos ciclos do fundamental, elas devem ser capazes de analisar o que gera estresse nelas ou o que as motiva a ter desempenhos melhores. E no ensino médio, as habilidades SEL incluem ouvir e falar de modo a solucionar conflitos em vez de agravá-los e negociar saídas em que todos ganhem.

Ao redor do mundo, Cingapura empreendeu uma iniciativa diligente no que diz respeito ao SEL, assim como algumas escolas na Malásia, Hong Kong, Japão e Coreia. Na Europa, o Reino Unido foi pioneiro, porém mais de 12 outros países possuem escolas que adotam QE, da mesma forma que a Austrália e a Nova Zelândia e, aqui e ali, países na América Latina e na África. Em 2002, a UNESCO deu a partida em uma iniciativa global para promover o SEL, enviando aos Ministérios da Educação de 140 países um relatório contendo dez princípios básicos para a sua implementação.

Em alguns estados norte-americanos e outros países, o SEL se tornou o guarda-chuva organizador sob o qual se juntam programas de educação do caráter, de prevenção à violência, agressão contra colegas e drogas e de disciplina escolar. O objetivo não é apenas reduzir a incidência desses problemas entre alunos, mas também melhorar o ambiente escolar e, em última instância, o desempenho acadêmico dos estudantes.

Em 1995, esbocei as evidências preliminares que sugeriam que o SEL era um ingrediente ativo nos programas que aperfeiçoam a aprendizagem da criança evitando problemas como a violência. Agora é possível afirmar cientificamente: ajudar as crianças a aperfeiçoar sua autoconsciência e confiança, controlar suas emoções e impulsos perturbadores e aumentar sua empatia resulta não só em um melhor comportamento, mas também em uma melhoria considerável no desempenho acadêmico.

Esta é a grande notícia contida em uma metanálise de 668 estudos avaliativos de programas de SEL para crianças desde a pré-escola até o ensino médio.[1] A maciça pesquisa foi conduzida por Ross Weissberg, que dirige a Cooperativa de Aprendizado Acadêmico, Social e Emocional (CASEL, na sigla em inglês) na Universidade de Illinois, em Chicago — a organização que encabeça o esforço de levar o SEL às escolas de todo o mundo.

Os dados mostram que os programas SEL geraram grandes benefícios no desempenho acadêmico, conforme demonstram os resultados de teste de desempenho e média de notas. Nas escolas que adotaram os programas, mais de 50% das crianças tiveram progresso nas suas pontuações de desempenho e mais de 38% melhoraram suas médias. Os programas SEL também tornaram as escolas mais seguras: ocorrências de mau comportamento caíram em média 28%; as suspensões, 44%; e outros atos disciplinares, 27%. Ao mesmo tempo, a percentagem de presença aumentou, enquanto 63% dos alunos demonstraram um comportamento significativamente mais positivo. No mundo da pesquisa em ciências sociais, estes são resultados extraordinários para qualquer programa que se destine a promover mudanças comportamentais. O SEL cumpriu sua promessa.

Em 1995, também propus que boa parte da eficiência do SEL veio do seu impacto na modelagem do circuito neural em desenvolvimento da criança, principalmente as funções executivas do córtex pré-frontal, que controlam a memória funcional — o que guardamos na cabeça durante o aprendizado — e inibem impulsos emocionais destrutivos. Agora foram encontradas as primeiras provas científicas preliminares desse conceito. Mark Greenberg, da Universidade Estadual da Pensilvânia, cocriador do currículo PATHS (sigla de *Parents and Teachers Helping Students* — Pais e Professores Ajudando Alunos) do SEL, relata não só que esse programa para estudantes do ensino fundamental aumenta o desempenho acadêmico, mas também que, ainda mais significativamente, grande parte da melhora na aprendizagem pode ser atribuída ao aperfeiçoamento da atenção e da memória funcional, funções-chave do córtex pré-frontal.[2] Isto sugere veementemente que a neuroplasticidade — a modelagem do cérebro através de experiências repetidas — exerce um papel crucial nos benefícios do SEL.

Talvez minha maior surpresa tenha sido o impacto do QE no mundo dos negócios, principalmente nas áreas de liderança e desenvolvimento de funcionários (uma forma de educação para adultos). A *Harvard Business Review* saudou a inteligência emocional como "uma ideia inovadora, capaz de destruir paradigmas", uma das ideias empresariais mais influentes da década.

No mundo dos negócios, este tipo de afirmação, muitas vezes, não passa de um modismo, sem nenhuma substância. Porém, neste caso, houve a participação de uma ampla rede de pesquisadores, garantindo que a aplicação do QE seja baseada em dados sólidos. O Consórcio para Pesquisa sobre Inteligência Emocional em Organizações (CREIO, na sigla em inglês), na Universidade de Rutgers, foi o pioneiro na catalisação desse trabalho científico, colaborando com organizações que vão desde o Escritório de Gerenciamento de Pessoal do governo federal até a American Express.

Hoje em dia, as empresas de todo o mundo olham rotineiramente através das lentes do QE para contratar, promover e desenvolver seus empregados. Por exemplo, a Johnson & Johnson (outro membro do CREIO) descobriu que, em filiais do mundo inteiro, os funcionários que em meio de carreira possuíam um maior potencial de liderança tinham aptidões de QE muito melhores do que seus colegas menos promissores. O CREIO continua auxiliando esse tipo de pesquisa, que pode fornecer diretrizes baseadas em provas para organizações interessadas em aprimorar sua capacidade de alcançar seus objetivos profissionais ou cumprir uma missão.

Quando Salovey e Mayer publicaram seu artigo seminal em 1990, ninguém poderia prever como o campo acadêmico que eles fundaram prosperaria 15 anos depois. A pesquisa floresceu nessa área; enquanto em 1995 não havia praticamente nenhuma literatura científica sobre QE, hoje em dia o campo possui legiões de pesquisadores. Uma pesquisa no catálogo de teses de doutorado investigando os aspectos da inteligência emocional revela mais de setecentas escritas até hoje, com muitas outras a serem entregues — isso sem mencionar os estudos feitos por professores e outras pessoas não listados naquele catálogo.[3]

O crescimento dessa área de estudo deve muito a Mayer e Salovey que — juntamente com seu colega David Caruso, um consultor de negócios — trabalharam incansavelmente em prol da aceitação científica da inteligência emocional. Ao formular uma teoria da inteligência emocional cientificamente defensável e fornecer uma mensuração dessa capacidade na vida real, eles estabeleceram um impecável padrão de pesquisa para o campo.

Uma outra fonte importante para a germinação das descobertas acadêmicas sobre QE foi Reuven Bar-On, atualmente no Braço Médico da Universidade do Texas, em Houston, cuja própria teoria de QE — e entusiasmo dinâmico — inspirou diversos estudos que se utilizam de uma medida que ele inventou. Bar-on também teve um grande papel na produção e edição de livros acadêmicos que ajudaram a dar vulto crítico ao campo, incluindo o *Manual de Inteligência Emocional.*

O crescimento do campo de estudos do QE enfrentou oposições encarniçadas no mundo mesquinho dos acadêmicos da inteligência, principalmente daqueles que consideram o QI a única medida aceitável das aptidões humanas. Não obstante, o campo emergiu como um paradigma vibrante. Todo modelo teórico relevante, observou o filósofo da ciência Thomas Kuhn, deve ser progressivamente revisado e aperfeiçoado na medida em que suas premissas passam por testes mais rigorosos. No caso do QE, esse processo parece estar perfeitamente em curso.

Existem atualmente três modelos principais de QE, com dezenas de variações. Cada um deles representa uma perspectiva diferente. O de Salovey e Mayer se apoia com firmeza na tradição de inteligência concebida pelo trabalho original sobre QI, de um século atrás. O modelo trazido por Reuven Bar-On se baseia na sua pesquisa sobre o bem-estar. E o meu modelo se concentra no desempenho no trabalho e na liderança organizacional, misturando a teoria do QE com décadas de pesquisa sobre a modelação de competências que separam indivíduos notáveis dos medianos.

Infelizmente, leituras equivocadas deste livro deram origem a alguns mitos que eu gostaria de esclarecer aqui e agora. Um deles é a bizarra — embora repetida à exaustão — falácia de que "o QE é responsável por 80% do sucesso". Esta afirmação é absurda.

Essa interpretação equivocada vem do dado que sugere que o QI é responsável por 20% do sucesso profissional. O fato de esta estimativa — e é só uma estimativa — deixar uma grande parcela do sucesso sem esclarecimento nos obriga a buscar outros fatores para explicar o restante. No entanto, isto *não* significa que a inteligência emocional representa os outros fatores do sucesso: eles certamente compreendem uma gama muito ampla de forças — desde a condição financeira e educação da família em que nascemos, até temperamento, pura sorte e afins —, além da inteligência emocional.

Conforme apontam John Mayer e seus colegas: "Para o leitor ingênuo, trazer à tona a 'variação não explicada de 80%' sugere que deve haver de fato uma variação até o momento ignorada que pode prever grandes porções de sucesso na vida. Embora isso seja conveniente, nenhuma variação estudada em um século de psicologia deu uma colaboração tão grande."[4]

Um outro equívoco comum se dá através da aplicação imprudente da afirmação de que ela pode ser mais importante do que o QI — em áreas como desempenho acadêmico, onde ele não se aplica sem as devidas ressalvas. A forma mais extrema deste equívoco é o mito de que o QE "é mais importante do que o QI" em qualquer área.

A inteligência emocional prevalece sobre o QI apenas naquelas áreas "tenras" nas quais o intelecto é relativamente menos relevante para o sucesso — nas quais, por exemplo, autocontrole emocional e empatia podem ser habilidades mais valiosas do que aptidões meramente cognitivas.

Como se sabe, algumas dessas áreas são extremamente importantes em nossas vidas. A saúde vem logo à mente (conforme pormenorizado no Capítulo 11), no sentido de que emoções perturbadoras e relacionamentos nocivos já foram identificados como fatores de risco para doenças. Aqueles que conseguem gerenciar suas vidas emocionais com mais serenidade e autoconsciência parecem ter uma vantagem clara e considerável na saúde.

Uma outra área é a do amor romântico e relacionamentos pessoais (ver Capítulo 9), onde, como sabemos muito bem, pessoas muito inteligentes podem fazer coisas bastante idiotas. Uma terceira — embora eu não tenha escrito sobre ela aqui — se dá nos níveis mais altos de esforços competitivos, como nos esportes de âmbito mundial. Neste nível, como me revelou um psicólogo de esportistas que treina os times olímpicos dos EUA, todos têm como requisito 10 mil horas extras de treinamento, de modo que o sucesso depende do empenho mental do atleta.

Descobertas sobre a liderança nos negócios e nas profissões pintam um quadro mais complexo (Capítulo 10). A pontuação de QI prognostica muito bem se podemos arcar com os desafios cognitivos que uma determinada posição nos oferece. Centenas, talvez milhares, de estudos demonstraram que o QI prevê quais níveis uma pessoa pode exercer numa carreira. Isto é inquestionável.

Porém o QI cai por terra quando a questão é prognosticar quem, em meio a um grupo talentoso de candidatos *dentro* de uma profissão intelectualmente exigente, será o melhor líder. Isto se dá em parte por conta do "efeito do andar de cima": todos aqueles nos altos escalões de uma determinada profissão, ou nos níveis superiores de uma grande organização, já foram peneirados em termos de intelecto e destreza. Nesses níveis elevados, um QI alto se torna uma habilidade "liminar", necessária para simplesmente entrar e continuar no jogo.

Conforme propus no meu livro de 1998, *Trabalhando com a Inteligência Emocional*, as habilidades de QE — e não o QI ou aptidões técnicas — emergem como a competência "discriminatória" que prevê da melhor forma quem dentre um grupo de pessoas muito inteligentes será o líder mais hábil. Se examinarmos as competências que as organizações em todo o mundo determinaram ser as que identificam seus principais líderes, descobriremos que os indicadores de QI e aptidões técnicas caem para o final da lista quanto mais alto for o cargo. (O QI e as aptidões técnicas são fortes indicadores de excelência em empregos menos qualificados.)

Desenvolvi esta questão de forma mais abrangente no meu livro de 2002, *O Poder da Inteligência Emocional: a Experiência de Liderar com Sensibilidade e Eficácia* (em coautoria com Richard Boyatzis e Annie McKee). Nos níveis mais altos, os modelos de competência para liderança consistem geralmente em algo em torno de 80% a 100% de habilidades do tipo QE. Nas palavras do diretor de pesquisa de uma empresa de seleção de executivos, "os CEOs são contratados por seu intelecto e habilidade empresarial — e são despedidos por falta de inteligência emocional".

Quando escrevi *Inteligência Emocional*, vi o meu papel como o de um jornalista científico cobrindo uma nova e significativa tendência na psicologia, particularmente a junção da neurociência com o estudo das emoções. Porém, na medida em que fui me envolvendo mais no campo, voltei ao meu antigo papel de psicólogo para oferecer meus *insights* sobre os modelos de QE. Como resultado, minha formulação da inteligência emocional progrediu desde que escrevi estas páginas.

Em *Trabalhando com a Inteligência Emocional*, propus uma estrutura que reflete como os aspectos fundamentais do QE — autoconsciência, autocontrole, consciência social e a habilidade de gerenciar relacionamentos — se traduzem em sucesso profissional. Ao fazer isso, peguei emprestado um conceito de David McClelland, o psicólogo de Harvard que foi meu mentor na graduação: *competência*.

Enquanto a *inteligência* emocional determina nosso potencial para aprender os fundamentos do autodomínio e afins, nossa *competência* emocional mostra o quanto desse potencial dominamos de maneira que ele se traduza em capacidades profissionais. Para ser versado em uma competência emocional como atendimento ao consumidor ou trabalho em equipe, é preciso possuir uma habilidade subjacente nos fundamentos do QE, especificamente consciência social e gerenciamento de relacionamentos. Mas as competências emocionais são habilidades aprendidas: o fato de uma pessoa possuir consciência social e aptidão para gerenciar relacionamentos não garante que ela tenha dominado o aprendizado adicional necessário para lidar com um cliente a contento ou resolver um conflito. Essa pessoa apenas tem o potencial de *se tornar* hábil nessas competências.

Novamente, uma habilidade de QE se faz necessária, embora não seja suficiente, para manifestar uma determinada competência ou aptidão profissional. Seria possível fazer uma analogia cognitiva com um aluno que possui excelentes habilidades espaciais, mas não consegue nem aprender geometria, quanto mais se tornar um arquiteto. Assim, uma pessoa pode ser muito empática, porém péssima em lidar com clientes — se não tiver aprendido a competência para o atendimento de clientes. (Para aquelas almas superdedicadas que quiserem entender como o meu modelo atual abarca vinte e poucas competências emocionais dentro dos quatro grupos de QE, vejam o apêndice de *O Poder da Inteligência Emocional*.)

Em 1995, apresentei dados de uma amostragem nacional, demograficamente representativa, de mais de 3 mil crianças de 7 a 16 anos, avaliadas por seus pais e professores, demonstrando que no espaço de aproximadamente uma década, entre meados de 1970 e meados de 1980, os indicadores de bem-estar entre crianças americanas sofreram um declínio expressivo. Essas crianças eram mais perturbadas e tinham mais problemas, que iam desde solidão e ansiedade até desobediência e queixas. (É claro que sempre existem exceções individuais — crianças que crescerão e se tornarão seres humanos fantásticos —, sejam quais forem os números gerais.)

Porém, um grupo mais recente de crianças, avaliado em 1999, parece ter progredido consideravelmente, mostrando resultados muito melhores do que aquelas do fim da década de 1980, embora não tenham recuperado os níveis registrados em meados da década de 1970.[5] É fato que os pais ainda estão inclinados a reclamar dos filhos de uma forma geral e ainda se preocupam que seus filhos estejam andando com "más companhias" — as queixas parecem piores do que nunca. Mas a tendência é nitidamente ascendente.

Francamente, estou estupefato. Havia conjeturado que as crianças de hoje seriam vítimas involuntárias dos progressos econômico e tecnológico, inábeis em QE porque seus pais passam mais tempo no trabalho do que as gerações anteriores, porque a mobilidade crescente cortou os laços com a família mais ampla e porque o tempo "livre" se tornou estruturado e organizado demais. Afinal, a inteligência emocional sempre foi tradicionalmente transmitida nos momentos da vida cotidiana — com os pais e os parentes, e na desordem das brincadeiras livres — que os jovens estão perdendo.

E também há o fator tecnológico. Atualmente, as crianças passam mais tempo sozinhas do que nunca na história da humanidade, olhando para um monitor. Isso significa um experimento natural numa escala sem precedentes. Essas crianças peritas em tecnologia, quando se tornarem adultas, se sentirão tão confortáveis com outras pessoas como se sentem com seus computadores? Em vez disso, desconfio que uma infância cuja relação seja com um mundo virtual desprepararia nossos jovens para as relações face a face.

Esses foram meus argumentos. Não aconteceu nada na década anterior que revertesse essas tendências. Mesmo assim, ainda bem, as crianças parecem estar se saindo melhor.

Thomas Achenbach, o psicólogo da Universidade de Vermont que fez esses estudos, conjetura que o boom econômico da década de 1990 beneficiou não só os adultos, como também as crianças; mais empregos e menos criminalidade resultou em crianças mais bem cuidadas. Caso haja outra recessão econômica grave, ele sugere, nós nos depararíamos com uma outra queda nesse grau de habilidades para a vida das crianças. Pode ser que sim; só o tempo dirá.

A hipervelocidade na qual o QE se tornou um tema importante em inúmeros campos dificulta previsões, mas deixe-me oferecer algumas ideias do que espero para essa área no futuro próximo.

Muitos dos benefícios resultantes do desenvolvimento de capacidades de inteligência emocional foram destinados aos privilegiados, como executivos de alto nível e crianças de escolas particulares. É claro que muitas crianças em bairros pobres também se beneficiaram — por exemplo, se suas escolas adotaram o SEL. Porém, quero encorajar uma maior democratização desse tipo de desenvolvimento de habilidades humanas, alcançando blocos geralmente negligenciados, como as famílias pobres (nas quais as crianças muitas vezes sofrem danos emocionais que pioram ainda mais a situação delas) e as prisões (principalmente os delinquentes juvenis, que poderiam se beneficiar enormemente de habilidades reforçadoras como controle da raiva, autoconsciência e empatia). Uma vez ajudados com essas habilidades, suas vidas poderiam melhorar e suas comunidades se tornariam mais seguras.

Também gostaria de ver um aumento do raio de ação do próprio pensamento sobre a inteligência emocional, saltando de um foco nas capacidades do indivíduo para um foco naquilo que surge quando as pessoas interagem, seja no caso de um indivíduo para outro ou em grupos maiores. Algumas pesquisas já parecem ter dado esse salto, especialmente no trabalho da psicóloga Vanessa Druskat, da Universidade de New Hampshire, sobre como grupos podem se tornar emocionalmente inteligentes. Mas pode-se fazer muito mais.

Finalmente, imagino um dia em que a inteligência emocional será tão amplamente compreendida que não será preciso mais discuti-la, pois ela já terá se fundido às nossas vidas. Nesse futuro, o SEL já será prática padrão em todas as escolas. Da mesma forma, as qualidades de QE como a autoconsciência, o gerenciamento de emoções destrutivas e a empatia serão lugares-comuns nos locais de trabalho, "qualidades obrigatórias" para ser contratado e conseguir promoções, e especialmente necessárias para a liderança. Se o QE se tornar tão difundido quanto o QI, e tão enraizado na sociedade como medidor das qualidades humanas, creio que nossas famílias, escolas, empregos e comunidades serão todos mais humanos e alentadores.

Prefácio à Edição Brasileira

Escrevi *Inteligência Emocional* em meio a uma sensação de crise civil nos Estados Unidos onde há um aumento crescente dos índices de criminalidade, suicídios, abuso de drogas e outros indicadores de mal-estar social, sobretudo entre os jovens. Acredito que o único remédio capaz de debelar esses sintomas de doença social seja uma nova forma de interagirmos no mundo — com a inteligência emocional. Esta é um tipo de competência que pressupõe o cultivo, em nós mesmos e em nossos filhos, de aptidões que são próprias do coração humano.

Minha receita para o Brasil é praticamente a mesma e ela não serve apenas como um antídoto, mas também como uma medida de prevenção. Os amigos que possuo no Brasil me dizem que já há sinais, nesse país, que apontam para a emergência de uma alienação e pressão sociais que, se não contidas, podem levar a colapsos bastante sérios na teia das relações sociais.

Nos países desenvolvidos, a tendência é para um individualismo exacerbado, o que acarreta, consequentemente, uma competitividade cada vez maior — isso pode ser constatado nos postos de trabalho e no meio universitário. Essa visão de mundo traz consigo o isolamento e a deterioração das relações sociais. A lenta desintegração da vida em comunidade e a necessidade de auto-afirmação estão acontecendo, paradoxalmente, num momento em que as pressões econômico-sociais estão a exigir maior cooperação e envolvimento entre os indivíduos.

Além dessa situação que reflete um mal-estar social, há indicadores de um crescente desconforto emocional, sobretudo entre as crianças. Parece-me que a infância — um período crucial para a formação do adulto —, neste mundo em que estamos vivendo, deva merecer uma atenção maior de parte daqueles que são os principais responsáveis pelas crianças: pais e professores.

Os pais, em nossos dias, exercem sua paternidade sob tensões e pressões de ordem econômica que não existiam na época de nossos avós. O que eu proponho é que esses pais dediquem o tempo que lhes sobra para ajudar seus filhos a dominarem as habilidades humanas essenciais que são necessárias, não só para lidar com as próprias emoções, como para o estabelecimento de relações humanas verdadeiramente significativas.

Aos professores, sugiro que considerem também a possibilidade de ensinar às crianças o alfabeto emocional, aptidão básica do coração. Tal como hoje ocorre nos Estados Unidos, o ensino brasileiro poderá se beneficiar com a introdução, no currículo escolar, de uma programação de aprendizagem que, além das disciplinas tradicionais, inclua ensinamentos para uma aptidão pessoal fundamental — a alfabetização emocional.

O Desafio de Aristóteles

Qualquer um pode zangar-se — isso é fácil. Mas zangar-se com a pessoa certa, na medida certa, na hora certa, pelo motivo certo e da maneira certa — não é fácil.

Aristóteles,
Ética a Nicômaco

Era verão em Nova York e, naquela tarde, fazia um calor sufocante, insuportável. As pessoas andavam pelas ruas mal-humoradas, em visível desconforto. Na avenida Madison, peguei um ônibus para voltar para o hotel. Ao entrar, fui surpreendido com a saudação que veio do motorista: "Oi, como vai?" Esse homem negro de meia-idade e largo sorriso repetiu a mesma saudação a todos os outros passageiros que foram entrando ao longo do percurso no denso tráfego do centro da cidade. Todos, como eu, se surpreendiam, mas, porque estavam com o humor comprometido pelas condições climáticas do dia, poucos retribuíram o cumprimento.

À medida que o ônibus se arrastava pelo traçado quadriculado do centro da cidade, porém, uma transformação mágica foi gradativamente ocorrendo. Para nosso deleite, o motorista encetou um animado comentário sobre o cenário à nossa volta: havia uma liquidação sensacional naquela loja, uma exposição maravilhosa naquele museu, já souberam do novo filme que acabou de estrear ali na esquina? O prazer dele com a riqueza de possibilidades que a cidade oferecia contagiou a todos. Ao descerem do ônibus, as pessoas já haviam se despido da couraça de mau humor com que tinham entrado, e, quando o motorista lhes dirigiu o sonoro "Até logo, tenha um ótimo dia!", todas lhe deram uma resposta sorridente.

Há vinte anos a lembrança desse episódio me acompanha. Quando entrei naquele ônibus da avenida Madison, eu havia acabado de me doutorar em psicologia — mas a psicologia da época não dava muita atenção para uma alteração comportamental que ocorresse desse modo. A psicologia não conhecia praticamente nada acerca dos mecanismos da emoção. Ainda hoje, ao imaginar a possibilidade de os passageiros daquele ônibus terem propagado pela cidade aquele vírus de bem-estar, constato que aquele motorista era uma espécie de pacificador urbano, uma espécie de mago que tinha o poder de transmutar a soturna irritabilidade que fervilhava nos passageiros de seu ônibus, de amolecer e abrir corações.

Em gritante contraste, algumas matérias de jornal daquela semana:

- Numa escola local, um garoto de 9 anos causa uma devastação, derramando tinta nas carteiras, computadores e impressoras, vandalizando um carro no estacionamento da escola. Motivo: alguns colegas de classe o haviam chamado de "bebê", e ele quis impressioná-los.
- Oito jovens saem feridos porque um encontrão involuntário, numa multidão de adolescentes diante de um clube de *rap,* em Manhattan, leva a uma troca de empurrões que só termina quando um dos garotos começa a atirar, com uma pistola automática calibre 38, contra a multidão. A notícia observa que, nos últimos anos, tiroteios por motivos fúteis, mas encarados como atos de desrespeito, se tornaram cada vez mais comuns em todo o país.
- No assassinato de crianças de menos de 12 anos, diz uma notícia, 57% dos assassinos são seus próprios pais ou padrastos. Em quase metade dos casos, esses pais alegam que estavam "apenas tentando disciplinar o filho". Essas surras fatais foram provocadas por "infrações" do tipo a criança ficar na frente da TV, chorar ou sujar fraldas.
- Um jovem alemão é julgado pelo assassinato de cinco mulheres e meninas turcas, por um incêndio que provocou enquanto elas dormiam. Membro de um grupo neonazista, ele diz que não consegue ficar num emprego, que bebe e atribui o seu azar aos estrangeiros. Numa voz pouco audível, argumenta: "Não paro de lamentar tudo o que fizemos, e me sinto infinitamente envergonhado."

O noticiário cotidiano nos chega carregado desse tipo de alerta sobre a desintegração da civilidade e da segurança, uma onda de impulso mesquinho que corre desenfreada. Mas o fato é que esses eventos apenas refletem, em maior escala, um arrepiante desenfreio de emoções em nossas próprias vidas e nas das pessoas que nos cercam. Ninguém está a salvo dessa errática maré de descontrole e de posterior arrependimento — ela invade nossas vidas de um jeito ou de outro.

A última década tem presenciado um constante bombardeio de notícias desse gênero, que retratam o aumento de inépcia emocional, desespero e inquietação na família, nas comunidades e em nossas vidas em coletividade. Esses anos têm escrito a crônica de uma raiva e desespero crescentes, seja na calma solidão das crianças trancadas com a TV que lhes serve de babá, no sofrimento das crianças abandonadas, esquecidas ou maltratadas, ou na desagradável intimidade da violência conjugal. O alastramento desse mal-estar pode ser visto através de estatísticas que demonstram um aumento mundial dos casos de depressão e nos indicadores de uma repentina onda de agressão

— adolescentes que vão armados para a escola, infrações de trânsito na estrada que terminam em tiros, ex-empregados descontentes que massacram antigos colegas de trabalho. *Abuso emocional, drive-by shooting** e *tensão pós-traumática* entraram no léxico do americano comum na última década, e o slogan do momento passou do cordial "Tenha um bom dia" para o petulante "Faça o meu dia valer a pena".

Este livro é um guia que se destina a procurar sentido no que não tem sentido. Na qualidade de psicólogo e, na última década, de jornalista do *The New York Times*, venho acompanhando o progresso dos estudos científicos sobre a irracionalidade. Dessa perspectiva, observei duas tendências opostas: uma, que retrata a crescente calamidade na vida emocional partilhada pelos indivíduos, e outra, que oferece soluções auspiciosas para esse problema.

POR QUE ESTE EXAME AGORA?

A última década, apesar de todas as coisas ruins que nos ofereceu, por outro lado assistiu a uma explosão inédita de estudos científicos sobre a emoção. O que mais impressiona é que agora podemos ver o cérebro em funcionamento, graças às novas tecnologias que permitem a obtenção de imagens desse órgão. Elas tornaram visível, pela primeira vez na história humana, o que sempre foi um grande mistério: como atua essa intricada quantidade de células enquanto pensamos e sentimos, imaginamos e sonhamos. Essa inundação de dados neurobiológicos permite que entendamos, hoje mais do que nunca, como os centros nervosos nos levam à raiva ou às lágrimas e como partes mais primitivas do cérebro, que nos incitam a fazer a guerra e o amor, são canalizadas para o melhor ou o pior. Essa luz sem precedentes sobre os mecanismos das emoções e suas deficiências põe em foco alguns novos remédios para nossa crise emocional coletiva.

Tive de esperar que a pesquisa científica ficasse suficientemente completa para escrever este livro. Essas observações vêm com um certo atraso, em grande parte porque o lugar dos sentimentos na vida mental foi, ao longo dos anos, surpreendentemente desprezado pela pesquisa, fazendo das emoções um continente pouco explorado pela psicologia científica. Essa lacuna propiciou uma enxurrada de livros de autoajuda, conselhos bem-intencionados baseados, na melhor das hipóteses, em opiniões clínicas, mas com pouca ou nenhuma base científica. Agora a ciência pode finalmente abordar com autoridade essas questões urgentes e desorientadoras da psique, no que ela tem de mais irracional, para mapear com alguma precisão o coração humano.

Esse mapeamento lança um desafio àqueles que são adeptos de uma visão estreita da inteligência, e que por isto entendem que o QI é um dado genético

* Rajadas de tiros disparadas de um carro em movimento. (N. T.)

impossível de ser alterado pela experiência de vida, e que nosso destino é, em grande parte, determinado pela aptidão intelectual recebida geneticamente. Esse argumento não considera a questão mais desafiante: o que *podemos* mudar para ajudar nossos filhos a se sentirem melhor? Que fatores entram em jogo, por exemplo, quando pessoas de alto QI malogram e aquelas com um QI modesto se saem surpreendentemente bem? Eu diria que o que faz a diferença são aptidões aqui chamadas de *inteligência emocional,* as quais incluem autocontrole, zelo e persistência, e a capacidade de automotivação. E essas aptidões, como vamos ver, podem ser ensinadas às crianças, na medida em que lhes proporcionam a oportunidade de lançar mão de qualquer que seja o potencial intelectual que lhes tenha sido legado pela loteria genética.

Além dessa possibilidade, estamos diante de um premente imperativo moral. Vivemos um momento em que o tecido social parece esgarçar-se com uma rapidez cada vez maior, em que o egoísmo, a violência e a mesquinhez de espírito parecem estar fazendo apodrecer a bondade de nossas relações com o outro. Aqui, o argumento a favor da importância da inteligência emocional depende da ligação entre sentimento, caráter e instintos morais. Há crescentes indícios de que posturas éticas fundamentais na vida vêm de aptidões emocionais subjacentes. Por exemplo, o impulso é o veículo da emoção; a semente de todo impulso é um sentimento explodindo para expressar-se em ação. Os que estão à mercê dos impulsos — os que não têm autocontrole — sofrem de uma deficiência moral. A capacidade de controlar os impulsos é a base da força de vontade e do caráter. Da mesma forma, a raiz do altruísmo está na empatia, a capacidade de identificar as emoções nos outros; sem a noção do que o outro necessita ou de seu desespero, o envolvimento é impossível. E se há duas posições morais que nossos tempos exigem são precisamente estas: autocontrole e piedade.

NOSSA VIAGEM

Neste livro, eu atuo como um guia numa viagem através de percepções científicas acerca das emoções, uma viagem que visa levar maior compreensão a alguns dos mais intrigantes momentos de nossas vidas e do mundo que nos cerca. O fim da jornada é entender o que significa — e como — levar inteligência à emoção. Essa compreensão, por si só, pode ajudar, em certa medida; levar a cognição para o campo do sentimento tem um efeito meio parecido com o impacto causado pelo observador no nível da física quântica, que altera o que está sendo observado.

Nossa viagem começa na Parte Um, com as novas descobertas sobre a arquitetura emocional do cérebro, as quais explicam aqueles momentos mais desconcertantes de nossas vidas, quando o sentimento esmaga toda racionalidade. A compreensão da interação existente entre as estruturas do cérebro que comandam nossos momentos de ira e medo — ou paixão e alegria — revela muito sobre certos hábitos emocionais adquiridos que solapam nossas melhores intenções, e também sobre o que podemos fazer para dominar impulsos destruidores ou que já trazem consigo a própria destruição. Mais importante ainda, os dados fornecidos pela pesquisa em neurologia sugerem a existência de uma boa oportunidade para moldar os hábitos emocionais de nossos filhos.

A parada seguinte de nossa viagem, a Parte Dois deste livro, mostra como os dados neurológicos atuam sobre o *instinto básico para viver chamado inteligência emocional*: por exemplo, poder controlar o impulso emocional; interpretar os sentimentos mais íntimos de outrem; lidar tranquilamente com relacionamentos — como disse Aristóteles, a rara capacidade de "zangar-se com a pessoa certa, na medida certa, na hora certa, pelo motivo certo e da maneira certa". (Os leitores que não sentem atração por detalhes neurológicos talvez prefiram passar diretamente para essa parte.)

Esse modelo ampliado do que significa ser "inteligente" coloca as emoções no centro das aptidões para viver. A Parte Três examina a importância dessa aptidão: como esses talentos preservam nossos relacionamentos mais valiosos, ou como a ausência deles os corrói; como as forças de mercado que estão remodelando nossa vida profissional começam a valorizar a inteligência emocional para um melhor desempenho no trabalho; como as emoções nocivas são tão danosas para nossa saúde física quanto fumar desbragadamente e como o equilíbrio emocional preserva a nossa saúde e bem-estar.

Nossa herança genética nos dota de uma série de referenciais que determinam nosso temperamento. Mas os circuitos cerebrais envolvidos são extraordinariamente maleáveis; temperamento não é destino. Como mostra a Parte Quatro, as lições emocionais que aprendemos na infância, seja em casa ou na escola, modelam os circuitos emocionais, tornando-nos mais aptos — ou inaptos — nos fundamentos da inteligência emocional. Isso significa que a infância e a adolescência são ótimas oportunidades para determinar os hábitos emocionais básicos que irão governar nossas vidas.

A Parte Cinco examina que riscos aguardam aqueles que, ao chegarem à maturidade, não dominam o campo emocional — como as deficiências em inteligência emocional ampliam a gama de riscos, desde a depressão ou uma vida de violência até os distúrbios alimentares e o vício em drogas. E relata como escolas pioneiras estão ensinando às crianças as aptidões emocionais e sociais que elas necessitam para manter a vida em equilíbrio.

Talvez a informação mais perturbadora deste livro venha de uma maciça pesquisa com pais e professores, que revela uma tendência mundial da atual geração infantil de ser mais sujeita a perturbações emocionais que a geração anterior: mais solitária e deprimida, mais revoltada e rebelde, mais nervosa e propensa a preocupar-se, mais impulsiva e agressiva.

Se há um remédio, acho que ele consiste na preparação de nossos jovens para a vida. Atualmente, deixamos a educação emocional de nossos filhos ao acaso, com consequências cada vez mais desastrosas. Uma das soluções é uma abordagem da parte das escolas em termos da educação do aluno como um todo, ou seja, juntando mente e coração na sala de aula. Nossa viagem termina com visitas a escolas inovadoras, que visam dar às crianças rudimentos da inteligência emocional. Já antevejo o dia em que o sistema educacional incluirá como prática rotineira a instilação de aptidões humanas essenciais como autoconsciência, autocontrole e empatia e das artes de ouvir, resolver conflitos e cooperar.

Em *Ética a Nicômaco,* inquirição filosófica de Aristóteles sobre virtude, caráter e uma vida justa, está implícito o desafio à nossa capacidade de equilibrar razão e emoção. Nossas paixões, quando bem exercidas, têm sabedoria; orientam nosso pensamento, nossos valores, nossa sobrevivência. Mas podem facilmente cair em erro, e o fazem com demasiada frequência. Como observa Aristóteles, o problema não está na emocionalidade, mas na *adequação* da emoção e sua manifestação. A questão é: como podemos levar inteligência às nossas emoções, civilidade às nossas ruas e envolvimento à nossa vida comunitária?

PARTE UM

O CÉREBRO EMOCIONAL

1

Para que Servem as Emoções?

É com o coração que se vê corretamente; o essencial é invisível aos olhos.

Antoine de Saint-Exupéry,
O Pequeno Príncipe

Pensem nos últimos momentos de Gary e Mary Jane Chauncey, um casal inteiramente dedicado à filha Andrea, de 11 anos, confinada a uma cadeira de rodas devido a uma paralisia cerebral. A família Chauncey viajava num trem da Amtrak que caiu num rio, depois que uma barcaça bateu e abalou as estruturas de uma ponte ferroviária, na região dos pântanos da Louisiana. Quando a água começou a invadir o trem, o casal, pensando primeiro na filha, fez o que pôde para salvar Andrea; conseguiram entregá-la, através de uma das janelas, para a equipe de resgate. E morreram, quando o vagão afundou.[1]

A história de Andrea, de pais cujo último ato heroico foi o de assegurar a sobrevivência da filha, capta um momento de coragem quase mítica. Sem dúvida, esse tipo de sacrifício dos pais em benefício da prole é recorrente na história e pré-história humanas, e inúmeras vezes mais ao longo da evolução de nossa espécie.[2] Visto da perspectiva dos biólogos evolucionistas, esse autossacrifício dos pais está a serviço do "sucesso reprodutivo" na transmissão dos genes a futuras gerações. Mas da perspectiva de um pai que, num momento de desespero, toma uma decisão como essa, trata-se simplesmente de amor.

Como se fora uma intuição do objetivo e da força das emoções, esse ato exemplar de heroísmo dos pais atesta o papel que exercem, na vida humana,[3] o amor altruístico e as demais emoções que sentimos. Isso indica que nossos mais profundos sentimentos, as nossas paixões e anseios são diretrizes essenciais e que nossa espécie deve grande parte de sua existência à força que eles emprestam nas questões humanas. Essa força é extraordinária: só um amor tão forte — na urgência de salvar uma filha querida — foi capaz de conter o próprio instinto de sobrevivência dos pais. Do ponto de vista do intelecto, não há dúvida de que o autossacrifício desses pais foi irracional. Sob a ótica do coração, entretanto, essa era a única atitude a ser tomada.

Quando investigam por que a evolução da espécie humana deu à emoção um papel tão essencial em nosso psiquismo, os sociobiólogos verificam que, em momentos decisivos, ocorreu uma ascendência do coração sobre a razão. São as nossas emoções, dizem esses pesquisadores, que nos orientam quando diante de um impasse e quando temos de tomar providências importantes demais para que sejam deixadas a cargo unicamente do intelecto — em situações de perigo, na experimentação da dor causada por uma perda, na necessidade de não perder a perspectiva apesar dos percalços, na ligação com um companheiro, na formação de uma família. Cada tipo de emoção que vivenciamos nos predispõe para uma ação imediata; cada uma sinaliza para uma direção que, nos recorrentes desafios enfrentados pelo ser humano ao longo da vida,[4] provou ser a mais acertada. À medida que, ao longo da evolução humana, situações desse tipo foram se repetindo, a importância do repertório emocional utilizado para garantir a sobrevivência da nossa espécie foi atestada pelo fato de esse repertório ter ficado gravado no sistema nervoso humano como inclinações inatas e automáticas do coração.

Uma visão da natureza humana que ignore o poder das emoções é lamentavelmente míope. A própria denominação *Homo sapiens,* a espécie pensante, é enganosa à luz do que hoje a ciência diz acerca do lugar que as emoções ocupam em nossas vidas. Como sabemos por experiência própria, quando se trata de moldar nossas decisões e ações, a emoção pesa tanto — e às vezes muito mais — quanto a razão. Fomos longe demais quando enfatizamos o valor e a importância do puramente racional — do que mede o QI — na vida humana. Para o bem ou para o mal, quando são as emoções que dominam, o intelecto não pode nos conduzir a lugar nenhum.

QUANDO AS PAIXÕES DOMINAM A RAZÃO

Foi uma tragédia de erros. Matilda Crabtree, 14 anos, apenas queria dar um susto no pai: saltou de dentro do armário e gritou “Buu!”, no momento em que os pais voltavam, à uma da manhã, de uma visita a amigos.

Mas Bobby Crabtree e sua mulher achavam que Matilda estava em casa de amigas naquela noite. Quando, ao entrar em casa, ouviu ruídos, Crabtree pegou sua pistola calibre .357 e foi ao quarto da filha verificar o que estava acontecendo. Quando ela pulou do armário, ele atirou, atingindo-a no pescoço. Matilda Crabtree morreu 12 horas depois.[5]

Uma das coisas que adquirimos no processo da evolução humana foi o medo que nos mobiliza para proteger nossa família contra o perigo; foi esse impulso que levou Crabtree a pegar a arma e a vasculhar a casa em busca de um suposto intruso. O medo levou-o a atirar antes de verificar perfeitamente no que atirava, e mesmo antes de reconhecer que aquela voz era a de sua filha. Reações automáticas desse tipo — supõem os biólogos — ficaram gravadas em nosso sistema nervoso porque, durante um longo e crucial período da pré-história humana, eram decisivas para a sobrevivência ou a morte. O que há de mais importante a respeito dessas reações é que foram elas que desempenharam a principal tarefa da evolução: deixar uma progênie que passasse adiante essas mesmas predisposições genéticas — uma triste ironia, se considerarmos a tragédia ocorrida na família Crabtree.

Mas, embora nossas emoções tenham sido sábios guias no longo percurso evolucionário, as novas realidades com que a civilização tem se defrontado surgiram com uma rapidez impossível de ser acompanhada pela lenta marcha da evolução. Na verdade, as primeiras leis e proclamações sobre ética — o Código de Hamurabi, os Dez Mandamentos dos Hebreus, os Éditos do Imperador Ashoka — podem ser interpretadas como tentativas de conter, subjugar e domesticar as emoções. Como Freud observou em O *Mal-estar na Civilização,* o aparelho social tem tentado impor normas para conter o excesso emocional que emerge, como ondas, de dentro de cada um de nós.

Apesar dessas pressões sociais, as paixões muitas vezes solapam a razão. Essa faceta da natureza humana tem origem na arquitetura básica do nosso cérebro. Em termos do plano biológico dos circuitos neurais básicos da emoção, aqueles com os quais nascemos são os que melhor funcionaram para as últimas 50 mil gerações humanas, mas não para as últimas 500 — e, certamente, não para as últimas cinco. As lentas e cautelosas forças da evolução que moldaram nossas emoções têm cumprido sua tarefa ao longo de 1 milhão de anos. Os últimos 10 mil anos — apesar de terem assistido ao rápido surgimento da civilização humana e à explosão demográfica de 5 milhões para 5 bilhões de habitantes sobre a Terra — quase nada imprimiram de novo em nossos gabaritos biológicos para a vida emocional.

Para o melhor ou o pior, a forma como avaliamos situações complicadas com que nos deparamos e nossas respostas a elas são moldadas não apenas por nossos julgamentos racionais ou nossa história pessoal, mas também por nosso passado ancestral. Esse legado nos predispõe a provocar tragédias, de que é triste exemplo o lamentável fato ocorrido na família Crabtree. Em suma, com muita frequência enfrentamos dilemas pós-modernos com um repertório talhado para as urgências do Pleistoceno. Esse paradoxo é o cerne de meu tema.

Agir impulsivamente

Num dia de início da primavera, eu percorria de carro um passo de montanha no Colorado, quando uma repentina lufada de neve encobriu o veículo alguns metros à minha frente. Mesmo forçando a vista, eu não conseguia distinguir nada; a neve em redemoinho transformara-se numa alvura cegante. Ao pisar no freio, senti a ansiedade me invadir o corpo e ouvi as batidas surdas do coração.

A ansiedade transformou-se em medo total. Fui para o acostamento esperar que a lufada passasse. Meia hora depois, a neve parou, a visibilidade retornou e segui em frente, sendo parado uns 100 metros adiante, onde uma equipe de ambulância socorria um passageiro de um carro que batera na traseira de outro que andava em velocidade mais lenta. A colisão havia bloqueado a rodovia. Se eu tivesse continuado a dirigir na neve que impedia a visibilidade, provavelmente os teria atingido.

A cautela que o medo me impôs naquele dia talvez tenha salvado minha vida. Como um coelho paralisado de terror ao sinal da passagem de uma raposa — ou como um protomamífero escondendo-se de um dinossauro predador — fui tomado por um estado interno que me obrigou a parar, a prestar atenção e a tomar cuidado diante do perigo iminente.

Todas as emoções são, em essência, impulsos, legados pela evolução, para uma ação imediata, para planejamentos instantâneos que visam lidar com a vida. A própria raiz da palavra *emoção* é do latim *movere* — "mover" — acrescida do prefixo "e-", que denota "afastar-se", o que indica que em qualquer emoção está implícita uma propensão para um agir imediato. Essa relação entre emoção e ação imediata fica bem clara quando observamos animais ou crianças; é somente em adultos "civilizados" que tantas vezes detectamos a grande anomalia no reino animal: as emoções — impulsos arraigados para agir — divorciadas de uma reação óbvia.[6]

Em nosso repertório emocional, cada emoção desempenha uma função específica, como revelam suas distintas assinaturas biológicas (ver detalhes sobre emoções "básicas" no Apêndice A). Diante das novas tecnologias que permitem perscrutar o cérebro e o corpo como um todo, os pesquisadores estão descobrindo detalhes fisiológicos que permitem a verificação de como diferentes tipos de emoção preparam o corpo para diferentes tipos de resposta:[7]

- Na *raiva,* o sangue flui para as mãos, tornando mais fácil sacar da arma ou golpear o inimigo; os batimentos cardíacos aceleram-se e uma onda de hormônios, a adrenalina, entre outros, gera uma pulsação, energia suficientemente forte para uma atuação vigorosa.
- No *medo,* o sangue corre para os músculos do esqueleto, como os das pernas, facilitando a fuga; o rosto fica lívido, já que o sangue lhe é subtraído (daí dizer-se que alguém ficou "gélido"). Ao mesmo tempo, o corpo imobiliza-se, ainda que por um breve momento, talvez para permitir que a pessoa considere a possibilidade de, em vez de agir, fugir e se esconder. Circuitos existentes nos centros emocionais do cérebro disparam a torrente de hormônios que põe o corpo em alerta geral, tornando-o in-

quieto e pronto para agir. A atenção se fixa na ameaça imediata, para melhor calcular a resposta a ser dada.

- A sensação de *felicidade* causa uma das principais alterações biológicas. A atividade do centro cerebral é incrementada, o que inibe sentimentos negativos e favorece o aumento da energia existente, silenciando aqueles que geram pensamentos de preocupação. Mas não ocorre nenhuma mudança particular na fisiologia, a não ser uma tranquilidade, que faz com que o corpo se recupere rapidamente do estímulo causado por emoções perturbadoras. Essa configuração dá ao corpo um total relaxamento, assim como disposição e entusiasmo para a execução de qualquer tarefa que surja e para seguir em direção a uma grande variedade de metas.
- O *amor*, os sentimentos de afeição e a satisfação sexual implicam estimulação parassimpática, o que se constitui no oposto fisiológico que mobiliza para "lutar-ou-fugir" que ocorre quando o sentimento é de medo ou ira. O padrão parassimpático, chamado de "resposta de relaxamento", é um conjunto de reações que percorre todo o corpo, provocando um estado geral de calma e satisfação, facilitando a cooperação.
- O erguer das sobrancelhas, na *surpresa*, proporciona uma varredura visual mais ampla, e também mais luz para a retina. Isso permite que obtenhamos mais informação sobre um acontecimento que se deu de forma inesperada, tornando mais fácil perceber exatamente o que está acontecendo e conceber o melhor plano de ação.
- Em todo o mundo, a expressão de *repugnância* se assemelha e envia a mesma mensagem: alguma coisa desagradou ao gosto ou ao olfato, real ou metaforicamente. A expressão facial de repugnância — o lábio superior se retorcendo para o lado e o nariz se enrugando ligeiramente — sugere, como observou Darwin, uma tentativa primeva de tapar as narinas para evitar um odor nocivo ou cuspir fora uma comida estragada.
- Uma das principais funções da *tristeza* é a de propiciar um ajustamento a uma grande perda, como a morte de alguém ou uma decepção significativa. A tristeza acarreta uma perda de energia e de entusiasmo pelas atividades da vida, em particular por diversões e prazeres. Quando a tristeza é profunda, aproximando-se da depressão, a velocidade metabólica do corpo fica reduzida. Esse retraimento introspectivo cria a oportunidade para que seja lamentada uma perda ou frustração, para captar suas consequências para a vida e para planejar um recomeço quando a energia retorna. É possível que essa perda de energia tenha tido como objetivo manter os seres humanos vulneráveis em estado de tristeza para que permanecessem perto de casa, onde estariam em maior segurança.

Essas tendências biológicas para agir são ainda mais moldadas por nossa experiência e pela cultura. Por exemplo, a perda de um ser amado provoca, universalmente, tristeza e luto. Mas a maneira como demonstramos nosso pesar, como exibimos ou contemos as emoções em momentos íntimos, é moldada pela cultura, o mesmo ocorrendo quando se trata de eleger quais pessoas em nossas vidas se encaixam na categoria de "entes queridos" dignos de nosso lamento.

O prolongado período de evolução em que, por força das circunstâncias, essas respostas emocionais se formaram foi, sem dúvida, uma realidade bem mais dura que a maioria dos seres humanos teve de suportar desde o alvorecer da história registrada. Foi um tempo em que poucas crianças sobreviveram à infância e em que poucos adultos viveram mais do que trinta anos, tempo em que predadores atacavam a qualquer momento, tempo em que as condições climáticas determinavam se iríamos ou não morrer de fome. Mas, com o advento da agricultura, e até mesmo das mais rudimentares formas de organização social, as possibilidades de sobrevivência mudaram de forma extraordinária. Nos últimos 10 mil anos, quando esses avanços se espalharam por todo o mundo, reduziram-se significativamente as violentas pressões que ameaçaram a população humana.[8]

Mas foram exatamente essas pressões que tornaram nossas respostas emocionais fundamentais para a sobrevivência; atenuadas as pressões, a importância das reações que passaram a fazer parte de nosso repertório emocional também declinou. Enquanto, no passado distante, a raiva instantânea funcionava como arma decisiva para garantir nossa sobrevivência, a eventual disponibilidade de uma arma para um garoto de 13 anos pode resultar numa catástrofe.

Nossas Duas Mentes

Uma amiga me falava de seu divórcio, uma dolorosa separação. O marido apaixonara-se por uma mulher mais jovem com quem trabalhava e, de repente, anunciara que ia deixá-la para viver com a outra. Seguiram-se meses de brigas amargas sobre a casa, dinheiro e custódia dos filhos. Agora, passados alguns meses, ela dizia que sua independência lhe agradava, que se sentia feliz contando apenas consigo mesma.

— Simplesmente não penso mais nele; na verdade, nem quero saber dele.

Só que, ao dizer isso, de repente seus olhos ficaram cheios de lágrimas.

Aquele lacrimejar de olhos poderia passar facilmente despercebido. Mas, por um tipo de compreensão que acontece através da empatia, os olhos marejados em uma pessoa indicam que ela está triste, não importa o que tenha expressado em palavras. A empatia é um ato de compreensão tão seguro quanto a apreensão do sentido das palavras contidas numa página impressa. O primeiro tipo de compreensão é fruto da mente emocional, o outro, da mente racional. Na verdade, temos duas mentes — a que raciocina e a que sente.

Esses dois modos fundamentalmente diferentes de conhecimento interagem na construção de nossa vida mental. Um, a mente racional, é o modo de compreensão de que, em geral, temos consciência: é mais destacado na consciência, mais atento e capaz de ponderar e refletir. Mas, além desse, há um outro sistema de conhecimento que é impulsivo e poderoso, embora às vezes ilógico — a mente emocional. (Para uma descrição mais detalhada das características da mente emocional, ver o Apêndice B.)

A dicotomia emocional/racional aproxima-se da distinção que popularmente é feita entre "coração" e "cabeça"; saber que alguma coisa é certa "aqui dentro no coração" é um grau diferente de convicção — tem um sentido mais profundo —, ainda que idêntica àquela adquirida através da mente racional. Há uma acentuada gradação na proporção entre controle racional e emocional da mente; quanto mais intenso o sentimento, mais dominante é a mente emocional — e mais inoperante a racional. É uma disposição que parece ter tido origem há bilhões de anos, quando se iniciou nossa evolução biológica: era mais vantajoso que emoção e intuições guiassem nossa reação imediata frente a situações de perigo de vida — parar para pensar o que fazer poderia nos custar a vida.

Essas duas mentes, a emocional e a racional, na maior parte do tempo operam em estreita harmonia, entrelaçando seus modos de conhecimento para que nos orientemos no mundo. Em geral, há um equilíbrio entre as mentes emocional e racional, com a emoção alimentando e informando as operações da mente racional, e a mente racional refinando e, às vezes, vetando a entrada das emoções. Mas são faculdades semi-independentes, cada uma, como veremos, refletindo o funcionamento de circuitos distintos, embora interligados, do cérebro.

Em muitos ou na maioria dos momentos, essas mentes se coordenam de forma bela e delicada; os sentimentos são essenciais para o pensamento e vice-versa. Mas, quando surgem as paixões, esse equilíbrio se desfaz: é a mente emocional que assume o comando, inundando a mente racional. Erasmo de Rotterdam, humanista do século XVI, escreveu, sob a forma de sátira, acerca dessa perene tensão entre razão e emoção:[9]

> Júpiter legou muito mais paixão que razão — pode-se calcular a proporção em 24 por um. Pôs duas tiranas furiosas em oposição ao solitário poder da Razão: a ira e a luxúria. Até onde a Razão prevalece contra as forças combinadas das duas, a vida do homem comum deixa bastante claro. A Razão faz a única coisa que pode e berra até ficar rouca, repetindo fórmulas de virtude, enquanto as outras duas a mandam para o diabo que a carregue, e tornam-se cada vez mais ruidosas e insultantes, até que por fim sua Governante se exaure, desiste e rende-se.

COMO O CÉREBRO EVOLUIU

Para melhor entender a enorme influência das emoções sobre a razão — e por que sentimento e razão entram tão prontamente em guerra — vejamos como o cérebro evoluiu. O cérebro humano, com um pouco mais de 1 quilo de células e humores neurais, é três vezes maior que o dos nossos primos ancestrais, os primatas não humanos. Ao longo de milhões de anos de evolução, o cérebro cresceu de baixo para cima, os centros superiores desenvolvendo-se como elaborações das partes inferiores, mais antigas. (O crescimento do cérebro no embrião humano refaz mais ou menos esse percurso evolucionário.)

A parte mais primitiva do cérebro, partilhada por todas as espécies que têm um sistema nervoso superior a um nível mínimo, é o tronco cerebral em volta do topo da medula espinhal. Esse cérebro-raiz regula funções vitais básicas, como a respiração e o metabolismo dos outros órgãos do corpo, e também controla reações e movimentos estereotipados. Não se pode dizer que esse cérebro primitivo pense ou aprenda; ao contrário, ele se constitui num conjunto de reguladores pré-programados que mantêm o funcionamento do corpo como deve e reage de modo a assegurar a sobrevivência. Esse cérebro reinou supremo na Era dos Répteis: imaginem o sibilar de uma serpente comunicando a ameaça de um ataque.

Da mais primitiva raiz, o tronco cerebral, surgiram os centros emocionais. Milhões de anos depois, na evolução dessas áreas emocionais, desenvolveu-se o cérebro pensante, ou "neocórtex", o grande bulbo de tecidos ondulados que forma as camadas externas. O fato de o cérebro pensante ter se desenvolvido a partir das emoções revela muito acerca da relação entre razão e sentimento; existiu um cérebro emocional muito antes do surgimento do cérebro racional.

A mais antiga raiz de nossa vida emocional está no sentido do olfato, ou, mais precisamente, no lobo olfativo, células que absorvem e analisam o cheiro. Toda entidade viva, seja nutritiva, venenosa, parceiro sexual, predador ou presa, tem uma assinatura molecular distintiva que o vento transporta. Naqueles tempos primitivos, o olfato apresentava-se como um sentido supremo para a sobrevivência.

Do lobo olfativo, começaram a evoluir os antigos centros de emoção, que acabaram tornando-se suficientemente grandes para envolver o topo do tronco cerebral. Em seus estágios rudimentares, o centro olfativo compunha-se de pouco mais de tênues camadas de neurônios reunidos para analisar o cheiro. Uma camada de células recebia o que era cheirado e o classificava em categorias relevantes: comestível ou tóxico, sexualmente acessível, inimigo ou comida. Uma segunda camada de células enviava mensagens reflexivas a todo o sistema nervoso, dizendo ao corpo o que fazer: morder, cuspir, abordar, fugir, caçar.[10]

Com o advento dos primeiros mamíferos, vieram novas e decisivas camadas, chave do cérebro emocional. Estas, em torno do tronco cerebral, lembravam um pouco um pastel com um pedaço mordido embaixo, no lugar onde se encaixa o tronco cerebral. Como essa parte do cérebro cerca o tronco cerebral e limita-se com ele, era chamada de sistema "límbico", de *limbus,* palavra latina que significa "orla". Esse novo território neural acrescentou emoções propriamente ditas ao repertório do cérebro.[11] Quando estamos sob o domínio de anseios ou fúria, perdidamente apaixonados ou transidos de pavor, é o sistema límbico que nos tem em seu poder.

À medida que evoluía, o sistema límbico foi aperfeiçoando duas poderosas ferramentas: aprendizagem e memória. Esses avanços revolucionários possibilitavam que um animal fosse muito mais esperto nas opções de sobrevivência e aprimorasse suas respostas para adaptar-se a exigências cambiantes, em vez de ter reações invariáveis e automáticas. Se uma comida causava doença, podia ser evitada da próxima vez. Decisões como saber o que comer e o que rejeitar ainda eram, em grande parte, determinadas pelo olfato; as ligações entre o bulbo olfativo e o sistema límbico assumiam agora as tarefas de estabelecer distinções entre cheiros e reconhecê-los, comparando um atual com outros passados e discriminando, assim, o bom do ruim. Isso era feito pelo "rinencéfalo", literalmente, o "cérebro do nariz", uma parte da fiação límbica e a base rudimentar do neocórtex, o cérebro pensante.

Há cerca de 100 milhões de anos, o cérebro dos mamíferos deu um grande salto em termos de crescimento. Por cima do tênue córtex de duas camadas — as regiões que planejam, compreendem o que é sentido, coordenam o movimento —, acrescentaram-se novas camadas de células cerebrais, formando o neocórtex. Comparado com o antigo córtex de duas camadas, o neocórtex oferecia uma extraordinária vantagem intelectual.

O neocórtex do *Homo sapiens,* muito maior que o de qualquer outra espécie, acrescentou tudo o que é distintamente humano. O neocórtex é a sede do pensamento; contém os centros que reúnem e compreendem o que os sentidos percebem. Acrescenta a um sentimento o que pensamos dele — e permite que tenhamos sentimentos sobre ideias, arte, símbolos, imagens.

Na evolução, o neocórtex possibilitou um criterioso aprimoramento que, sem dúvida, trouxe enormes vantagens na capacidade de um organismo sobreviver à adversidade, tornando mais provável que sua progênie, por sua vez, passasse adiante os genes que contêm esses mesmos circuitos neurais. A vantagem para a sobrevivência deve-se à capacidade do neocórtex de criar estratégias, planejar a longo prazo e outros artifícios mentais. Além disso, os triunfos da arte, civilização e cultura são todos frutos do neocórtex.

Esse acréscimo ao cérebro introduziu novas nuanças à vida emocional. Vejam o amor. As estruturas límbicas geram sentimentos de prazer e desejo sexual, emoções que alimentam a paixão sexual. Mas a adição do neocórtex e suas ligações ao sistema límbico criaram a ligação mãe-filho, que é a base da unidade familiar e do compromisso, a longo prazo, com a criação dos filhos, o que torna possível o desenvolvimento humano. (Espécies que não têm neocórtex, como os répteis, carecem de afeição materna; quando saem do ovo, os recém-nascidos têm de se esconder para que não sejam canibalizados.) Nos seres humanos, é o instinto de proteção que os pais têm em relação aos filhos que vai assegurar a prossecução de grande parte do amadurecimento durante a infância, período em que o cérebro continua a se desenvolver.

À medida que subimos na escala filogenética do réptil ao *rhesus* e ao ser humano, o volume do neocórtex aumenta; com esse aumento, ocorre um incremento de proporções gigantescas nas interligações dos circuitos cerebrais. Quanto maior o número dessas ligações, maior a gama de respostas possíveis. O neocórtex abriga a sutileza e a complexidade da vida emocional, como a capacidade de ter sentimentos *sobre* nossos sentimentos. Há uma maior proporção de neocórtex para sistema límbico nos primatas que nas outras espécies — e imensamente mais nos seres humanos —, o que sugere que podemos exibir uma gama muito maior de reações às nossas emoções, e mais nuanças. Enquanto um coelho, ou um *rhesus,* possui um repertório bastante restrito de respostas típicas para o medo, o neocórtex humano, maior, coloca à nossa disposição um repertório muito mais ágil — chamar a polícia, por exemplo. Quanto mais complexo o sistema social, mais essencial é essa flexibilidade — e não existe nenhuma forma de organização social mais complexa do que a nossa.[12]

Mas esses centros superiores não controlam toda a vida emocional; nos problemas cruciais que dizem respeito ao coração e, mais especialmente, nas emergências emocionais, pode-se dizer que eles se submetem ao sistema límbico. Como tantos dos centros superiores do cérebro se desenvolveram a partir do âmbito da região límbica, ou a ampliaram, o cérebro emocional desempenha uma função decisiva na arquitetura neural. Como raiz da qual surgiu o cérebro mais novo, as áreas emocionais entrelaçam-se, através de milhares de circuitos de ligação, com todas as partes do neocórtex. Isso dá aos centros emocionais imensos poderes de influenciar o funcionamento do restante do cérebro — incluindo seus centros de pensamento.

2

Anatomia de um Sequestro Emocional

A vida é uma comédia para os que pensam e uma tragédia para os que sentem.

Horace Walpole

Era uma tarde quente de verão, em 1963, o mesmo dia em que o reverendo Martin Luther King Jr. fez o discurso "Eu tenho um sonho" numa marcha pelos direitos civis em Washington. Naquele dia, Richard Robles, um ladrão contumaz, acabara de ser posto em liberdade condicional. Ele havia cumprido a sentença que o havia condenado a três anos de prisão por mais de cem invasões de domicílio que perpetrara para sustentar seu vício em heroína. Robles decidiu fazer outra invasão. Queria abandonar o mundo do crime, alegou mais tarde, mas naquele momento estava precisando desesperadamente de dinheiro para manter a namorada e a filha deles, uma menina com cerca de 3 anos.

O apartamento que arrombou naquele dia pertencia a duas moças, Janice Wylie, de 21 anos, pesquisadora na revista *Newsweek,* e Emily Hoffert, 23, professora primária. Embora Robles houvesse escolhido para arrombar um apartamento num luxuoso bairro de Nova York por achar que não havia ninguém lá, Janice estava em casa. Ameaçando-a com uma faca, ele a amarrou. Quando ia saindo, entrou Emily. Para garantir a fuga, Robles a amarrou também.

Segundo relatou anos depois, enquanto amarrava Emily, Janice Wylie disse que ele não sairia impune daquele crime: ia se lembrar da cara dele e ajudar a polícia a localizá-lo. Robles, que prometera a si mesmo que aquele seria seu último arrombamento, entrou em pânico, perdendo completamente o controle. Num frenesi, pegou uma garrafa de refrigerante e bateu nas moças até deixá-las inconscientes; depois, possuído de raiva e medo, retalhou-as e esfaqueou-as várias vezes com uma faca de cozinha. Vinte e cinco anos depois, ao lembrar daquele momento, Robles lamentava:

— Fiquei muito furioso. Minha cabeça explodiu.

De lá para cá, Robles teve muito tempo para se arrepender daqueles breves minutos de fúria desenfreada. Enquanto escrevo, ele continua na prisão, algumas décadas depois, cumprindo pena pelo famoso “Assassinato das Executivas”.

Tais explosões emocionais são sequestros neurais. Nesses momentos, sugerem os indícios, um centro no cérebro límbico proclama uma emergência, recrutando o resto do cérebro para seu plano de urgência. O sequestro ocorre num instante, disparando essa reação crucial momentos antes de o neocórtex, o cérebro pensante, ter a oportunidade de ver tudo que está acontecendo, e sem ter o tempo necessário para decidir se essa é uma boa ideia. A marca característica desse sequestro neural é que, assim que passa o momento, o cérebro “possuído” não tem a menor noção do que deu nele.

Esses sequestros não são de modo algum incidentes isolados e horrendos, que levam sempre a crimes brutais como o Assassinato das Executivas. De forma menos catastrófica — mas não necessariamente menos intensa — ocorrem conosco com muita frequência. Lembrem da última vez em que vocês “saíram do sério”, explodiram com alguém — o marido ou filho, ou quem sabe o motorista de outro carro — a tal ponto que depois, com um pouco de reflexão e visão retrospectiva, a coisa pareceu-lhes imprópria. Isso, com toda probabilidade, foi também um desses sequestros, uma tomada de poder neural que, como veremos, se origina na amígdala cortical, um centro no cérebro límbico.

Nem todos os sequestros límbicos são aflitivos. Quando uma piada é muito engraçada, a risada é quase explosiva — esta é também uma resposta límbica. Funciona igualmente em momentos de intensa alegria: quando Dan Jansen, após frustradas tentativas para conquistar a medalha de ouro olímpica de patinação (que prometera à irmã agonizante), finalmente ganhou-a nos 1.000 metros, nas Olimpíadas de Inverno na Noruega, sua mulher ficou tão emocionada que teve de ser levada às pressas para a beira do rinque para ser atendida pelo pronto-socorro médico.

O LOCAL DAS PAIXÕES

Nos seres humanos, a amígdala cortical (do grego, significando “amêndoa”) é um feixe, em forma de amêndoa, de estruturas interligadas, situado acima do tronco cerebral, perto da parte inferior do anel límbico. Há duas amígdalas, uma de cada lado do cérebro, instaladas mais para a lateral da cabeça. A amígdala humana é relativamente grande, em comparação com a de qualquer dos nossos primos evolucionários mais próximos, os primatas.

O hipocampo e a amígdala eram duas partes importantes do primitivo “nariz cerebral” que, na evolução, deu origem ao córtex e depois ao neocórtex. Até hoje, essas estruturas límbicas são responsáveis por grande parte da aprendizagem e da memória do cérebro; a amígdala cortical é especialista em questões emocionais. Se for retirada do cérebro, o resultado é uma impressionante incapacidade de avaliar o significado emocional dos fatos; esse mal é às vezes chamado de "cegueira afetiva".

Sem peso emocional, os contatos interpessoais ficam insossos. Um rapaz cuja amígdala fora cirurgicamente removida para controlar sérios ataques perdeu por completo o interesse pelas pessoas, preferindo o isolamento, sem qualquer contato humano. Embora fosse perfeitamente capaz de conversar, não reconhecia mais amigos íntimos, parentes, nem mesmo a mãe, e ficava impassível diante da angústia deles com sua indiferença. Sem a amígdala, havia perdido não só a capacidade de discernir sentimentos como também de ter sentimentos sobre sentimentos.[1] A amígdala cortical funciona como um depósito da memória emocional e, portanto, do próprio significado; a vida sem essa amígdala não tem o menor sentido do ponto de vista emocional.

O que está ligado à amígdala é mais que a afeição; qualquer paixão depende dela. Os animais que têm a amígdala cortical retirada ou seccionada não sentem medo nem raiva, perdem o impulso de competir ou cooperar e ficam sem qualquer noção do lugar que ocupam na hierarquia social de sua espécie; a emoção fica embotada ou ausente. As lágrimas, um sinal emocional exclusivo dos seres humanos, são provocadas pela amígdala cortical e uma estrutura próxima, a circunvolução cingulada; ser abraçado, afagado ou de outro modo reconfortado acalma essas mesmas regiões cerebrais. Sem amígdala, não há lágrimas para aliviar um sofrimento.

Joseph LeDoux, neurocientista do Centro de Ciência Neural da Universidade de Nova York, foi o primeiro a descobrir o importante papel que a amígdala cortical desempenha no cérebro emocional.[2] Ele faz parte de um novo grupo de neurocientistas, os quais recorrem a tecnologias e métodos inovadores, responsáveis por um nível de precisão antes desconhecido no mapeamento do cérebro em funcionamento, e assim podem desvendar mistérios da mente que gerações anteriores de cientistas julgavam impenetráveis. Suas descobertas sobre os circuitos do cérebro emocional puseram abaixo uma noção há muito existente sobre o sistema límbico, colocando a amígdala cortical no centro da ação e deixando outras estruturas límbicas em funções muito diferentes.[3]

A pesquisa de LeDoux explica como essa amígdala pode assumir o controle sobre o que fazemos quando o cérebro pensante, o neocórtex, ainda está em vias de tomar uma decisão. Como veremos, o funcionamento da amígdala e sua interação com o neocórtex estão no centro da inteligência emocional.

O RASTILHO DE NEURÔNIOS

O que é mais intrigante acerca da força das emoções na vida mental são aqueles momentos de ação passional de que mais tarde nos arrependemos, assim que a poeira se assenta; por que agimos, com tanta facilidade, de forma irracional? Vejam, por exemplo, uma jovem que dirigiu duas horas até Boston, para fazer um *brunch* e passar o dia com o namorado. Na lanchonete, ele lhe deu de presente uma coisa que ela vinha querendo havia meses, uma gravura rara, trazida da Espanha. Mas a alegria dela acabou quando sugeriu ao namorado que, depois dali, fossem ver um filme que estava louca para ver. Ele a chocou quando disse que não podia passar o dia com ela, pois tinha um treino de *softball*. Magoada e incrédula, ela se levantou em prantos, deixou a lanchonete e, num impulso, jogou a gravura na lata de lixo. Meses depois, contando o incidente, não é de ter saído que ela se arrependia, mas da perda da gravura.

É em momentos assim — quando um sentimento impulsivo domina a razão — que o recém-descoberto papel da amígdala cortical se mostra crucial. Os sinais que vêm dos sentidos permitem que a amígdala faça uma varredura de toda experiência, em busca de problemas. Isso lhe dá um papel privilegiado na vida mental, algo semelhante a uma sentinela psicológica, desafiando cada situação, cada percepção, com apenas um tipo de pergunta em mente, a mais primitiva: "É alguma coisa que odeio? Isso me fere? Alguma coisa que temo?" Se for o caso — se o momento em questão de algum modo esboça um "Sim" —, a amígdala reage imediatamente, como um rastilho de neurônios, mandando uma mensagem de emergência para todas as partes do cérebro.

Na arquitetura do cérebro, a amígdala está situada como se fosse o alarme de uma empresa, onde operadores estão a postos para chamar o Corpo de Bombeiros, polícia e um vizinho, sempre que o sistema de segurança interno dá o sinal de perigo.

Quando soa um alarme, digamos, de medo, ela envia mensagens urgentes às principais partes do cérebro: dispara a secreção dos hormônios orgânicos para lutar-ou-fugir, mobiliza os centros de movimento e ativa o sistema cardiovascular, os músculos e os intestinos.[4] Outros circuitos da amígdala enviam sinais para a secreção de gotas de emergência do hormônio noradrenalina, para aumentar a reatividade das principais áreas cerebrais, incluindo as que tornam os sentidos mais alertas, na verdade deixando o cérebro de prontidão. Outros sinais da amígdala dizem ao tronco cerebral para afixar no rosto uma expressão de medo, paralisar movimentos que os músculos estariam em vias de executar, acelerar a pulsação cardíaca, aumentar a pressão sanguínea e reduzir o ritmo da respiração. Outros fixam a atenção na causa do medo e preparam os músculos para reagir de acordo. Simultaneamente, sistemas da memória cortical são vasculhados em busca de qualquer conhecimento relevante para a emergência em questão, passando por cima dos outros fios de pensamento.

E essas são apenas parte de uma cuidadosamente coordenada série de mudanças que a amígdala organiza quando recruta áreas de todo o cérebro (para uma explicação mais detalhada, ver Apêndice C). A extensa rede de ligações neurais da amígdala permite que, durante uma emergência emocional, ela assuma e dirija grande parte do restante do cérebro — inclusive a mente racional.

A SENTINELA EMOCIONAL

Conta um amigo que, em férias na Inglaterra, tomou um café-da-manhã reforçado num café à beira de um canal. Depois, desceu pelos degraus de pedra que davam no canal e, de repente, viu uma moça olhando fixo para a água, o rosto transido de pavor. Antes de saber exatamente o que estava acontecendo, ele já estava pulando — de paletó e gravata. Só então compreendeu que a moça fitava em estado de choque uma criancinha que caíra na água — e que ele conseguiu salvar.

O que o fez pular na água antes de saber por quê? A resposta mais provável: foi sua amígdala cortical.

Na última década, uma das descobertas mais impressionantes sobre emoções está no trabalho de LeDoux onde ele revela que a arquitetura do cérebro dá à amígdala uma posição privilegiada como sentinela emocional, capaz de assumir o controle do cérebro.[5] A pesquisa de LeDoux mostra que sinais sensoriais do olho ou ouvido viajam no cérebro primeiro para o tálamo, e depois — por uma única sinapse — para a amígdala; um segundo sinal do tálamo é encaminhado para o neocórtex — o cérebro pensante. Essa ramificação permite que a amígdala comece a responder *antes* que o neocórtex o faça, pois ele elabora a informação em vários níveis dos circuitos cerebrais, antes de percebê-la plenamente e por fim dar início a uma resposta, mais cuidadosamente elaborada.

A pesquisa de LeDoux é revolucionária para a compreensão da vida emocional porque é a primeira a estabelecer caminhos neurais de sentimentos que contornam o neocórtex. Esses sentimentos que tomam a rota direta da amígdala estão entre os nossos sinais mais primitivos e poderosos; esse circuito nos ajuda a entender o poder que a emoção tem de superar a razão.

A opinião clássica na neurociência era de que o olho, o ouvido e outros órgãos sensoriais transmitem sinais ao tálamo e de lá para as áreas de processamento sensorial do neocórtex, onde eles são reunidos em objetos como nós os percebemos. Os sinais são classificados por significados, para que o cérebro reconheça o que é cada objeto e o que significa a sua presença. Do neocórtex, dizia a antiga teoria, os sinais são enviados para o cérebro límbico, e de lá a resposta apropriada se irradia pelo cérebro e o resto do corpo. É assim que funciona durante a maior parte do tempo — mas LeDoux descobriu que, além daqueles que seguem pelo caminho mais longo de neurônios até o córtex, há um pequeno feixe de neurônios que vai direto do tálamo à amígdala cortical. Esse atalho — como uma viela neural — permite que a amígdala receba alguns insumos diretos dos sentidos e inicie uma resposta *antes* que eles sejam plenamente registrados pelo neocórtex.

Essa descoberta invalida totalmente a tese de que a amígdala depende inteiramente de sinais do neocórtex para formular suas reações emocionais. A amígdala pode acionar uma resposta emocional através dessa rota de emergência no momento exato em que um circuito ressonante paralelo se inicia entre a amígdala e o neocórtex. A amígdala pode fazer com que nos lancemos à ação, enquanto o neocórtex — um pouco mais lento, porém mais plenamente informado — traça um plano de reação mais refinado.

LeDoux pôs por terra o conhecimento predominante sobre os caminhos percorridos pelas emoções, com sua pesquisa sobre medo em animais. Numa experiência crucial, destruiu o córtex auditivo de ratos, depois os expôs a um som associado a um choque elétrico. Os ratos logo aprenderam a temer o som, antes de o neocórtex tê-lo registrado. Em vez disso, o som tomava a rota direta do ouvido ao tálamo e à amígdala, saltando todos os trajetos mais longos. Em suma, os ratos aprenderam uma reação emocional sem nenhum envolvimento cortical maior: a amígdala percebeu, lembrou e orquestrou seu medo de modo independente.

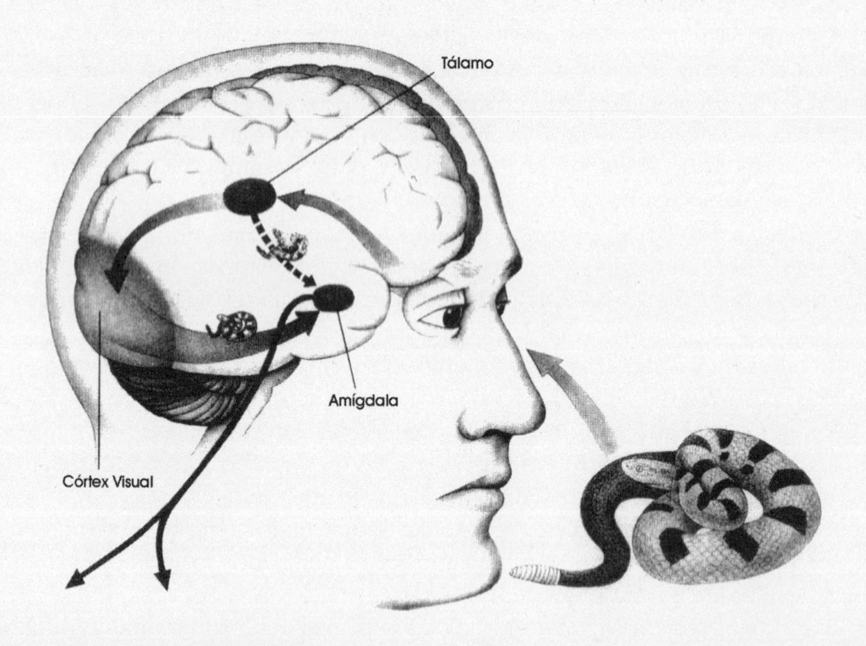

REAÇÃO DE LUTAR-OU-FUGIR
Aumentam os batimentos cardíacos e a pressão do sangue. Os músculos grandes preparam-se para uma rápida ação.

O sinal visual vai primeiro da retina para o tálamo, onde é traduzido para a linguagem do cérebro. A maior parte da mensagem segue então para o córtex visual, onde é analisada e avaliada em busca do significado e da resposta adequada; se a resposta é emocional, um sinal vai para a amígdala ativar os centros emocionais. Mas uma parte menor do sinal original vai direto do tálamo para a amígdala, numa transmissão mais rápida, permitindo uma resposta mais pronta (embora menos precisa). Desse modo, a amígdala pode disparar uma resposta emocional antes que os centros corticais tenham entendido plenamente o que se passa.

— Anatomicamente, o sistema emocional pode agir de modo independente do neocórtex — disse-me LeDoux. — Algumas reações e lembranças emocionais podem formar-se sem que haja nenhuma participação consciente e cognitiva.

A amígdala pode abrigar lembranças e repertórios de respostas que interpretamos sem compreender bem por que o fazemos, porque o atalho do tálamo à amígdala contorna completamente o neocórtex. Essa passagem permite que a amígdala seja um repositório de impressões emocionais e lembranças de que não temos plena consciência. LeDoux sugere que é o papel subterrâneo da amígdala na memória que explica, por exemplo, um experimento surpreendente, em que pessoas adquiriram preferência por figuras geométricas com estranhas formas, exibidas de modo tão rápido que elas nem tiveram a oportunidade de tomar consciência de tê-las visto![6]

Outra pesquisa demonstrou que, nos primeiros milésimos de segundo em que temos a percepção de alguma coisa, não apenas compreendemos inconscientemente o que é, mas decidimos se gostamos ou não dela; o "inconsciente cognitivo" apresenta à nossa consciência não apenas a identidade do que vemos, mas uma opinião sobre o que vemos.[7] Nossas emoções têm uma mente própria, que pode ter opiniões bastante diversas das que tem a nossa mente racional.

A ESPECIALISTA EM MEMÓRIA EMOCIONAL

Essas opiniões inconscientes são memórias emocionais; ficam guardadas na amígdala. A pesquisa de LeDoux e outros neurocientistas parece agora sugerir que o hipocampo, há muito considerado a estrutura-chave do sistema límbico, está mais envolvido com o registro e a atribuição de sentido aos padrões perceptivos do que com reações emocionais. A principal contribuição do hipocampo está em fornecer uma precisa memória de contexto, vital para o significado emocional; é o hipocampo que reconhece o significado de, digamos, um urso no zoológico ou em nosso quintal.

Enquanto o hipocampo lembra os fatos puros, a amígdala retém o sabor emocional que os acompanha. Se tentamos ultrapassar um carro numa estrada de mão dupla e por pouco escapamos de uma batida de frente, o hipocampo retém os detalhes específicos do incidente, como, por exemplo, em que faixa da estrada estávamos, quem estava conosco, como era o outro carro. Mas é a amígdala que daí em diante enviará uma onda de ansiedade que nos percorre o corpo toda vez que tentarmos ultrapassar um carro em circunstâncias semelhantes. Como explicou LeDoux:

— O hipocampo é crucial no reconhecimento do rosto de sua sobrinha. Mas é a amígdala que diz que você, na realidade, não gosta dela.

O cérebro usa um método simples mas astuto para registrar memórias emocionais com força especial: os mesmíssimos sistemas de alarme neuroquímicos que preparam o corpo para reagir a emergências de risco de vida com a resposta de lutar-ou-fugir também gravam fortemente na memória o momento de intenso estímulo emocional.[8] Sob tensão (ou ansiedade, ou provavelmente até mesmo intensa excitação de alegria), um nervo que vai do cérebro às glândulas suprarrenais, situadas acima dos rins, provoca uma secreção dos hormônios epinefrina e norepinefrina, que invadem o corpo, preparando-o para uma emergência. Esses hormônios ativam receptores no nervo vago; embora este transmita mensagens do cérebro para regular o coração, também retransmite sinais para o cérebro, disparados pela epinefrina e pela norepinefrina. A amígdala é o principal ponto no cérebro para onde vão esses sinais; eles ativam neurônios dentro dela que enviam sinais a outras regiões cerebrais, a fim de dar um reforço à memória sobre o que está acontecendo.

Esse estímulo da amígdala parece gravar na memória a maioria dos momentos mais intensos de estímulo emocional — por isso é muito provável, por exemplo, que lembremos do lugar onde ocorreu nosso primeiro encontro amoroso, ou o que fazíamos quando ouvimos a notícia de que o ônibus espacial *Challenger* explodira. Quanto mais intenso o estímulo da amígdala, mais forte o registro; as experiências que mais nos apavoram ou emocionam na vida estão entre nossas lembranças indeléveis. Isto significa, na verdade, que o cérebro tem dois sistemas de memória, um para fatos comuns e outro para aqueles que são carregados de emoção. É claro que um sistema especial de memorização se justifica no contexto da evolução, na medida em que assegurou que os animais tivessem lembranças particularmente vívidas do que os ameaçava ou agradava. Mas as memórias emocionais podem ser péssimos guias na nossa atualidade.

ALARMES NEURAIS ANACRÔNICOS

Uma desvantagem desses alarmes neurais é que a mensagem urgente enviada pela amígdala, às vezes, ou muito frequentemente, é anacrônica — sobretudo no fluido mundo social em que nós, humanos, vivemos. Como repositório de memória emocional, a amígdala examina a experiência, comparando o que está acontecendo agora com o que aconteceu no passado. Seu método de comparação é associativo: quando um elemento-chave de uma situação presente é semelhante àquele do passado, pode-se dizer que se "casam" — motivo pelo qual esse circuito é falho: age antes de haver uma plena confirmação. Ordena-nos freneticamente que reajamos ao presente com meios registrados muito tempo atrás, com pensamentos, emoções e reações aprendidos em resposta a acontecimentos talvez apenas vagamente semelhantes, mas ainda assim o bastante para alarmar a amígdala.

Eis por que uma ex-enfermeira do Exército, traumatizada pelo incessante fluxo de ferimentos horríveis de que cuidou na guerra, é acometida de repente por um misto de pavor, repugnância e pânico — uma repetição de sua reação no campo de batalha, provocada mais uma vez, anos depois, pelo mau cheiro quando abre a porta de um armário e descobre que seu filho pequeno enfiou ali uma fralda suja. Basta que poucos elementos esparsos da situação pareçam semelhantes a algum perigo do passado para que a amígdala dispare seu alerta de emergência. O problema é que, junto com as lembranças emocionalmente carregadas que têm o poder de provocar essa reação de crise, podem vir do mesmo modo formas obsoletas de respondê-la.

À imprecisão do cérebro emocional nesses momentos acrescenta-se o fato de que muitas lembranças emocionais fortes datam dos primeiros anos de vida, na relação entre a criança e aqueles que cuidam dela. Isso se aplica sobretudo aos acontecimentos traumáticos, como surras ou total abandono. Durante esse primeiro período de vida, outras estruturas cerebrais, em particular o hipocampo, que é crucial para as lembranças narrativas, e o neocórtex, sede do pensamento racional, ainda não se desenvolveram inteiramente. Na memória, a amígdala e o hipocampo trabalham juntos; cada um armazena e conserva sua informação de forma independente. Enquanto o hipocampo retém a informação, a amígdala determina se ela tem valência emocional. Mas a amígdala, que amadurece muito rápido no cérebro infantil, está, no nascimento, muito mais próxima da forma completa.

LeDoux recorre ao papel da amígdala na infância para confirmar o que há muito tempo é doutrina básica no pensamento psicanalítico: que as interações ocorridas nos primeiros anos de vida estabelecem um conjunto de lições elementares, baseadas na sintonia e perturbações dos contatos entre a criança e os que cuidam dela.[9] Essas lições emocionais são tão poderosas e, no entanto, tão difíceis de entender do privilegiado ponto de vista da vida adulta porque, acredita LeDoux, estão armazenadas na amígdala como planos brutos, sem palavras, para a vida emocional. Como essas primeiras lembranças emocionais se estabelecem numa época anterior àquela em que as crianças podem verbalizar sua experiência, quando essas lembranças são disparadas na vida posterior não há um conjunto adequado de pensamentos articulados sobre a resposta que se apodera de nós. Um dos motivos pelos quais ficamos tão aturdidos com nossas explosões emocionais, portanto, é que elas muitas vezes remontam a um tempo inicial em nossas vidas, quando tudo era desconcertante e ainda não tínhamos palavras para compreender os fatos. Temos os sentimentos caóticos, mas não as palavras para as lembranças que os formaram.

QUANDO AS EMOÇÕES SÃO "RÁPIDAS E MALFEITAS"

Eram mais ou menos três da manhã quando um imenso objeto varou com um estrondo o teto, lá num canto do meu quarto, despejando coisas que estavam no sótão. Num segundo, saltei da cama e saí correndo do quarto, com medo de que todo o teto desabasse. Depois, percebendo que estava a salvo, voltei para espiar cautelosamente o que causara aquele estrago todo — e descobri simplesmente que o som que julgara ser do teto desabando fora na verdade a queda de uma pilha de caixas que minha mulher, na véspera, amontoara no canto. Nada caíra do sótão: não havia sótão. O teto estava intacto, assim como eu.

Ter pulado da cama, meio sonolento, poderia ter evitado que eu me ferisse, se fosse o caso de o teto estar caindo — esse fato ilustra o poder que a amígdala tem de nos impelir à ação nas emergências, momentos vitais que ocorrem antes de o neocórtex ter tempo de registrar plenamente o que de fato está acontecendo. A rota de emergência do olho ou ouvido ao tálamo e à amígdala é crucial: poupa tempo numa emergência, quando se impõe uma reação instantânea. Mas esse circuito do tálamo à amígdala transmite apenas uma pequena parte das mensagens sensoriais, com a maioria tomando o caminho principal até o neocórtex.

Assim, o que se registra na amígdala nessa via expressa é, na melhor das hipóteses, um sinal informe, suficiente apenas para uma advertência. Como observa LeDoux, "não é necessário que saibamos exatamente o que uma coisa é para que saibamos que ela pode ser perigosa".[10]

A rota direta tem uma enorme vantagem em tempo cerebral, que é calculado em milésimos de segundo. A amígdala de um rato pode iniciar uma resposta a uma percepção numa fração mínima de 12 milissegundos. A rota do tálamo ao neocórtex e à amígdala leva cerca de duas vezes esse tempo. Ainda não foi feita medição semelhante no cérebro humano, mas a proporção geral provavelmente se confirmaria.

Em termos evolucionários, o valor para a sobrevivência dessa rota direta teria sido grande, permitindo uma opção de resposta rápida que elimina alguns críticos milissegundos no tempo de reação a perigos. Esses milissegundos muito provavelmente salvaram a vida de nossos ancestrais protomamíferos em número tal que o esquema é hoje característico de qualquer cérebro de mamífero, incluindo o seu e o meu. Na verdade, embora esse circuito desempenhe uma função relativamente limitada na vida mental humana, restrita em grande parte a crises emocionais, a maior parte da vida mental de pássaros, peixes e répteis gira em torno dele, pois sua sobrevivência depende de localizar constantemente predadores ou presa.

— Esse sistema cerebral primitivo, menor, nos mamíferos, é o principal sistema cerebral nos não mamíferos — diz LeDoux. — Oferece um meio muito ágil de ligar emoções. Mas é um processo rápido e malfeito: as células são velozes, mas não muito precisas.

Essa imprecisão, digamos, num esquilo, é ótima, já que o leva a "errar", mas a acertar em termos de segurança, afastando-se aos saltos ao primeiro sinal de qualquer coisa que possa sugerir o aparecimento de um inimigo, ou saltando sobre qualquer indício de algo comestível. Mas, na vida emocional humana, pode ter consequências desastrosas para nossas relações, pois significa, falando de modo figurado, que podemos saltar em cima ou fugir da coisa — ou pessoa

— errada. (Pensem, por exemplo, na garçonete que derrubou uma bandeja com seis jantares quando viu de relance uma mulher de cabelos ruivos ondulados exatamente iguais aos daquela por quem seu marido a deixara.)

Esses rudimentares erros emocionais baseiam-se no sentimento anterior ao pensamento. LeDoux chama isso de "emoção precognitiva", uma reação baseada em fragmentos neurais de informação sensorial que não foram completamente classificados e integrados num objeto reconhecível. É uma forma muito grosseira de informação sensorial, meio semelhante, em termos neurais, a um programa do tipo "Qual é a Música?", onde, em vez de julgamentos instantâneos feitos com base num acorde, toda uma percepção é captada com base em algumas notas, ainda indefinidas. Se a amígdala capta o surgimento de um padrão sensorial importante, parte logo para uma conclusão, disparando suas reações antes de haver confirmação total da prova — ou nenhuma confirmação.

Não admira que tenhamos tão pouca consciência das trevas de nossas emoções mais explosivas, sobretudo enquanto elas ainda nos mantêm escravos. A amígdala pode reagir num delírio de raiva ou medo antes de o córtex saber o que está acontecendo, porque essa emoção bruta é disparada independentemente do pensamento e o antecede.

O ADMINISTRADOR DAS EMOÇÕES

A filha de 6 anos de uma amiga, Jessica, passava a primeira noite fora, em casa de uma colega, e era difícil saber quem estava mais nervosa com isso, se a mãe ou a filha. Embora a mãe tenha conseguido disfarçar para Jessica a intensa ansiedade que sentia, sua tensão atingiu o mais alto grau por volta da meia-noite, quando se preparava para dormir e ouviu o telefone tocar. Largou a escova de dentes, correu para atender, o coração disparando, imagens de Jessica em terrível aflição passando-lhe pela cabeça.

Agarrou o telefone e explodiu:

— Jessica!

E ouviu uma voz de mulher dizer:

— Ah, acho que disquei o número errado...

Diante disso, a mãe recuperou a serenidade e, num tom educado, comedido, perguntou:

— Que número você discou?

Enquanto a amígdala trabalha preparando uma reação ansiosa e impulsiva, outra parte do cérebro emocional possibilita uma resposta mais adequada, corretiva. A chave do amortecedor cerebral das ondas repentinas da amígdala parece localizar-se na outra ponta de um circuito principal do neocórtex, nos lobos pré-frontais, logo atrás da testa. O córtex pré-frontal parece agir quando alguém está assustado ou zangado, mas sufoca ou controla o sentimento para tratar com mais eficácia da situação imediata, ou quando uma reavaliação exige uma resposta completamente diferente, como no caso da ansiosa mãe ao telefone. Essa região neocortical do cérebro traz uma resposta mais analítica ou adequada aos nossos impulsos emocionais, modulando a amígdala e outras áreas límbicas.

Em geral, as áreas pré-frontais governam, de cara, as nossas reações emocionais. A maior parte de informação sensorial do tálamo, lembrem, não vai para a amígdala, mas para o neocórtex e seus muitos centros, que a absorvem e dão sentido ao que se está percebendo; essa informação e nossa resposta a ela são coordenadas pelos lobos pré-frontais, o local onde são planejadas e organizadas as ações para que alcancemos um objetivo, incluindo os emocionais. No neocórtex, uma série em cascata de circuitos registra e analisa essa informação, compreende-a e, por meio dos lobos pré-frontais, organiza uma reação. Se no processo é exigida uma resposta emocional, os lobos pré-frontais a ditam, trabalhando em comum com a amígdala e outros circuitos no cérebro emocional.

Essa progressão, que permite discernir a resposta emocional, é o esquema-padrão, com a significativa exceção das emergências emocionais. Quando uma emoção dispara, em poucos momentos os lobos pré-frontais efetuam o equivalente a um cálculo da relação custo/benefício das miríades de reações possíveis e decidem que uma delas é a melhor.[11] Nos animais, quando atacar, quando fugir. E quanto a nós, humanos..., quando atacar, quando fugir — e também quando apaziguar, persuadir, atrair simpatia, fechar-se em copas, provocar culpa, lamentar-se, assumir uma fachada de bravata, mostrar desprezo — e assim por diante, percorrendo todo o repertório de ardis emocionais.

A resposta neocortical é mais lenta em tempo cerebral que o mecanismo de sequestro porque envolve mais circuitos. Também é mais criteriosa e ponderada, pois mais pensamentos antecedem o sentimento. Quando registramos uma perda e ficamos tristes, ou nos alegramos com uma vitória, ou refletimos sobre alguma coisa que alguém disse ou fez e depois ficamos magoados ou zangados, é o neocórtex agindo.

Como acontece com a amígdala, sem o funcionamento dos lobos pré-frontais grande parte da vida emocional desapareceria; sem a compreensão de que alguma coisa merece uma resposta emocional, não há nenhuma resposta. Neurologistas suspeitavam desse papel dos lobos pré-frontais nas emoções desde o advento, na década de 1940, daquele "tratamento" cirúrgico um tanto desesperado — e tristemente enganoso — para a doença mental: a lobotomia pré-frontal, que (muitas vezes malfeita) removia parte dos lobos pré-frontais ou então seccionava as ligações entre o córtex pré-frontal e o cérebro inferior. Numa época anterior à existência de remédios eficazes para a doença mental, a lobotomia foi saudada como a solução para a perturbação emocional grave — era só cortar as ligações entre os lobos pré-frontais e o resto do cérebro que se "aliviava" a aflição do paciente. Infelizmente, o custo para a maioria dos pacientes era, também, a perda de suas emoções. O circuito-chave ficava destruído.

Supõe-se que os sequestros emocionais envolvem duas dinâmicas: o disparo da amígdala e a não ativação dos processos neocorticais que em geral mantêm o equilíbrio da resposta emocional — ou um recrutamento das zonas neocorticais para a urgência emocional.[12] Nesses momentos, a mente racional é inundada pela emoção. Uma das maneiras de o neocórtex agir como eficiente administrador da emoção — avaliando as reações antes de agir — é amortecer os sinais de ativação enviados pela amígdala e outros centros límbicos — assim como um pai que impede um filho impulsivo de pegar uma coisa e o manda, em vez disso, pedir direito (ou esperar) o que quer.[13]

A principal chave de "desligar" a emoção aflitiva parece ser o lobo pré-frontal esquerdo. Neuropsicólogos que estudam humores de pacientes com danos em partes dos lobos frontais determinaram que uma das tarefas do lobo pré-frontal esquerdo é agir como um termostato nervoso, regulando emoções desagradáveis. Os lobos pré-frontais direitos são um local de sentimentos negativos, como medo e agressividade, enquanto os esquerdos refreiam essas emoções brutas, provavelmente inibindo o lobo direito.[14] Num grupo de pacientes que sofreram derrame, por exemplo, aqueles cujas lesões haviam ocorrido no córtex pré-frontal esquerdo tinham tendência a preocupações e medos catastróficos; aqueles com lesões no direito eram "exageradamente animados"; durante os exames neurológicos, faziam piadas com tudo e mostravam-se tão descontraídos que visivelmente nem se preocupavam com o resultado do exame.[15] E ainda houve o caso do marido feliz: um homem cujo lobo pré-frontal direito fora parcialmente removido numa cirurgia para correção de uma má-formação do cérebro. A mulher contou aos médicos que depois da operação o marido sofrera uma mudança radical de personalidade, passando a irritar-se com menos facilidade e — como ela estava feliz! — estava mais carinhoso.[16]

O lobo pré-frontal esquerdo, em suma, parece fazer parte de um circuito neural que pode desligar, ou pelo menos amortecer, quase todos os impulsos negativos mais fortes da emoção. Se a amígdala muitas vezes age como um disparador de emergência, o lobo pré-frontal esquerdo faz parte da chave de "desligar" a emoção perturbadora: a amígdala propõe, o lobo pré-frontal dispõe. Essas ligações pré-frontal-límbicas são cruciais na vida mental muito além do simples refinamento da emoção; são essenciais para fazer-nos navegar em meio às decisões mais importantes na vida.

HARMONIZANDO EMOÇÃO E PENSAMENTO

As ligações entre a amígdala (e as estruturas límbicas relacionadas) e o neocórtex são o centro das batalhas ou dos tratados de cooperação entre a cabeça e o coração, o pensamento e o sentimento. Esses circuitos explicam por que a emoção é tão crucial para o pensamento efetivo, tanto no que diz respeito a tomar decisões sensatas quanto simplesmente a permitir que pensemos com clareza.

Consideremos o poder que têm as emoções em perturbar o próprio pensamento. Os neurocientistas usam o termo "memória funcional" para a capacidade de atenção que guarda na mente os fatos essenciais para concluir uma determinada tarefa ou problema, sejam os aspectos ideais que buscamos numa casa quando examinamos vários prospectos, sejam os elementos de um problema de raciocínio num teste. O córtex pré-frontal é a região do cérebro responsável pela memória funcional.[17] Mas os circuitos que vão do cérebro límbico aos lobos pré-frontais indicam que os sinais de forte emoção — ansiedade, raiva e afins — podem criar estática neural, sabotando a capacidade do lobo pré-frontal de manter a memória funcional. É por isso que, quando estamos emocionalmente perturbados, dizemos: "Simplesmente não consigo raciocinar" — e por que a contínua perturbação emocional cria deficiências nas aptidões intelectuais da criança, mutilando a capacidade de aprender.

Essas deficiências, quando muito sutis, nem sempre aparecem em testes de QI, embora se revelem em avaliações neuropsicológicas mais dirigidas, bem como na contínua agitação e impulsividade da criança. Num determinado estudo, por exemplo, descobriu-se que meninos de escola primária com QI acima da média, mas com fraco desempenho escolar, tinham uma deficiência no funcionamento do córtex frontal.[18] Também eram impulsivos e ansiosos, muitas vezes desordeiros e chegados a meter-se em apuros — o que sugere um falho controle pré-frontal sobre os impulsos límbicos. Apesar de seu potencial intelectual, essas crianças são as mais propensas a terem problemas na escola, ao alcoolismo e à criminalidade — não por deficiência intelectual, mas porque o controle que têm sobre sua vida emocional é deficiente. O cérebro emocional, bastante distinto das regiões corticais reveladas pelos testes de QI, controla igualmente a raiva e o sentimento de piedade. Esses circuitos emocionais são esculpidos pelo que foi vivenciado na infância — e, no entanto, deixamos essas experiências absolutamente ao acaso.

Pensem, também, no papel das emoções mesmo na mais "racional" decisão que tomamos. Num trabalho com implicações de amplo alcance para a compreensão da vida mental, o Dr. Antonio Damasio, neurologista da Faculdade de Medicina da Universidade de Iowa, fez meticulosos estudos sobre o que, precisamente, está comprometido nos pacientes com danos no circuito pré-frontal-amígdala.[19] O processo decisório deles é muitíssimo falho — e, no entanto, não revelam absolutamente nenhuma deterioração no QI ou em qualquer capacidade cognitiva. Apesar de o intelecto estar intacto, fazem escolhas desastrosas nos negócios e na vida pessoal e podem mesmo entrar em interminável obsessão sobre uma decisão tão simples como, por exemplo, para que horas marcar um encontro.

O Dr. Damasio diz que as decisões são mal tomadas porque eles perderam acesso ao que foi *emocionalmente* aprendido. Como ponto de encontro entre pensamento e emoção, o circuito pré-frontal-amígdala é uma entrada crucial para o repositório de preferências e aversões que adquirimos ao longo da vida.

Desligado da memória emocional na amígdala, qualquer coisa sobre a qual o neocórtex medite não mais dispara as reações emocionais a ela associadas no passado — tudo assume uma neutralidade cinzenta. Um estímulo, seja um bichinho de estimação preferido ou alguém que detestamos, não desperta mais atração nem aversão; esses pacientes "esqueceram" todo esse aprendizado emocional porque não têm mais acesso ao lugar onde ele está armazenado na amígdala cortical.

Indicações como essa levam o Dr. Damasio à posição anti-intuitiva de que os sentimentos são geralmente *indispensáveis* nas decisões racionais; põem-nos na direção certa, onde a lógica fria pode então ser de melhor uso. Enquanto o mundo muitas vezes nos põe diante de uma gama difícil de opções (Onde aplicar o dinheiro? Com quem casar?), o aprendizado emocional que a vida nos deu (como a lembrança de um desastroso investimento ou uma separação dolorosa) nos envia sinais que facilitam a decisão, eliminando, de pronto, algumas opções e privilegiando outras. Eis por quê, diz o Dr. Damasio, o cérebro emocional está tão envolvido no raciocínio quanto o cérebro pensante.

As emoções, portanto, são importantes para a racionalidade. Na dança entre sentimento e pensamento, a faculdade emocional guia nossas decisões a cada momento, trabalhando de mãos dadas com a mente racional e capacitando — ou incapacitando — o próprio pensamento. Do mesmo modo, o cérebro pensante desempenha uma função de administrador de nossas emoções — a não ser naqueles momentos em que elas lhe escapam ao controle e o cérebro emocional corre solto.

Num certo sentido, temos dois cérebros, duas mentes — e dois tipos diferentes de inteligência: racional e emocional. Nosso desempenho na vida é determinado pelas duas — não é apenas o QI, mas a inteligência *emocional* também conta. Na verdade, o intelecto não pode dar o melhor de si sem a inteligência emocional. Em geral, a complementaridade de sistema límbico e neocórtex, amígdala e lobos pré-frontais significa que cada um é um parceiro integral na vida mental. Quando esses parceiros interagem bem, a inteligência emocional aumenta — e também a capacidade intelectual.

Isso subverte a antiga concepção de antagonismo entre razão e sentimento: não é que queiramos eliminar a emoção e pôr a razão em seu lugar, como queria Erasmo, mas, ao contrário, precisamos encontrar o equilíbrio inteligente entre as duas. O antigo paradigma defendia um ideal de razão livre do peso da emoção. O novo paradigma nos exorta a harmonizar cabeça e coração. Fazer isso bem em nossas vidas implica precisarmos primeiro entender com mais exatidão o que significa usar inteligentemente a emoção.

PARTE DOIS

A NATUREZA DA INTELIGÊNCIA EMOCIONAL

3

Quando o Inteligente É Idiota

Ainda não se sabe exatamente por que David Pologruto, professor de física do segundo grau, foi ferido, por um de seus melhores alunos, com uma faca de cozinha. Mas os fatos, amplamente noticiados, são os seguintes:

Jason H., um secundarista que só tirava A num colégio de Coral Springs, na Flórida, estava obcecado com a ideia de entrar na faculdade de medicina. Não numa faculdade de medicina qualquer — sonhava com Harvard. Mas Pologruto, seu professor de física, deu-lhe nota 80 numa prova. Achando que a nota — que correspondia a B — punha em risco o seu sonho, Jason levou uma faca de açougueiro para a escola e, numa discussão com Pologruto no laboratório de física, esfaqueou-o na clavícula, antes de ser dominado.

Um juiz considerou Jason inocente e temporariamente privado, durante o incidente, do uso de suas faculdades mentais — um conselho de quatro psicólogos e psiquiatras prestou um juramento em que atestaram que o aluno estava em estado psicótico durante a briga com o professor. Jason alegou que pensara em suicídio por causa da nota que obtivera e que fora procurar Pologruto para lhe dizer que, por causa disso, iria se matar. O professor contou uma história diferente: "Acho que ele tentou acabar com a minha vida com aquela faca, pois estava furioso com a nota ruim."

Após transferir-se para uma escola particular, Jason se formou dois anos depois, num dos primeiros lugares da turma. Uma aprovação perfeita nos cursos regulares lhe teria dado um A, com média 4, mas ele fizera muitos cursos avançados a fim de elevar sua média para 4,614 — muito acima do A+. Embora Jason tivesse se formado com o mais alto louvor, seu ex-professor de física, David Pologruto, queixava-se de que ele nunca lhe pedira desculpas nem assumira qualquer responsabilidade pelo esfaqueamento.[1]

O que cabe indagar a respeito desse acontecimento é como alguém de inteligência tão evidente pode ter agido de forma irracional, tão estúpida? Resposta: a inteligência acadêmica pouco tem a ver com a vida emocional. As pessoas mais brilhantes podem se afogar nos recifes de paixões e dos impulsos desenfreados; pessoas com alto nível de QI podem ser pilotos incompetentes de sua vida particular.

Um dos segredos de polichinelo da psicologia é a relativa incapacidade de notas, graus de QI ou contagens do SAT* — apesar da mística popular — constituírem-se em instrumentos de previsão exata para uma vida bem-sucedida. É verdade que, para grandes grupos como um todo, há uma relação entre o QI e as circunstâncias de vida: muitas pessoas de QI muito baixo acabam em empregos medíocres, e aquelas que possuem um QI alto tendem a obter excelentes empregos, mas isso nem sempre ocorre.

Há inúmeras exceções à regra que considera o QI fator de sucesso — há tantas (ou mais) exceções do que casos que se encaixem na regra. Na melhor das hipóteses, o QI contribui com cerca de 20% para os fatores que determinam o sucesso na vida, o que deixa os 80% restantes por conta de outras variáveis. Como diz um observador, "na maioria dos casos, o que mais pesa para que alguém consiga uma boa posição na sociedade não é o QI, mas outras circunstâncias que vão da classe social a que ele pertence até a pura sorte".[2]

Mesmo Richard Herrnstein e Charles Murray, autores de *The Bell Curve* (A Curva do Sino), livro que atribui ao QI uma importância fundamental, reconhecem isso, quando observam: "Talvez um calouro que obteve uma contagem SAT total de 500 pontos em matemática não devesse ter tomado uma decisão quando optou por ser um matemático. E se o que ele de fato quisesse fosse montar seu próprio negócio, ser senador, ganhar milhões? Ele não devia ter aberto mão de seus sonhos... A ligação que existe entre essas aferições e aquelas realizações é reduzida pela totalidade de outras características que ele traz para a vida."[3]

Minha preocupação é com um conjunto fundamental dessas "outras características", a *inteligência emocional*: por exemplo, a capacidade de criar motivações para si próprio e de persistir num objetivo apesar dos percalços; de controlar impulsos e saber aguardar pela satisfação de seus desejos; de se manter em bom estado de espírito e de impedir que a ansiedade interfira na capacidade de raciocinar; de ser empático e autoconfiante. Ao contrário do QI, com seus quase cem anos de história de pesquisa junto a centenas de milhares de pessoas, a inteligência emocional é um conceito novo. Ninguém pode ainda dizer exatamente até onde responde pela variação, de pessoa para pessoa, no curso da vida. Mas os dados existentes sugerem que esse tipo de inteligência pode ser tão ou mais valioso que o QI. E, embora haja quem argumente que, através da experiência ou do aprendizado, não exista muita possibilidade de se alterar o

---

* *Scholastic Aptitude Test* — Teste de Aptidão Escolar, exigido para admissão em universidades americanas. (N. T.)

QI, procuro demonstrar, na Parte Cinco, que as aptidões emocionais decisivas, na verdade, podem ser aprendidas e aprimoradas já na tenra idade — se nos dermos ao trabalho de ensiná-las.

INTELIGÊNCIA EMOCIONAL E DESTINO

Lembro-me de um sujeito da minha turma na Universidade de Amherst que alcançara cinco perfeitos 800 no SAT e em outros testes que fizera antes de entrar. Apesar de suas fantásticas aptidões intelectuais, ele passava a maior parte do tempo vagabundeando, ficando acordado até tarde e perdendo aula porque dormia até o meio-dia. Levou quase dez anos para finalmente se formar.

O QI não explica bem os diferentes destinos seguidos por pessoas em igualdade de condições intelectuais, de escolaridade e de oportunidade. Foi feito um acompanhamento de 95 estudantes de Harvard, pertencentes às classes da década de 1940 — momento em que, diferentemente do que ocorre hoje, pessoas com QIs variados em ampla faixa estudavam em faculdades de elite. Na época em que chegaram à meia-idade, a vida profissional e pessoal dessas pessoas, cujos QIs previam um futuro promissor, foi comparada com a vida de outros colegas que, à época, obtiveram um escore mais baixo. Nada de significativo os distinguia, em termos salariais, capacidade de produzir ou *status* profissional. Também não estavam especialmente mais satisfeitos com a vida, nem mais felizes em seus relacionamentos com os amigos, com a família ou nas relações amorosas.[4]

Acompanhamento semelhante foi feito, até a meia-idade, junto a 450 garotos, a maioria filhos de imigrantes, dois terços dos quais vinham de famílias que viviam a expensas da previdência social. Eles haviam crescido em Somerville,em Massachusetts, num "cortiço pestilento" situado a alguns quarteirões de Harvard. Um terço deles tinha QI abaixo de 90. Porém, mais uma vez, o nível do QI pouca relação teve com o nível de sucesso que essas pessoas alcançaram no trabalho ou em outros setores de suas vidas; por exemplo, 7% daqueles cujo QI era inferior a 80 permaneceram desempregados durante dez ou mais anos, mas o mesmo ocorreu com 7% daqueles cujo QI era acima de 100. Diga-se, a bem da verdade, que, chegando aos 47 anos, deu-se uma correlação (como sempre ocorre) entre QI e nível socioeconômico. Mas o que fez a diferença foi a capacidade, adquirida na infância, de lidar com frustrações, controlar emoções e de relacionar-se com outras pessoas.[5]

Consideremos também dados fornecidos por um estudo, ainda em andamento, referentes a 81 "primeiros de turma" das classes de 1981 de escolas de segundo grau de Illinois. Na faculdade, continuaram a manter um bom desempenho, tirando excelentes notas, mas ao beirarem os 30 anos haviam alcançado apenas níveis medianos de sucesso. Dez anos após terem feito o ginásio, só um em quatro se achava em nível mais alto na profissão que haviam escolhido, e muitos tinham se dado bem pior.

Karen Arnold, professora de Pedagogia na Universidade de Boston, uma das pesquisadoras que acompanham esses "primeiros de turma", explica:

— Acho que descobrimos as pessoas "de sucesso", as que sabem como vencer no sistema. Mas os "primeiros de turma", claro, têm de lutar tanto quanto qualquer um de nós. Saber que uma pessoa é um excelente aluno é saber apenas que ela é muitíssimo boa na obtenção de boas notas. Nada nos diz de como ela reage às vicissitudes da vida.[6]

E esse é o problema: a inteligência acadêmica não oferece praticamente nenhum preparo para o torvelinho — ou para a oportunidade — que ocorre na vida. Apesar de um alto QI não ser nenhuma garantia de prosperidade, prestígio ou felicidade na vida, nossas escolas e nossa cultura privilegiam a aptidão no nível acadêmico, ignorando a inteligência *emocional,* um conjunto de traços — alguns chamariam de caráter — que também exerce um papel importante em nosso destino pessoal. A vida emocional é um campo com o qual se pode lidar, certamente como matemática ou leitura, com maior ou menor habilidade, e exige seu conjunto especial de aptidões. E a medida dessas aptidões numa pessoa é decisiva para compreender por que uma prospera na vida, enquanto outra, de igual nível intelectual, entra num beco sem saída: a aptidão emocional é uma *metacapacidade* que determina até onde podemos usar bem quaisquer outras aptidões que tenhamos, incluindo o intelecto bruto.

Claro, há muitos caminhos para o sucesso na vida e muitos campos em que outras aptidões são recompensadas. Numa sociedade cada vez mais baseada no conhecimento, a aptidão técnica é, sem dúvida, uma delas. Há uma piada infantil: "Como se chama um chato daqui a 15 anos?" Resposta: "Chefe." Mas, mesmo entre os "chatos", a inteligência emocional oferece uma vantagem extra no local de trabalho, como veremos na Parte Três. Há muitos indícios que atestam que as pessoas emocionalmente competentes — que conhecem e lidam bem com os próprios sentimentos, entendem e levam em consideração os sentimentos do outro — levam vantagem em qualquer setor da vida, seja nas relações amorosas e íntimas, seja assimilando as regras tácitas que governam o sucesso na política organizacional. As pessoas com prática emocional bem desenvolvida têm mais probabilidade de se sentirem satisfeitas e de serem eficientes em suas vidas, dominando os hábitos mentais que fomentam sua produtividade; as que não conseguem exercer nenhum controle sobre sua vida emocional travam batalhas internas que sabotam a capacidade de concentração no trabalho e de lucidez de pensamento.

UM TIPO DIFERENTE DE INTELIGÊNCIA

Para um observador casual, Judy, de 4 anos, pode parecer deslocada entre os coleguinhas mais gregários. Retrai-se na hora das brincadeiras, ficando mais de fora do que mergulhando nos jogos. Mas Judy é, na verdade, uma perspicaz observadora da política social praticada em sua turma no pré-primário. Judy talvez seja, ali, a criança mais sofisticada no discernimento das idas e vindas dos sentimentos dos integrantes da turma.

Essa sofisticação só se torna visível quando sua professora reúne as crianças de quatro anos em volta de si para brincar do que chamam de Jogo da Sala de Aula. Essa brincadeira — uma réplica infantil da própria sala do pré-primário de Judy, em que são colados personagens cujas cabeças são fotografias dos alunos e professores — é um teste de percepção social. Quando a professora de Judy lhe pede que ponha cada menina e menino na parte da sala onde mais gostam de brincar — o cantinho da arte, o de montar blocos e outros —, ela o faz com total precisão. E quando lhe pedem que ponha um deles com quem mais gosta de brincar, ela mostra que sabe combinar os melhores amigos da classe.

A precisão de Judy revela que ela detém um perfeito mapeamento social de sua turma, um nível de percepção excepcional para uma criança de 4 anos. Essas são aptidões que, na vida posterior, permitirão que Judy seja brilhante em qualquer área onde as "aptidões pessoais" sejam úteis, atividades essas que vão do comércio e administração até a diplomacia.

O brilho social de Judy foi identificado, ainda tão cedo, porque ela é aluna da Pré-Escola Eliot-Pearson, no *campus* da Universidade Tufts, onde o Projeto Spectrum, um currículo que intencionalmente cultiva vários tipos de inteligência, era então desenvolvido. O Projeto Spectrum parte do princípio de que o repertório humano de aptidões vai muito além da estreita faixa de aptidões com palavras e números enfocados por escolas tradicionais. Reconhece que aptidões como a percepção social de Judy são talentos que um sistema educativo deve alimentar e não ignorar ou mesmo frustrar. Encorajando as crianças a desenvolverem uma série completa de aptidões a que, na verdade, recorrerão para o sucesso, ou usarão apenas para se realizar no que fazem, a escola passa a conferir educação em aptidões para a vida.

O orientador visionário que está por trás do Projeto Spectrum é Howard Gardner, psicólogo da Escola de Educação de Harvard.[7]

— Chegou a hora — disse — de ampliar nossa noção sobre o espectro de talentos. A maior contribuição que a educação pode dar ao desenvolvimento de uma criança é ajudá-la a escolher uma profissão onde possa melhor utilizar os seus talentos, onde ela será feliz e competente. Perdemos isso inteiramente de vista. Em vez disso, sujeitamos todos a uma educação em que, se você for bem-sucedido, estará mais bem capacitado para ser professor universitário. E avaliamos todos, ao longo do percurso, conforme satisfaçam ou não esse estreito padrão de sucesso. Devíamos gastar menos tempo avaliando as crianças e mais tempo ajudando-as a identificar suas aptidões e dons naturais, e a cultivá-los. Há centenas e centenas de maneiras de ser bem-sucedido e muitas, muitas aptidões diferentes que as ajudarão a chegar lá.[8]

Se existe alguém que vê as limitações das velhas formas de pensar sobre a inteligência, é Gardner. Ele observa que os dias de glória dos testes de QI tiveram início durante a Primeira Guerra Mundial, quando 2 milhões de americanos foram classificados por meio do preenchimento, em massa, do primeiro formulário para avaliação de QI, então criado por Lewis Terman, um psicólogo de Stanford. Isso levou a décadas do que Gardner chama de "modo de pensar do QI":

— Pensar que as pessoas são inteligentes ou não, que nasceram assim, que esse é um dado imutável e que os testes podem dizer se a gente é um dos inteligentes ou não. O teste SAT para admissão em universidades repete a forma de pensar segundo a qual uma única aptidão é determinante para o nosso futuro. Esse modo de pensar está impregnado na sociedade.

O influente livro de Gardner, *Frames of Mind* (Estados de Espírito), de 1983, foi um manifesto de contestação à visão do QI; ali, o que o autor coloca é que não há um tipo específico, monolítico, de inteligência decisiva para o sucesso na vida, mas sim um amplo espectro de inteligências, com sete variedades principais. Em sua lista entram os dois tipos-padrão de inteligência acadêmica, a fluência verbal e o raciocínio lógico-matemático, mas ele vai mais além para incluir a aptidão espacial que se vê, digamos, num destacado pintor ou arquiteto; o gênio cinestésico exibido na fluidez e graça físicas de uma Martha Graham ou de um Magic Johnson; e os dons musicais de um Mozart ou de um YoYo Ma. Arrematando a lista, há duas faces do que Gardner chama de "inteligências pessoais": aptidões interpessoais, como as de um grande terapeuta como Carl Rogers ou de um líder de nível mundial como Martin Luther King, Jr., e a aptidão "intrapsíquica", que pode surgir, de um lado, nas brilhantes sacações de Sigmund Freud, ou, com menos alarde, na satisfação interior que vem de estarmos sintonizados com a vida e com nossos verdadeiros sentimentos.

A característica dessa visão de inteligências é sua *multiplicidade*: o modelo de Gardner vai muito além do conceito-padrão de QI como fator único e imutável. Reconhece que os testes que nos tiranizaram quando passamos pela escola — desde a realização de testes de aproveitamento que diziam quem entre nós seria encaminhado para as escolas técnicas e quem iria para a universidade, aos SATs, que determinavam qual faculdade, se fosse o caso, poderíamos frequentar — se baseiam numa noção limitada de inteligência, uma noção sem ligação com a verdadeira gama de talentos e aptidões que são importantes para a vida, acima e além do QI.

Gardner reconhece que sete é um número arbitrário para a variedade de inteligências; não há nenhum número mágico para a multiplicidade de talentos humanos. A determinada altura, ele e seus colegas haviam aumentado esse número para vinte aptidões diferentes. A inteligência interpessoal, por exemplo, desdobrou-se em quatro aptidões distintas: liderança, capacidade de manter relações e conservar amigos, de resolver conflitos e a do tipo de análise social em que Judy, de 4 anos, era excelente.

Essa visão multifacetada da inteligência oferece um quadro mais rico da capacidade e do potencial de uma criança para o sucesso do que o QI padrão.

Quando os alunos da Spectrum foram avaliados pela Escala de Inteligência Stanford-Binet — outrora o padrão-ouro dos testes de QI — e mais uma vez por uma bateria destinada a medir o espectro de inteligências de Gardner, não houve nenhuma relação significativa entre as contagens obtidas nos dois testes.[9] As cinco crianças com QI mais alto (de 125 a 133) mostraram uma variedade de perfis nas dez capacidades medidas pelo teste Spectrum. Por exemplo, entre as cinco "mais inteligentes" segundo os testes de QI, uma era muito boa em três áreas, três, em duas, e uma criança "inteligente" tinha apenas uma capacidade Spectrum. Esses talentos eram dispersos: quatro em música, duas em artes visuais, uma em compreensão social, uma em lógica, duas em linguagem. Nenhuma das cinco crianças de alto QI era talentosa em termos de movimento, números ou mecânica: movimento e números foram, na verdade, pontos fracos para duas das cinco crianças.

A conclusão de Gardner foi que "a Escala de Inteligência Stanford-Binet não previu desempenho bem-sucedido de ponta a ponta ou num subconjunto consistente de atividades Spectrum". Por outro lado, as contagens Spectrum dão aos pais uma clara orientação sobre as áreas que serão de interesse espontâneo da criança e onde se sairão bem o bastante para desenvolver paixões que poderão um dia conduzi-las para além da eficiência — até a maestria.

O pensamento de Gardner sobre a multiplicidade da inteligência continua a evoluir. Cerca de dez anos após ter publicado sua teoria pela primeira vez, ele fez o seguinte sumário das inteligências inter e intrapessoal:

> Inteligência *inter*pessoal é a capacidade de compreender outras pessoas: o que as motiva, como trabalham, como trabalhar cooperativamente com elas. As pessoas que trabalham em vendas, políticos, professores, clínicos e líderes religiosos bem-sucedidos provavelmente são todos indivíduos com alto grau de inteligência interpessoal. A inteligência *intra*pessoal [...] é uma aptidão correlata, voltada para dentro. É uma capacidade de formar um modelo preciso, verídico, de si mesmo e poder usá-lo para agir eficazmente na vida.[10]

Em outra versão, Gardner observou que o âmago da inteligência interpessoal inclui "a capacidade de discernir e responder adequadamente ao humor, temperamento, motivação e desejo de outras pessoas". Na inteligência intrapessoal, chave do autoconhecimento, ele incluiu o "contato com nossos próprios sentimentos e a capacidade de discriminá-los e usá-los para orientar o comportamento".[11]

"JORNADA NAS ESTRELAS": A COGNIÇÃO NÃO BASTA

As teorias de Gardner contêm uma dimensão da inteligência pessoal que é amplamente mencionada, mas pouco explorada: o papel das emoções. Talvez isso ocorra porque, como ele próprio diz, seu trabalho é fortemente calcado num modelo mental que se apoia em ciência cognitiva. Por isto, sua visão acerca dessas inteligências enfatiza a percepção — a *compreensão* de si e dos outros nas motivações, nos hábitos de trabalho e no uso dessa intuição na própria vida e na relação com os outros. Mas, como acontece com o campo cinestésico, onde o brilho físico se manifesta não verbalmente, o campo das emoções também se estende além do alcance da linguagem e da cognição.

Embora haja amplo espaço em suas descrições das inteligências pessoais para que compreendamos o jogo das emoções e o domínio de seu controle, Gardner e os que com ele trabalham não investigaram detalhadamente o papel do *sentimento* nessas inteligências, concentrando-se mais na cognição *sobre* o sentimento. Essa abordagem, talvez não intencionalmente, deixa inexplorado o rico mar de emoções que torna a vida interior e os relacionamentos tão complexos, tão absorventes e, muitas vezes, tão desconcertantes. E deixa de lado o que há de inteligência *nas* emoções e o que há de emocional na inteligência.

A ênfase de Gardner nos elementos perceptivos nas inteligências pessoais reflete o *Zeitgeist** da psicologia que formou suas opiniões. A excessiva ênfase da psicologia na cognição mesmo no campo das emoções deve-se, em parte, a um acidente na história dessa ciência. Durante as décadas de meados do século XX, a psicologia acadêmica foi dominada por behavioristas como B. F. Skinner, para os quais só o comportamento, o que podia ser objetivamente constatado, poderia ser estudado com precisão científica. Os behavioristas decretaram que toda a vida interior, inclusive as emoções, estaria interditada à pesquisa científica.

Depois, em fins da década de 1960, com a chegada da "revolução cognitiva", o foco da ciência psicológica voltou-se para como a mente registra e armazena informação, e para a natureza da inteligência. Mas as emoções continuaram sendo uma zona interdita. O saber convencional entre os cientistas cognitivos afirmava que a inteligência implica um processamento frio e duro acerca dos fatos. É hiper-racional, mais ou menos como o Mr. Spock de *Jornada nas Estrelas*, o arquétipo de secos *bytes* de informação não confundida pelo sentimento, encarnando a ideia de que as emoções não têm lugar na inteligência e apenas confundem nosso esquema de raciocínio.

Os cientistas cognitivos que abraçaram essa opinião foram seduzidos pelo computador como modelo operacional da mente, esquecendo que, na realidade, os úmidos programas e peças cerebrais boiam numa poça pegajosa e latejante de produtos neuroquímicos, em nada semelhante ao silício ordenado e sanitizado que gerou a metáfora orientadora da mente. Os modelos adotados pelos cientistas do conhecimento para explicar como a mente processa a informação não levam em conta o fato de que a racionalidade da mente é guiada pela emoção. O modelo cognitivo é, nesse aspecto, uma visão empobrecida da mente, uma visão que não explica o *Sturm und Drang*** de sentimentos que dão sabor ao intelecto. Para persistir nessa opinião, os próprios cientistas dedicados à área

---

* Espírito da época. (N. T.)

** Tempestade e Ímpeto, movimento romântico alemão. (N. T.)

cognitiva tiveram de ignorar a importância, para seus modelos da mente, de suas próprias esperanças e medos pessoais, suas disputas conjugais e ciúmes profissionais — a inundação de sentimento que dá à vida seu sabor e suas urgências e que, a cada momento, distorce exatamente a maneira como (e até onde bem ou mal) se processa a informação.

A distorcida visão científica de uma vida mental emocionalmente vazia — que orientou os últimos oitenta anos de pesquisa sobre a inteligência — está mudando aos poucos, à medida que a psicologia começa a reconhecer o papel essencial do sentimento no pensamento. Mais ou menos como a spockiana personagem Data em *Jornada nas Estrelas: a Geração Seguinte,* a psicologia começa a apreciar a força e as virtudes das emoções na vida mental, assim como seus perigos. Afinal, como vê Data (para sua própria consternação, se lhe fosse possível experimentar este sentimento), sua lógica não conduz à solução *humana* certa. Nossa humanidade é mais evidente em nossos sentimentos; Data procura sentir, sabendo que alguma coisa essencial está faltando. Ele quer amizade, lealdade; como o Homem de Lata de *O Mágico de Oz,* falta-lhe um coração. Na falta do senso lírico que traz o sentimento, Data pode tocar música ou escrever poesia com virtuosismo técnico, mas sem paixão. O que demonstra o anseio de Data por sentir anseio é que faltam inteiramente à fria visão cognitiva os valores mais elevados do coração humano — fé, esperança, devoção, amor. As emoções enriquecem; um modelo mental que as ignora se empobrece.

Quando perguntei a Gardner por que ele dá mais ênfase aos pensamentos sobre os sentimentos, ou metacognição, do que às emoções em si, ele admitiu que tendia a ver a inteligência de uma maneira cognitiva, mas disse:

— Quando escrevi pela primeira vez sobre inteligências pessoais, eu *estava* falando de emoção, sobretudo em minha ideia de inteligência intrapessoal: um dos componentes é a sintonia emocional consigo mesmo. Os sinais de sentimento visceral que recebemos é que são essenciais para a inteligência interpessoal. Mas, em seu desenvolvimento prático, a teoria da inteligência múltipla evoluiu e se concentrou mais na metacognição — ou seja, na consciência que se tem do próprio processo mental — do que em toda a gama de aptidões emocionais.

Ainda assim, Gardner reconhece como essas habilidades emocionais e relacionais são cruciais no corpo a corpo da vida. Ele ressalta:

— Muitas pessoas com 160 de QI trabalham para outras com 100 de QI, caso as primeiras tenham baixa inteligência intrapessoal e as últimas, alta. E, no dia a dia, nenhuma inteligência é mais importante do que a intrapessoal. Se não a temos, faremos escolhas errôneas sobre quem desposar, que emprego arranjar e assim por diante. Precisamos treinar as crianças em inteligências intrapessoais na escola.

EXISTE VIDA INTELIGENTE NAS EMOÇÕES?

Para que tenhamos uma compreensão mais ampla sobre exatamente como poderia ser esse exercício de raciocínio, temos que recorrer a outros teóricos que seguem o pensamento de Gardner — entre os quais se destaca um psicólogo de Yale, Peter Salovey, que estabeleceu, em detalhes, as formas como podemos levar inteligência às nossas emoções.[12] Esse trabalho não é novo; ao longo dos anos, mesmo os mais ardentes teóricos do QI tentaram, às vezes, introduzir as emoções, no domínio da inteligência, em vez de ver "emoção" e "inteligência" como uma inerente contradição terminológica. Assim, E. L. Thorndike, um destacado psicólogo que também foi influente na popularização da ideia do QI nas décadas de 1920 e 30, sugeriu em artigo na *Harper's Magazine* que um dos aspectos da inteligência emocional, a inteligência "social" — aquela capacidade de entender os outros e "agir com sabedoria nas relações humanas" —, era um aspecto do QI de uma pessoa. Outros psicólogos da época adotaram uma visão mais cínica da inteligência social, encarando-a em termos de capacidade de manipular outras pessoas — levá-las a fazer o que queremos, em detrimento de suas próprias vontades. Mas nenhuma dessas formulações de inteligência social exerceu muita influência sobre os teóricos do QI e, em 1960, um importante livro didático sobre testes de inteligência considerou a inteligência social um conceito "inútil".

Mas a inteligência pessoal não seria ignorada, sobretudo porque faz ao mesmo tempo sentido intuitivo e comum. Por exemplo, quando Robert Sternberg, outro psicólogo de Yale, pediu a determinadas pessoas que descrevessem uma "pessoa inteligente", as aptidões práticas estavam entre os principais aspectos que foram relacionados. Pesquisas mais sistemáticas realizadas por Sternberg o fizeram retornar à conclusão de Thorndike: que a inteligência social é, ao mesmo tempo, diferente das aptidões acadêmicas e parte-chave do que faz as pessoas se saírem bem nos aspectos práticos da vida. Entre as inteligências práticas tão altamente valorizadas, por exemplo, no espaço profissional, está aquela sensibilidade que permite aos administradores eficientes captar mensagens tácitas.[13]

Nos últimos anos, um grupo cada vez maior de psicólogos chegou a conclusões semelhantes, concordando com Gardner que os antigos conceitos de QI giram em torno de uma estreita faixa de aptidões linguísticas e matemáticas, e que um bom desempenho em testes de QI é um fator de previsão mais direta de sucesso em sala de aula ou como professor, mas cada vez menos quando os caminhos da vida se afastam da academia. Esses psicólogos — entre eles Sternberg e Salovey — adotaram uma visão mais ampla de inteligência, tentando reinventá-la em termos do que é necessário para viver bem a vida. E essa linha de investigação retorna ao reconhecimento de como, exatamente, é crucial a inteligência "pessoal" ou emocional.

Salovey, com seu colega John Mayer, propôs uma definição elaborada de inteligência emocional, expandindo essas aptidões em cinco domínios principais:[14]

1. *Conhecer as próprias emoções.*
Autoconsciência — reconhecer um sentimento *quando ele ocorre* — é a pedra de toque da inteligência emocional. Como veremos no Capítulo 4, a capacidade de controlar sentimentos a cada momento é fundamental para o discernimento emocional e para a autocompreensão. A incapacidade de observar nossos verdadeiros sentimentos nos deixa à mercê deles. As pessoas mais seguras acerca de seus próprios sentimentos são melhores pilotos de suas vidas, tendo uma consciência maior de como se sentem em relação a decisões pessoais, desde com quem se casar a que emprego aceitar.

2. *Lidar com emoções.*
Lidar com os sentimentos para que sejam apropriados é uma aptidão que se desenvolve na autoconsciência. O Capítulo 5 vai examinar a capacidade de confortar-se, de livrar-se da ansiedade, tristeza ou irritabilidade que incapacitam — e as consequências resultantes do fracasso nessa aptidão emocional básica. As pessoas que são fracas nessa aptidão vivem constantemente lutando contra sentimentos de desespero, enquanto outras se recuperam mais rapidamente dos reveses e perturbações da vida.

3. *Motivar-se.*
Como mostrará o Capítulo 6, pôr as emoções a serviço de uma meta é essencial para centrar a atenção, para a automotivação e o controle, e para a criatividade. O autocontrole emocional — saber adiar a satisfação e conter a impulsividade — está por trás de qualquer tipo de realização. E a capacidade de entrar em estado de "fluxo" possibilita excepcionais desempenhos. As pessoas que têm essa capacidade tendem a ser mais produtivas e eficazes em qualquer atividade que exerçam.

4. *Reconhecer emoções nos outros.*
A empatia, outra capacidade que se desenvolve na autoconsciência emocional, é a "aptidão pessoal" fundamental. O Capítulo 7 investigará as raízes da empatia, o quanto nos custa não saber "escutar" as emoções, e os motivos pelos quais a empatia gera altruísmo. As pessoas empáticas estão mais sintonizadas com os sutis sinais do mundo externo que indicam o que os outros precisam ou o que querem. Isso as torna bons profissionais no campo assistencial, no ensino, vendas e administração.

5. *Lidar com relacionamentos.*
A arte de se relacionar é, em grande parte, a aptidão de lidar com as emoções dos outros. O Capítulo 8 examina a competência e a incompetência, e as aptidões específicas envolvidas. São as aptidões que determi-

nam a popularidade, a liderança e a eficiência interpessoal. As pessoas excelentes nessas aptidões se dão bem em qualquer coisa que dependa de interagir tranquilamente com os outros; são estrelas sociais.

Claro, as pessoas diferem em suas aptidões em cada um desses campos; alguns de nós podemos ser bastante hábeis no lidar, digamos, com nossa ansiedade, mas relativamente ineptos no confortar os aborrecimentos de outra pessoa. O que jaz sob nosso nível de aptidão é sem dúvida de ordem neural, mas, como veremos, o cérebro é admiravelmente flexível, em constante aprendizagem. As nossas falhas em aptidões emocionais podem ser remediadas: em grande parte, cada um desses campos representa um conjunto de hábitos e respostas que, com o devido esforço, pode ser aprimorado.

QI E INTELIGÊNCIA EMOCIONAL: TIPOS PUROS

O QI e a inteligência emocional não são capacidades que se opõem, mas distintas. Todos nós misturamos acuidade intelectual e emocional; as pessoas de alto QI e baixa inteligência emocional (ou baixo QI e alta inteligência emocional) são, apesar dos estereótipos, relativamente raras. Na verdade, há uma ligeira correlação entre o QI e alguns aspectos da inteligência emocional — embora bastante pequena para que fique claro que se trata de duas entidades bastante independentes.

Ao contrário dos famosos testes de QI, não há ainda nenhum "formulário-a--ser-preenchido" que ateste "uma contagem de inteligência emocional", e talvez nunca venha a existir. Embora seja ampla a pesquisa sobre cada um de seus componentes, alguns deles, como a empatia, são mais bem testados pela amostragem da aptidão de fato de uma pessoa numa determinada tarefa — por exemplo, mandá-la interpretar os sentimentos de uma pessoa num vídeo onde são exibidas expressões faciais. Entretanto, usando uma medição denominada "maleabilidade do ego", que se assemelha bastante à inteligência emocional (inclui as principais aptidões sociais e emocionais), Jack Block, psicólogo na Universidade da Califórnia, em Berkeley, fez uma comparação dos dois tipos teóricos puros: pessoas de alto QI *versus* pessoas de altas aptidões emocionais.[15] As diferenças são reveladoras.

O tipo de alto QI puro (isto é, onde não é considerada a inteligência emocional) é quase uma caricatura do intelectual, capaz no domínio da mente mas inepto no mundo pessoal. Os perfis diferem ligeiramente em homens e mulheres. O homem de alto QI é tipificado — o que não surpreende — por uma ampla gama de interesses e capacidades. É ambicioso e produtivo, previsível e obstinado, e desprovido de preocupação sobre si mesmo. É também inclinado a ser crítico e condescendente, fastidioso e inibido, pouco à vontade do ponto de vista sexual e sensual, inexpressivo e desligado, e emocionalmente frio.

Por outro lado, os homens com um alto grau de inteligência emocional são socialmente equilibrados, comunicativos e animados, não inclinados a receios ou a ruminar preocupações. Têm uma notável capacidade de engajamento com pessoas ou causas, de assumir responsabilidades e de ter uma visão ética; são solidários e atenciosos em seus relacionamentos. Têm uma vida emocional rica, mas correta; sentem-se à vontade consigo mesmos, com os outros e no universo social em que vivem.

As mulheres de alto QI puro têm a esperada confiança intelectual, são fluentes ao expressarem suas ideias, valorizam questões intelectuais e têm uma ampla variedade de interesses intelectuais e estéticos. Também tendem a ser introspectivas, chegadas à ansiedade, à ruminação e à culpa, e hesitam em exprimir sua raiva abertamente (embora o façam de maneira indireta).

As mulheres emocionalmente inteligentes, por outro lado, tendem a ser assertivas e expressam suas ideias de um modo direto, e sentem-se bem consigo mesmas; para elas, a vida tem sentido. Como os homens, são comunicativas e gregárias, e expressam de modo adequado os seus sentimentos (não, por exemplo, em ataques de que depois se arrependem); adaptam-se bem à tensão. O equilíbrio social delas permite-lhes ir até os outros; sentem-se suficientemente à vontade consigo mesmas para serem brincalhonas, espontâneas e abertas à experiência sensual. Ao contrário das mulheres de alto QI puro, raramente sentem ansiedade ou culpa, e tampouco mergulham em ruminações.

Esses perfis, obviamente, são extremos — todos nós mesclamos QI e inteligência emocional em graus variados. Mas oferecem uma perspectiva instrutiva sobre o que cada uma dessas dimensões acrescenta, isoladamente, às qualidades de uma pessoa. Na medida em que a pessoa tem tanto inteligência cognitiva quanto emocional, essas imagens se fundem. Ainda assim, das duas, é a inteligência emocional que contribui com um número muito maior das qualidades que nos tornam mais plenamente humanos.

4

Conhece-te a Ti Mesmo

Um guerreiro samurai, conta uma velha história japonesa, certa vez desafiou um mestre Zen a explicar os conceitos de céu e inferno. Mas o monge respondeu-lhe com desprezo:

— Não passas de um bruto... não vou desperdiçar meu tempo com gente da tua laia!

Atacado na própria honra, o samurai teve um acesso de fúria e, sacando a espada da bainha, berrou:

— Eu poderia te matar por tua impertinência.

— Isso — respondeu calmamente o monge — é o inferno.

Espantado por reconhecer como verdadeiro o que o mestre dizia acerca da cólera que o dominara, o samurai acalmou-se, embainhou a espada e fez uma mesura, agradecendo ao monge a revelação.

— E isso — disse o monge — é o céu.

A súbita consciência do samurai sobre seu estado de agitação ilustra a crucial diferença entre alguém ser possuído por um sentimento e tomar consciência de que está sendo arrebatado por ele. A recomendação de Sócrates — "Conhece-te a ti mesmo" — é a pedra de toque da inteligência emocional: a consciência de nossos sentimentos no momento exato em que eles ocorrem.

À primeira vista, pode parecer que nossos sentimentos são óbvios; uma reflexão mais demorada nos lembra das vezes em que fomos muito indiferentes ao que de fato sentimos sobre uma coisa, ou quando tarde demais nos demos conta desses sentimentos. Os psicólogos falam de *metacognição* — um termo um pouco pesado — para referirem-se à consciência do processo de pensar, e *metaestado de espírito* para a consciência de nossas emoções. Eu prefiro o termo *autoconsciência,* no sentido de permanente atenção ao que estamos sentindo internamente.[1] Nessa consciência autorreflexiva, a mente observa e investiga o que está sendo vivenciado, incluindo as emoções.[2]

Esse tipo de consciência é semelhante ao que Freud denominou de "escuta flutuante", e que recomendou aos que queriam ser psicanalistas. Esse tipo de atenção é capaz de registrar, com imparcialidade, tudo que passa pela consciência, atuando como testemunha interessada mas não reativa. Alguns psicanalistas a chamam de "ego observante", uma capacidade de autoconsciência que permite ao analista monitorar suas reações diante do que o paciente relata e que o processo de livre associação alimenta no paciente.[3]

Essa autoconsciência parece exigir um neocórtex ativado, sobretudo nas áreas da linguagem, sintonizado para identificar e nomear as emoções despertadas. A autoconsciência não é uma atenção que se deixa levar pelas emoções, reagindo com exagero e amplificando a percepção. Ao contrário, é um modo neutro, que mantém a autorreflexividade mesmo em meio a emoções turbulentas. William Styron parece descrever algo semelhante a essa faculdade da mente, ao escrever sobre sua profunda depressão, quando fala da sensação de "estar sendo acompanhado por um segundo eu — um observador fantasmagórico que, não partilhando da demência de seu duplo, pode ficar observando com desapaixonada curiosidade enquanto o companheiro se debate".[4]

No ponto ótimo, a auto-observação permite exatamente essa consciência equânime de sentimentos arrebatados ou turbulentos. No mínimo, manifesta-se simplesmente como um ligeiro recuo da experiência, um fluxo paralelo de consciência que é "meta": pairando acima ou ao lado da corrente principal, mais consciente do que se passa do que imersa e perdida nele. É a diferença entre, por exemplo, sentir uma fúria assassina contra alguém e ter o pensamento autorreflexivo: "O que estou sentindo é raiva", mesmo quando se está furioso. Em termos da mecânica neural da consciência, essa sutil mudança de atividade mental presumivelmente avisa que os circuitos neocorticais estão monitorando ativamente a emoção, primeiro passo para adquirir algum controle. Essa consciência das emoções é a aptidão emocional fundamental sobre a qual se fundam outras, como o autocontrole emocional.

Autoconsciência, em suma, significa estar "consciente ao mesmo tempo de nosso estado de espírito e de nossos pensamentos sobre esse estado de espírito", nas palavras de John Mayer, psicólogo da Universidade de New Hampshire que, com Peter Salovey, de Yale, é um dos coformuladores da teoria da inteligência emocional.[5] A autoconsciência pode ser uma atenção não reativa e não julgadora de estados interiores. Mas Mayer acha que essa sensibilidade também pode ser menos equânime; os pensamentos que, em geral, revelam a autoconsciência, incluem "Não devo me sentir assim", "Vou pensar em coisas boas para me animar" e, numa autoconsciência mais restrita, o pensamento passageiro "Não pense nisso", em relação a alguma coisa muitíssimo perturbadora.

Embora haja uma distinção lógica entre estar consciente dos sentimentos e agir para mudá-los, Mayer constata que, para todos os fins práticos, as duas ações em geral se combinam: reconhecer um estado de espírito negativo é querer livrar-se dele. Esse reconhecimento, porém, é distinto das tentativas que fazemos para evitar agir impulsivamente. Quando dizemos "Pare com isso!" a uma criança cuja raiva a levou a bater num companheiro de brincadeiras, podemos evitar o espancamento, mas a criança continua com raiva. Os pensamentos dela ainda estão fixados na causa da raiva — "Mas ele roubou meu brinquedo!" —, e a raiva continua do mesmo jeito. A autoconsciência tem um efeito mais potente sobre sentimentos fortes, de aversão: a compreensão "O que estou sentindo é raiva" oferece um maior grau de liberdade — não apenas a opção de não agir movido pela raiva, mas a opção extra de tentar se livrar dela.

Mayer constata que as pessoas tendem a adotar estilos típicos para acompanhar e lidar com suas emoções.[6]

- *Autoconscientes.* Conscientes de seu estado de espírito no momento em que ele ocorre, essas pessoas, evidentemente, são sofisticadas no que diz respeito à sua vida emocional. A clareza com que sentem suas emoções pode reforçar outros traços de suas personalidades: são autônomas e conscientes de seus próprios limites, gozam de boa saúde psicológica e tendem a ter uma perspectiva positiva sobre a vida. Quando entram num estado de espírito negativo, não ficam ruminando nem ficam obcecadas com isso e podem sair dele mais rápido. Em suma, a vigilância as ajuda a administrar suas emoções.
- *Mergulhadas.* São pessoas muitas vezes imersas em suas emoções e incapazes de fugir delas, como se aquele humor houvesse assumido o controle de suas vidas. São instáveis e não têm muita consciência dos próprios sentimentos, de modo que se perdem neles, ficando sem perspectivas. Em consequência, pouco fazem para tentar escapar desses estados de espírito negativos, achando que não são capazes de exercer controle sobre suas emoções. Muitas vezes se sentem esmagadas e emocionalmente descontroladas.
- *Resignadas.* Embora essas pessoas muitas vezes vejam com clareza o que estão fazendo, também tendem a aceitar seus estados de espírito e, portanto, não tentam mudá-los. Parece haver dois ramos do tipo resignado: pessoas que estão geralmente de bom humor e por isso pouca motivação têm para mudá-los, e as que, apesar de verem com clareza seus estados emocionais, são susceptíveis aos maus estados de espírito e os aceitam com um "deixa rolar", nada fazendo para mudá-los, apesar da aflição que sentem — um padrão encontrado, por exemplo, em pessoas deprimidas que se resignam ao seu desespero.

OS APAIXONADOS E OS INDIFERENTES

Imagine por um instante que você está num avião voando de Nova York para São Francisco. É um voo tranquilo mas, quando se aproxima das montanhas Rochosas, o piloto fala pelo alto-falante:

— Senhoras e senhores, vamos entrar numa área de turbulência. Por favor, retornem às suas poltronas e apertem os cintos.

Aí, o avião entra em turbulência, a mais forte por que você já passou, jogando para cima e para baixo, para um lado e para outro, como uma bola nas ondas do mar.

O que você faz numa situação dessas? É daquelas pessoas que metem a cara num livro ou revista, ou continuam vendo o filme que está passando, desligando-se da turbulência? Ou é mais provável que pegue o manual que dá as instruções de emergência para rever as precauções, que observe a equipe de bordo para detectar sinais de pânico, ou que apure o ouvido para os motores, para ver se há alguma coisa digna de preocupação?

A resposta que dermos a estas perguntas sinaliza a atitude que em nós é mais predominante em situações de apuro. O cenário de um avião, aliás, compõe um teste psicológico criado por Suzanne Miller, psicóloga da Universidade Temple, destinado a avaliar se as pessoas tendem a ser vigilantes, acompanhando cuidadosamente cada detalhe de uma situação angustiante, ou, ao contrário, lidam com esses momentos de ansiedade tentando se distrair. Essas duas formas de comportamento têm consequências bastante diferentes para a maneira como as pessoas percebem suas reações emocionais. Os que se fixam nos apuros podem, pelo próprio ato de acompanhar com tanto cuidado, ampliar, sem saber, a magnitude de suas reações — sobretudo se essa fixação é desprovida da equanimidade da autoconsciência. O resultado é que suas emoções se tornam mais intensas. Os que se desligam, que se distraem, percebem menos coisas em suas reações e com isso minimizam a experiência de sua resposta emocional, se não a própria dimensão da resposta.

No limite, isso significa que para algumas pessoas a consciência emocional é esmagadora, enquanto para outras mal existe. É só pensar no universitário que, uma noite, descobre um início de incêndio em seu alojamento, pega um extintor e apaga o fogo. Nada de extraordinário — a não ser que, ao ir buscar o extintor e voltar, ele andou em vez de correr. Motivo? Não achava que havia qualquer urgência.

A história me foi contada por Edward Diener, psicólogo da Universidade de Illinois, em Urbana, que estuda a *intensidade* com que as pessoas vivem suas emoções.[7] O universitário figurava em seus estudos de casos como um dos menos intensos que ele já encontrara. Era, essencialmente, um homem sem paixões, uma pessoa que passa pela vida sem sentir quase nada, mesmo numa emergência como um incêndio.

Em comparação, vejam a mulher no outro lado do espectro de Diener. Uma vez, quando perdeu a caneta preferida, ficou perturbada durante dias. Outra vez, ficou tão excitada, ao ver o anúncio de uma grande liquidação de sapatos femininos numa loja cara, que largou o que estava fazendo, entrou no carro e dirigiu três horas até a loja em Chicago.

Diener constata que as mulheres, em geral, mais do que os homens, sentem com mais intensidade as emoções positivas e negativas. E, diferenças de sexo à parte, a vida emocional é mais rica para os que observam mais. Entre outras coisas, essa maior sensibilidade emocional significa que, para tais pessoas, a menor provocação desencadeia vendavais emocionais, paradisíacos ou infernais, enquanto as do outro extremo mal experimentam qualquer sensação, mesmo nas circunstâncias mais angustiantes.

UM HOMEM SEM SENTIMENTOS

Gary aborrecia a noiva, Ellen, porque, apesar de inteligente, atencioso e um médico bem-sucedido, era emocionalmente neutro, completamente sem reação a qualquer demonstração de sentimentos. Embora falasse com brilhantismo sobre ciência e arte, quando se tratava de seus próprios sentimentos — mesmo aqueles que tinha por Ellen — emudecia. Por mais que ela tentasse despertar-lhe alguma paixão, ele ficava impassível, indiferente.

— Eu não expresso naturalmente meus sentimentos — disse Gary ao terapeuta a quem consultou por insistência de Ellen. Quando se tratava da vida emocional, acrescentou: — Não sei o que dizer; não tenho sentimentos fortes, bons ou maus.

Ellen não era a única pessoa que se frustrava com a frieza de Gary; segundo ele relatou ao terapeuta, era incapaz de falar abertamente de seus sentimentos com qualquer outra pessoa. Motivo: não tinha consciência do que sentia. Até onde lhe era dado saber, não sentia raivas, tristezas ou alegrias.[8]

Como observa seu terapeuta, esse vazio emocional faz com que Gary e outros como ele pareçam sem vida, insípidos:

— Entediam a todos. Por isso suas esposas pedem que se tratem.

A frieza emocional de Gary exemplifica o que os psiquiatras chamam de *alexitimia,* do grego *a* (ausência), *léxis* (palavra) e *thymós* (emoção). Faltam a essas pessoas palavras para descrever seus sentimentos. Na verdade, parece faltar-lhes qualquer sentimento, embora isso talvez se deva mais à sua incapacidade de *manifestar* emoção do que a uma completa ausência de emoção. Essas pessoas foram identificadas pela primeira vez por psicanalistas intrigados por um tipo de paciente impossível de ser tratado pelo método que adotavam, porque não comunicavam sentimentos, fantasias, mas apenas sonhos incolores — em suma, nenhuma vida interior digna de nota.[9] As características clínicas que assinalam a alexitimia incluem dificuldade para descrever sentimentos — os próprios ou os de outrem — e um vocabulário emocional seriamente limitado.[10] E, além disso, tais pessoas têm dificuldade em discriminar emoções e distinguir emoção de sensação física, de modo que reclamam de problemas estomacais, palpitações, suores e tontura — mas não sabem que estão ansiosos. "Dão a impressão de serem alienígenas, vindos de um mundo inteiramente diferente, e, no entanto, vivem numa sociedade que é dominada pelos sentimentos", é a descrição dada pelo Dr. Peter Sifneos, o psiquiatra de Harvard que, em 1972, cunhou o termo *alexitimia.*[11] Os alexitímicos, por exemplo, raramente choram, mas quando o fazem, as lágrimas são copiosas. Ainda assim, ficam perplexos quando perguntamos por que choram. Uma paciente com alexitimia ficou tão perturbada ao ver um filme sobre uma mulher com oito filhos, que estava morrendo de câncer, que chorou até cair no sono. Quando o terapeuta sugeriu que ela ficara tão perturbada porque o filme lhe lembrara sua própria mãe, que de fato estava morrendo de câncer, ela ficou sentada imóvel, pasma e calada. O terapeuta lhe perguntou então o que sentia naquele momento, e ela respondeu que se sentia "péssima", mas não conseguiu expressar nada além disso. E, acrescentou, de vez em quando começava a chorar, mas nunca sabia exatamente por que chorava.[12]

E é esse o fulcro do problema. Não é que os alexitímicos não sintam, mas não sabem — e sobretudo não podem expressar em palavras — precisamente quais são seus sentimentos. Falta-lhes totalmente a aptidão fundamental da inteligência emocional, a autoconsciência — saber o que sentimos enquanto as emoções se revolvem dentro de nós. Os alexitímicos negam a ideia prática de que é perfeitamente evidente por si mesmo o que sentimos: eles não têm a mínima indicação. Quando alguma coisa — ou mais provavelmente alguém — lhes provoca um sentimento, eles acham a experiência intrigante e arrasadora, uma coisa a ser evitada a qualquer custo. Os sentimentos lhes chegam, quando chegam, como um desnorteante pacote de angústia; como disse a paciente que chorou no cinema, sentem-se "péssimos", mas não podem dizer exatamente que *espécie* de coisa péssima sentem.

A confusão básica sobre os sentimentos muitas vezes parece levá-los a queixarem-se de vagos problemas médicos, quando na verdade sofrem de angústia emocional — fenômeno conhecido em psiquiatria como *somatização,* isto é, quando uma dor emocional se expressa através de uma dor física (o que é diferente da doença psicossomática, em que problemas emocionais causam doenças físicas autênticas). Na verdade, grande parte do interesse psiquiátrico pelos alexitímicos está em diferenciá-los daqueles que procuram ajuda médica, pois tendem a uma extensa — e infrutífera — busca de diagnose e tratamento médicos para o que na verdade é um problema emocional.

Embora ninguém possa ainda dizer com certeza o que causa a alexitimia, o Dr. Sifneos sugere uma desconexão entre o sistema límbico e o neocórtex, sobretudo os centros verbais, o que se encaixa bem no que temos aprendido sobre o cérebro emocional. Os pacientes com severos derrames que, para alívio dos sintomas, tiveram essa ligação seccionada, observa Sifneos, tornaram-se emocionalmente insensíveis, como as pessoas com alexitimia, incapazes de falar sobre seus sentimentos, e subitamente desprovidos da capacidade de fantasiar. Em suma, embora os circuitos do cérebro emocional reajam com sentimentos, o neocórtex não pode classificar esses sentimentos e acrescentar-lhes a nuança da linguagem. Como observou Henry Roth, em seu romance *Call it Sleep* (Chame-o Sono), sobre esse poder da linguagem: "Se você conseguir colocar em palavras o que está sentindo, o sentimento fica sob seu controle." O corolário, claro, é o dilema do alexitímico: não ter palavras para os sentimentos significa não tomar posse desses sentimentos.

EM LOUVOR DA INTUIÇÃO

O tumor de Elliot, um pouco atrás da testa, era do tamanho de uma laranja pequena; uma cirurgia extirpou-o completamente. Embora a operação tivesse sido considerada um sucesso, as pessoas que privavam da intimidade de Elliot diziam depois que ele não era mais o mesmo — sofrera uma drástica mudança de personalidade. Antes um bem-sucedido advogado empresarial, não mais conseguia se manter num emprego. Malbaratando as economias em investimentos infrutíferos, viu-se reduzido a morar num quarto vago na casa do irmão.

Havia um padrão intrigante no problema de Elliot. Intelectualmente, ele continuava brilhante como sempre, mas empregava seu tempo de uma maneira terrível, perdendo-se em detalhes sem importância; parecia ter perdido qualquer noção de prioridade. Quando chamado à atenção, ficava indiferente; foi despedido de uma série de empregos em que trabalhava como advogado. Embora extensos testes intelectivos nada indicassem de errado em suas faculdades mentais, ainda assim ele foi procurar um neurologista, esperando que a descoberta de um problema neurológico lhe desse os benefícios de invalidez a que se julgava com direito. De outro modo, poderia concluir-se que era apenas alguém se fingindo de doente para não ter de trabalhar.

Antonio Damasio, o neurologista a quem Elliot consultou, ficou impressionado com um elemento ausente no repertório mental dele: embora não houvesse problema algum em seu raciocínio lógico, na memória, atenção ou qualquer outra capacidade cognitiva, Elliot era praticamente indiferente ao que sentia em relação ao que lhe acontecia.[13] Mais impressionante ainda, era capaz de falar sobre fatos trágicos ocorridos em sua vida com total frieza, como se fosse um mero observador das perdas e fracassos que vivera, sem o menor tom de pesar ou tristeza, frustração ou raiva com a injustiça da vida. Até o seu próprio distúrbio não lhe causava sofrimento; Damasio se incomodava mais do que ele próprio com o problema.

A origem dessa inconsciência emocional, concluiu Damasio, fora a remoção, junto com o tumor no cérebro, de parte dos lobos pré-frontais de Elliot. Na verdade, a cirurgia cortara várias ligações entre os centros inferiores do cérebro emocional, sobretudo a amígdala cortical e circuitos relacionados, e as capacidades de pensar do neocórtex. O pensamento de Elliot tornara-se igual ao de um computador, capaz de executar todas as etapas para solucionar um problema, mas incapaz de atribuir *valores* às diferentes possibilidades. Toda opção era neutra. E esse raciocínio totalmente desapaixonado, suspeitava Damasio, era o núcleo do problema de Elliot: a reduzidíssima consciência dos próprios sentimentos em relação às coisas tornara falho o seu raciocínio.

A incapacitação se revelava mesmo em decisões rotineiras. Quando Damasio tentou marcar dia e hora para a consulta seguinte, Elliot não sabia que decisão tomar. Ele encontrava argumentos contra e a favor a todos os horários sugeridos por Damasio, mas não conseguia escolher nenhum deles. No nível racional, havia razões perfeitamente lógicas para recusar ou aceitar quase todos os horários possíveis. Mas faltava a Elliot qualquer noção do que *sentia* em relação a qualquer deles. Sem consciência de seus próprios sentimentos, não tinha qualquer preferência.

Entre outras coisas, o que podemos concluir dessa incapacidade de tomar decisão é o importante papel que o sentimento desempenha na navegação pela interminável corrente das decisões pessoais da vida. Embora sentimentos fortes possam causar devastações no raciocínio, a *falta* de consciência do sentimento também pode ser destrutiva, sobretudo no avaliar decisões das quais depende, em grande parte, o nosso destino: que carreira seguir, se ficar num emprego seguro ou arriscar-se em outro mais atraente, com quem namorar ou casar, onde viver, que apartamento alugar ou que casa comprar — sempre e sempre, pela vida afora. Essas decisões não podem ser bem tomadas apenas através do uso da razão; exigem intuição e a sabedoria emocional que acumulamos de experiências passadas. A lógica formal, por si só, jamais pode servir de base para decidir com quem se casar ou em quem confiar, ou mesmo que emprego pegar; são domínios onde a razão, sem o sentimento, fica cega.

Os sinais intuitivos que nos orientam nesses momentos vêm sob a forma de impulsos límbicos das vísceras que Damasio chama de "marcadores somáticos" — literalmente, intuições. O marca-dor somático é uma espécie de alarme automático, geralmente chamando a atenção para o perigo potencial de uma determinada linha de ação. Na maioria das vezes, esses marcadores nos orientam para que fiquemos *bem longe* de uma escolha contra a qual nossa experiência nos adverte, embora também possam nos alertar para uma oportunidade de ouro. Em geral, nesses momentos, não nos lembramos que tipo de experiência deu forma a esse sentimento negativo; basta que recebamos o sinal de que uma determinada linha potencial de ação pode ser desastrosa. Sempre que surge uma dessas intuições, podemos abandonar ou seguir imediatamente com maior confiança essa linha de consideração e, desta forma, reduzir o leque de escolhas a uma matriz de decisão com menos variedade. A chave para uma tomada de decisão mais sábia é, em suma, estar mais sintonizado com nossos sentimentos.

AVALIANDO O INCONSCIENTE

O vácuo emocional de Elliot sugere que pode haver um espectro de aptidões das pessoas para sentir suas emoções no momento exato em que elas ocorrem. Pela lógica da neurociência, se a ausência de um circuito neural conduz a um déficit numa aptidão, então a força ou fraqueza relativas desse mesmo circuito nas pessoas de cérebro intacto deve conduzir a níveis comparáveis de competência nessa mesma aptidão. Em termos do papel dos circuitos pré-frontais na sintonização emocional, isso sugere que por razões neurológicas alguns de nós podemos mais facilmente detectar a sensação de medo ou prazer que outros, e assim sermos mais autoconscientes de nossas emoções.

Talvez o talento para a introspecção psicológica dependa desses mesmos circuitos. Alguns de nós estamos mais naturalmente sintonizados com simbolismos mentais específicos: a metáfora e o símile, juntamente com a poesia, a música e a fábula, são todos moldados na linguagem do coração. Também o são os sonhos e mitos, em que vagas associações determinam o fluxo da narrativa, seguindo a lógica da mente emocional. Os que têm uma sintonia natural com a voz de seu coração — a linguagem da emoção — certamente são mais capazes de articular as mensagens dele, quer sejam romancistas, compositores ou psicoterapeutas. Essa sintonia interna talvez seja responsável por eles serem mais talentosos para expressar a "sabedoria do inconsciente" — os significados que percebemos em nossos sonhos e fantasias, os símbolos que encarnam nossos mais profundos desejos.

A autoconsciência é fundamental para a intuição psicológica; esta é a faculdade que a psicoterapia privilegia, com vista a seu fortalecimento. Na verdade, o modelo de inteligência intrapsíquica de Howard Gardner está em Sigmund Freud, o grande mapeador da dinâmica secreta da psique. Como Freud colocou, grande parte da vida emocional é inconsciente; os sentimentos que se agitam dentro de nós nem sempre cruzam o limiar da consciência. A verificação empírica desse axioma psicológico vem, por exemplo, de experiências com emoções inconscientes, como a notável descoberta de que as pessoas tomam gosto definitivo por coisas que nem têm consciência de terem visto antes. Qualquer emoção pode ser — e muitas vezes é — inconsciente.

Os primeiros sinais psicológicos de uma emoção ocorrem geralmente antes que a pessoa esteja conscientemente a par do próprio sentimento. Por exemplo, quando são exibidas fotos de cobras a pessoas que têm medo de cobra, sensores em sua pele detectam o surgimento de suor, que é um sinal de ansiedade, embora elas digam que não sentem medo algum. O suor aparece nessas pessoas mesmo quando a imagem da cobra é mostrada rapidamente, de forma que não haja tempo para que fixem na consciência, de forma exata, a imagem que acabaram de ver e, muito menos, percebam que estão começando a ficar ansiosas. À medida que essas agitações emocionais pré-conscientes continuam a crescer, acabam tornando-se suficientemente fortes para irromper na consciência. Assim, há dois níveis de emoção: consciente e inconsciente. O momento em que a emoção passa para a consciência assinala seu registro como tal no córtex frontal.[14]

As emoções que fremem abaixo do limiar da consciência podem ter um poderoso impacto na maneira como percebemos e reagimos, embora não tenhamos ideia de que elas estão atuando. É o caso de alguém que no início do dia se aborrece com uma coisa desagradável e permanece ranzinza horas depois, ofendendo-se e respondendo mal às pessoas sem motivo plausível. É possível que não perceba sua continuada irritabilidade e ficará surpreso se alguém chamar a atenção para ela, embora esse sentimento esteja pouco aquém de sua consciência e justifique suas respostas bruscas. Mas assim que essa reação é trazida à consciência — assim que se registra no córtex —, ele pode avaliar de novo as coisas, decidir abandonar os sentimentos que ficaram do início do dia e mudar de perspectiva e estado de espírito. Desta forma, a autoconsciência emocional é a base deste aspecto da inteligência emocional: ser capaz de afastar um estado de espírito negativo.

5

Escravos da Paixão

Tens sido...
Um homem que as desgraças e recompensas da Sorte
Aceitas com igual gratidão... Dá-me o homem
Que não é escravo da paixão, que eu o trarei
No fundo do meu coração, sim, no coração do meu coração
Como faço contigo...

— Hamlet a seu amigo Horatio

A capacidade de manter o autocontrole, de suportar o turbilhão emocional que o acaso nos impõe e de não se tornar um "escravo da paixão" tem sido considerada, desde Platão, como uma virtude. Na Grécia clássica, esse atributo era denominado *sophrosýne,* "precaução e inteligência na condução da própria vida; equilíbrio e sabedoria", como interpreta Page DuBois, um estudioso do idioma grego. Para os romanos e para a antiga Igreja cristã isso significava *temperantia,* temperança, contenção de excessos. O objetivo é o equilíbrio e não a supressão das emoções: cada sentimento tem seu valor e significado. Uma vida sem paixão seria um entediante deserto de neutralidade, cortado e isolado da riqueza da própria vida. Mas, como observou Aristóteles, o que é necessário é a emoção *na dose certa,* o sentimento proporcional à circunstância. Quando as emoções são sufocadas, geram embotamento e frieza; quando escapam ao nosso controle, extremadas e renitentes, tornam-se patológicas, tal como ocorre na depressão paralisante, na ansiedade que aniquila, na raiva demente e na agitação maníaca.

Na verdade, manter sob controle as emoções que nos afligem é fundamental para o bem-estar; os extremos — emoções que vêm de forma intensa e que permanecem em nós por muito tempo — minam nossa estabilidade. É claro que não devemos sentir apenas um tipo de emoção: ser feliz o tempo todo de certa forma sugere a insipidez daqueles adesivos com rostos sorridentes que foram moda nos anos 1970. Muito pode ser dito sobre o lado construtivo do sofrimento para a vida criativa e espiritual; o sofrimento fortalece a alma.

Os altos e baixos dão tempero à vida, mas precisam ser vividos de forma equilibrada. Na contabilidade do coração, é a proporção entre emoções positivas e negativas que determina a sensação de bem-estar — pelo menos, essa é a conclusão resultante de estudos feitos sobre estados de espírito realizados junto a centenas de homens e mulheres que portaram bipes que soavam, em momentos aleatórios, para lembrar-lhes de registrar o que estavam sentindo naquele instante.[1] Não se trata de evitarmos os sentimentos desagradáveis para que fiquemos satisfeitos, mas, antes, de não permitir que sentimentos tempestuosos nos arrebatem, atrapalhando o nosso bem-estar. As pessoas que têm fortes episódios de raiva e depressão conseguem, mesmo assim, obter uma sensação de bem-estar se têm, para contrabalançar, um conjunto de momentos igualmente alegres ou felizes. Esses estudos também afirmam a independência da inteligência emocional da inteligência acadêmica, constatando pouca ou nenhuma relação entre o nível de QI e o bem-estar emocional das pessoas.

Assim como há um murmúrio de pensamentos de fundo na mente, há um constante zumbido emocional; se "biparmos" alguém às seis da manhã ou às sete da noite, o encontraremos com um humor diferente em cada um desses momentos. Claro, em duas manhãs quaisquer, alguém pode ter estados de espírito bastante diversos; mas quando se calcula a média dos estados de uma pessoa em semanas ou meses, eles tendem a refletir o senso de bem-estar geral dessa pessoa. Constata-se que, para a maioria, sentimentos extremamente intensos são relativamente raros; a maioria de nós fica na cinzenta média, com suaves lombadas em nossa montanha-russa emocional.

Ainda assim, controlar nossas emoções é meio como exercer uma atividade de tempo integral: muito do que fazemos — sobretudo nos momentos livres — são tentativas de manter o bem-estar. Tudo, desde ler um romance ou ver televisão, até as atividades e companhias que procuramos, são tentativas para que nos sintamos melhor. A arte de manter a tranquilidade é um dom fundamental da vida; alguns psicanalistas, como John Bowlby e D. W. Winnicott, a identificam como a mais essencial de todas as ferramentas psíquicas. Dizem os teóricos que os bebês emocionalmente sadios são aqueles que se consolam tratando-se como seus responsáveis os trataram, o que os deixa menos vulneráveis às agitações do cérebro emocional.

Como vimos, o projeto do cérebro demonstra que muitas vezes temos pouco ou nenhum controle sobre *quando* somos arrebatados pela emoção e de *qual* emoção se trata. Mas podemos decidir sobre *quanto* durará uma emoção. O problema não está na tristeza, preocupação ou raiva ocasionais; normalmente, esses sentimentos passam, com tempo e paciência. Mas quando eles são muito intensos e ultrapassam um limite razoável, atingem seus perturbadores extremos — ansiedade crônica, ira descontrolada, depressão. E, no ponto mais severo e insuportável, para que sejam debelados pode ser necessária a medicação, psicoterapia ou as duas coisas juntas.

Atualmente, um sinal da capacidade de autocontrole emocional pode ser o reconhecimento de quando a agitação crônica do cérebro emocional é muito forte para ser superada sem ajuda farmacológica. Por exemplo, dois terços dos maníaco-depressivos nunca foram tratados desse mal. Mas o lítio ou medicamentos mais novos podem evitar o ciclo característico de depressão paralisante que se alterna com episódios maníacos, misturando caótica euforia com irritação e fúria. Um dos problemas da psicose maníaco-depressiva é que, quando as pessoas estão na fase da mania, muitas vezes se sentem de tal modo confiantes que não se dão conta de que estão precisando de ajuda, apesar das desastrosas decisões que tomam. Nessas severas perturbações emocionais, a medicação psiquiátrica é instrumento para um melhor controle da vida.

Mas quando se trata de vencer a gama mais habitual de estados de espírito negativos, somos deixados por nossa própria conta. Infelizmente, este tipo de recurso nem sempre funciona — pelo menos, esta é a conclusão a que chegou Diane Tice, psicóloga da Case Western Reserve University, que perguntou a mais de quatrocentos homens e mulheres sobre as estratégias que usavam para fugir dos estados de espírito negativos, e o grau de êxito obtido.[2]

Nem todos estavam filosoficamente de acordo com o fato de os ânimos negativos deverem ser mudados; Diane constatou que há "puristas do estado de espírito", os 5%, mais ou menos, que disseram que nunca tentam mudá-lo, pois na opinião deles todas as emoções são "naturais" e devem ser vividas intensamente, por pior que sejam. E também houve os que buscavam regularmente entrar em estados desagradáveis por motivos pragmáticos: médicos que precisavam estar sombrios para dar más notícias a pacientes; ativistas sociais que alimentavam sua revolta contra a injustiça para serem mais eficazes ao combatê-la; e até um jovem que provocava raiva em si mesmo para ajudar o irmão menor a enfrentar os coleguinhas brigões. E algumas pessoas eram decididamente maquiavélicas em relação à manipulação dos seus estados de espírito — por exemplo, os cobradores, que se enfureciam para agirem com mais firmeza com os caloteiros.[3] Mas, afora esses raros cultivos deliberados de sentimentos desagradáveis, a maioria se queixava de que estava à mercê de seus estados de espírito. As fichas de acompanhamento onde era anotado o que as pessoas faziam para livrar-se de estados de espírito negativos eram decididamente contraditórias.

A ANATOMIA DA RAIVA

Digamos que alguém lhe dá uma fechada perigosa na estrada. Se seu pensamento reflexo é "Que filho da puta!", ele irá influenciar bastante na trajetória da raiva, se for acompanhado de outros de indignação e vingança: "Podia ter causado uma batida! Sacana! Mas isso não vai ficar assim!" Os nós dos dedos ficam brancos de tanto você apertar o volante, um substituto do pescoço de quem lhe fechou. O corpo imobiliza-se para lutar, não para fugir — você fica trêmulo, gotas de suor correm pela testa, o coração dispara, os músculos faciais travam-se e você fica com uma cara muito feia. Você quer matar o cara. Então, se um carro que está atrás buzina porque você reduziu a velocidade após a quase batida, você pode explodir de raiva contra o outro motorista também. É assim que se formam a hipertensão, a direção perigosa e até os tiroteios nas ruas.

Compare essa sequência de acumulação de raiva com uma linha mais caridosa de pensamento em relação ao motorista que o fechou: "Talvez não tenha me visto, talvez tenha um bom motivo para dirigir de maneira tão descuidada, talvez seja uma emergência médica." Essa linha de possibilidade tempera a raiva com piedade, ou pelo menos com uma mente aberta, impedindo que a emoção cresça. O problema, como nos lembra o que é proposto por Aristóteles a respeito de termos apenas a raiva *certa,* é que na maioria das vezes nos descontrolamos. Benjamin Franklin colocou a coisa muito bem: "A raiva nunca é sem motivo, embora raramente seja um bom motivo."

Existem, por certo, diversos tipos de raiva. É possível que as amígdalas corticais sejam uma fonte primeira da súbita centelha de cólera que sentimos contra o motorista cujo descuido coloca nossa vida em risco. Mas é mais provável que o outro extremo dos circuitos emocionais, o neocórtex, fomente raivas mais calculadas, como a fria vingança ou a indignação diante de uma injustiça. É mais provável que essa raiva elaborada, como disse Franklin, "tenha bons motivos", ou pareça ter.

Dentre todos os sentimentos de que as pessoas mais querem se ver livres, a raiva é o mais intransigente; Diane Tice constatou que é o sentimento mais difícil de controlar. Na verdade, ela é a mais sedutora das emoções negativas; o intolerante monólogo interior que a impele inunda a mente dos mais convincentes argumentos para que lhe seja dada vazão. Ao contrário da tristeza, a raiva energiza, e até mesmo exalta. O seu poder sedutor e persuasivo pode em si explicar por que alguns comentários sobre ela são tão comuns: que é incontrolável, ou que, seja como for, *não deve* ser controlada, e que lhe dar vazão numa "catarse" faz bem. Uma outra corrente de pensamento, que talvez até seja uma reação contra o quadro sombrio dessas outras, afirma que a raiva pode ser inteiramente evitada. Mas uma cuidadosa leitura das descobertas feitas por pesquisadores sugere que todas essas atitudes adotadas em relação ao sentimento de raiva são equivocadas ou simplesmente míticas.[4]

A cadeia de pensamentos furiosos que alimenta a raiva é também, potencialmente, a chave para uma das mais poderosas maneiras de desarmá-la: de cara, minar as convicções que a abastecem. Quanto mais ruminamos sobre o que nos deixou com raiva, mais "bons motivos" e justificativas podemos inventar para ficarmos com raiva. A ruminação alimenta as chamas da raiva. Ver as coisas de forma diferente extingue essas chamas. Diane Tice constatou que reavaliar uma situação era uma das mais potentes formas de aplacar a raiva.

A "superpotência" da raiva

Essa constatação se enquadra bastante na conclusão do psicólogo Dolf Zillmann, da Universidade do Alabama, que, numa extensa série de meticulosas experiências, avaliou de forma precisa a raiva e sua anatomia.[5] Levando-se em conta as raízes da raiva na opção "lutar" da reação lutar-ou-fugir, não surpreende que Zillmann tenha descoberto que o disparador universal da raiva seja a sensação de estar em perigo. O perigo pode ser sinalizado não apenas por uma ameaça física direta, mas também, como é mais frequente, por uma ameaça simbólica à autoestima ou à dignidade: tratamento injusto ou grosseiro, insulto ou humilhação, frustração na busca de um objetivo importante. Essas percepções atuam como o gatilho instigante de uma onda límbica que tem um duplo efeito sobre o cérebro. Uma parte dessa onda é a liberação de catecolaminas, que geram um rápido e episódico surto de energia, suficiente para "uma linha de ação vigorosa", como diz Zillmann, "como no lutar-ou-fugir". Esse surto de energia dura minutos, tempo em que o corpo é preparado para uma boa briga ou uma rápida fuga, dependendo de como o cérebro emocional avalie a oposição.

Enquanto isso, outra onda impulsionada pela amígdala cortical, que percorre o ramo adrenocortical do sistema nervoso, cria um pano de fundo tônico geral de prontidão para a ação, que dura muito mais que o surto de energia de catecolamina. Esse estímulo adrenal e cortical generalizado pode durar horas e até mesmo dias, mantendo o cérebro emocional em especial prontidão para o estímulo e tornando-se uma base sobre a qual reações posteriores se formam com particular rapidez. Em geral, a condição de pronta resposta criada pela estimulação adrenocortical explica por que as pessoas são mais propensas à raiva quando já foram provocadas ou ligeiramente irritadas por alguma outra coisa. Tensões de todo tipo criam estimulação adrenocortical, abaixando o limiar do que provoca a raiva. Assim, uma pessoa que teve um dia difícil no trabalho fica especialmente propensa a ficar furiosa mais tarde em casa com alguma coisa — as crianças fazendo muito barulho ou bagunça, por exemplo —, o que em outras circunstâncias não seria suficientemente forte para provocar um sequestro emocional.

Zillmann chega a essas intuições sobre a raiva através de cuidadosa experimentação. Num estudo típico, por exemplo, ele pede a um de seus auxiliares que provoque, através de observações sarcásticas, os homens e as mulheres que se oferecem como voluntários para a pesquisa. Esses voluntários veem, depois, dois gêneros de filme: um agradável, outro desagradável. Depois têm a oportunidade de revidar a provocação, fazendo uma avaliação que, julgam, seja usada para decidir se o auxiliar será ou não contratado para trabalhar. A intensidade do revide é diretamente proporcional ao estímulo que recebem do filme a que assistiram; os mais furiosos são aqueles que viram o filme desagradável, e fazem a pior avaliação do candidato ao emprego.

RAIVA alimenta a RAIVA

Os estudos de Zillmann parecem explicar a dinâmica em ação num drama familiar doméstico que um dia testemunhei, quando fazia compras. De uma ala do supermercado veio a voz enfática e comedida de uma jovem mãe falando com o filho, de cerca de 3 anos:

— Devolve isso!

— Mas eu *quero*! — choramingou o menino, apertando mais contra si a caixa de cereal das Tartarugas Ninjas.

— Devolve! — mais alto, a raiva tomando conta.

Nesse momento, a menininha que estava no carrinho de compras da mãe deixou cair o pote de geleia que tinha na boca. Quando o vidro se espatifou no chão, a mãe berrou:

— Chega!

E, num ataque de fúria, deu um tapa na filha, tomou a caixa do menino e enfiou-a na prateleira mais próxima, pegou-o pela cintura e saiu disparada pelo corredor, o carrinho de compras trepidando perigosamente na frente, a menininha chorando, o moleque esperneando, aos berros:

— Me larga, me larga!

Zillmann constatou que quando o corpo já se acha em estado de irritação, como ocorreu com a mãe no supermercado, e algum evento detona um sequestro emocional, a emoção posterior, de ira ou ansiedade, é de intensidade especialmente grande. Essa dinâmica ocorre quando alguém se zanga. Zillmann vê a escalada da raiva como "uma sequência de provocações, cada uma disparando uma reação excitatória que demora a dissipar-se". Nessa sequência, cada pensamento ou percepção torna-se um minigatilho de surtos amigdalíticos de catecolaminas, cada um alimentando-se do impulso hormonal anterior. Um segundo sentimento vem depois que passou o primeiro, e vem um terceiro, depois destes, e assim por diante; cada onda vem na esteira das anteriores, elevando rapidamente o nível de estimulação fisiológica do corpo. Um pensamento que ocorra depois desse acúmulo provoca uma intensidade de raiva muito maior que um pensamento que venha no início. A raiva se alimenta de raiva; o cérebro emocional esquenta. A essa altura, a raiva, não tolhida pela razão, facilmente explode em violência.

Nesse ponto, as pessoas não perdoam e ficam longe do alcance da razão; seus pensamentos se fixam na vingança e na represália, indiferentes às consequências. Esse alto nível de excitação, diz Zillmann, "promove uma ilusão de poder e invulnerabilidade que inspira e facilita a agressão", à medida que a pessoa irada, "sem orientação cognitiva", recai na mais primitiva das reações. O surto límbico está em ascensão; aquelas mais cruas lições extraídas da vida selvagem tornam-se guias para a ação.

Bálsamo para a raiva

A partir dessa análise, Zillmann sugere dois modos de intervenção. Um é avaliar e contestar as ideias que disparam o surto, uma vez que é a avaliação original de uma interação que confirma e encoraja a primeira explosão de raiva, e são as avaliações posteriores que atiçam as chamas. A cronologia importa; quanto mais cedo ocorrer uma intervenção no ciclo, mais efetiva. Na verdade, a raiva pode ser completamente interrompida se a informação que visa esvaziá-la vier antes que se dê vazão a ela.

O poder da compreensão no esvaziamento da ira é demonstrado em outra das experiências de Zillmann, em que um auxiliar grosseiro (um "cúmplice") insultou e provocou voluntários que pedalavam uma bicicleta ergométrica. Quando foi dada aos voluntários a oportunidade de revidar o insulto e a provocação do auxiliar (mais uma vez, fazendo uma avaliação que eles julgavam seria usada para decidir sua candidatura a um emprego), eles o fizeram com furiosa alegria. Mas, numa outra versão do experimento, outra "cúmplice" entrou depois de os voluntários terem sido provocados, e pouco antes que revidassem; ela disse ao auxiliar que fosse atender o telefone, lá no final do corredor. Ao sair, ele fez uma observação sarcástica para ela também. Mas ela levou a coisa numa boa, explicando, depois que o homem saiu, que ele se achava sob uma terrível pressão, devido aos exames finais. Depois disso, os irados voluntários, quando tiveram a oportunidade de revidar, preferiram não fazê-lo; em vez disso, manifestaram solidariedade diante de sua dificuldade.

Essa informação atenuante permite uma reavaliação dos fatos que causaram a raiva. Mas há o momento exato para deter essa escalada. Zillmann constata que ela funciona bem em níveis moderados de raiva; em níveis altos, não faz diferença, por causa do que ele chama de "incapacitação cognitiva" — em outras palavras, as pessoas não mais podem pensar direito. Depois que já estão com muita raiva, descartam a informação atenuante com um "Mas que pena!" ou "Quanta baboseira", como observou delicadamente o pesquisador.

Ficando frio

> Certa vez, quando eu tinha uns 13 anos, num acesso de raiva, saí de casa jurando que nunca mais retornaria. Era um bonito dia de verão e fui bem longe por entre belas alamedas, até que, aos poucos, a quietude e a beleza me acalmaram e tranquilizaram e, após algumas horas, voltei arrependido e quase derretido. Desde então, quando estou furioso, faço isso se possível, e acho que é o melhor remédio.

A história é de um participante de um dos primeiros estudos científicos sobre a raiva, feito em 1899.[6] Ainda permanece como um modelo da segunda maneira de desescalar a ira: esfriar psicologicamente, esperando que passe o surto adrenal, num ambiente não propício à alimentação da ira. Numa discussão, por exemplo, isso significa afastar-se, naquele exato momento, da outra pessoa. No período de esfriamento, a pessoa irada pode frear o ciclo de crescente pensamento hostil, buscando distrações. Zillmann constata que a distração é um poderosíssimo artifício moderador do estado de espírito, por um simples motivo: é difícil continuar zangado quando estamos nos divertindo. O segredo, claro, é, em primeiro lugar, esfriar a raiva a ponto de a pessoa poder *divertir-se*.

A análise, feita por Zillmann acerca de como a raiva aumenta e diminui, explica muito das constatações de Diane Tice sobre as estratégias que as pessoas comumente dizem usar para aliviá-la. Uma delas, que é bastante eficaz, consiste em dar uma volta para ficar só, enquanto esfria. Muitos homens dão essa volta de carro — um achado da pesquisa que serve de alerta para quando estivermos dirigindo (e que, disse-me Diane, a inspirou a dirigir com mais atenção). Talvez a alternativa mais segura seja sair para uma longa caminhada; o exercício ativo também ajuda em casos de raiva. O mesmo efeito é obtido através de métodos de relaxamento do tipo inspirar fundo e relaxar a musculatura, talvez porque essas medidas alterem a fisiologia corporal, da alta estimulação provocada pela raiva a um estado de baixa estimulação, e talvez também porque retirem a atenção do que tenha desencadeado a raiva. O exercício ativo pode esfriar a raiva por algo do mesmo motivo: após altos níveis de ativação fisiológica durante o exercício, o corpo recai para um baixo nível assim que para.

Mas um período de esfriamento não funcionará se esse tempo for usado para prosseguir na cadeia de pensamento que induz à raiva, uma vez que cada um desses pensamentos é, em si, um disparador menor de outras cascatas de raiva. O poder da distração está em interromper essa cadeia. Em sua pesquisa sobre as estratégias utilizadas pelas pessoas para o controle da ira, Diane Tice constatou que, em geral, as distrações ajudam a acalmá-la: TV, cinema, leitura e coisas do gênero interferem nos pensamentos furiosos que alimentam a raiva. Mas ela constatou que se entregar a prazeres como fazer comprinhas e comer não produzem muito efeito; é muito fácil permanecer numa cadeia de pensamento indignado enquanto se passeia num shopping center ou quando se devora uma fatia de bolo de chocolate.

A essas estratégias, acrescentam-se aquelas criadas por Redford Williams, psiquiatra da Duke University que buscou ajudar pessoas hostis, as quais correm maior risco de contrair doenças cardíacas, a controlar suas irritabilidades.[7] Uma de suas recomendações é usar a autoconsciência para captar pensamentos cínicos ou hostis, assim que surjam, e anotá-los. Agindo desta forma, é possível que esses pensamentos sejam contestados e reavaliados, embora, como constatou Zillmann, esse método funcione melhor antes que a raiva se transforme em fúria.

A falácia da catarse

Tão logo entro num táxi em Nova York, um jovem que atravessa a rua para na frente do carro para esperar uma brecha no trânsito. O motorista, impaciente, buzina e gesticula para que ele saia da frente. A resposta é uma cara feia e um gesto obsceno.

— Seu filho da puta! — berra o motorista, com arrancos ameaçadores, usando o acelerador e o freio ao mesmo tempo.

Diante dessa ameaça letal, o rapaz se afasta mal-humorado e esmurra o carro, que avança, centímetro a centímetro, no trânsito. O motorista berra-lhe uma enxurrada de palavrões.

Quando nos afastamos, o taxista, visivelmente ainda agitado, me diz:

— Não se deve levar desaforo pra casa. Tem que devolver... pelo menos isso faz a gente se sentir melhor.

A catarse — o dar vazão à raiva — é, às vezes, louvada como um meio de controlar a raiva. Dizem que "faz a gente se sentir melhor". Mas, como sugerem as constatações de Zillmann, há um argumento contra a catarse. Tem sido usado desde a década de 1950, quando psicólogos começaram a testar experimentalmente os seus efeitos e descobriram que, muitas vezes, dar vazão à raiva não funcionava ou funcionava muito pouco para eliminá-la (embora, devido à natureza sedutora do sentimento, possa dar a *sensação* de satisfação).[8] Pode haver uma condição específica na qual soltar a raiva funcione: quando ela é expressa diretamente à pessoa visada, quando devolve o senso de controle ou corrige uma injustiça, ou quando inflige o "dano certo" à outra pessoa e faz com que ela modifique alguma atividade ofensiva sem fazer retaliação. Mas, devido à natureza incendiária da raiva, isso pode ser mais fácil na teoria do que na prática.[9]

Diane Tice constatou que dar vazão à raiva é uma das piores maneiras de esfriar: as explosões de raiva geralmente inflam o estímulo do cérebro, deixando as pessoas com mais raiva ainda. Ela descobriu que, quando as pessoas falavam das vezes em que haviam descontado sua raiva na pessoa que a provocara, o verdadeiro efeito era mais um prolongamento do estado de espírito que o seu fim. Muito mais efetivo era quando as pessoas primeiro esfriavam e, depois, de uma maneira mais construtiva ou assertiva, enfrentavam a outra para acertar a desavença. Como certa vez ouvi dizer Chogyam Trungpa, um mestre tibetano, quando lhe perguntaram como melhor controlar a raiva:

— Não a elimine. Mas não aja com base nela.

O "RELAX" DA ANSIEDADE: COMO? EU ME PREOCUPAR?

> Oh, não, o silencioso está com um som estranho... E se eu tiver de levá-lo pra oficina?... Não posso arcar com a despesa... Teria de tirar o dinheiro da poupança do Jamie... E se eu não puder pagar a escola dele?... O boletim escolar ruim na

semana passada... E se ele não entrar para a universidade?... O silencioso está com um som estranho...

E assim a mente preocupada continua a girar num interminável círculo de melodrama barato, um conjunto de preocupações levando ao seguinte e voltando ao começo. O exemplo acima é apresentado por Lizabeth Roemer e Thomas Borkovec, psicólogos da Universidade do Estado da Pensilvânia, cuja pesquisa sobre a preocupação — núcleo de toda ansiedade — elevou a arte do neurótico ao nível científico.[10] É evidente que não há mal quando a preocupação funciona; tentando resolver um problema — ou seja, empregando a reflexão construtiva, que pode parecer preocupação —, talvez surja a solução. Na verdade, a reação que se esconde sob a preocupação é a vigilância para detectar perigos potenciais, o que, sem sombra de dúvida, tem sido essencial para a sobrevivência no curso da evolução. Quando o medo dispara o cérebro emocional, parte da ansiedade resultante fixa a atenção na ameaça direta, forçando a mente a obcecar-se sobre como tratá-la e a ignorar tudo mais que ocorra naquele momento. A preocupação é, num certo sentido, uma antecipação da ocorrência de um fato desagradável e de como lidar com isso; o papel da preocupação é o de projetar soluções positivas para os perigos da vida, prevendo-os antes que surjam.

O que é problema são as preocupações crônicas, aquelas que se repetem eternamente e nunca se aproximam de uma solução positiva. Uma análise cuidadosa da preocupação crônica sugere que ela tem todos os atributos de um sequestro emocional de baixa intensidade: as preocupações parecem surgir do nada, são incontroláveis, geram um rumor constante de ansiedade, são imunes à razão e prendem aquele que se preocupa numa única e inflexível visão do tema que o preocupa. Quando esse mesmo ciclo de preocupação se intensifica e persiste, beira o limite de sequestros neurais completos, as perturbações da ansiedade: fobias, obsessões e compulsões, ataques de pânico. Em cada uma dessas perturbações, a preocupação se dirige a focos distintos; para o fóbico, as ansiedades giram em torno da situação temida; para o obsessivo, fixa-se em prevenir alguma temida calamidade; nos ataques de pânico, a preocupação se concentra num medo de morrer ou na perspectiva de ter uma crise de pânico.

Em todas essas condições, o denominador comum é a preocupação exagerada. Por exemplo, uma mulher em tratamento de uma perturbação obsessivo-compulsiva cumpria uma série de rituais que duravam a maior parte do dia: banhos de chuveiro de 45 minutos várias vezes, lavagem das mãos durante cinco minutos vinte ou mais vezes. Não se sentava sem antes esfregar o assento com álcool para esterilizá-lo. Tampouco tocava numa criança ou animal — ambos eram "sujos demais". Todas essas compulsões eram causadas por um subjacente medo mórbido de germes; ela se preocupava constantemente pensando que, sem essas lavagens e esterilizações, pegaria uma doença e morreria.[11]

Uma mulher em tratamento do "distúrbio de ansiedade generalizada" — nomenclatura psiquiátrica para a preocupação crônica —, atendendo ao pedido para falar de sua preocupação durante um minuto, o fez da seguinte maneira:

> Talvez eu não faça direito. Talvez saia tão artificial que não seja uma indicação do verdadeiro problema, e a gente precisa chegar ao verdadeiro problema... Pois se a gente não chegar ao verdadeiro problema, eu não vou ficar boa. E se não ficar boa, eu nunca vou ser feliz.[12]

Nessa virtuosística exibição de preocupação com a preocupação, o simples pedido de preocupar-se por um minuto elevou-se, em milésimos de segundos, à previsão de uma catástrofe para o resto da vida. "Eu nunca vou ser feliz." As preocupações seguem, em geral, essas linhas, um monólogo que vai saltando de preocupação em preocupação e, na maioria das vezes, inclui catastrofização, a imaginação de alguma tragédia terrível. As preocupações quase sempre se expressam ao ouvido mental, não ao olho mental — quer dizer, em palavras, não através de imagens —, e este é um fato importante para o seu controle.

Borkovec e seus colegas começaram a estudar a preocupação isoladamente quando tentavam obter um tratamento para a insônia. A ansiedade, observaram outros pesquisadores, surge sob duas formas: *cognitiva,* ou com preocupações, e *somática,* com os sintomas psicológicos da ansiedade, como sudorese, taquicardia, tensão muscular. Borkovec constatou que o principal problema dos insones não era o estímulo somático. O que os mantinha acordados eram os pensamentos intrusos. Eram preocupados crônicos e, por mais sono que tivessem, não conseguiam parar de se preocupar. A única coisa que os ajudava a dormir era afastar as preocupações da mente, concentrando-as, em vez disso, nas sensações produzidas por um método de relaxamento. Em suma, as preocupações podiam ser banidas, desviando-se a atenção delas.

A maioria dos preocupados, porém, não consegue se desligar. O motivo, acredita Borkovec, tem a ver com uma vantagem parcial da preocupação que reforça muitíssimo o hábito de estar preocupado. Parece haver alguma coisa de positivo nas preocupações: são maneiras de lidar com ameaças potenciais, com perigos que podem surgir a qualquer momento. A tarefa da preocupação — quando funciona — é simular esses perigos e pensar em maneiras de lidar com eles. Mas não funciona tão bem assim. Novas soluções e formas de ver um problema não surgem, geralmente, da preocupação, sobretudo da preocupação crônica. Em vez de produzir soluções para o perigo que imaginam, os preocupados normalmente ficam ruminando sobre o perigo em si, imergindo de uma maneira discreta no pânico a ele associado, sem conseguir parar de pensar. Os preocupados crônicos se preocupam com muitas coisas, a maioria das quais não tem a menor possibilidade de acontecer: veem perigos no dia a dia que outros nunca notam.

Contudo, os preocupados crônicos relatam a Borkovec que a preocupação os ajuda e se autoperpetua, um interminável ciclo de pensamento cheio de angústia.

Por que a preocupação seria o equivalente a um vício mental? Curiosamente, como observa Borkovec, o hábito de preocupar-se é reforçante, como o são as superstições. Como as pessoas se preocupam com um bocado de coisas com pouca possibilidade de realmente acontecer — uma pessoa amada morrer num acidente aéreo, ir à falência ou coisas do gênero —, há na preocupação, pelo menos para o cérebro límbico primitivo, algo de mágico. Funcionando como um amuleto que afasta um mal previsível, a preocupação ganha psicologicamente o crédito de prevenir o perigo que é objeto de sua preocupação.

A tarefa da preocupação

> Ela se mudara do Meio-Oeste para Los Angeles, atraída por um emprego numa editora. Mas a editora foi logo depois comprada por outra, e ela ficou desempregada. Voltou a trabalhar como freelance, um mercado irregular, e ora ficava atolada de trabalho, ora sem condições de pagar o aluguel. Muitas vezes, tinha de racionar os telefonemas e, pela primeira vez em sua vida, não tinha seguro-saúde. Essa falta de cobertura era particularmente angustiante: ela imaginava catástrofes sobre sua saúde, certa de que qualquer dorzinha de cabeça era sinal de um câncer no cérebro e vislumbrava um acidente sempre que tinha de ir de carro a algum lugar. Muitas vezes se descobria perdida num longo devaneio de preocupação, uma salada de angústia. Mas, por outro lado, dizia que achava que suas preocupações eram como um vício.

Borkovec descobriu outra surpreendente vantagem da preocupação. Enquanto as pessoas estão mergulhadas em tais pensamentos, parecem perder a percepção das sensações subjetivas da ansiedade que a preocupação desperta — o coração disparando, as gotas de suor, os tremores — e, à medida que a preocupação continua, na verdade parece eliminar parte dessa ansiedade, pelo menos a que se reflete nas batidas cardíacas. Presume-se que a sequência se dá mais ou menos assim: o preocupado nota alguma coisa que cria a imagem de uma ameaça potencial de perigo; essa catástrofe imaginária, por sua vez, causa uma leve crise de ansiedade. O preocupado, então, fica imerso numa longa série de pensamentos angustiantes, cada um dos quais prepara mais um tópico para que ele se preocupe; enquanto a atenção continua a se fixar nessa cadeia de preocupação, a própria concentração nesses pensamentos tira a mente da imagem catastrófica que originou a ansiedade. Borkovec constatou que as imagens são disparadores mais potentes de ansiedade psicológica do que os pensamentos, de modo que a imersão em pensamentos, com a exclusão de imagens catastróficas, alivia parcialmente a sensação de ansiedade. E, nessa medida, a preocupação é reforçada, como uma espécie de antídoto para a própria ansiedade que despertou.

Mas as preocupações crônicas também são autofrustrantes, porque tomam a forma de ideias estereotipadas, rígidas, e sem nenhuma abertura criativa que possa efetivamente conduzir à solução do problema. Essa rigidez se mostra não apenas no conteúdo manifesto do pensamento preocupado, que simplesmente repete, sem parar, mais ou menos as mesmas ideias. Mas, no nível neurológico, parece haver uma rigidez cortical, um déficit na capacidade de o cérebro emocional reagir com flexibilidade às mudanças de circunstâncias. Em suma, a preocupação crônica funciona de algumas formas, mas não de outras, que seriam mais consequentes: alivia um pouco a ansiedade, mas nunca soluciona o problema.

A única coisa que os preocupados crônicos não podem fazer é seguir o conselho que com mais frequência lhes dão: "Pare de se preocupar" (ou pior: "Não se preocupe — tá tudo bem"). Como as preocupações crônicas são episódios amigdalíticos corticais, surgem sem ser chamadas. E, por sua própria natureza, persistem, assim que surgem na mente. Mas, após muitos experimentos, Borkovec descobriu alguns procedimentos simples que podem servir de auxílio até para o mais crônico preocupado a controlar o hábito de se preocupar.

O primeiro passo é a autoconsciência, é se apoderar dos episódios preocupantes tão logo eles se iniciem — o ideal sendo assim ou imediatamente após que a instantânea imagem catastrófica dispara o ciclo de preocupação-ansiedade. Borkovec treina pessoas nesse método, primeiro ensinando-lhes a monitorar os indícios de ansiedade, sobretudo aprendendo a identificar situações que provocam preocupação, ou os pensamentos e imagens que, num relance, dão início à preocupação, assim como as consequentes sensações corporais de ansiedade. Com a prática, as pessoas aprendem a identificar as preocupações num ponto cada vez mais perto do início da espiral de ansiedade. As pessoas também aprendem métodos de relaxamento, que podem aplicar nos momentos em que percebem o início da preocupação, e praticam-nos diariamente, para poderem usá-los na hora em que mais precisem.

Mas o método de relaxamento, por si só, não basta. Os preocupados também precisam contestar ativamente os pensamentos preocupantes; sem isso, a espiral de preocupação retornará. Assim sendo, o passo seguinte é assumir uma posição crítica em relação às suas próprias suposições: é muito provável que o fato temido ocorra? Só existe, necessariamente, uma ou nenhuma alternativa para que aconteça? Há medidas construtivas a tomar? Será que adianta ficar percorrendo, sem cessar, esses mesmos pensamentos ansiosos?

A combinação de atenção e saudável ceticismo atuaria como uma espécie de freio na ativação neural que está por trás da baixa ansiedade. A geração ativa desses pensamentos prepara os circuitos que inibem o impulso límbico de preocupar-se; ao mesmo tempo, a indução ativa de um estado de relaxamento contrabalança os sinais de ansiedade que o cérebro emocional envia para todo o corpo.

Na verdade, observa Borkovec, essas estratégias estabelecem uma cadeia de atividade mental incompatível com a preocupação. Quando se deixa uma preocupação repetir-se continuamente, sem que seja contestada, ela adquire poder de persuasão; contestá-la, pensando numa série de pontos de vista igualmente plausíveis, impede que unicamente o pensamento preocupado seja ingenuamente tomado como verdadeiro. Mesmo algumas pessoas com preocupação crônica a ponto de merecer um diagnóstico psiquiátrico têm obtido alívio através do recurso a esse método.

Por outro lado, para pessoas com preocupações tão severas que se tornaram fobia, distúrbio obsessivo-compulsivo ou de pânico, talvez seja prudente — na verdade este já seria um sinal de autoconsciência — recorrer à medicação para interromper o ciclo. O recondicionamento dos circuitos emocionais por meio de terapia ainda assim é necessário para reduzir a probabilidade de a ansiedade retornar quando a medicação for suspensa.[13]

CONTROLE DA MELANCOLIA

Um dos estados de espírito do qual as pessoas em geral mais se esforçam para se livrar é a tristeza; Diane Tice constatou que, quando se trata de escapar da depressão, a inventividade é grande. É claro que nem toda tristeza deve ser evitada; a melancolia, como todos os outros estados de espírito, tem suas vantagens. A tristeza decorrente de uma perda tem alguns efeitos invariáveis: tira nosso interesse por diversões e prazeres, prende a atenção na perda e mina nossa energia para iniciar coisas novas — pelo menos por algum tempo. Em suma, impõe uma espécie de retiro reflexivo das atividades da vida e deixa-nos em suspenso para chorar a perda, meditar sobre seu significado e, finalmente, fazer os ajustes psicológicos e novos planos que nos permitirão continuar vivendo.

O luto é útil; a depressão total, não. William Styron faz uma eloquente descrição das "muitas e pavorosas manifestações da doença", entre elas o ódio de si próprio, a sensação de inutilidade, uma "úmida ausência de alegria", com "a tristeza acumulando-se sobre mim, um sentimento de pavor, alienação e, sobretudo, uma ansiedade sufocante".[14] Depois, há os sinais intelectuais: "confusão, falta de concentração mental e lapsos de memória", e, num estágio posterior, a mente "dominada por distorções anárquicas", e "uma sensação de que meus processos de raciocínio estavam envoltos numa maré tóxica e inominável que obliterava toda reação prazerosa ao mundo vivo". Há os efeitos físicos: não dormir, sentir-se apático como um zumbi, "uma espécie de dormência, desalento, porém mais particularmente uma curiosa fragilidade", juntamente com uma "agitação nervosa". Depois vem a perda de prazer: "A comida, como tudo mais no âmbito sensitivo, era absolutamente insípida." Por fim, a perda de expectativas, à medida que "a cinzenta garoa do horror" chegava a um desespero tão palpável como se fora uma dor física, uma dor tão insuportável que o suicídio parecia ser a única saída.

Nessas grandes depressões, a vida é paralisada; nenhum recomeço pode ser visualizado. Os próprios sintomas da depressão revelam uma vida em suspenso. Para Styron, não adiantou nenhum medicamento ou terapia; foi a passagem do tempo e o refúgio num hospital que acabaram varrendo a desolação. Mas, para a maioria das pessoas, sobretudo aquelas com casos menos severos, a psicoterapia ajuda, como ajuda a medicação — o Prozac é o remédio da moda, porém mais de uma dúzia de outros medicamentos oferece alguma ajuda, sobretudo para a depressão severa.

Eu me concentro aqui na tristeza mais corriqueira que, no máximo, se transforma, tecnicamente falando, em "depressão subclínica" — ou seja, a melancolia comum. Este é um tipo de desolação que as pessoas podem controlar por si mesmas, se tiverem os recursos interiores. Infelizmente, algumas das estratégias a que mais frequentemente se recorre podem ter efeito contrário e deixarem as pessoas se sentindo pior do que antes. Uma delas consiste em ficar sozinho, o que muitas vezes é desejado por pessoas que se sentem deprimidas; na maioria das vezes, porém, essa providência só acrescenta à tristeza uma sensação de solidão e isolamento. Isto talvez explique em parte por que Diane Tice constatou que a tática mais comum para combater a depressão é ter vida social — sair para comer fora, ir a um jogo ou ao cinema; em suma, fazer alguma coisa com os amigos ou a família. Dá certo se o resultado for não pensar na tristeza. Mas simplesmente prolonga o estado de espírito se a ocasião for utilizada apenas para ruminar sobre o que a deixou nessa situação.

Na verdade, uma das principais maneiras de determinar se um estado depressivo vai persistir ou passar é o grau de ruminação das pessoas. A preocupação com o que nos deprime, parece, torna a depressão mais intensa e prolongada. Na depressão, a preocupação assume várias formas, todas concentrando-se num aspecto da própria depressão — o cansaço que sentimos, a pouca energia ou motivação que temos, por exemplo, ou o pouco que estamos produzindo. De um modo geral, nada dessa reflexão é acompanhado por qualquer linha concreta de ação que possa amenizar o problema. Entre outras preocupações que surgem na depressão, estão a pessoa "isolar-se e pensar no quanto está-se sentindo mal, que o cônjuge pode rejeitá-la porque ela está deprimida e perguntar-se se vai ter mais uma noite de insônia", diz Susan Nolen-Hoeksma, psicóloga de Stanford, que estudou a ruminação em pessoas deprimidas.[15]

As pessoas deprimidas, às vezes, justificam esse tipo de ruminação dizendo que estão tentando "se compreender melhor"; na verdade, estão alimentando os sentimentos de tristeza sem tomar nenhuma medida que possa de fato tirá-las da depressão. Assim, na terapia, pode ser perfeitamente proveitoso refletir a fundo sobre as causas de uma depressão, se isso conduz a intuições ou ações que mudem as condições que a causam. Mas uma imersão passiva na tristeza apenas piora as coisas.

A ruminação também pode aumentar a depressão criando condições... ora, mais deprimentes. Susan dá o exemplo de uma vendedora que fica deprimida e passa tantas horas preocupada com isso que não sai para importantes visitas de negócios. Suas vendas então caem, fazendo-a sentir-se um fracasso, o que alimenta sua depressão. No entanto, se ela reagisse à depressão tentando distrair-

-se, poderia muito bem ir fundo nas visitas aos clientes como uma maneira de se desligar da tristeza. As vendas talvez não caíssem e uma venda eventual poderia aumentar sua autoconfiança, reduzindo a depressão.

Susan constata que as mulheres tendem muito mais a ruminar, quando deprimidas, que os homens. Ela acha que isso explica, em parte, o fato de elas receberem duas vezes mais o diagnóstico de depressão do que os homens. É óbvio que existem outros fatores, como o fato de as mulheres falarem mais abertamente sobre suas angústias ou terem mais coisas em suas vidas para deprimi-las. E os homens, duas vezes mais que as mulheres, afogam sua depressão no alcoolismo.

Descobriu-se em alguns estudos que a terapia cognitiva destinada a mudar esses padrões de pensamentos é equivalente à medicação para o tratamento da depressão clínica branda, e melhor que a medicação para prevenir o retorno da depressão branda. Duas estratégias são particularmente eficazes no combate.[16] Uma é aprender a contestar os pensamentos centrais da ruminação — questionar sua validade e pensar em alternativas mais positivas. A outra é programar intencionalmente acontecimentos agradáveis, que distraiam.

Um dos motivos por que a distração funciona é que as ideias depressivas são automáticas, invadindo nosso estado de espírito sem serem convidadas. Mesmo quando as pessoas deprimidas tentam eliminar suas ideias deprimentes, muitas vezes não podem produzir melhores alternativas; uma vez que começa, a maré de pensamento depressivo tem um poderoso efeito magnético sobre a cadeia de associação. Por exemplo, quando se pediu a pessoas deprimidas que ordenassem frases de seis palavras embaralhadas, elas tiveram um desempenho melhor na adivinhação das mensagens deprimentes ("O futuro se mostra bastante sombrio!") que das otimistas ("O futuro se mostra bastante brilhante!").[17]

A tendência de a depressão se perpetuar influi até no tipo de distrações que as pessoas escolhem. Quando se deu a deprimidos uma lista de opções para afastar a mente de uma coisa triste, como o enterro de um amigo, por exemplo, a escolha recaiu sobre uma maior quantidade de atividades melancólicas. Richard Wenzlaff, psicólogo da Universidade do Texas, que efetuou esses estudos, conclui que as pessoas que já estão deprimidas precisam fazer um esforço especial para fixar a atenção em alguma coisa inteiramente alegre e têm de ter muito cuidado para não resvalar em certas coisas — um filme dramalhão, um romance trágico — que lhes deixe, novamente, de baixo astral.

Levanta-moral

Imagine-se dirigindo numa estrada desconhecida, íngreme e cheia de curvas, num nevoeiro. De repente, um carro surge de uma saída apenas alguns palmos à sua frente, perto demais. Você mete o pé no freio e derrapa, bate de lado. Vê que o outro carro está cheio de crianças, um transporte solidário para o pré-escolar — pouco antes da explosão de vidros quebrando-se e metal arranhando metal. Aí, no súbito silêncio após a colisão, você ouve um coro de choros. Consegue correr até o outro carro e vê que uma das crianças jaz imóvel. Você fica cheio de culpa e tristeza diante da tragédia.

Esses cenários dilacerantes foram usados para provocar perturbação em voluntários que participaram de uma das experiências de Wenzlaff. Durante dez minutos, eles escreveram tudo o que lhes passava pela cabeça, tentando, ao mesmo tempo, "apagar" a cena. Todas as vezes que a cena invadisse suas mentes, eles teriam de fazer um X no que escreviam. Enquanto a maioria das pessoas pensava cada vez menos na cena à medida que passava o tempo, os voluntários mais deprimidos, na verdade, mostravam um pronunciado *aumento* nos intrusos pensamentos sobre a cena e faziam até referências indiretas a ela em pensamentos que, presumivelmente, deveriam distraí-los dela.

E, além disso, os voluntários propensos à depressão usavam outros pensamentos angustiantes para distrair-se. Como me disse Wenzlaff:

— Os pensamentos se associam na mente não apenas por conteúdo, mas por estado de espírito. As pessoas têm o que equivale a um conjunto de pensamentos depressivos que acorrem mais prontamente à mente quando estão se sentindo tristes. As pessoas que se deprimem facilmente tendem a criar redes muito fortes de associação entre esses pensamentos, de modo que é mais difícil suprimi-los uma vez que se evoca algum tipo de estado de espírito negativo. Ironicamente, as pessoas deprimidas, para tirar da mente um tema depressivo, utilizam outro tema de igual teor, o que apenas desperta mais emoções negativas.

Diz uma teoria que o choro pode ser uma maneira natural de reduzir níveis de produtos químicos do cérebro que alimentam a angústia. Embora o choro possa, às vezes, obstruir uma crise de tristeza, também pode deixar a pessoa ainda mais obcecada com os motivos do desespero. A ideia de que "chorar faz bem" é enganadora: o choro que prolonga a ruminação apenas prolonga a infelicidade. As distrações rompem a cadeia de pensamento que mantém a tristeza; uma das principais teorias sobre a eficácia da terapia eletroconvulsiva para as depressões mais severas é que causa perda da memória de curto prazo — os pacientes sentem-se melhor porque não se lembram do motivo que lhes causou tanta tristeza. De qualquer forma, para afastar a tristeza comum, constatou Diane Tice, muita gente disse que recorria a distrações como leitura, TV e cinema, videogames e quebra-cabeças, sono e fantasias a respeito da viagem dos seus sonhos. Wenzlaff acrescentaria que as distrações mais eficazes são as que mudam o estado de espírito — um acontecimento esportivo emocionante, um filme cômico, um livro edificante. (Uma nota de advertência aqui: algumas distrações, por si próprias, podem perpetuar a depressão. Estudos com pessoas que veem muito TV constataram que, depois, em geral elas estão mais deprimidas do que antes de começarem.)

Diane Tice constatou que o exercício aeróbico é uma das táticas mais eficazes para interromper a depressão leve, assim como outros estados de espírito ruins. Mas a advertência aqui é que as vantagens do exercício para levantar o ânimo funcionam mais para os preguiçosos, os que em geral não fazem muito esforço físico. Para os que praticam exercício rotineiramente, as vantagens já teriam sido maiores quando se iniciaram no hábito. Na verdade, para os que fazem habitualmente exercícios há um efeito contrário sobre o estado de espírito: passam a sentir-se mal nos dias em que deixam de praticar. O exercício parece funcionar bem porque muda a fisiologia que o estado de espírito traz: a depressão é um estado de baixo estímulo, e a ginástica põe o corpo em alta estimulação. Pelo mesmo motivo, técnicas de relaxamento, que põem o corpo num estado de baixa estimulação, funcionam bem para a ansiedade, um estado de alta estimulação, mas não tão bem para a depressão. Cada um desses métodos parece atuar para romper o ciclo de depressão ou ansiedade porque põe o cérebro num nível de atividade incompatível com o estado emocional que o dominava.

Alegrar-se com coisas boas e prazeres sensuais era outro dos antídotos mais comuns utilizados contra a tristeza. As maneiras comuns que as pessoas usavam para aliviar a depressão iam dos banhos quentes ou comer comidas favoritas a ouvir música ou fazer sexo. Comprar um presente ou mimo para si mesmo, para sair de um estado de espírito negativo, era muito comum entre as mulheres, como era ir às compras em geral, mesmo que apenas para olhar as vitrinas. Entre os universitários, Diane Tice constatou que comer era uma estratégia para aliviar a tristeza três vezes mais comum entre as mulheres que entre os homens; eles, por outro lado, tinham cinco vezes mais probabilidade de recorrer à bebida ou às drogas quando se sentiam abatidos. O problema de comer demais ou tomar álcool como antídotos, claro, é que facilmente produzem um efeito contrário: comer em excesso traz arrependimento; o álcool é um depressor do sistema nervoso e, assim, apenas aumenta os efeitos da própria depressão.

Um método mais construtivo para levantar o ânimo, informa Diane, é armar um pequeno triunfo ou sucesso fácil: enfrentar uma tarefa doméstica há muito adiada, ou cumprir outro dever de que é preciso se desincumbir. Pelo mesmo motivo, elevar a autoimagem também é animador, mesmo que apenas sob a forma de se vestir bem ou maquiar-se.

Um dos mais potentes — e, fora da terapia, pouco usados — antídotos para a depressão é ver as coisas de uma maneira diferente, ou *contenção cognitiva*. É natural lamentar o fim de um relacionamento e revolver-se em ideias de autopiedade, como a convicção de que "meu destino é ficar sem ninguém", mas tal atitude certamente causa mais desespero. Contudo, recuar e pensar nos aspectos em que o relacionamento não era assim tão sensacional, e nas coisas em que os dois não combinavam — em outras palavras, ver a perda de um modo diferente, a uma luz mais positiva — é um antídoto para a tristeza. Do mesmo modo, pacientes de câncer, independentemente da seriedade da doença, ficavam com melhor estado de espírito quando eram capazes de se lembrar que havia outro paciente pior do que eles ("Eu não estou tão ruim assim — pelo menos posso andar"); os que se comparavam com pessoas saudáveis eram os mais deprimidos.[18] Essa comparação com quem está pior é surpreendentemente animadora: de repente, o que parecia inteiramente desencorajador não se mostra tão ruim assim.

Outro eficaz supressor da depressão é prestar ajuda a quem necessita. Como a depressão se nutre de ruminações e preocupações com o ego, ajudar aos outros nos tira dessas preocupações, na medida em que entramos em empatia com outras pessoas e seus próprios sofrimentos. Lançar-se no trabalho voluntário — treinar um timinho de várzea, realizar trabalhos filantrópicos, dar ajuda a populações carentes — aparecia como um dos mais poderosos modificadores de estado de espírito no estudo de Diane Tice. Mas também um dos mais raros.

Finalmente, pelo menos algumas pessoas saem da melancolia voltando-se para um poder transcendente. Diane me disse:

— A prece, quando se é muito religioso, funciona para todos os estados de espírito, sobretudo a depressão.

REPRESSORES: NEGAÇÃO OTIMISTA

"Ele deu um chute na barriga do colega de quarto...", começa a frase. E termina: "... mas pretendia acender a luz."

Essa transformação de um ato de agressão num inocente engano — se bem que ligeiramente implausível — é a repressão captada *in vivo*. Essa frase foi composta por um universitário que se ofereceu como voluntário para um estudo sobre *repressores,* pessoas que habitual e automaticamente parecem apagar da mente a perturbação emocional. O fragmento inicial da frase, "Ele deu um chute na barriga do colega de quarto...", foi dado ao estudante como parte de um teste. Outros testes mostraram que esse pequeno ato de fuga mental fazia parte de um padrão maior em sua vida, um padrão de desligamento da maioria das perturbações emocionais.[19] Embora, a princípio, os pesquisadores vissem os repressores como um exemplo primordial de incapacidade de sentir emoção — primos dos alexitímicos, talvez —, o pensamento atual é que esse tipo de pessoa é bastante competente na regulação da emoção. Tornaram-se tão capazes de proteger-se contra sentimentos negativos, parece, que nem mesmo consciência têm da negatividade. Em vez de chamá-los de repressores, como ocorre entre os pesquisadores, o termo mais adequado seria *imperturbáveis.*

Grande parte dessa pesquisa, feita principalmente por Daniel Weinberger, psicólogo que atualmente trabalha na Case Western University, mostra que embora essas pessoas pareçam calmas e imperturbáveis, às vezes fervilham de perturbações fisiológicas que ignoram. No teste de complementação de frases, o nível de estimulação fisiológica desses voluntários também estava sendo monitorado. O verniz de calma que os revestia era negado pela agitação de seus corpos: quando, diante da frase sobre o companheiro de quarto violento e outras idênticas, emitiam todos os sinais de ansiedade, como taquicardia, sudorese e elevação da pressão sanguínea. Contudo, quando questionados, declararam-se perfeitamente calmos.

O contínuo desligar-se de emoções como ira ou ansiedade não é incomum: cerca de uma pessoa em seis apresenta esse tipo de comportamento, segundo Weinberger. Teoricamente, as crianças aprendem a ser imperturbáveis de várias maneiras. Uma delas é uma estratégia para sobreviver a uma situação incômoda, como ter um dos pais alcoólatra numa família onde se nega o problema. Outra é ter um pai ou mãe que são eles mesmos repressores e que, por isto, passam um modelo de perene animação ou resolução diante de sentimentos aflitivos. Ou a característica pode ser simplesmente um temperamento herdado. Embora não se possa dizer ainda como esse padrão começa na vida, quando os repressores atingem a idade adulta são calmos e firmes sob pressão.

Permanece a questão, claro, de saber até onde eles são de fato calmos e controlados. Podem realmente não ter consciência dos sinais físicos de emoções aflitivas, ou simplesmente fingem calma? A resposta a isso veio de uma inteligente pesquisa de Richard Davidson, psicólogo da Universidade de Winsconsin e colaborador inicial de Weinberger. Ele pediu que pessoas de comportamento imperturbável fizessem uma livre associação de determinadas palavras, a maioria das quais era neutra e várias continham significados hostis ou sexuais que normalmente causam ansiedade nas pessoas. E, como revelaram as reações físicas dos voluntários, todos tiveram reações de ansiedade às palavras pesadas, embora as palavras que os voluntários associavam às pesadas quase sempre indicassem uma tentativa de equilíbrio. Se a primeira palavra era "ódio", a associação seria "amor".

O estudo de Davidson valeu-se do fato de que — em pessoas destras — um dos principais centros para processar a emoção negativa é a metade direita do cérebro, enquanto o centro da fala fica na esquerda. Assim que o hemisfério direito reconhece que uma palavra é perturbadora, transmite essa informação pelo *corpus callosum,* a grande divisão entre as metades do cérebro, para o centro da fala, e a palavra é dita em resposta. Usando um complexo dispositivo de lentes, Davidson pôde exibir uma palavra de modo que fosse vista apenas na metade do campo visual. Devido à fiação neural do sistema visual, se a exibição da palavra era para a metade esquerda do campo visual, era reconhecida primeiro pela metade direita do cérebro, que é sensível à perturbação. Se era para a metade direita, o sinal ia para o lado esquerdo do cérebro sem ser avaliada quanto à sua perturbação.

Quando as palavras eram apresentadas ao hemisfério direito, os imperturbáveis demoravam a dar uma resposta — mas apenas se a palavra a que reagiam era uma das perturbadoras. *Não* havia atraso na velocidade com que associavam palavras *neutras.* O atraso ocorria apenas quando as palavras eram apresentadas ao hemisfério direito, não ao esquerdo. Em suma, a imperturbabilidade deles parece dever-se a um mecanismo neural que torna mais lenta ou interfere na transferência da informação perturbadora. O fato é que eles *não* estão fingindo que não têm consciência de que estão se sentindo perturbados: o cérebro nega-lhes essa informação. Mais precisamente, a suave camada de sentimento que recobre essas percepções perturbadoras talvez possa ser atribuída à atuação do lobo pré-frontal. Para sua surpresa, quando Davidson mediu os níveis de atividade em seus lobos pré-frontais, eles tinham uma decidida predominância de atividade no esquerdo — centro do bem-estar — e menos no direito, centro de negatividade.

Essas pessoas "apresentam-se numa luz positiva, com otimismo", disse-me Davidson.

— Negam que a tensão as esteja perturbando, e, quando estão em repouso, apresentam um padrão de ativação frontal esquerda, associada com sentimentos positivos. Essa atividade do cérebro pode ser a chave de suas afirmações positivas, apesar da subjacente estimulação fisiológica que parece perturbação.

A teoria de Davidson é que, em termos de atividade do cérebro, experimentar realidades angustiantes mantendo o bom humor é uma tarefa que exige energia. A maior estimulação fisiológica pode dever-se à tentativa constante dos circuitos neurais de manter sentimentos positivos ou eliminar ou inibir os negativos.

Em suma, a imperturbabilidade é uma espécie de negação otimista, uma dissociação positiva — e, possivelmente, uma pista para mecanismos neurais em ação nos estados dissociativos mais severos que podem ocorrer, por exemplo, no distúrbio de tensão pós-traumática. Quando simplesmente envolvida em equanimidade, diz Davidson, "parece ser uma bem-sucedida estratégia de autorregulação emocional", embora a um preço desconhecido em termos de autoconsciência.

6

A Aptidão Mestra

Só uma vez na vida fiquei paralisado pelo medo. Isso ocorreu numa prova de cálculo em meu primeiro ano na universidade, para a qual eu tinha arranjado um jeito de não estudar. Ainda me lembro da sala em direção a qual marchei naquela manhã de primavera, me sentindo como um condenado e com maus presságios no coração. Estivera naquele anfiteatro assistindo a muitas aulas. Naquela manhã, porém, não vi nada através das janelas e nem mesmo vi a própria sala. Meu olhar fixava-se apenas no pedaço de chão à minha frente, quando me dirigi para uma cadeira perto da porta. Ao abrir a prova, as batidas do coração latejavam em meus ouvidos, e eu sentia um gosto de ansiedade na boca do estômago.

Dei uma olhada rápida nas questões da prova. Não havia esperança. Durante uma hora, fiquei olhando para aquela página, a mente antevendo as consequências que eu iria sofrer. Os mesmos pensamentos repetiam-se sem parar, num ciclo de medo e tremor. Fiquei sentado, imóvel como um animal paralisado pelo curare no meio de um movimento. O que mais me impressiona naquele pavoroso momento é como o meu raciocínio ficou embotado. Não utilizei aquele momento para uma desesperada tentativa de costurar um tipo qualquer de resposta para as questões. Não recorri à minha imaginação. Simplesmente fiquei sentado, fixado em meus terrores, esperando acabar o sofrimento.[1]

Essa narrativa de uma provação pelo terror é de minha autoria; até hoje, é para mim a prova mais convincente do impacto devastador da perturbação emocional sobre a clareza mental. Agora vejo que meu apuro foi muito provavelmente um testemunho do poder de domínio e de paralisação que a emoção exerce sobre a razão.

A forma como as perturbações emocionais podem interferir na vida mental não é novidade para os professores. Alunos ansiosos, mal-humorados ou deprimidos não aprendem; pessoas colhidas nesses estados não absorvem eficientemente a informação nem a elaboram devidamente. Como vimos no Capítulo 5, emoções negativas muito fortes desviam a atenção para suas próprias preocupações, interferindo na tentativa de concentração em qualquer outra coisa. Na verdade, um dos sinais de que os sentimentos transpuseram o limite do patológico é que são tão intrusos que esmagam outro pensamento, sabotando continuamente as tentativas de darmos atenção à tarefa que tenhamos de cumprir. Para a pessoa que passa por um divórcio conturbado — ou o filho cujos pais passam por isso —, a mente não se fixa muito nas rotinas mais ou menos triviais do trabalho ou da escola; para os clinicamente deprimidos, os pensamentos de autopiedade e desespero, desesperança e desamparo se sobrepõem a qualquer outro.

Quando as emoções dominam a concentração, o que está sendo soterrado de fato é a capacidade mental cognitiva que os cientistas chamam de "memória funcional", isto é, a capacidade de ter em mente toda a informação relevante para a execução de uma determinada tarefa. O que ocupa a memória funcional pode ser banal como os algarismos de um número de telefone, ou complicado como as intricadas linhas da trama que o romancista tenta juntar. A memória funcional é uma função executiva por excelência na vida mental, possibilitando todos os outros esforços intelectuais, desde pronunciar uma frase até enfrentar uma complicada proposição de lógica.[2] O córtex pré-frontal executa a memória funcional — e, lembrem-se, é ali onde os sentimentos e emoções se encontram.[3] Quando os circuitos límbicos que convergem no córtex pré-frontal estão tomados por angústia emocional, o ônus recai na eficácia da memória funcional: não podemos pensar direito, como eu descobri naquela pavorosa prova de cálculo.

Por outro lado, pensem no papel da motivação positiva — a reunião de sentimentos como entusiasmo e confiança na conquista de um objetivo. Estudos sobre atletas olímpicos, músicos de fama mundial e grandes mestres de xadrez constatam que o que eles têm em comum é a capacidade de motivarem-se para seguirem implacáveis rotinas de treino.[4] E, com o aumento constante no grau de excelência exigido para um desempenho em nível mundial, essas rigorosas rotinas, hoje, cada vez mais, devem começar na infância. Nas Olimpíadas de 1992, membros de 12 anos da equipe de mergulhadores chineses tinham feito tantos mergulhos em treino quanto os membros da equipe americana com 20 anos — os mergulhadores chineses iniciavam seu rigoroso treino aos 4 anos. Do mesmo modo, os melhores virtuoses do violino do século XX começaram a estudar o instrumento por volta dos 5 anos de idade; os campeões internacionais de xadrez iniciaram-se no jogo numa idade média de 7 anos, enquanto os que se elevavam apenas à projeção nacional começavam aos 10. A iniciação precoce oferece uma vantagem para a vida inteira: os melhores alunos de violino da melhor academia de música de Berlim, todos com vinte e poucos anos, haviam acumulado 10 mil horas de ensaio em suas vidas, e os da segunda leva, uma média de 7.500 horas.

O que parece distinguir os melhores nas competições de outros com capacidade mais ou menos semelhante é o grau em que, começando cedo na vida, podem manter uma árdua rotina de exercício durante anos e anos. E essa obstinação depende de características emocionais — entusiasmo e persistência diante dos reveses — acima de tudo mais.

Uma outra contribuição que a motivação oferece para o sucesso na vida, além de outras capacidades inatas, pode ser vista no notável desempenho de estudantes asiáticos nas escolas e profissões americanas. Um exame detalhado das provas sugere que as crianças asiático-americanas podem ter uma vantagem média de QI sobre os brancos de apenas dois ou três pontos.[5] Contudo, com base nas profissões, como direito e medicina, opção de muitos asiático-americanos, como grupo eles se comportam como se tivessem um QI muito mais alto — o equivalente a um QI de 110 para os nipo-americanos e de 120 para os sino-americanos.[6] O motivo parece ser que, desde os primeiros anos de escola, as crianças asiáticas se esforçam mais que as brancas. Sanford Dorenbusch, sociólogo de Stanford que estudou mais de 10 mil ginasianos, constatou que os asiático-americanos passavam 40% mais tempo fazendo trabalho de casa que os outros.

— Enquanto a maioria dos pais americanos aceita o fato de os seus filhos serem mais fracos em determinadas disciplinas e investirem mais naquelas em que se saem melhor, para os asiáticos o comportamento é inverso: estudar mais à noite, e se ainda assim não dá certo, levantar-se mais cedo e estudar de manhã. Eles acreditam que qualquer um pode se sair bem na escola com o esforço adequado.

Em suma, uma forte ética de trabalho cultural traduz-se em maior motivação, zelo e persistência — uma vantagem emocional.

Na medida em que nossas emoções atrapalham ou aumentam nossa capacidade de pensar e fazer planos, de seguir treinando para alcançar uma meta distante, solucionar problemas e coisas assim, elas definem os limites de nosso poder de usar nossas capacidades mentais inatas, e assim determinam como nos saímos na vida. E na medida em que somos motivados por sentimentos de entusiasmo e prazer no que fazemos — ou mesmo por um grau ideal de ansiedade —, esses sentimentos nos levam ao êxito. É nesse sentido que a inteligência emocional é uma aptidão mestra, uma capacidade que afeta profundamente todas as outras, facilitando ou interferindo nelas.

CONTROLE DA IMPULSIVIDADE: O TESTE DO MARSHMALLOW

Imagine que você tem 4 anos de idade e alguém lhe faz a seguinte proposta: se conseguir esperá-lo voltar de uma determinada tarefa, você ganha dois marshmallows de presente. Se não, ganha só um — e imediatamente. Este é um desafio seguro para testar a alma de qualquer menino de 4 anos, um microcosmo da eterna batalha entre o impulso e a contenção, id e ego, desejo e autocontrole, satisfação imediata e capacidade de aguardar a satisfação. Que escolha a criança fará é um teste revelador; oferece uma rápida leitura não apenas do caráter, mas da trajetória que ela provavelmente seguirá pela vida afora.

Talvez não haja aptidão psicológica mais fundamental que a capacidade de resistir ao impulso. É a raiz de todo autocontrole emocional, uma vez que todas as emoções, por sua própria natureza, levam a um ou outro impulso para agir. O significado básico da palavra *emoção,* lembrem-se, é "mover". A capacidade de resistir ao impulso para agir, de subjugar o movimento incipiente, com a maior probabilidade significa, no nível da função cerebral, que os sinais límbicos para o córtex motor são inibidos, embora esse seja um entendimento ainda em especulação.

De qualquer modo, o estudo notável em que o desafio do marshmallow foi feito a crianças de 4 anos mostra como é fundamental a capacidade de conter as emoções e, desta forma, conter o impulso. Iniciado pelo psicólogo Walter Mischel na década de 1960, numa pré-escola da Universidade de Stanford, e envolvendo sobretudo filhos de professores universitários e de outros funcionários do *campus,* o estudo acompanhou as crianças até concluírem o segundo grau.[7]

Algumas foram capazes de esperar o que certamente devem ter sido intermináveis 15 a 20 minutos até o pesquisador retornar. A fim de se aguentarem na luta contra o impulso, tapavam os olhos para evitar a tentação, ou metiam a cabeça entre os braços, conversavam consigo mesmas, cantavam, brincavam com as mãos e os pés, e até tentavam dormir. Esses valentes pré-escolares receberam a recompensa dos dois marshmallows. Mas outros, mais impulsivos, agarraram o seu único doce, quase sempre segundos depois de o pesquisador deixar a sala para ir cumprir sua "tarefa".

O poder diagnóstico de como lidaram com esse momento de impulso tornou-se claro 12 a 14 anos depois, quando essas mesmas crianças foram observadas na adolescência. A diferença emocional e social entre os pré-escolares que agarraram o marshmallow e seus colegas que adiaram a satisfação era impressionante. Os que resistiram à tentação aos 4 anos eram, agora, adolescentes mais competentes socialmente: pessoalmente eficazes, autoassertivos e mais bem capacitados para enfrentar as frustrações da vida. Tinham menos probabilidade de desmontar-se, paralisar-se ou regredir sob tensão, ou ficarem abalados e desarvorados quando pressionados; aceitavam desafios e iam até o fim, em vez de desistir, mesmo diante de dificuldades; eram independentes e confiantes, confiáveis e firmes; e tomavam iniciativas e mergulhavam em projetos. E, mais de uma década depois, ainda podiam esperar um certo tempo para receber suas recompensas, enquanto perseguiam seus objetivos.

Aqueles que agarraram o marshmallow — cerca de um terço do grupo — tendiam a ter reduzidas essas qualidades e possuíam, ao contrário, um perfil psicológico relativamente mais problemático. Na adolescência, tinham mais probabilidade de serem considerados tímidos nos contatos sociais; de serem teimosos e indecisos; de perturbarem-se facilmente diante de frustrações; de julgarem-se "ruins" ou indignos; de regredirem ou ficarem imobilizados quando tensos; de serem desconfiados e ressentidos por "Não conseguir nada"; de tenderem ao ciúme e à inveja; de reagirem exageradamente a irritações com mau humor, desta forma provocando discussões e brigas. E, após todos aqueles anos, continuavam sendo incapazes de aguardar a recompensa.

O que aparece discretamente no início da vida desabrocha numa ampla gama de aptidões sociais e emocionais com o desenrolar dela. A capacidade de conter os impulsos está na raiz de uma pletora de esforços que vão desde manter uma dieta até lutar para a obtenção de um diploma em medicina. Algumas crianças, mesmo aos 4 anos, já dominaram o básico: conseguiram interpretar as circunstâncias sociais como uma situação em que o saber esperar é vantajoso, significa desconcentrar-se da tentação imediata e distrair-se enquanto mantêm a necessária perseverança para chegar ao objetivo — os dois marshmallows.

Mais surpreendente ainda: quando as crianças testadas foram de novo avaliadas ao concluírem o ginásio, as que tinham sido pacientes aos 4 anos eram muito superiores, *como estudantes,* do que as que haviam agido impulsivamente. Segundo relato dos pais, eram mais competentes em termos acadêmicos: mais capazes de pôr as ideias em palavras, usar e responder à razão, concentrar-se, fazer planos e segui-los até o fim, e mais ávidas por aprender. Mais espantoso ainda: contavam pontos sensacionalmente mais altos em seus testes SAT. O terço de crianças que aos 4 anos agarraram mais avidamente o marshmallow tinha uma contagem verbal média de 524 e quantitativa (ou matemática) de 528; o terço que esperou por mais tempo tinha contagens médias de 610 e 652, respectivamente — uma diferença de 210 pontos na contagem total.[8]

Aos 4 anos, o desempenho da criança nesse teste de adiamento da satisfação é duas vezes mais poderoso como previsão de quais vão ser suas contagens no SAT do que o QI nessa idade; o QI só se torna um previsor mais forte do que o SAT depois que as crianças aprendem a ler.[9] Isso sugere que a capacidade de adiar a satisfação contribui muito para o potencial intelectual, inteiramente à parte do próprio QI. (Um fraco controle de impulso na infância é também um poderoso previsor de delinquência futura, também aqui mais que o QI[10]). Como veremos na Parte Cinco, embora alguns afirmem que o QI não pode ser mudado e que, portanto, representa uma inflexível limitação do potencial de vida da criança, há amplos indícios de que aptidões emocionais como o controle de impulso e a interpretação de uma circunstância *podem* ser aprendidas.

O que Walter Mischel, que fez o estudo, descreve com a expressão um tanto infeliz "autoimposto adiamento de satisfação com vistas a uma meta" é talvez a essência da autorregulação emocional: a capacidade de controlar um impulso para conseguir chegar a um objetivo, seja montar uma empresa, solucionar uma equação algébrica ou disputar a Copa Stanley. As constatações dele acentuam o papel da inteligência emocional como uma capacidade de atingir metas, determinando como as pessoas podem empregar bem ou mal suas outras capacidades mentais.

ALTA ANSIEDADE, BAIXO DESEMPENHO

Eu me preocupo com meu filho. Ele entrou para o time de futebol da universidade e logo vai acabar se machucando. É tão dilacerante vê-lo jogar que deixei de ir aos jogos de que ele participa. Sei que meu filho deve estar decepcionado por eu não ir vê-lo jogar, mas isso é demais para mim.

Essa mãe está fazendo um tratamento por causa da ansiedade; ela sabe que sua preocupação a impede de fazer o que gostaria.[11] Mas, quando chega a hora de tomar uma decisão simples, como ver o filho jogar futebol, fica com a cabeça inundada de ideias trágicas. Não possui livre-arbítrio; as preocupações sufocam a razão.

Como vimos, a preocupação é a essência do efeito prejudicial da ansiedade sobre todo tipo de desempenho mental. É claro que a preocupação é, num certo sentido, uma resposta útil que se deu erradamente — uma supercuidadosa preparação mental para uma ameaça previsível. Mas esse ensaio mental é uma desastrosa interferência cognitiva quando colhido numa rançosa rotina que prende a atenção, intrometendo-se em todas as outras tentativas de concentrar-se em outra coisa.

A ansiedade solapa o intelecto. Numa tarefa complexa, intelectualmente exigente e de grande pressão como a dos controladores de tráfego aéreo, por exemplo, a alta ansiedade crônica é um previsor quase certo de que a pessoa vai acabar fracassando no treinamento ou na profissão. Os ansiosos têm mais probabilidade de falhar, ainda que tenham contagens superiores em testes de inteligência, como constatou um estudo de 1.790 alunos em treinamento para postos de contrôle de tráfego aéreo.[12] A ansiedade também sabota todos os tipos de desempenho acadêmico: 126 diferentes estudos com mais de 36 mil pessoas constataram que, quanto mais a pessoa é propensa a preocupações, mais fraco é o seu desempenho acadêmico, não importa qual a espécie de medição — notas em provas, média de pontos ou testes de rendimento.[13]

Quando se pede a pessoas inclinadas a preocupações que executem uma tarefa cognitiva do tipo classificar objetos ambíguos em uma de duas categorias, e narrar, ao mesmo tempo, o que lhes passa pela cabeça, descobre-se que são os pensamentos negativos — "Não vou conseguir fazer isso", "Não sou bom nesse tipo de teste" — que mais diretamente atrapalham seus processos de decisão. Na verdade, quando se pediu a um grupo de controle, de não preocupados, que simulasse preocupação durante 15 minutos, sua capacidade de fazer a mesma coisa deteriorou-se acentuadamente. E quando os preocupados tiveram uma sessão, anteriormente à execução da tarefa, de 15 minutos de relaxamento — o que reduziu seu nível de preocupação —, não tiveram problemas com ela.[14]

O teste de ansiedade foi estudado cientificamente pela primeira vez na década de 1960, por Richard Alpert, que me confessou ter esse seu interesse despertado porque, quando estudante, os nervos muitas vezes o faziam sair-se mal nas provas, enquanto um colega, Ralph Haber, achava que a pressão antes de uma prova na verdade o ajudava a sair-se melhor.[15] A pesquisa deles, entre outros estudos, mostrou que há dois tipos de estudantes ansiosos: aqueles cuja ansiedade prejudica o desempenho acadêmico e os que se saem bem apesar da tensão — ou, talvez, por causa dela.[16] A ironia do teste de ansiedade é que a mesma apreensão quanto ao sucesso na prova que, idealmente, motiva alunos como Haber a se prepararem melhor para as provas e terem bom desempenho, é capaz de sabotar o êxito de outros. Para pessoas muito ansiosas, como Alpert, a apreensão pré-prova interfere na clareza de raciocínio e na memória, que são fundamentais para um estudo eficaz e, durante a prova, a clareza mental — essencial para que se saiam bem — fica comprometida.

A variedade de preocupações relatadas por pessoas que deverão ser submetidas a um teste prediz qual será o desempenho delas.[17] Os recursos mentais despendidos numa tarefa cognitiva — a preocupação — simplesmente minam os recursos existentes para o processamento de outras informações: se ficarmos preocupados com a possibilidade de fracassar na prova que estamos fazendo, teremos menos atenção para ser empregada na resolução das questões. Nossas preocupações se tornam profecias autoconcretizantes, impelindo-nos para o próprio desastre que predizem.

As pessoas capazes de canalizar suas emoções, por outro lado, podem usar a ansiedade antecipatória — sobre um discurso ou teste próximos, digamos — para motivarem-se a prepararem-se bem para a tarefa, com isso saindo-se bem. A literatura clássica em psicologia descreve o relacionamento entre ansiedade e desempenho, incluindo o desempenho mental, em termos de um U invertido. No pico do U invertido está a proporção ideal entre ansiedade e desempenho, com uns poucos nervos propulsionando o grande rendimento. Mas ansiedade de menos — o primeiro lado do U — traz apatia e pouquíssima motivação para o esforço necessário ao êxito; enquanto ansiedade demais — o outro lado do U — sabota qualquer tentativa de êxito.

Um estado de euforia branda — *hipomania,* como é tecnicamente chamada — parece ideal para escritores e outros em vocações criativas que exigem fluidez e diversidade imaginativa de pensamento; fica em algum ponto do pico do U invertido. Mas é só a euforia sair de controle, que se torna mania mesmo, como nas oscilações de humor dos maníaco-depressivos, e a agitação solapa a capacidade de pensar com coesão suficiente para escrever bem, muito embora as ideias fluam livremente — na verdade, livremente demais para podermos acompanhá-las bem e concretizarmos alguma coisa.

Os estados de espírito positivos, enquanto duram, aumentam a capacidade de pensar com flexibilidade e mais complexidade, tornando assim mais fácil encontrar soluções para os problemas, intelectuais ou interpessoais. Isso sugere que uma das maneiras de ajudar alguém a solucionar um problema é contar-lhe uma piada. O riso, como a euforia, parece ajudar as pessoas a pensar com mais largueza e a fazer associações de forma mais livre, percebendo relações que de outro modo poderiam ter-lhes escapado — uma aptidão mental importante não apenas na criatividade, mas para reconhecer relacionamentos complexos e prever as consequências de uma determinada decisão.

As vantagens intelectuais de uma boa risada são mais impressionantes quando se trata de resolver um problema que exige uma solução criativa. Um estudo constatou que as pessoas que assistiram a um vídeo de humor depois resolviam com facilidade um quebra-cabeça que foi durante muito tempo utilizado por psicólogos para testar o pensamento criativo.[18] No teste, as pessoas recebem uma vela, fósforos e uma caixa de percevejos, e pede-se que elas preguem a vela numa parede de cortiça, de modo que ela queime sem pingar cera no chão. Muitas pessoas que recebem esse problema entram em "fixidez funcional", pensando em usar os objetos das formas mais convencionais. Mas os que assistiram ao filme cômico, comparados com outros que assistiram a um filme sobre matemática ou fizeram exercícios, tinham mais probabilidade de ver um uso alternativo para a caixa de percevejos, e com isso davam a solução criativa: pregar a caixa na parede e usá-la como castiçal.

Mesmo ligeiras mudanças de humor podem dominar o pensamento. Ao fazer planos ou tomar decisões, as pessoas têm um desvio perceptivo que as leva a ficar mais expansivas e positivas no pensar. Isso se deve, em parte, ao fato de a memória ser específica de um estado de espírito, de modo que, quando estamos num bom estado de espírito, lembramos de coisas boas; ao pesarmos os prós e contras de uma linha de ação quando estamos nos sentindo bem, a memória desloca nossa avaliação dos sinais para os que apontam para o lado positivo, tornando mais provável que façamos alguma coisa ligeiramente aventureira ou arriscada, por exemplo.

Da mesma forma, um estado de espírito negativo prejudica a memória, tornando mais provável que nos fixemos numa decisão medrosa, excessivamente cautelosa. As emoções descontroladas tolhem o intelecto. Mas, como vimos no Capítulo 5, podemos colocá-las sob controle; essa capacidade emocional é a aptidão mestra, facilitando todos os outros tipos de inteligência. Vejamos alguns casos a esse respeito: as vantagens de esperança e otimismo, e os momentos sublimes em que as pessoas se superam.

A CAIXA DE PANDORA E POLYANNA: A FORÇA DO OTIMISMO

Colocou-se para estudantes universitários a seguinte situação:

Embora você quisesse tirar B numa prova mensal, a nota que você ganha é D, e representa 30% da nota final. Sua nota é D. Há uma semana que você sabe disso. O que você faz?[19]

A esperança foi o que diferenciou uma resposta de outra. Os estudantes muito autoconfiantes disseram que iriam estudar mais e pensar numa série de coisas que poderiam fazer para elevar a nota final. Outros pensavam em várias maneiras de aumentar a nota, mas tinham pouca determinação. E, como era de se esperar, os estudantes com baixos níveis de esperança desistiam das duas coisas, de moral abatido.

A questão não é apenas teórica, porém. Quando C. R. Snyder, o psicólogo da Universidade de Kansas que fez esse estudo, comparou o histórico escolar dos calouros com altos e baixos níveis de esperança, descobriu que a esperança era um melhor instrumento de previsão de suas notas no primeiro semestre do que suas contagens no SAT, um teste que se destina a prever o desempenho dos alunos na universidade (e altamente relacionado com o QI). Também aqui, tendo-se em geral a mesma gama de capacidades intelectuais, as aptidões emocionais fazem a crítica diferença.

Explicação de Snyder:

— Os alunos muito autoconfiantes estabelecem para si mesmos metas mais altas e sabem como se esforçar para atingi-las. Quando comparamos alunos de aptidão intelectual equivalente nos rendimentos acadêmicos, o que os distingue é a esperança.[20]

Como diz a conhecida lenda, Pandora, uma princesa da Grécia antiga, recebeu de deuses ciumentos de sua beleza um presente, uma caixa misteriosa. Disseram-lhe que nunca a abrisse. Mas um dia, vencida pela curiosidade e pela tentação, ela abriu a tampa para dar uma espiada, deixando escapar para o nosso mundo os grandes males — doença, inquietação, loucura. Um deus compadecido permitiu-lhe, porém, fechar a caixa a tempo de prender o único antídoto que torna suportável a infelicidade na vida: a esperança.

A esperança, descobrem os pesquisadores modernos, faz mais que oferecer um pouco de conforto na aflição; desempenha um papel surpreendentemente poderoso na vida, oferecendo uma vantagem em domínios tão diversos como no desempenho acadêmico e em aguentar empregos opressivos. A esperança, no sentido técnico, é mais do que uma visão otimista de que tudo vai dar certo. Snyder a define com mais especificidade como sendo a capacidade de "acreditar que se tem a vontade e os meios de atingir as próprias metas, quaisquer que sejam".

As pessoas tendem a se diferenciar na medida em que têm esse tipo de esperança. Alguns julgam-se, geralmente, capazes de sair de uma enrascada ou encontrar meios de solucionar problemas, enquanto outros simplesmente acham que não têm a devida energia, que não possuem capacidade ou meios para atingir suas metas. Snyder constata que as pessoas com altos níveis de esperança têm certos traços comuns, entre eles poder motivar-se, sentir-se com recursos suficientes para encontrar meios de atingir seus objetivos, tendo a certeza, mesmo diante de uma situação difícil, de que tudo vai melhorar, de ser flexível o bastante para encontrar meios diferentes de chegar às metas, ou trocá-las se não forem viáveis, e de ter a noção de como decompor uma tarefa grande em parcelas menores, mais fáceis de serem enfrentadas.

Da perspectiva da inteligência emocional, ser esperançoso significa que não vamos sucumbir numa ansiedade arrasadora, atitude derrotista ou em depressão diante de desafios ou reveses difíceis. Na verdade, as pessoas esperançosas mostram menos depressão que as outras ao conduzirem suas vidas em busca de suas metas, são em geral menos ansiosas e têm menos distúrbios emocionais.

OTIMISMO: O GRANDE MOTIVADOR

Os americanos entusiastas da natação tinham grandes esperanças em Matt Biondi, membro da equipe olímpica dos Estados Unidos em 1988. Alguns repórteres esportivos anunciavam-no como tendo possibilidade de igualar o feito de Mark Spitz em 1972, ganhando sete medalhas de ouro. Mas Biondi acabou num constrangedor terceiro lugar na primeira disputa, os 200 metros nado livre. Na seguinte, 100 metros borboleta, perdeu o ouro por centímetros para outro nadador, que fez um maior esforço no metro final.

Os locutores esportivos especularam se essas derrotas iriam desencorajar Biondi em outras disputas. Mas ele se refez da derrota e ganhou medalhas de ouro nas cinco disputas seguintes. Um espectador que não se surpreendeu com a virada de Biondi foi Martin Seligman, psicólogo da Universidade da Pensilvânia que havia testado o otimismo do nadador naquele ano. Numa experiência feita com Seligman, o treinador de natação disse a Biondi, durante uma disputa especial destinada a exibir o seu melhor desempenho, que ele fizera um tempo pior do que de fato fizera. Apesar disto, quando sugeriram a Biondi que descansasse e voltasse a tentar, seu desempenho — já na verdade muito bom — foi ainda melhor. Mas quando outros membros da equipe que receberam tempos piores que os verdadeiros — e cujas contagens nos testes mostraram que eram pessimistas — tentaram de novo, saíram-se pior que na primeira vez.[21]

O otimismo, como a esperança, significa uma forte expectativa de que, em geral, tudo vai dar certo na vida, apesar dos reveses e frustrações. Do ponto de vista da inteligência emocional, o otimismo é uma atitude que protege as pessoas da apatia, desesperança ou depressão diante das dificuldades. E como acontece com a esperança, sua prima-irmã, o otimismo proporciona dividendos à vida (contanto, claro, que seja um otimismo realista; o otimismo demasiado ingênuo pode ser desastroso).[22]

Seligman define o otimismo em termos de como as pessoas explicam a si mesmas seus sucessos e insucessos. Os otimistas veem um fracasso como devido a algo que pode ser mudado, para que possam vencer da próxima vez, enquanto os pessimistas assumem a culpa pelo fracasso, atribuindo-o a alguma imutável característica pessoal. Essas diferentes justificativas têm profundas implicações sobre como as pessoas reagem à vida. Por exemplo, como resposta a uma decepção como a rejeição num emprego, os otimistas tendem a reagir ativa e esperançosamente, formulando um plano de ação, por exemplo, ou buscando ajuda e aconselhamento; veem o revés como uma coisa que pode ser remediada. Os pessimistas, ao contrário, reagem a esses reveses supondo que nada podem fazer para que as coisas melhorem na próxima vez, e, portanto, nada fazem em relação ao problema; justificam os reveses por alguma falha pessoal que sempre os perseguirá.

Como acontece com a esperança, o otimismo antecipa o êxito acadêmico. Num estudo com quinhentos membros da turma de calouros de 1984, na Universidade da Pensilvânia, as contagens dos estudantes nos testes de otimismo foram um melhor indicador prévio de suas reais notas no primeiro ano do que as do SAT ou suas notas no secundário. Diz Seligman, que os estudou:

— Os exames de admissão à universidade medem o talento, enquanto a atitude em face da dificuldade nos diz quem desiste. É a combinação de razoável talento e capacidade de seguir em frente diante da derrota que conduz ao sucesso. O que falta nos testes de capacidade é o item motivação. O que precisamos saber de alguém é se ele vai persistir se ocorrer frustração. Meu palpite é que, para um determinado nível de inteligência, nosso sucesso de fato é função não só do talento, mas também da capacidade de suportar a derrota.[23]

Uma das mais reveladoras demonstrações do poder do otimismo para motivar as pessoas está em estudo feito por Seligman com vendedores de seguro da empresa MetLife. Saber aceitar uma rejeição com graça é essencial a todos os tipos de vendas, sobretudo de um produto como o seguro de vida, onde a proporção entre "Não" e "Sim" é altamente desencorajante. É por isto que três quartos dos vendedores de seguros desistem nos primeiros três anos. Seligman descobriu que os novos vendedores que eram otimistas venderam 37% mais seguros nos primeiros dois anos que os pessimistas. E, no primeiro ano, os pessimistas desistiram duas vezes mais que os otimistas.

Mais do que isso: Seligman convenceu a MetLife a contratar um grupo especial de candidatos que fizeram maior número de pontos num teste de otimismo, mas que não foram aprovados no teste normal de seleção (onde era cotejado um conjunto de suas atitudes com um perfil-padrão baseado em respostas de agentes que haviam sido bem-sucedidos). Esse grupo especial de otimistas vendeu mais 21% que os pessimistas no primeiro ano, e 57% no segundo.

Tal impacto no desempenho profissional de um vendedor ocorre porque o otimismo é um traço da inteligência emocional. Cada "não" que um vendedor recebe é uma pequena derrota. A reação emocional a essa derrota é crucial para a capacidade de juntar motivação suficiente para prosseguir. À medida que crescem os "não", o moral pode deteriorar-se, tornando cada vez mais difícil pegar o telefone para fazer outra ligação. Essa rejeição é, para o pessimista, dura de ser aceita, porque ele a interpreta como se fora: "Não dou pra isso; nunca conseguirei vender nada" — uma interpretação que, com certeza, provocará apatia e derrotismo, se não a depressão. Os otimistas, por outro lado, dizem a si mesmos: "Devo estar usando a técnica errada" ou "A última pessoa com quem falei devia estar de mau humor". Não se vendo a si mesmos, mas identificando algo na situação como o motivo de seu fracasso, podem mudar a técnica na ligação seguinte. Enquanto a atitude mental do pessimista conduz ao desespero, a do otimista gera esperança.

Uma das origens da perspectiva positiva ou negativa talvez seja o temperamento inato; algumas pessoas, por natureza, tendem para um lado ou para outro. Mas, como veremos na Parte 4, o temperamento pode ser alterado pela experiência. Otimismo e esperança — da mesma forma que o sentimento de impotência e desespero — podem ser aprendidos. Por trás dos dois está uma perspectiva que os psicólogos chamam de *autoeficácia*, a crença de que somos capazes de exercer controle sobre os fatos de nossa vida e de que podemos enfrentar os desafios que surgirem. O desenvolvimento de qualquer tipo de aptidão fortalece o senso de autoeficácia, tornando a pessoa mais disposta a assumir riscos e buscar maiores desafios. E a vitória que obtemos sobre esses desafios, por sua vez, aumenta o sentimento de autoeficácia. Essa atitude torna mais provável que as pessoas usem melhor quaisquer aptidões que tenham ou façam o necessário para desenvolvê-las.

Albert Bandura, psicólogo de Stanford que fez grande parte da pesquisa sobre a autoeficácia, resume-a bem:

— A confiança que as pessoas têm em suas aptidões exerce um profundo efeito sobre essas aptidões. A aptidão não é uma propriedade fixa; há uma imensa variabilidade na maneira como atuamos. As pessoas que têm senso de autoeficácia se recuperam de fracassos; abordam as coisas mais em termos de como lidar com elas do que se preocupando com o que pode dar errado.[24]

FLUXO: A NEUROBIOLOGIA DA EXCELÊNCIA

Um compositor descreve os momentos em que sua arte atinge o ponto mais alto:

> Nós entramos num tal nível de êxtase que parece que não existimos. Tive essa sensação várias vezes. Minha mão parece ser independente de mim, e nada tenho a ver com o que se passa. Simplesmente fico ali observando, em estado de respeito e encantamento. E a coisa simplesmente flui por si mesma.[25]

Sua descrição é muito semelhante à de centenas de diferentes homens e mulheres — alpinistas, campeões de xadrez, médicos, jogadores de basquete, engenheiros, gerentes e até mesmo arquivistas — quando falam de um momento em que se superaram em determinada atividade. O estado que descrevem é chamado de "fluxo" por Mihaly Csikszentmihalyi, psicólogo da Universidade de Chicago que coletou essas histórias de máximo desempenho em duas décadas de pesquisa.[26] Os atletas conhecem esse estado de graça como "a zona", onde a excelência vem fácil, a multidão e os competidores desaparecem numa feliz e constante absorção do momento. Diane Roffe-Steinrotter, que ganhou uma medalha de ouro em esqui nas Olimpíadas de Inverno de 1994, disse, depois da corrida, que só se lembrava de que estava imersa em total relaxamento:

— Eu me sentia fluir como uma cachoeira.[27]

A capacidade de entrar em fluxo é inteligência emocional no ponto mais alto; o fluxo representa, talvez, a última palavra na canalização das emoções a serviço do desempenho e aprendizado. No fluxo, as emoções são não apenas contidas e dirigidas, mas positivas, energizadas e alinhadas com a tarefa que está sendo realizada. Ver-se colhido no marasmo da depressão ou na agitação da ansiedade é estancar o fluxo. Contudo, o fluxo (ou um mais brando microfluxo) é uma experiência pela qual quase todo mundo passa às vezes, sobretudo quando no máximo do desempenho ou indo além dos limites anteriormente alcançados. Talvez seja mais bem captado pelo ato de amor extático, a fusão de dois num fluir harmônico.

Fluir é uma experiência gloriosa: o sinal característico do fluxo é uma sensação de alegria espontânea, e mesmo de êxtase. Por ser tão bom, é intrinsecamente compensador. É um estado em que as pessoas ficam absolutamente absortas no que estão fazendo, dando atenção exclusiva à tarefa, a consciência em fusão com os atos. Na verdade, pensar demais no que está acontecendo causa interrupção no fluxo — até a ideia "Como estou fazendo isso maravilhosamente" pode interromper o fluxo. A atenção fica tão concentrada que as pessoas só têm consciência da estreita gama de percepção relacionada com o que estão fazendo, perdendo a noção de tempo e espaço. Um cirurgião, por exemplo, lembrava uma cirurgia delicada durante a qual entrou em fluxo; quando a concluiu, notou que havia alguns detritos no chão da sala de operação e perguntou o que acontecera. Ficou espantado ao saber que, enquanto estava tão concentrado na cirurgia, parte do revestimento do teto desabara — ele não havia notado nada.

O fluxo é um estado de autoabandono, o oposto da ruminação e preocupação: em vez de perder-se em cuidados nervosos, as pessoas em fluxo se concentram tanto no que estão fazendo que perdem toda a autoconsciência, deixando de lado as pequenas preocupações — saúde, contas, até mesmo o bem-estar — da vida diária. Nesse sentido, nos momentos de fluxo as pessoas se tornam desprendidas. Paradoxalmente, as pessoas em fluxo exibem um controle absoluto sobre o que estão fazendo, as reações perfeitamente sintonizadas com as cambiantes exigências da tarefa. E, embora atuem no ponto mais alto quando em fluxo, não se preocupam com seu desempenho, com a questão de sucesso ou fracasso — o que as motiva é o puro prazer do ato em si.

Há várias maneiras de entrar em fluxo. Uma delas é manter, de forma deliberada, uma aguda atenção no que está sendo feito; a essência do fluxo é um estado de alta concentração. Parece haver um circuito de feedback na entrada dessa zona: pode exigir considerável esforço acalmar-se e concentrar-se o suficiente para iniciar a tarefa — esse primeiro passo exige uma certa disciplina. Mas, assim que a concentração começa a fixar-se, assume uma força própria, que ao mesmo tempo proporciona alívio da turbulência emocional e torna fácil a tarefa.

A entrada nessa zona pode ocorrer também quando as pessoas encontram uma tarefa em que são hábeis e a executam num nível que pouco exige de sua capacidade. Como me disse Csikszentmihalyi:

— As pessoas parecem concentrar-se melhor quando o que lhes é exigido é pouco, e elas podem dar mais. Se o que lhes é exigido é muito pouco, elas se entediam. Se tiverem de lidar com coisas para elas excessivas, ficam ansiosas. O fluxo ocorre naquela zona delicada entre o tédio e a ansiedade.[28]

O prazer, a graça e a eficácia espontâneos que caracterizam o fluxo são incompatíveis com sequestros emocionais, nos quais os surtos límbicos se apoderam do resto do cérebro. A qualidade da atenção no fluxo é relaxada, mas altamente concentrada. É uma concentração muito diferente do esforço para prestar atenção quando estamos cansados ou entediados, ou quando nossa concentração é assediada por sentimentos intrusos como a ansiedade ou a raiva.

O fluxo é um estado sem interferência emocional, a não ser por um sentimento compulsivo, altamente motivador, de suave êxtase. Esse êxtase parece ser um subproduto da concentração de atenção que é um pré-requisito do fluxo. Na verdade, a literatura clássica das tradições contemplativas descreve estados de absorção que são sentidos como pura felicidade: fluxo induzido por nada mais que intensa concentração.

Ver alguém em fluxo dá a impressão de que o difícil é fácil: o auge do desempenho parece natural e banal. Essa impressão é paralela ao que se passa no cérebro, onde um paradoxo semelhante se repete: as mais desafiantes tarefas são executadas com um dispêndio mínimo de energia mental. No fluxo, o cérebro se acha num estado "frio", a estimulação e inibição dos circuitos neurais estão sintonizados com a solicitação do momento. Quando as pessoas se acham empenhadas em atividades que prendem e mantêm, sem esforço, a sua atenção, seu cérebro "se acalma", no sentido de que ocorre uma diminuição de estimulação cortical.[29] Essa descoberta é notável, uma vez que o fluxo permite que as pessoas enfrentem as mais desafiantes tarefas num determinado campo, seja jogando contra um mestre de xadrez ou solucionando um complexo problema matemático. A expectativa seria de que essas tarefas desafiantes exigissem *mais* atividade cortical, e não menos. Mas uma chave para o fluxo é que ele só ocorre perto do cume da capacidade, onde as aptidões estão bem ensaiadas e os circuitos neurais mais eficientes.

Uma concentração forçada — uma concentração alimentada pela preocupação — produz maior ativação cortical. Mas a zona de fluxo e desempenho ideal parece ser um oásis de eficiência cortical, com um dispêndio mínimo de energia mental. Isso faz sentido, talvez, em termos da prática na atividade que permite que as pessoas entrem no fluxo: o domínio das etapas de uma tarefa física, como escalar rochedos, ou mental, como a programação de computadores, significa que o cérebro pode ser mais eficiente em sua execução. As etapas bem praticadas exigem menos esforço do cérebro do que as que estão sendo aprendidas, ou as que ainda apresentam alto grau de dificuldade. Do mesmo modo, quando o cérebro trabalha com menos eficiência, devido ao cansaço ou nervosismo, como acontece ao fim de um dia longo e estressante, há um turvamento da precisão do esforço cortical, com a ativação de muitas áreas supérfluas — um estado geral que se sente como estando altamente distraído.[30] O mesmo acontece no tédio. Mas, quando o cérebro atua na eficiência máxima, como no fluxo, há uma relação precisa entre as áreas ativas e as exigências da tarefa. Nesse estado, mesmo o trabalho árduo pode parecer mais renovador e restaurador que cansativo.

APRENDIZADO E FLUXO: UM NOVO MODELO PARA A EDUCAÇÃO

Como o fluxo surge em zonas nas quais uma atividade desafia as pessoas a exercerem o máximo de suas capacidades, à medida que suas aptidões aumentam é necessário um maior esforço para entrar nele. Se a tarefa é simples demais, entedia; se desafiadora demais, resulta mais em ansiedade que em fluxo. Pode-se dizer que o domínio num ofício ou aptidão é estimulado pela experiência do fluxo — que a motivação para se aperfeiçoar cada vez mais em alguma coisa, seja tocar violino, dançar ou separar genes, é pelo menos em parte estar em fluxo quando a realizando. Na verdade, num estudo com duzentos pintores 18 anos depois que deixaram a escola, Csikszentmihalyi constatou que foram aqueles que, nos tempos de estudante, saboreavam o puro prazer de pintar, que se tornaram verdadeiramente artistas. Os que haviam sido motivados na escola de arte por fantasias de fama e fortuna, em sua maioria, afastaram-se da arte depois de formados.

Csikszentmihalyi conclui:

— Os pintores devem querer pintar, acima de tudo mais. Se o artista, diante da tela, se põe a imaginar por quanto vai vendê-la, ou o que os críticos vão pensar de sua obra, não conseguirá criar. As realizações criativas dependem de uma imersão obstinada.[31]

Assim como o fluxo é um pré-requisito para a maestria num ofício, profissão ou arte, o mesmo se dá com a educação. Os alunos que entram em fluxo quando estudam saem-se melhor, independentemente da medida de seu potencial avaliado por testes de rendimento. Os alunos de uma escola especial de ciências em Chicago — todos entre os primeiros 5% num teste de competência em matemática — foram classificados por seus professores como de alto ou baixo desempenho. Depois, observou-se a maneira como esses estudantes passavam seu tempo, cada um levando um bipe que os mandava, em horas aleatórias durante o dia, anotar o que estavam fazendo e qual o seu estado de espírito. Como era esperado, aqueles que tinham baixo desempenho passavam apenas cerca de 15 horas por semana estudando em casa, muito menos que as 27 horas por semana de trabalho de casa cumpridas por seus colegas de alto desempenho. Os de baixo desempenho passavam a maior parte do tempo em que não estavam estudando em atividades sociais, com os amigos ou a família.

Quando avaliados os seus estados de espírito, ocorreu uma constatação reveladora. Tanto os de alto quanto os de baixo desempenho passavam grande parte da semana entediando-se com atividades, como ver TV, que não impunham desafios a suas capacidades. Este, afinal, é o destino dos adolescentes. Mas a diferença-chave estava em como experienciavam os estudos. Para os de alto desempenho, o estudo dava-lhes o desafio agradável e absorvente do fluxo em 40% das horas que passavam nele. Mas, para os de baixo desempenho, o estudo produzia fluxo apenas em 16% do tempo; na maioria das vezes, produzia ansiedade, com exigências que iam além de suas capacidades. Os de baixo desempenho encontravam prazer e fluxo nas atividades sociais, não no estudo. Em suma, os estudantes de desempenho à altura e além de seu potencial acadêmico são, na maioria das vezes, atraídos para o estudo porque isso os põe em fluxo. Infelizmente, os de baixa realização, porque não aprimoram as aptidões que os colocariam em fluxo, são privados do prazer do estudo e correm o risco de limitar o nível de tarefas intelectuais que lhes serão agradáveis no futuro.[32]

Howard Gardner, psicólogo de Harvard que criou a teoria de inteligências múltiplas, vê o fluxo e os estados positivos que o caracterizam como parte da maneira mais saudável de ensinar às crianças, mobilizando-as em vez de utilizar ameaças ou promessas de recompensa.

— Devemos usar os estados positivos das crianças e atraí-las ao aprendizado nas áreas onde elas possam desenvolver aptidões — disse-me Gardner. — O fluxo é um estado interior que significa que uma criança está empenhada na tarefa certa. Temos de descobrir alguma coisa que gostamos e nos apegar a ela. É quando as crianças se entediam na escola que brigam e pintam o sete, e quando são esmagadas por um desafio é que ficam ansiosas com o trabalho escolar. Mas aprendemos mais quando temos alguma coisa que nos interessa e nos dá prazer quando nos empenhamos nela.

A estratégia usada em muitas das escolas que estão pondo em prática o modelo de múltiplas inteligências de Gardner gira em torno da identificação do perfil de aptidões naturais das crianças e do aproveitamento dos seus pontos fortes, além da tentativa de dar suporte no que elas são fracas. Uma criança naturalmente talentosa em música, por exemplo, entrará com mais facilidade em fluxo nessa atividade do que naquelas para as quais está menos capacitada. O conhecimento do perfil de uma criança ajuda o professor a aprimorar a forma de apresentar-lhe um conteúdo e dar aulas no nível — do mediano ao mais avançado — que mais possa lhe proporcionar um desafio ideal. Fazer isso torna o aprendizado mais agradável, não apavorante nem chato.

— A esperança é que, quando as crianças adquirirem fluxo no aprendizado, se sintam encorajadas a enfrentar desafios em novas áreas — diz Gardner, acrescentando que a experiência sugere ser assim.

Em termos mais gerais, o fluxo sugere que a conquista de maestria em qualquer ofício ou conjunto de conhecimentos deve se dar, idealmente, de uma maneira natural, à medida que a criança é encaminhada para as áreas que a atraem espontaneamente — que, em essência, ela adora. Essa paixão inicial pode ser a semente para maiores níveis de conquista, à medida que a criança venha a compreender que seguir nessa atividade — seja dança, matemática ou música — é uma fonte do prazer do fluxo. E, como isso exige forçar os limites de nossa capacidade de manter o fluxo, torna-se um motivador básico para nos tornarmos cada vez melhores; a criança, desta forma, fica feliz. Isso, claro, é um modelo mais positivo de aprendizado e educação do que a maioria de nós encontrou na escola. Quem não se lembra daquele tempo, pelo menos em parte, como intermináveis e pavorosas horas de tédio, pontuadas por momentos de alta ansiedade? Buscar o fluxo através do aprendizado é uma maneira mais humana, natural e muito provavelmente mais eficaz de arregimentar as emoções a serviço da educação.

Isso revela o sentido mais geral em que canalizar emoções para um fim produtivo é uma aptidão mestra. Seja no controle de impulsos e adiamento da satisfação, no controle de nossos estados de espírito para que facilitem, em vez de impedir, o pensamento, motivando-nos a persistir e tentar de novo apesar dos reveses, seja na descoberta de formas para entrar em fluxo e com isso atuar com mais eficiência — tudo indica o poder da emoção na orientação do esforço eficaz.

7

As Origens da Empatia

Voltemos a Gary, o brilhante mas alexitímico médico que tanto perturbava a noiva, Ellen, por ignorar não apenas seus próprios sentimentos, mas também os dela. Como a maioria dos alexitímicos, faltava-lhe não só empatia, mas também intuição. Se Ellen se dizia deprimida, ele não demonstrava entender os seus sentimentos; se ela falava de amor, ele mudava de assunto. Gary fazia críticas "construtivas" a coisas que Ellen fazia, sem compreender que ela se sentia agredida, e não ajudada.

A empatia é alimentada pelo autoconhecimento; quanto mais consciente estivermos acerca de nossas próprias emoções, mais facilmente poderemos entender o sentimento alheio.[1] Alexitímicos como Gary, que não têm ideia do que eles próprios sentem, ficam completamente perdidos quando se trata de saber o que as pessoas à sua volta estão sentindo. Não têm ouvido emocional. As notas e os acordes emocionais que são entoados nas palavras e ações das pessoas — um tom revelador ou mudança de postura, o silêncio eloquente ou o tremor que trai — passam despercebidos.

Confusos acerca de seus próprios sentimentos, os alexitímicos ficam igualmente perplexos quando outras pessoas falam do que estão sentindo. Essa incapacidade de registrar os sentimentos de outrem significa que existe um grande déficit de inteligência emocional e uma trágica falha no entendimento do que significa ser humano. Pois todo relacionamento, que é a raiz do envolvimento, vem de uma sintonia emocional, da capacidade de empatia.

Essa capacidade — de saber como o outro se sente — entra em jogo em vários aspectos da vida, quer nas práticas comerciais, na administração, no namoro e na paternidade, no sermos piedosos e na ação política. A falta de empatia é também reveladora. Nota-se em criminosos psicopatas, estupradores e molestadores de crianças.

As emoções das pessoas raramente são postas em palavras; com muito mais frequência, são expressas sob outras formas. A chave para que possamos entender os sentimentos dos outros está em nossa capacidade de interpretar canais não verbais: o tom da voz, gestos, expressão facial e outros sinais. Talvez a mais ampla pesquisa acerca da capacidade que têm as pessoas de detectar mensagens não verbais seja a de Robert Rosenthal, psicólogo de Harvard, e seus alunos. Ele idealizou um teste de aferição de empatia, o PONS — Profile of Nonverbal Sensitivity,* que consiste na exibição de uma série de videoteipes em que uma jovem manifesta sentimentos que vão da antipatia ao amor materno.[2] As cenas percorrem todo um espectro de emoções, desde um acesso de ciúmes até um pedido de perdão, de uma demonstração de gratidão a uma sedução. O vídeo foi editado de forma que, em cada um desses estados, fossem sistematicamente apagados um ou mais canais de comunicação não verbal; além do som, por exemplo, em algumas cenas todos os outros sinais são bloqueados, sendo mantida apenas a expressão facial. Em outras, somente são exibidos os movimentos do corpo, e assim por diante, passando pelos principais canais não verbais de comunicação, para que os espectadores possam detectar a emoção a partir de uma ou outra indicação não verbal.

Em testes feitos com mais de 7 mil pessoas nos Estados Unidos e em outros 18 países, as vantagens de poder interpretar sentimentos a partir de indicações não verbais incluíam um melhor ajustamento emocional, maior popularidade, mais abertura e — talvez o que seja mais surpreendente — maior sensibilidade. Em geral, as mulheres são melhores que os homens nesse tipo de empatia. E as pessoas cujo desempenho melhorou no decorrer do teste, que durou 45 minutos — um indicador de que aquelas pessoas têm talento para adquirir aptidões de empatia —, também se relacionavam melhor com o sexo oposto. A empatia, não é nenhuma surpresa, ajuda na vida romântica.

Conforme constatações sobre outros elementos de inteligência emocional, havia apenas uma relação incidental entre as contagens nessa medição de acuidade e os resultados do SAT, QI ou dos testes de desempenho escolares. A independência da empatia em relação à inteligência acadêmica também foi constatada em testagens com uma versão do PONS destinada a crianças. Em testes feitos em 1.011 crianças, aquelas que mostraram aptidão para interpretar sentimentos não verbalizados eram consideradas as mais queridas na escola, eram as mais emocionalmente estáveis.[3] Além disso, tinham melhor desempenho acadêmico embora, na média, não tivessem QI superior ao de outras crianças menos capacitadas para interpretar mensagens não verbais — o que sugere que o domínio dessa capacidade empática abre o caminho para a eficiência na sala de aula (ou simplesmente faz com que os professores gostem mais delas).

Assim como a forma de expressão da mente racional é a palavra, a das emoções é não verbal. Na verdade, quando as palavras de alguém entram em desacordo com o que é transmitido por seu tom de voz, gestos ou outros canais não

---

* Perfil de Sensibilidade Não Verbal. (N. T.)

verbais, a verdade emocional está mais no *como* ele diz alguma coisa do que no *que* ele diz. Uma regra elementar usada na pesquisa de comunicações é que 90% ou mais de uma mensagem emocional são não verbais. E essas mensagens — ansiedade no tom de voz de alguém, irritação na rapidez de um gesto — são quase sempre aceitas inconscientemente, sem que se dê uma atenção especial ao conteúdo da mensagem, mas apenas recebendo-a e respondendo-a tacitamente. As aptidões que nos permitem fazer isso bem ou mal são também, na maioria das vezes, inferidas.

COMO SE DESENVOLVE A EMPATIA

Assim que Hope, de apenas nove meses, viu outro bebê levar um tombo, ficou com os olhos cheios d'água e engatinhou até sua mãe, procurando consolo, embora não fosse ela que tivesse levado o tombo. E Michael, com um ano e três meses, foi buscar seu ursinho de pelúcia para entregá-lo ao amigo Paul, que chorava; como Paul continuasse chorando, Michael se agarrou no cobertorzinho "de segurança" do amigo. Esses pequenos atos de simpatia e solidariedade foram observados por mães treinadas para registrar tais incidentes de demonstração de empatia.[4] Os resultados do estudo sugerem que as origens da empatia podem ser identificadas já na infância. Praticamente desde o dia em que nascem, os bebês ficam perturbados quando ouvem outro bebê chorando — uma reação que alguns encaram como o primeiro indicador da empatia que se desenvolverá até a idade adulta.[5]

Psicólogos do desenvolvimento infantil descobriram que os bebês são solidários diante da angústia de outrem, mesmo antes de adquirirem a percepção de sua individualidade. Mesmo poucos meses após o nascimento, os bebês reagem a uma perturbação sentida por aqueles que estão em torno deles, como se esse incômodo estivesse acontecendo neles próprios, chorando ao verem que outra criança está chorando. Em torno de um ano, começam a compreender que o sofrimento não é deles, mas de outro, embora ainda pareçam confusos sobre o que fazer. Numa pesquisa feita por Martin L. Hoffmann, da Universidade de Nova York, por exemplo, uma criança de um ano trouxe a própria mãe para consolar um amigo que chorava, ignorando que a mãe do amigo também estava no recinto. Essa confusão se vê também quando crianças de um ano imitam a angústia de outras, possivelmente para melhor compreender o que elas estão sentindo; por exemplo, se outro bebê machuca os dedos, um bebê de um ano põe os seus dedos na boca, para ver se também doem. Ao ver a mãe chorar, um bebê enxugou os próprios olhos, embora não tivessem lágrimas.

Essa *mímica motora,* como é denominada, é o significado técnico original da palavra *empatia,* como pela primeira vez foi usada, na década de 1920, por E. B. Titchener, psicólogo americano. Esse sentido é um pouco diferente de sua introdução original em inglês, do grego *empátheia,* "entrar no sentimento", termo inicialmente usado por teóricos da estética para designar a capacidade de perceber a experiência subjetiva de outra pessoa. A tese de Titchener era de que a empatia vinha de uma espécie de imitação física da angústia de outra pessoa, que então evoca os mesmos sentimentos em nós. Ele procurou uma palavra distinta de *simpatia,* algo que sentimos pelo que o outro está vivenciando, sem, contudo, sentir o que esse outro está sentindo.

A mímica motora desaparece do repertório dos bebês por volta dos dois anos e meio, quando eles percebem que o sofrimento de outra pessoa é diferente do deles, e então podem melhor consolá-los. Um incidente típico, extraído do diário de uma mãe:

> O bebê de um vizinho chora... e Jenny se aproxima e tenta dar-lhe biscoito. Segue-o por toda parte e começa a choramingar. Então, tenta alisar os cabelos dele, mas ele se afasta... Ele se acalma, mas Jenny continua preocupada. Continua a trazer-lhe brinquedos e a dar-lhe tapinhas na cabeça e nos ombros.[6]

Nessa altura de seu desenvolvimento, os bebês começam a se diferenciar na sensibilidade geral às perturbações emocionais de outras pessoas, com alguns, como Jenny, sendo agudamente conscientes e outros desligando-se. Uma série de estudos feitos por Marian Radke-Yarrow e Carolyn Zahn-Waxler, do Instituto Nacional de Saúde Mental, mostrou que grande parte dessa diferença em interesse empático tinha a ver com a maneira como os pais educavam seus filhos. Elas constataram que as crianças eram mais empáticas quando a educação incluía chamar fortemente a atenção para a aflição que o mau comportamento delas causava nos outros: "Veja como você a deixou triste" em vez de "Isso foi malfeito". Também descobriram que a empatia das crianças é igualmente moldada por verem como os outros reagem quando alguém mais está aflito; imitando o que veem, as crianças desenvolvem um repertório de reação empática, sobretudo na ajuda a outras pessoas angustiadas.

A CRIANÇA BEM SINTONIZADA

Sarah tinha 25 anos quando deu à luz dois gêmeos, Mark e Fred. Achou que Mark se parecia mais com ela; Fred, mais com o pai. Essa percepção pode ter sido a semente de uma reveladora mas sutil diferença na maneira como ela lidou com cada um dos meninos. Quando eles tinham apenas três meses, Sarah muitas vezes tentava atrair o olhar de Fred, e quando ele virava o rosto, ela tentava de novo; Fred reagia dando-lhe mais enfaticamente as costas. Assim que ela olhava para outro lado, ele tornava a olhar para ela, e o esconde-esconde recomeçava — muitas vezes deixando Fred em prantos. Mas, com Mark, Sarah nunca tentava estabelecer contato visual como fazia com Fred. Ao contrário, Mark podia romper esse contato quando quisesse, que ela não insistia.

Um ato pequeno, mas revelador. Um ano depois, Fred era visivelmente mais medroso e dependente do que Mark; uma das maneiras como demonstrava esse medo era evitando olhar nos olhos de outras pessoas, como fizera com a mãe aos três meses, baixando e desviando o rosto. Mark, por outro lado, olhava direto nos olhos dos outros; quando queria romper o contato, virava ligeiramente a cabeça para cima e para o lado, com um sorriso cativante.

Os gêmeos e a mãe foram minuciosamente observados quando participaram da pesquisa de Daniel Stern, um psiquiatra então na Faculdade de Medicina da Universidade Cornell.[7] Stern é fascinado com os pequenos e repetidos intercâmbios que ocorrem entre pais e filhos; acredita que as lições mais elementares da vida emocional se dão nesses momentos íntimos. Desses momentos, os mais críticos são os que informam à criança que seus sentimentos encontram empatia, são aceitos e retribuídos, num processo que Stern chama de *sintonia.* A mãe dos gêmeos estava sintonizada com Mark, mas emocionalmente dessincronizada com Fred. Stern afirma que os incontáveis momentos de sintonia ou não sintonia entre pais e filhos moldam as expectativas emocionais que, quando adultos, levarão para seus relacionamentos — talvez muito mais do que os mais dramáticos acontecimentos da infância.

A sintonia ocorre tacitamente, como parte do ritmo de relacionamento. Stern estudou-a com precisão microscópica, em horas de gravação em vídeo de mães com seus bebês. Ele constata que, pela sintonização, as mães informam aos bebês que compreendem o que eles estão sentindo. O bebê grita de prazer, por exemplo, e a mãe atesta esse prazer balançando-o de forma delicada, arrulhando ou imitando o guincho dele. Ou o bebê sacode o chocalho, e ela responde, balançando-o. Nessa interação, a mensagem de afirmação está no fato de a mãe se igualar mais ou menos no nível de excitação do bebê. Essas pequenas sintonizações dão ao bebê a tranquilizadora sensação de estar emocionalmente ligado, uma mensagem que Stern constata que as mães enviam cerca de uma vez a cada minuto quando interagem com seus bebês.

A sintonização é muito diferente da simples imitação.

— Se você apenas imita um bebê — disse-me Stern —, isso apenas mostra que sabe o que ele fez, mas não como se sentiu. Para que ele saiba que você sente como ele se sente, é preciso reproduzir os sentimentos íntimos dele de outra forma. Aí o bebê sabe que foi entendido.

O amor físico é talvez a coisa mais próxima, na vida adulta, dessa íntima sintonização entre o bebê e a mãe. O amor físico, escreve Stern, "envolve a experiência de sentir o estado subjetivo do outro: desejo partilhado, intenções alinhadas e mútuos estados de excitação simultaneamente mutáveis", com os amantes respondendo um ao outro numa sincronia que exprime, de forma tácita, o significado de profunda relação.[8] O amor físico é, no que tem de melhor, um ato de mútua empatia; no pior, falta-lhe toda essa mutualidade emocional.

QUANTO CUSTA A FALTA DE SINTONIA

Stern afirma que, com essas repetidas sintonizações, o bebê começa a desenvolver o sentimento de que outras pessoas podem partilhar e partilham de seus sentimentos. Esse sentido parece surgir por volta dos 8 meses, quando os bebês começam a compreender que não estão em simbiose com as outras pessoas, e continua a ser moldado por relacionamentos íntimos durante toda a vida. Quando os pais não estão em sintonia com um filho, isso é profundamente perturbador. Num experimento, Stern fez com que as mães deliberadamente respondessem com mais e com menos intensidade a seus bebês, em vez de se igualarem de modo sintonizado; os bebês reagiram com imediata consternação e angústia.

Uma prolongada ausência de sintonia entre pai e filho impõe um tremendo tributo emocional à criança. Quando um pai repetidamente não entra em empatia com uma determinada gama de emoções da criança — alegria, lágrimas, necessidade de aconchego —, a criança começa a evitar expressar, e talvez mesmo a sentir, esses tipos de emoção. Dessa forma, presume-se, séries inteiras de emoção para relacionamentos íntimos podem começar a ser apagadas do repertório, sobretudo se durante a infância esses sentimentos continuarem a ser tácita ou expressamente desestimulados.

Da mesma forma, as crianças podem vir a preferir uma infeliz gama de emoção, dependendo dos estados de espírito que lhes foram retribuídos. Mesmo os bebês "captam" estados de espírito: bebês de 3 meses cujas mães estão deprimidas, por exemplo, refletiam esse mesmo estado de espírito quando brincavam com elas, exibindo mais sentimentos de ira e tristeza, e muito menos curiosidade e interesse espontâneos, em comparação com bebês cujas mães não estavam deprimidas.[9]

Uma mãe, no estudo de Stern, sempre reagia com pouca intensidade ao nível de atividade de seu bebê; o bebê acabou aprendendo a ser passivo.

— Um bebê tratado desse modo aprende: quando eu fico excitado, minha mãe não fica igualmente excitada, logo, talvez seja melhor nem tentar — afirma Stern. Mas há esperanças nos "relacionamentos reparadores". — Os relacionamentos de toda a vida — com amigos ou parentes, por exemplo, ou na psicoterapia — remodelam continuamente nosso modo funcional de tê-los. Um desequilíbrio num ponto pode ser corrigido depois; é um processo contínuo, de uma vida inteira.

Na verdade, várias teorias da psicanálise veem a relação que se estabelece entre analista e analisando como proporcionando exatamente esse ajustamento emocional, uma experiência reparadora de sintonização. *Espelhar* é o termo empregado por alguns pensadores psicanalíticos para designar o fato de o terapeuta ser, para o paciente, o reflexo de seu estado interior, como faz uma mãe sintonizada com o seu bebê. A sincronia emocional é tácita e fora da consciência, embora o paciente possa extrair um grande prazer da sensação de que está sendo profundamente reconhecido e entendido.

Os custos emocionais, para toda uma vida, decorrentes da falta de sintonização na infância podem ser grandes — e não só para a criança. Um estudo sobre criminosos que praticaram os crimes mais cruéis e violentos constatou que o que lhes caracterizava e os distinguia de outros criminosos é que, na infância, tinham sido mandados de uma casa de adoção para outra, ou criados em orfanatos — históricos de vida que sugerem abandono emocional e pouca oportunidade de sintonização.[10]

Enquanto o abandono emocional parece embotar a empatia, há um resultado paradoxal quando ocorre abuso emocional intenso e constante, incluindo ameaças cruéis e sádicas, humilhações e maldade pura e simples. As crianças que sofrem tais abusos podem tornar-se hiperalertas para as emoções daqueles que as cercam, o que é equivalente a uma vigilância pós-traumática para detectar indícios que anunciem ameaça. Essa preocupação obsessiva com os sentimentos dos outros é típica de crianças psicologicamente maltratadas e que, na idade adulta, sofrem os mercuriais altos e baixos às vezes diagnosticados como "distúrbio limite de personalidade". Muitas dessas pessoas têm o dom de sentir o que sentem os que as cercam, e é muito comum relatarem que sofreram abusos emocionais na infância.[11]

A NEUROLOGIA DA EMPATIA

Como tantas vezes acontece na neurologia, os relatos de casos peculiares e bizarros estão entre os primeiros indícios de que há um componente cerebral na empatia. Um trabalho de 1957, por exemplo, examinava vários casos em que os pacientes com certas lesões na área direita dos lobos frontais tinham um déficit curioso: não eram capazes de entender a mensagem emocional através do tom de voz das pessoas, embora fossem perfeitamente capazes de entender as palavras. Os "muito obrigado" sarcásticos, agradecidos ou furiosos tinham, todos, o mesmo sentido neutro para eles. Em contraste, um trabalho de 1979 falava de pacientes com danos em outras partes do hemisfério direito que tinham uma falha bastante diferente na percepção emocional. Estes eram incapazes de expressar suas emoções através do tom de voz ou gestos. Sabiam o que sentiam, mas simplesmente não eram capazes de transmiti-lo. Todas essas regiões corticais do cérebro, observaram os vários autores, tinham fortes ligações com o sistema límbico.

Esses estudos serviram como pano de fundo de um trabalho para um seminário de Leslie Brothers, psiquiatra do Instituto de Tecnologia da Califórnia, sobre a biologia da empatia.[12] Examinando relatos neurológicos, Brothers aponta as amígdalas corticais e suas ligações com a área de associação do córtex visual como parte dos circuitos-chave do cérebro que estão por trás da empatia.

Grande parte da importante pesquisa neurológica vem do trabalho com animais, sobretudo primatas não humanos. O fato de que esses animais demonstram empatia — ou "comunicação emocional", como Brothers prefere chamar — fica evidenciado não apenas pelas histórias que são relatadas, mas também por estudos como o seguinte: primeiro, treinaram-se macacos Rhesus para terem medo de um determinado som, fazendo-se com que o ouvissem enquanto recebiam um choque. Depois, eles aprenderam a evitar o choque empurrando uma alavanca sempre que ouviam o som. Em seguida, pares desses macacos foram postos em jaulas separadas, tendo como única comunicação entre si um circuito fechado de TV, que lhes permitia ver as feições um do outro. O primeiro macaco, mas não o segundo, ouvia então o som temido, que trazia uma expressão de pânico à sua cara. Nesse momento, o segundo macaco, vendo o medo na fisionomia do primeiro, empurrava a alavanca que impedia o choque — um ato de empatia, senão de altruísmo.

Havendo estabelecido que os primatas não humanos de fato são capazes de captar emoções a partir da expressão facial de seus iguais, os pesquisadores inseriram delicadamente longos eletrodos pontiagudos no cérebro dos macacos. Esses eletrodos permitiam a gravação da atividade num único neurônio. Os eletrodos que monitoravam neurônios no córtex visual e nas amígdalas mostraram que, quando um macaco via a cara do outro, essa informação levava ao disparo de um neurônio, primeiro, no córtex visual, e depois, nas amígdalas corticais. Esse caminho, claro, é uma rota-padrão da informação emocionalmente estimulante. Mas o que surpreende nos resultados desses estudos é que também identificaram neurônios no córtex visual que parecem disparar *somente* em resposta a expressões faciais ou gestos específicos, como um ameaçador abrir a boca, uma careta terrível ou um dócil agachamento. Esses neurônios são distintos de outros na mesma região que reconhecem rostos familiares. Isso poderia significar que o cérebro se destina desde o princípio a responder a expressões emocionais específicas — ou seja, que a empatia é um dado da biologia.

Outra linha de indícios para o papel-chave do caminho amígdala-córtex na leitura e resposta de emoções, sugere Brothers, é a pesquisa na qual foram cortadas as ligações entre amígdalas e córtex de macacos selvagens. Quando os soltaram de volta a seu habitat, esses macacos podiam praticar tarefas comuns como alimentar-se e subir em árvores. Mas os infelizes animais tinham perdido qualquer noção de como reagir emocionalmente aos outros. Mesmo quando um deles fazia uma abordagem amistosa, os outros fugiam, e eles acabaram se isolando, evitando contato com o grupo a que pertenciam.

Brothers observa que as mesmas regiões do córtex onde se concentram os neurônios específicos da emoção são também as de mais densa ligação com as amígdalas; a interpretação de emoções envolve os circuitos amígdala-córtex, que têm um papel-chave na organização das respostas adequadas.

— O valor para a sobrevivência desse sistema é óbvio — observa Brothers. — A percepção da aproximação de outro indivíduo deveria determinar um certo padrão [de resposta fisiológica] — e muito rapidamente — que fosse apropriado à intenção de morder, de entrar numa gostosa sessão de cafuné ou copular.[13]

Uma base fisiológica semelhante da empatia em nós humanos é sugerida numa pesquisa realizada por Robert Levenson, psicólogo da Universidade da Califórnia, em Berkeley, que estudou casais em que cada cônjuge tentava adivinhar o que o outro estava pensando durante uma acalorada discussão que mantinham.[14] O método dele é simples: o casal é filmado em vídeo e suas respostas fisiológicas vão sendo medidas enquanto eles discutem um problema importante no casamento deles — educação das crianças, hábitos de despesa e coisas assim. Depois, cada um deles vê o filme e descreve o que sentia, momento a momento. O outro cônjuge revê a fita, desta vez tentando interpretar os sentimentos *do outro*.

A mais precisa acuidade empática ocorreu nos maridos e esposas *cuja própria fisiologia identificava a do cônjuge* que eles estavam vendo. Quer dizer, quando um suava mais, o outro também; quando um sofria uma queda nos batimentos cardíacos, o mesmo acontecia com o outro. Em suma, o corpo de um imitava as mais sutis reações físicas do outro. Se aquele que estivesse vendo o filme repetisse o mesmo comportamento fisiológico que tivera na situação ao vivo, este dado era apontado como um indicador de que ele não era capaz de entender o sentimento do outro. Só quando o corpo de um entrava em sintonia com o corpo do outro é que ocorria a empatia.

Isso sugere que quando o cérebro emocional dirige o corpo com uma forte emoção — o calor da fúria, digamos —, há pouca ou nenhuma empatia. Empatia exige bastante calma e receptividade para que os sutis sinais de sentimento de uma pessoa sejam recebidos e imitados pelo cérebro emocional da outra pessoa.

EMPATIA E ÉTICA: AS RAÍZES DO ALTRUÍSMO

"Nunca pergunte por quem dobra o sino; ele dobra por ti" é um dos versos mais famosos da literatura inglesa. O sentimento de John Donne fala ao cerne da ligação entre empatia e envolvimento: a dor do outro é nossa. Sentir com o outro é envolver-se. Neste sentido, o oposto de *empatia* é *antipatia*. A atitude empática empenha-se interminavelmente em julgamentos morais, pois os dilemas morais envolvem vítimas potenciais. Deve-se mentir para evitar ferir os sentimentos de um amigo? Deve-se manter o compromisso de visita a um amigo doente ou, ao contrário, aceitar um convite de última hora para um jantar?

Até quando devem ser mantidos ligados os aparelhos hospitalares que mantêm a vida de alguém?

Essas questões morais são colocadas pelo pesquisador de empatia Martin Hoffman, que afirma que as raízes da ética estão na empatia, pois é o sentir empatia com as vítimas potenciais — alguém que sofre, que está em perigo, ou que passa privação, digamos — e, portanto, partilhar da sua aflição que leva as pessoas a agirem para ajudá-las.[15] Além dessa ligação imediata entre empatia e altruísmo nos encontros pessoais, Hoffman sugere que a própria capacidade de afeto empático, de colocar-se no lugar de outra pessoa, leva as pessoas a seguir certos princípios morais.

Hoffman vê um desenvolvimento natural na empatia a partir da infância. Como vimos, com um ano de idade, a criança se sente aflita quando vê outra cair e começar a chorar; sua relação é tão forte e imediata que ela põe o polegar na boca e enterra a cabeça no colo da mãe, como se fosse ela a machucada. Depois do primeiro ano, quando os bebês se tornam mais conscientes de que são distintos dos outros, tentam ativamente consolar um outro que chora, oferecendo-lhe ursinhos de pelúcia, por exemplo. Já aos 2 anos as crianças começam a perceber que os sentimentos dos outros não são os seus e, com isso, se tornam mais sensíveis a indícios que revelam o que o outro de fato sente; nessa altura, podem, por exemplo, reconhecer que o orgulho de outra criança pode significar que a melhor maneira de ajudá-la a lidar com suas lágrimas é não chamar indevida atenção para elas.

No fim da infância, surgem os mais elevados níveis de empatia, pois as crianças são capazes de entender a aflição que está além de um acontecimento específico e constatar que a condição ou posição de alguém na vida pode ser um motivo de aflição permanente. Nesse ponto, as crianças podem perceber as circunstâncias de todo um grupo, como os pobres, os oprimidos, os marginalizados. Essa compreensão, na adolescência, pode reforçar convicções morais centradas na vontade de aliviar o infortúnio e a injustiça.

A empatia é o suporte de muitas facetas de julgamento e ação morais. Uma delas é a "raiva empática", que John Stuart Mill descreveu como "o sentimento natural de retaliação [...] tornado pelo intelecto e a simpatia aplicável [...] aos sofrimentos que nos ferem por ferir outros"; Mill chamou isso de "guardião da justiça". Outro exemplo em que a empatia conduz à ação moral é quando um circunstante é levado a intervir em favor de uma vítima; a pesquisa mostra que, quanto mais empatia ele sentir pela vítima, maior a probabilidade de vir a intervir. Há algum indício de que o nível de empatia que as pessoas sentem também afeta seus julgamentos morais. Por exemplo, estudos na Alemanha e nos Estados Unidos constataram que, quanto mais empáticas as pessoas, mais fica fortalecido, para elas, o princípio moral segundo o qual a riqueza deva ser distribuída conforme a necessidade de cada um.[16]

A VIDA SEM EMPATIA: A MENTE DO MOLESTADOR, A MORAL DO SOCIOPATA

Eric Eckardt envolveu-se num crime infame: guarda-costas da patinadora Tonya Harding, mandou vagabundos agredirem Nancy Kerrigan, arquirrival de Tonya pela medalha de ouro de patinação feminina nas Olimpíadas de 1994. No ataque, o joelho de Tonya foi machucado, deixando-a de fora da competição durante meses de cruciais exercícios. Mas, quando Eckardt a viu chorando na televisão, teve uma súbita onda de remorso e procurou um amigo para revelar seu segredo, iniciando a sequência que levou à prisão dos atacantes. Tal é o poder da empatia.

Mas ela está em geral, e tragicamente, ausente naqueles que cometem os crimes mais hediondos. Uma falha psicológica é comum em estupradores, molestadores de crianças e muitos perpetradores de violência familiar: são incapazes de empatia. Essa incapacidade de sentir a dor das vítimas lhes permite dizer a si mesmos mentiras que justificam o seu crime. Para os estupradores, a mentira inclui "As mulheres querem mais é ser estupradas" ou "Se ela resiste, é só pra bancar a difícil"; para os molestadores: "Não estou machucando a criança, só demonstrando amor" ou "Esta é apenas mais uma forma de afeto"; para os pais violentos: "Isso é pra aprender." Todas essas autojustificações foram coletadas a partir do que pessoas em tratamento relatam terem dito a si mesmas quando brutalizavam suas vítimas, ou quando estavam em vias de fazê-lo.

A ausência da empatia no momento em que essas pessoas infligem dano às vítimas é quase sempre parte de um ciclo emocional que precipita seus atos cruéis. É só ver a sequência emocional que, normalmente, leva a um crime sexual como, por exemplo, molestar crianças.[17] O ciclo começa com o molestador sentindo-se perturbado: irado, deprimido, solitário. Esses sentimentos podem ser provocados, digamos, vendo casais felizes na TV, e depois sentindo-se deprimido por estar só. O molestador, então, busca consolo numa fantasia de sua preferência, em geral sobre uma cálida amizade com uma criança; a fantasia torna-se sexual e acaba em masturbação. Depois, o molestador sente um alívio temporário da tristeza, mas esse alívio tem vida breve; a depressão e a solidão retornam com mais intensidade. O molestador começa a pensar em transformar a fantasia em realidade, dando a si mesmo justificativas do tipo "Não estou fazendo nenhum mal de fato se a criança não for psicologicamente atingida" e "Se uma criança não quisesse mesmo fazer sexo comigo, ela pararia".

Nessa altura, o molestador está vendo a criança pela lente da fantasia pervertida, sem empatia pelo que uma criança de fato sentiria na situação. Esse desligamento emocional caracteriza tudo que vem a seguir, desde o resultante plano de pegar a criança sozinha até o cuidadoso ensaio do que vai acontecer e a execução do plano. Tudo se segue como se a criança envolvida não tivesse sentimentos próprios; ao contrário, o molestador projeta nela a atitude cooperativa da criança de sua fantasia. Os sentimentos dela — repulsa, medo, nojo — não são registrados. Se fossem, "estragariam" tudo para o molestador.

Essa absoluta falta de empatia pelas vítimas é um dos principais focos de novos tratamentos, em vias de elaboração, para molestadores de crianças e outros criminosos do gênero. Num dos mais promissores programas de tratamento, os criminosos leem dilacerantes histórias de crimes semelhantes aos que praticaram, contadas da perspectiva da vítima. Também veem videoteipes de vítimas contando, em lágrimas, o que é ser molestado. Os criminosos então escrevem sobre seu próprio crime do ponto de vista da vítima, imaginando o que ela sentiu. Leem essa história para um grupo de terapia e tentam responder às perguntas sobre o ataque do ponto de vista da vítima. Finalmente, o criminoso passa por uma reencenação simulada do crime, desta vez fazendo o papel da vítima.

William Pithers, psicólogo da prisão de Vermont que desenvolveu essa terapia de adoção da perspectiva da vítima, me disse:

— A empatia com a vítima muda a percepção de tal modo que é difícil a negação da dor, mesmo em nossas fantasias.

Isso reforça a motivação dos homens que desejam controlar seus impulsos sexuais perversos. Os criminosos sexuais que passaram pelo programa na prisão tiveram apenas metade da taxa de crimes posteriores após a libertação, comparados com os que não foram submetidos a esse tratamento. Sem essa motivação inicial inspirada pela empatia, nada do resto do tratamento dará certo.

Embora possa haver uma leve esperança de se instilar um sentimento de empatia em criminosos como os molestadores de crianças, há muito menos para outro tipo criminoso, o psicopata (mais recentemente chamado de *sociopata* na diagnose psiquiátrica). Os psicopatas são notórios por serem ao mesmo tempo encantadores e completamente desprovidos de remorso, mesmo em relação aos atos mais cruéis e impiedosos. A psicopatia, incapacidade de sentir qualquer tipo de empatia ou piedade, ou o mínimo problema de consciência, é um dos defeitos emocionais mais intrigantes. O núcleo da frieza do psicopata parece estar na incapacidade de ir além das mais tênues ligações emocionais. Os mais cruéis dos criminosos, como os sádicos assassinos em série, que se deliciam com o sofrimento de suas vítimas antes de elas morrerem, são exemplos clássicos da psicopatia.[18]

Os psicopatas são também deslavados mentirosos, prontos a dizer qualquer coisa para conseguir o que querem, e manipulam as emoções das vítimas com o mesmo cinismo. Vejam o desempenho de Faro, garoto de 17 anos e membro de uma gangue de Los Angeles que aleijou uma mãe e seu bebê atirando-os de um carro em movimento, o que ele descreveu mais com orgulho do que com remorso. Num carro com Leon Bing, que escrevia um livro sobre as gangues Crips e Blocks, de Los Angeles, Faro quer se exibir. Diz a Bing que "vai dar uma de doido" com os "dois panacas" no carro ao lado. Bing conta o ocorrido:

> O motorista, sentindo que alguém o está observando, dá uma olhada no meu carro. Seus olhos encontram os de Faro e arregalam-se por um instante. Depois ele desfaz o contato, baixa os olhos, desvia os olhos. E não tenho a menor sombra de dúvida sobre o que vi ali nos olhos dele. Era medo.

Faro repete o olhar que lançou ao carro ao lado para Bing:

> Ele olha direto para mim e tudo em seu rosto muda e se transforma, como por um truque de fotografia de tempo. Torna-se uma cara de pesadelo, apavorante de se ver. Diz à gente que se a gente retribuir o olhar dele, se desafiar esse garoto, é melhor poder se garantir. O olhar dele diz que ele não está dando a mínima para coisa alguma, nem para a vida da gente nem para a dele.[19]

É evidente que, num comportamento tão complexo quanto o crime, há muitas explicações plausíveis que não evocam base biológica. Uma delas seria a de que uma espécie de aptidão emocional perversa — intimidar os outros — é importante, em bairros violentos, para a sobrevivência, como seria voltar-se para o crime; nesses casos, empatia demais poderia ser contraproducente. Na verdade, uma oportunística falta de empatia pode ser uma "virtude" em muitos papéis na vida, do interrogador policial "barra pesada" ao invasor de empresas. Homens que trabalharam como torturadores para Estados terroristas, por exemplo, descrevem como aprenderam a se dissociar dos sentimentos das vítimas para fazer seu "serviço". Há muitos caminhos para a manipulação.

Uma das mais sinistras formas em que a ausência de empatia pode mostrar-se foi descoberta por acaso num estudo sobre os mais perversos espancadores de esposa. A pesquisa revelou uma anomalia fisiológica entre muitos dos maridos mais violentos, aqueles que batem regularmente na mulher ou as ameaçam com facas e revólveres: eles fazem isso mais em estado de calma, de forma calculada, do que quando arrebatados pelo calor da fúria.[20] À medida que aumenta a sua cólera, surge a anomalia: os batimentos cardíacos *caem,* em vez de elevarem-se, como acontece comumente na fúria em ascensão. Isso significa que estão ficando fisiologicamente mais calmos, no próprio momento em que se tornam mais beligerantes e abusivos. A violência deles parece ser um ato de terrorismo calculado, um método de controlar as esposas pela instilação do medo.

Esses maridos friamente brutais são uma raça à parte da maioria dos outros homens que espancam as esposas. Entre outras coisas, é mais provável que sejam também violentos fora do casamento, metendo-se em brigas de bar e entrando em luta corporal com colegas de trabalho e com outros membros da família. E, enquanto a maioria dos outros homens que ficam violentos com as esposas faz isso impulsivamente, com raiva por se sentirem rejeitados ou por ciúmes, ou por medo de serem abandonados, esses espancadores calculistas batem nas mulheres sem nenhum motivo aparente — e, uma vez que começam, nada que elas façam, incluindo tentar ir embora, parece conter a violência deles.

Alguns pesquisadores que estudam criminosos psicopatas suspeitam que a fria manipulatividade deles, essa ausência de empatia ou envolvimento, às vezes tem origem numa anomalia neural.* Uma possível base fisiológica para a psicopatologia cruel foi demonstrada de duas formas, ambas sugerindo o envolvimento de caminhos neurais para o cérebro límbico. Numa, as ondas cerebrais das pessoas são medidas quando tentam decifrar palavras embaralhadas. As palavras são exibidas muito rapidamente, por apenas cerca de um décimo de segundo. A maioria das pessoas reage de um modo diferente a palavras como *matar* do que a palavras neutras como *cadeira*; decide mais rapidamente se a palavra emocional foi embaralhada, mas não as neutras. Os psicopatas, no entanto, não têm nenhuma dessas reações: o cérebro deles não mostra o padrão distintivo em resposta às palavras emocionais, e eles não reagem com mais rapidez a elas, o que sugere uma perturbação nos circuitos entre o córtex verbal, que reconhece a palavra, e o cérebro límbico, que lhe atribui sentido.

Robert Hare, psicólogo da Universidade de Colúmbia que fez essa pesquisa, interpreta esses resultados como significando que os psicopatas têm uma tênue compreensão de palavras de cunho emocional, um reflexo da tenuidade mais genérica no campo afetivo. Hare acredita que a insensibilidade dos psicopatas se baseia parcialmente em outro padrão psicológico identificado em pesquisa anterior, e que também sugere uma anomalia no funcionamento das amígdalas e circuitos relacionados: os psicopatas que vão tomar um choque elétrico não demonstram qualquer sinal de medo, como normalmente ocorre em pessoas que vão sentir dor.[21] Como a perspectiva de dor não provoca uma onda de ansiedade, Hare afirma que os psicopatas não se preocupam com punições futuras pelos atos que praticam. E como eles próprios não sentem medo, não há lugar para a empatia — ou piedade — em relação ao medo e à dor de suas vítimas.

---

* Uma nota de advertência. Se há padrões biológicos em jogo em alguns tipos de criminalidade — como um defeito neural na empatia —, isso não quer dizer que todos os criminosos são biologicamente anômalos, ou que existe uma determinante biológica para o crime. Há uma tremenda controvérsia sobre essa questão, e o melhor consenso a que podemos chegar é o de que não há essa determinante biológica, e certamente nenhum "gene criminoso". Mesmo que haja, em alguns casos, uma base biológica que justifique a ausência de empatia, isso não é determinante para a prática de atos criminosos; não acontece com a maioria das pessoas. A falta de empatia é apenas um fator, entre outras forças psicológicas, econômicas e sociais, que contribui para um vetor em direção à criminalidade.

8

A Arte de Viver em Sociedade

Como é comum em crianças de 5 anos que têm irmãos mais novos, Len perdeu a paciência com Jay, de dois anos e meio, que desarrumou os blocos de Lego com os quais estavam brincando. Enraivecido, Len morde Jay, que cai no choro. A mãe, ouvindo o grito de dor de Jay, acorre e censura Len, ordenando-lhe que guarde o que deu motivo à briga, os blocos de Lego. Diante dessa ordem — que seguramente soa a uma crassa injustiça —, Len começa a chorar. Ainda irritada, a mãe recusa-se a consolá-lo.

Mas Len é reconfortado por quem menos esperava: Jay, que, embora sendo o ofendido, agora está tão preocupado com as lágrimas do irmão que faz o maior esforço para acalmá-lo. O diálogo é mais ou menos assim:[1]

— Chora não, Len — implora Jay. — Chora não, cara. Chora não.

Mas Len continua chorando. Como seu apelo não funciona, Jay se dirige à mãe em favor do irmão:

— Len chorando, Mãe! Len chorando. Olha. Eu mostra a você. Len chorando.

E, então, voltando-se para Len, Jay adota uma atitude maternal, fazendo afagos no irmão e tranquilizando-o com palavras ternas.

— Olha, Len. Chora mais não.

Continuam os soluços de Len, apesar da tentativa de reconforto. Então, Jay muda de tática, ajudando a guardar os blocos de Lego na sacola, e diz, num tom amistoso:

— Ah, Len. Guardo pra Lenizinho, tá?

Mesmo assim, as lágrimas continuam. O sempre engenhoso Jay lança mão de outra estratégia: distrair o irmão. Mostrando um carrinho de brinquedo, tenta desviar a atenção dele da tragédia que está vivendo.

— Tem um homem aqui dentro. Quer ver, Len? Quer ver, Len?

Len não dá a mínima. Está inconsolável; não para de chorar. A mãe perde a paciência e recorre à clássica ameaça:

— Tá querendo apanhar?

Len, com a voz trêmula, responde:

— Não.

— Então faça o favor de parar — diz a mãe com firmeza, embora um tanto exasperada.

Em meio a soluços, Len consegue esboçar um patético e arquejante:

— Estou tentando.

Isso faz com que Jay utilize um último estratagema: assumindo a firmeza e a voz autoritária da mãe, ameaça:

— Chora não, Len. Assim leva palmada!

Esse microdrama revela a notável sofisticação no lidar com emoções que uma criança de apenas dois anos e meio pode usar ao tentar entender as emoções de outra pessoa. Em suas urgentes tentativas de consolar o irmão, Jay foi capaz de recorrer a um grande repertório de táticas, que foram do simples apelo para que a mãe se aliasse a ele (o que não funcionou), a consolar o irmão fisicamente, a ajudá-lo, a tentar distraí-lo, a ameaças e a dar ordens explícitas. Sem dúvida, Jay está adotando uma série de medidas que, em seus próprios momentos de aflição, lhe foram aplicadas. Não importa. O que conta é que ele, tão novinho, é capaz de utilizá-las quando necessário.

É claro que, como todos os pais sabem, a demonstração de empatia e essas tentativas de consolar o outro, vividas por Jay, não são um comportamento comum em crianças tão novas. Pelo contrário, é mais provável que, diante da aflição de um irmão, a criança até encontre uma boa oportunidade de se vingar e, então, faça tudo o que for possível para piorar mais ainda a aflição. Ou seja, as mesmas aptidões podem ser usadas para provocar ou atormentar um irmão. Mas mesmo essa maldade revela o surgimento de uma crucial aptidão: a capacidade de perceber os sentimentos de outra pessoa e agir de maneira a enfatizá-los mais ainda. Poder exercer controle sobre as emoções do outro é a essência da arte de relacionar-se.

Para manifestar essa capacidade de interação, as crianças pequenas têm de, em primeiro lugar, alcançar um nível de autocontrole, primeiros ensaios para, mais tarde, poderem conter suas próprias raiva e aflição, seus impulsos e excitação — mesmo que essa capacidade, na maioria das vezes, falhe. Para que entremos em sintonia com o outro é necessário que tenhamos calma. Sinais que sugerem essa capacidade de controlar as próprias emoções surgem mais ou menos nesse mesmo período: as crianças começam a poder esperar sem chorar, a argumentar ou a bajular para conseguir o que querem, em vez de apelar para a força — mesmo que nem sempre prefiram usar essa aptidão. A paciência surge como uma alternativa aos faniquitos, ao menos de vez em quando. E sinais de empatia surgem aos 2 anos; foi a empatia de Jay, raiz da solidariedade, que o levou a tentar, com tanto empenho, levantar o ânimo do irmão Len, que chorava. Portanto, controlar as emoções de outra pessoa — a bela arte de relacionar-se com os outros — exige o amadurecimento de duas outras aptidões emocionais: o autocontrole e a empatia.

De posse disso, amadurecem as "aptidões pessoais". São competências sociais eficazes na relação com os outros; aqui, as deficiências conduzem à inépcia no mundo social ou a repetidos desastres. Na verdade, é precisamente a falta dessas aptidões que pode fazer com que, mesmo aqueles que são considerados brilhantes do ponto de vista intelectual, naufraguem em seus relacionamentos, pareçam arrogantes, nocivos ou insensíveis. Essas aptidões sociais nos permitem moldar um relacionamento, mobilizar e inspirar os outros, vicejar em relações íntimas, convencer e influenciar, deixar os outros à vontade.

EXPRESSE SUAS EMOÇÕES

A forma como as pessoas expressam seus sentimentos constitui-se numa competência social muito importante. Paul Ekman utiliza o termo *regras de exibição* para designar o consenso social acerca de quais sentimentos — e em que momento — podem ser demonstrados de forma apropriada. Por exemplo, ele e colegas no Japão realizaram uma pesquisa sobre reações faciais de estudantes diante de um filme horripilante, cuja temática era o rito de circuncisão em jovens aborígenes. Quando os estudantes japoneses assistiram ao filme em presença de uma autoridade, seus rostos mostraram apenas leves sinais de reação. Mas quando (embora filmados por uma câmera secreta) pensaram que estavam a sós, seus rostos contorceram-se num misto de angústia, aflição, pavor e nojo.

Há tipos básicos de regras de exibição.[2] Um deles é *minimizar* a expressão da emoção — e este é o costume adotado pelos japoneses no que diz respeito a sentimentos de aflição experimentados na presença de alguma autoridade, exatamente como os estudantes referidos acima se comportaram quando mascararam sua perturbação com um rosto impassível. Outra forma é *exagerar* o que se sente, exacerbando a expressão emocional: é o truque usado pela adolescente de 16 anos que contorce dramaticamente o rosto quando corre para queixar-se à mãe de uma provocação feita pelo irmão mais velho. Uma terceira consiste em *substituir* um sentimento por outro; isto ocorre em algumas culturas asiáticas, onde não é de bom-tom dizer "não", daí as anuências (ainda que falsas) substituírem o "não". A habilidade no manejo dessas estratégias e a escolha do momento adequado para utilizá-las é um fator de inteligência emocional.

Desde muito cedo, aprendemos essas regras de exibição, em parte por instruções explícitas. Ensinamos regras de exibição quando dizemos a uma criança para não demonstrar decepção, mas, ao contrário, sorrir e agradecer quando o vovô lhe dá um presente horrível mas bem-intencionado. Essa educação em regras de exibição, no entanto, se dá, com mais frequência, por imitação de um modelo: as crianças aprendem a fazer o que veem fazer. Ao educar os sentimentos, as emoções são, ao mesmo tempo, o meio e a mensagem. Se a criança recebe a ordem de "sorrir e dizer obrigado" por um pai que, naquele momento, se mostra duro, exigente e frio — e que diz, de forma sibilante e não delicada — o que a criança deve dizer, é muito provável que a lição seja aprendida de modo diferente e, na verdade, ela responda ao vovô de cara feia, com um sucinto e lacônico "Obrigado". O efeito causado no vovô não será o desejado: na primeira hipótese, fica feliz (embora tenha sido enganado); na segunda, fica magoado diante da mensagem confusa.

As demonstrações de emoção, claro, causam um impacto imediato. A regra aprendida pela criança é alguma coisa do tipo "Disfarce seus verdadeiros sentimentos para não magoar alguém que você ama; demonstre, em vez disso, um sentimento falso, porém menos ofensivo". Tais regras para expressar emoções são mais do que parte de um manual de boas maneiras sociais; ditam como nossos sentimentos se refletem em outra pessoa. Seguir bem essas regras é produzir o impacto ideal; não segui-las, ou segui-las de forma canhestra, implica gerar uma devastação emocional.

Os atores, claro, são os virtuoses em matéria de demonstrar sentimentos; é a expressividade deles que evoca reação na plateia. E, sem dúvida, alguns de nós nascemos com o dom de representar. Mas, em parte porque as lições que aprendemos sobre as regras de exibição variam segundo os modelos que recebemos, as pessoas diferem muito nessa aptidão.

EXPRESSIVIDADE E CONTÁGIO SOCIAL

Começava a Guerra do Vietnã e um pelotão americano estava escondido em arrozais, no calor de um combate com os vietcongues. De repente, uma fila de seis monges começou a passar por uma das bermas que separavam um campo de outro. Totalmente calmos e equilibrados, dirigiram-se para a linha de fogo.

— Não olharam nem para um lado nem para outro. Seguiram em frente — lembra David Busch, um dos soldados americanos. — Foi realmente estranho, porque ninguém atirou neles. E, depois que passaram pela berma, de repente eu simplesmente já estava fora do combate. Não mais queria continuar fazendo aquilo, pelo menos naquele dia. Deve ter acontecido o mesmo com todo mundo, porque todos desistiram. Cessamos o combate.[3]

O poder que esses monges tranquilos e corajosos exerceram na pacificação dos soldados, no calor de um combate, ilustra um princípio básico da interação entre as pessoas: as emoções são contagiantes. É evidente que essa história assinala um extremo. A maior parte do contágio emocional é muito mais sutil, parte de um tácito intercâmbio que ocorre em qualquer interação com o outro. Transmitimos e captamos modos uns dos outros, algo como uma economia subterrânea da psique, em que alguns encontros são tóxicos, outros, revigorantes. Esse intercâmbio emocional se dá, em geral, de forma sutil, quase imperceptível; a maneira como um vendedor nos diz "obrigado" pode fazer-nos sentir ignorados, ressentidos, ou ser de fato um agradecimento e dar mostras de consideração.

Enviamos sinais emocionais sempre que interagimos, e esses sinais afetam aqueles com quem estamos. Quanto mais hábeis somos nas relações que mantemos com o outro, melhor controlamos os sinais que enviamos; a forma reservada com que se comporta a sociedade bem-educada é, enfim, apenas um meio de assegurar que nenhum vazamento emocional perturbador vai prejudicar os relacionamentos (uma regra social que, quando utilizada nos relacionamentos íntimos, é sufocante). Inteligência emocional inclui o controle desse intercâmbio; "muito benquisto" e "encantador" são termos que empregamos para qualificar pessoas com as quais gostamos de estar porque a habilidade social delas nos faz bem. As pessoas capazes de ajudar outras a aliviar seus sofrimentos possuem um produto social especialmente valorizado; são as almas para as quais se voltam as outras quando se encontram em dificuldades. Todos somos parte dos recursos utilizados por outrem para alterar seu estado de espírito, para o melhor ou para o pior.

Pensem na notável demonstração de sutileza com que as emoções passam de uma pessoa para outra. Numa experiência simples, dois voluntários preencheram um formulário onde deveriam informar como se sentiam naquele momento e, depois, simplesmente ficaram sentados um diante do outro, calados, enquanto esperavam que a pesquisadora voltasse à sala. Dois minutos depois, ela voltou e pediu-lhes que tornassem a preencher outro formulário, nos moldes do anterior. A dupla tinha sido escolhida exatamente porque uma das pessoas era muito expressiva emocionalmente e a outra, inexpressiva. Invariavelmente, o estado de espírito da mais expressiva havia passado para a mais passiva.[4]

Como se dá essa mágica transmissão? É possível que, de forma não deliberada, imitemos as emoções que vemos exibidas por outra pessoa, através de uma mímica motora inconsciente de sua expressão facial, gestos, tom de voz e outros indicadores não verbais de emoção. Através dessa imitação, as pessoas recriam em si o estado de espírito da outra — é uma ligeira versão do método de Stanislavsky, no qual os atores lembram gestos, movimentos e outras expressões de uma emoção que sentiram intensamente no passado, para evocar de novo esses sentimentos.

A imitação cotidiana de sentimentos é, em geral, bastante sutil. Ulf Dimberg, pesquisador sueco da Universidade de Uppsala, constatou que quando as pessoas veem um rosto sorridente ou irado, os seus próprios rostos mostram sinais desse mesmo estado de espírito através de ligeiras mudanças nos músculos faciais. As mudanças são evidenciadas por meio de sensores eletrônicos, mas não são, em geral, visíveis a olho nu.

Quando duas pessoas interagem, a transferência de estado de espírito ocorre da mais expressiva para a mais passiva. Acontece, porém, que certas pessoas são particularmente susceptíveis ao contágio emocional; sua sensibilidade inata torna seu sistema nervoso autônomo (um marcador de atividade emocional) mais facilmente disparável. Essa desvantagem parece torná-las mais impressionáveis; comerciais sentimentais provocam-lhes lágrimas, enquanto um rápido papo com alguém eufórico as anima (também pode torná-las mais empáticas, já que são mais prontamente movidas pelos sentimentos dos outros).

John Cacioppo, o psicofisiologista social da Universidade do Estado de Ohio que estudou esse sutil intercâmbio emocional, observa:

— Basta ver alguém manifestar uma emoção e já evocamos em nós esse estado de espírito, quer percebamos que estamos imitando a expressão facial ou não. Isso nos acontece o tempo todo; há uma dança, uma sincronia, uma transmissão de emoções. Essa sincronia de estados de espírito é determinante para que sintamos se uma interação foi boa ou não.

A intensidade de envolvimento que as pessoas experimentam numa interação reflete-se na maneira como seus movimentos físicos são organizados enquanto elas conversam — um indício de fechamento normalmente inconsciente. Uma pessoa balança a cabeça em concordância quando a outra afirma uma coisa, ou as duas se mexem em suas cadeiras no mesmo instante, ou uma se curva para a frente e a outra para trás. A orquestração pode ser tão sutil quanto duas pessoas balançando-se em poltronas giratórias no mesmo ritmo. Como descobriu Daniel Stern, ao observar a sincronia entre mães e bebês sintonizados, a mesma reciprocidade liga os movimentos de pessoas que se sentem emocionalmente relacionadas.

Essa sincronia parece facilitar o envio e a recepção de estados de espírito, mesmo os negativos. Por exemplo, num estudo de sincronia física, mulheres deprimidas foram a um laboratório com seus namorados e discutiram um problema que havia no relacionamento deles. Quanto maior a sincronia não verbal entre os casais nesse nível, pior os namorados das deprimidas se sentiram depois da discussão — haviam contraído o estado de espírito negativo das namoradas.[5] Em suma, quer as pessoas se sintam alegres ou deprimidas, quanto mais fisicamente sintonizados seus contatos, mais assemelhados se tornarão seus estados de espírito.

A sincronia entre professores e alunos indica a intensidade da relação estabelecida entre eles; estudos realizados em salas de aula mostram que quanto mais estreita for a coordenação de movimentos entre professor e aluno, mais eles são amigáveis entre si, satisfeitos, entusiasmados, interessados e abertos na interação. Em geral, um alto nível de sincronia numa interação indica que as pessoas envolvidas gostam umas das outras. Frank Bernieri, o psicólogo da Universidade do Estado de Oregon que fez esses estudos, me disse:

— O constrangimento ou descontração que sentimos diante de alguém está num nível físico. Precisamos de uma cronologia compatível, coordenar nossos movimentos, sentirmo-nos à vontade. A sincronia reflete a profundidade do engajamento entre os parceiros; se estamos altamente engajados, nossos estados de espírito começam a entrelaçar-se, positiva ou negativamente.

Em suma, a coordenação de estados de espírito é a essência da relação, a versão adulta da sintonia que a mãe tem com seu bebê. Cacioppo sugere que uma determinante de eficiência interpessoal é a habilidade com que as pessoas conduzem essa sincronia emocional. Se são hábeis em sintonizar-se com os estados de espírito das pessoas, ou podem facilmente pôr emocionalmente outras pessoas sob seu controle, suas interações se darão com mais leveza no nível emocional. O que marca um líder ou um bom ator é a capacidade de levar emoção à plateia de milhares desse modo. Pelo mesmo motivo, Cacioppo indica que as pessoas incapazes de transmitir e de receber emoções tendem a ter problemas em seus relacionamentos, já que muitas vezes os outros se sentem pouco à vontade com elas, mesmo quando não consigam explicar por que isto ocorre.

Dar o tom emocional de uma interação é, num certo sentido, um indicador da capacidade de dominação, num nível profundo e íntimo: significa direcionar o estado emocional da outra pessoa. Esse poder de determinar emoções corresponde ao que, na biologia, se chama de *Zeitgeber* (literalmente, "agarrador do tempo"), um processo (como o ciclo dia-noite ou as fases mensais da lua) que afeta ritmos biológicos. Para um casal dançando, a música é um *Zeitgeber* físico. Quando se trata de contatos pessoais, a pessoa que tem uma expressividade mais forte — ou mais poder — é geralmente aquela cujas emoções arrebatam a outra. Os parceiros dominantes falam mais, enquanto o passivo fica olhando para o outro — uma preparação para a transmissão de afeto. Pelo mesmo motivo, a energia de um bom orador — um político ou pastor evangélico, por exemplo — é canalizada para provocar emoções na plateia.[6] Essa faceta corresponde a dizer que "ele tem a plateia na palma da mão". O arrasto emocional é a essência do poder de influenciar pessoas.

RUDIMENTOS EM INTELIGÊNCIA SOCIAL

É hora do recreio e um bando de meninos atravessa correndo o gramado. Reggie tropeça, machuca o joelho e começa a chorar, mas os outros continuam a correr — menos Roger, que para. Enquanto diminuem os soluços de Reggie, Roger curva-se e massageia o próprio joelho, gritando:

— Eu também machuquei o joelho!

Roger — porque possui uma inteligência interpessoal exemplar — é citado por Thomas Hatch, colega de Howard Gardner na Spectrum, escola que se baseia no conceito de inteligências múltiplas.[7] Parece que Roger é extraordinariamente capaz de reconhecer os sentimentos dos coleguinhas de brincadeiras e de estabelecer rápidas e suaves ligações com eles. Só ele tomou conhecimento da situação e da dor de Reggie, e só ele tentou oferecer algum consolo, ainda que o máximo que pudesse fazer fosse esfregar o próprio joelho. Esse pequeno gesto revela um talento para o relacionamento, uma aptidão emocional essencial para a preservação de relacionamentos estreitos, seja no casamento, com amigos ou numa parceria comercial. Essas aptidões em pré-escolares são os botões de talentos que desabrocham pela vida afora.

O talento de Roger representa uma entre quatro aptidões distintas que Hatch e Gardner identificam como componentes de inteligência interpessoal:

- *Organizar grupos* — aptidão essencial do líder, que envolve iniciar e coordenar os esforços de um grupo de pessoas. É o talento que se vê em diretores ou produtores de teatro, oficiais militares e chefes efetivos de organizações e grupos de toda espécie. Nas brincadeiras, líder é a criança que toma a dianteira ao decidir o que todas vão fazer, ou se torna capitão da equipe.
- *Negociar soluções* — o talento do mediador, que evita ou resolve conflitos. As pessoas que têm essa aptidão são excelentes para fazer acordos, arbitrar ou mediar disputas; podem fazer carreira na diplomacia, arbitragem ou na advocacia, ou como intermediários ou gerentes de incorporações. São as crianças que resolvem as brigas nas brincadeiras.
- *Ligação pessoal* — o talento de Roger, de empatia e ligação. Isto facilita estabelecer um relacionamento ou reconhecer e reagir adequadamente aos sentimentos e preocupações das pessoas — a arte do relacionamento. Essas pessoas dão bons "jogadores de equipe", cônjuges confiáveis, bons amigos ou bons parceiros comerciais; no mundo dos negócios, dão-se bem como vendedores ou gerentes, ou podem ser excelentes professores. Crianças como Roger se dão bem com praticamente todos, entram facilmente em brincadeiras com eles e se sentem felizes fazendo isso. Essas crianças tendem a ser melhores na interpretação de expressões faciais e são as mais queridas pelos colegas de sala de aula.
- *Análise social* — poder detectar e intuir sentimentos, motivos e preocupações das pessoas. Esse conhecimento de como os outros se sentem leva a uma fácil intimidade ou senso de relação. Aperfeiçoada, essa aptidão nos torna terapeutas ou conselheiros competentes — ou, se combinada com algum dom literário, talentosos romancistas ou dramaturgos.

Em seu conjunto, essas aptidões são a matéria do verniz interpessoal, os ingredientes necessários para o encanto, sucesso social e até mesmo carisma. Os hábeis em inteligência social ligam-se facilmente com as pessoas, são exímios na interpretação de suas reações e sentimentos, conduzem e organizam e controlam as disputas que eclodem em qualquer atividade humana. São os líderes naturais, pessoas que expressam o tácito sentimento coletivo e o articulam de modo a orientar o grupo para suas metas. São aquelas pessoas com as quais os outros gostam de estar porque são emocionalmente animadoras — fazem com que as pessoas se sintam bem e despertam o comentário: "Que prazer estar com uma pessoa assim."

Essas aptidões interpessoais se alimentam de outras inteligências emocionais. As pessoas que causam uma excelente impressão social, por exemplo, são hábeis no controle de suas expressões de emoção, finamente sintonizadas com a maneira como os outros reagem e, assim, capazes de continuamente sintonizar sua atuação social, ajustando-a para assegurar-se de que estão obtendo o efeito desejado. Nesse sentido, são como exímios atores.

Contudo, se essas aptidões interpessoais não são equilibradas por um agudo senso das próprias necessidades e sentimentos, e de como satisfazê-los, podem levar a um vazio sucesso social — uma popularidade ganha à custa da própria satisfação real. Esse é o argumento de Mark Snyder, psicólogo da Universidade de Minnesota, que estudou pessoas cujas aptidões sociais as tornam camaleões de primeira, campeões da boa impressão.[8] Seu credo psicológico fica bem caracterizado por uma observação de W. H. Auden, que disse, a respeito da ideia que faz de si mesmo: "É muito diferente da imagem que eu procuro criar na cabeça dos outros para que me amem." Essa troca pode ser feita se as aptidões sociais ultrapassam a capacidade de conhecer e honrar nossos próprios sentimentos: para ser amado — ou pelo menos gostado — o camaleão social se mostrará como pareçam querer aqueles com quem ele esteja. Snyder constata que o sinal de que alguém entrou nesse esquema é que, embora cause uma excelente impressão, tem poucos relacionamentos estáveis ou satisfatórios. Um padrão mais saudável, claro, é equilibrar a fidelidade a si mesmo com aptidões sociais, usando-as com integridade.

Mas os camaleões sociais não dão a mínima para dizer uma coisa e fazer outra, se isso lhes valer aprovação social. Simplesmente convivem com a discrepância entre sua imagem pública e sua realidade privada. A psicanalista Helena Deutsch chamou essas pessoas de "personalidades condicionais", mudando de *persona* com notável plasticidade à medida que captam sinais dos que as cercam.

— Para alguns — disse-me Snyder —, as pessoas pública e privada se cruzam bem, enquanto para outras parece haver apenas um caleidoscópio de aparências cambiáveis. São como a personagem Zellig, de Woody Allen, tentando loucamente adaptar-se a todos com quem está.

Essas pessoas tentam vasculhar o outro em busca de um sinal que indique sua expectativa, antes de darem uma resposta, em vez de simplesmente dizer o que realmente sentem. Para enturmar-se e fazer-se gostar, estão dispostas a levar pessoas de quem não gostam a pensar que são amigas delas. E usam essas aptidões sociais para moldar seu comportamento de acordo com situações sociais díspares, para agir como pessoas muito diferentes, a depender de com quem estão, passando da borbulhante sociabilidade, por exemplo, para uma retirada discreta. Claro, na medida em que esses traços conduzem a um efetivo controle de impressão, são altamente valorizados em certas profissões, notadamente o teatro, a advocacia em tribunal, vendas, diplomacia e política.

Outro tipo, talvez mais crítico, de automonitoramento parece fazer a diferença entre os que acabam como camaleões sociais à deriva, tentando impressionar todo mundo, e os que sabem usar seu verniz social em conformidade com seus verdadeiros sentimentos. É a capacidade de ser autêntico, como diz o ditado, "Sermos nós mesmos", que permite agir de acordo com nossos mais profundos sentimentos e valores, sem ligar para as consequências sociais. Essa integridade emocional pode muito bem levar a, digamos, deliberadamente provocar um confronto a fim de estabelecer uma duplicidade ou negação — uma limpeza do ar que o camaleão social jamais tentaria.

COMO FABRICAR UM INCOMPETENTE SOCIAL

Não havia dúvida de que Cecil era brilhante, um especialista, graduado em línguas estrangeiras, exímio tradutor. Mas em outras atividades ele era completamente inepto. Cecil não conhecia nenhuma das mais elementares regras de comportamento em sociedade. Atrapalhava uma simples conversa no café e ficava perdido quando tinha de matar o tempo; em suma, parecia incapaz do mais rotineiro intercâmbio social. Como sua falta de traquejo era mais evidente quando se achava entre mulheres, buscou tratamento, imaginando a possibilidade de ter "tendências homossexuais subjacentes", embora não tivesse esse tipo de fantasia.

O seu verdadeiro problema, disse Cecil ao terapeuta, era o receio que ele tinha de que nada do que dissesse despertasse interesse nos outros. Esse receio subjacente só piorava a sua falta de traquejo social. Seu nervosismo durante os encontros levava-o a debochar e a rir nos momentos mais inadequados, embora não achasse nenhuma graça quando alguém contava uma história de fato engraçada. A canhestrice de Cecil, confiou ele ao terapeuta, remontava à infância; durante toda a vida só se sentia à vontade com as pessoas quando estava perto de seu irmão mais velho, que dava um jeito de facilitar as coisas para ele. Mas quando o irmão saiu de casa, sua inépcia foi arrasadora; Cecil era um deficiente em relações sociais.

Esse relato é feito por Lakin Phillips, psicólogo da Universidade George Washington, que acredita que o problema de Cecil tenha origem na falta de aprendizado, na tenra infância, das mais elementares regras de interação social:

> O que Cecil poderia ter aprendido quando criança? A olhar nos olhos dos outros quando estes lhe falassem; a tomar a iniciativa para um contato social, não esperando sempre pelos outros; a alimentar uma conversa, e não ficar simplesmente nos "sim" e "não" ou outras respostas lacônicas; a mostrar gratidão aos outros, a dar preferência a outra pessoa quando passando por uma porta; a esperar até que alguém fosse servido de alguma coisa [...] agradecer aos outros, dizer "por favor", partilhar as coisas, e todas as outras regras de interação elementares que começamos a ensinar às crianças a partir dos 2 anos.[9]

Não ficou esclarecido se a deficiência de Cecil se devia ao fato de ninguém ter-lhe ensinado tais rudimentos de civilidade ou à sua própria incapacidade de aprender. Mas, não importa o motivo, o fato é que a história de Cecil é instrutiva, porque indica a natureza crucial das incontáveis lições que as crianças obtêm na sincronia de interação e nas regras tácitas de harmonia social. O que resulta do não cumprimento dessas regras é perturbar, incomodar aqueles que nos cercam. A função dessas regras, claro, é manter à vontade aqueles que estão envolvidos num intercâmbio; a canhestrice gera ansiedade. As pessoas que não têm essas habilidades são ineptas não apenas em sutilezas sociais, mas também no lidar com as emoções daqueles com quem se relacionam; inevitavelmente, deixam perturbação por onde passam.

Todos conhecemos Cecils, pessoas com uma irritante falta de traquejo social — pessoas que parecem não saber quando encerrar uma conversa ou telefonema e continuam falando, ignorando todos os sinais e insinuações para que desliguem; pessoas cujas conversas giram sempre em torno de si próprias, sem o menor interesse pelo outro, e que não levam em consideração as débeis tentativas para mudar de assunto; pessoas intrometidas ou que fazem perguntas "inconvenientes". Todos esses desvios do que seria uma suave trajetória social revelam um déficit na edificação rudimentar da capacidade de interagir.

Os psicólogos cunharam o termo *dissemia* (do grego *dys-*, "dificuldade", e *sêma,* sinal) para designar o problema de aprendizagem no campo das mensagens não verbais; uma entre dez crianças, aproximadamente, tem um ou mais problemas nessa área.[10] O problema pode estar numa má percepção espacial, de modo que a criança fica próxima demais quando fala ou espalha seus pertences pelo território de outros; na má interpretação ou no uso inadequado da linguagem corporal, quando, por exemplo, não olham para aquele com quem falam; ou num mal senso de prosódia, a qualidade emocional da fala, de modo que ela fala de forma estridente ou inexpressiva.

Muitas das pesquisas têm se concentrado em identificar crianças que exibem sinais de deficiência social, crianças cuja falta de jeito as torna ignoradas ou rejeitadas pelos colegas de brincadeiras. Afora as crianças que são desprezadas por serem brigonas, outras são evitadas por serem invariavelmente deficientes nos rudimentos da interação direta, sobretudo nas regras tácitas que governam as interações. Se as crianças não se comunicam bem, são consideradas burras ou mal-educadas; mas quando não têm bom desempenho nas regras não verbais de interação, os outros — sobretudo os coleguinhas de brincadeiras — as veem como "esquisitas" e as evitam. São as crianças que não sabem como entrar graciosamente numa brincadeira, que tocam as outras de um modo que causa mais desconforto que camaradagem — em suma, que ficam "de fora". São crianças que não dominaram a silenciosa linguagem da emoção e, sem querer, emitem mensagens que geram mal-estar.

Como diz Stephen Nowicki, psicólogo da Emory University que estuda as capacidades não verbais das crianças:

— As crianças que não sabem interpretar ou expressar bem suas emoções sentem-se constantemente frustradas. Esse tipo de comunicação é um constante tema de tudo que se faz; você não pode deixar de se expressar facialmente ou com o corpo, ou esconder o tom de voz. Se comete erros nas mensagens emocionais que envia, sente constantemente que as pessoas reagem de maneira estranha: você é repelido sem saber por quê. Se pensa que está se mostrando alegre, mas, na verdade, parece demasiado tenso ou zangado, vê que as outras crianças, por sua vez, ficam zangadas com você, e não entende por quê. Essas crianças acabam não tendo nenhum senso de controle sobre como os outros as tratam, sentindo que suas ações não causam impacto. Isso lhes dá um sentimento de impotência, ficam deprimidas e apáticas.

Além de se tornarem socialmente marginalizadas, essas crianças também sofrem no contexto acadêmico. A sala de aula, claro, é ao mesmo tempo um espaço de interação social e de desempenho acadêmico; uma criança socialmente desajeitada vai entender ou responder errado a um professor e a uma outra criança. A ansiedade e perplexidade resultantes podem, por si mesmas, interferir em sua capacidade de aprender eficazmente. Na verdade, como têm mostrado testes de sensibilidade não verbal em crianças, as que interpretam mal os sinais emocionais tendem a ter um mau desempenho escolar, se comparadas com o seu potencial acadêmico refletido nos testes de QI.[11]

"A GENTE ODEIA VOCÊ": NO LIMITE

A inépcia social é talvez mais dolorosa e explícita quando se trata de um dos momentos mais perigosos na vida de uma criança pequena: estar fora de um grupo de brinquedos do qual deseja participar. É um momento delicado, em que ser amada ou odiada, se enturmar ou não, fica por demais evidenciado. É por esta razão que essa fase crítica tem sido objeto de intenso escrutínio da parte de estudiosos do desenvolvimento da criança, que revela um grande contraste nas estratégias de aproximação usadas por crianças que são benquistas e por aquelas que ficam "de fora". As contatações destacam exatamente como é crucial para a competência social perceber, interpretar e responder a sinais emocionais e interpessoais. Embora seja pungente ver uma criança ficar de fora das brincadeiras, querendo participar, mas sendo mantida de fora, esta é uma situação universal. Mesmo as crianças mais reconhecidamente queridas são de vez em quando rejeitadas — um estudo junto a alunos de segunda e terceira séries constatou que, em 26% das vezes, essas crianças foram repelidas quando tentaram entrar num grupo que já havia iniciado a brincadeira.

As crianças pequenas são cruéis no julgamento afetivo implícito em tais rejeições. Vejam o seguinte diálogo entre crianças de 4 anos num pré-escolar.[12] Linda quer juntar-se a Barbara, Nancy e Bill, que brincam com animais de brinquedo e blocos de montar. Observa-os por um minuto, depois aborda-os, sentando-se junto a Barbara e começando a brincar com os animais. Barbara volta-se para ela e diz:

— Não pode brincar!

— Posso, sim — diz Linda. — Eu também posso pegar nos bichinhos.

— Não pode, não — diz Barbara rudemente. — A gente não quer saber de você hoje.

Quando Bill protesta em favor de Linda, Nancy junta-se ao ataque:

— A gente odeia ela hoje.

Porque correm o risco de ouvir, explícita ou tacitamente "A gente odeia você", é compreensível o cuidado que todas as crianças têm quando vão abordar. Essa ansiedade, claro, na certa não é muito diferente da sentida por um adulto que, num coquetel com desconhecidos, fica de fora de um grupo de amigos aparentemente íntimos que papeiam alegremente. Como esse momento em que estão fora de um grupo é tão importante para a criança, é também, como disse um pesquisador, "altamente diagnóstico [...] revelando rapidamente diferenças de habilidade social".[13]

Em geral, os recém-chegados apenas observam por um tempo, depois se juntam muito hesitantes a princípio, sendo mais assertivos só por etapas muito cautelosas. O que mais importa para saber se a criança é aceita ou não é a medida em que ela é capaz de entrar no quadro de referência do grupo, sentindo que tipo de brincadeira está havendo, qual não.

Os dois pecados capitais que quase sempre levam à rejeição são tentar tomar logo a dianteira e não entrar em sincronia com o quadro de referência. Mas é isso exatamente que as crianças "chatas" tendem a fazer: entrar à força num grupo, tentando mudar o tema de uma maneira muito abrupta, ou, logo de cara, dando suas opiniões, ou simplesmente discordando logo dos outros — tudo isso sugere tentativas de chamar a atenção para si mesmas. Paradoxalmente, o que resulta é serem ignoradas ou rejeitadas. Por outro lado, as crianças que são queridas pelas outras são aquelas que passam algum tempo observando o grupo para entender o que está acontecendo, antes de entrar nele, e depois fazem alguma coisa para mostrar que aceitam; esperam até ter seu status no grupo confirmado, para só depois tomar a iniciativa de sugerir o que o grupo deve fazer.

Voltemos a Roger, o menino de 4 anos que Thomas Hatch identificou como alguém que possui um alto nível de inteligência interpessoal.[14] A tática de Roger para entrar num grupo era primeiro observar, depois imitar o que outra criança fazia e, por fim, falar com a criança e juntar-se plenamente à atividade — uma estratégia cativante. A habilidade de Roger foi demonstrada, por exemplo, quando ele e Warren brincavam de pôr "bombas" (na verdade, pedrinhas) em suas meias. Warren pergunta a Roger se ele quer entrar num helicóptero ou num avião. Roger pergunta, antes de comprometer-se:

— Você está num helicóptero?

Esse momento aparentemente inócuo revela sensibilidade com os interesses dos outros e a capacidade de agir com base nesse conhecimento de uma maneira que mantém o relacionamento. Hatch comenta sobre Roger:

— Ele "testa" o coleguinha para que os dois e a brincadeira permaneçam em conexão. Já vi muitas crianças que simplesmente entram nos helicópteros ou aviões e, literal e figurativamente, voam para longe uma da outra.

BRILHANTISMO EMOCIONAL: RELATÓRIO DE UM CASO

Se a capacidade de interagir socialmente é atestada pela habilidade de aliviar sentimentos dolorosos, controlar alguém no auge da ira talvez seja a medida última da maestria. Os dados sobre autocontrole de raiva e contágio emocional sugerem que uma estratégia eficaz é distrair a pessoa furiosa, ter empatia com seus sentimentos e ponto de vista e, depois, tentar fazer com que encare os fatos de uma outra forma, de modo a sintonizá-la com uma gama de sentimentos mais positivos — é uma espécie de judô emocional.

Essa refinada habilidade na bela arte da influência emocional talvez seja mais bem exemplificada por uma história contada por um velho amigo, o falecido Terry Dobson,[15] que na década de 1950 foi um dos primeiros americanos a estudar a arte marcial aikidô no Japão. Uma tarde, ele voltava para casa, num trem suburbano de Tóquio, quando entrou um operário enorme, belicoso e muito bêbado. O homem, cambaleando, se pôs a aterrorizar os passageiros: gritando palavrões, avançou para uma mulher com um bebê no colo e jogou-a em cima de um casal de velhos, que se levantou e iniciou uma debandada para o outro extremo do vagão. O bêbado, fazendo outros ataques (e, em sua raiva, errando), agarrou a coluna de metal no meio do vagão com um rugido e tentou arrancá-la.

Nessa altura Terry, que estava no auge da forma física após oito horas de exercício no aikidô, sentiu-se no dever de intervir, para que ninguém se machucasse seriamente. Mas lembrou-se das palavras de seu mestre:

— O aikidô é a arte da religação. Quem quer brigar já rompeu a ligação com o universo. Quem tenta dominar as pessoas já está derrotado. Nós estudamos como resolver o conflito, não como iniciá-lo.

Na verdade, Terry concordara, ao iniciar as aulas com o professor, em jamais puxar uma briga e usar sua habilidade na arte marcial só para defesa. Agora, finalmente, via uma oportunidade de testar suas habilidades no aikidô na vida real, e esse era o momento adequado. Assim, enquanto os outros passageiros estavam paralisados em seus lugares, ele se levantou, devagar e com determinação.

Ao vê-lo, o bêbado rugiu:

— A-ha! Um estrangeiro! Você precisa de uma lição de boa educação japonesa!

E começou a preparar-se para enfrentar Terry.

Mas, no momento em que o bêbedo ia atacar, alguém deu um grito ensurdecedor e curiosamente alegre:

— Ei!

O grito tinha o tom animado de alguém que encontra de repente um amigo querido. O bêbado, surpreso, virou para trás e viu um japonesinho minúsculo, provavelmente na casa dos 70, ali sentado vestindo um quimono. O velho sorria radiante para o bêbado e acenou, cantarolante:

— Vem cá.

O bêbado aproximou-se belicosamente:

— Por que diabos eu iria falar com você?

Enquanto isso, Terry estava preparado para derrubá-lo imediatamente, caso ele fizesse o menor movimento violento.

— Que foi que você andou bebendo? — perguntou o velho, os olhos radiantes para o operário bêbado.

— Eu bebi saquê, e não é da sua conta — berrou o bêbado.

— Ah, isso é maravilhoso, absolutamente maravilhoso — respondeu o velho, num tom simpático. — Sabe, eu também adoro saquê. Toda noite, eu e minha mulher (ela tem 75 anos, você sabe), a gente aquece uma garrafinha de saquê e vai tomar no jardim, sentados num velho banco de madeira...

E continuou falando sobre um pé de caqui em seu quintal, das delícias do jardim, de saborear saquê à noite.

O rosto do bêbado começou a suavizar-se enquanto ouvia o velho; afrouxou os punhos.

— Ééé... Eu também adoro caqui... — disse, diminuindo o tom da voz.

— Sim — respondeu o velho com uma voz animada —, e tenho certeza de que sua esposa é maravilhosa.

— Não — disse o operário. — Minha esposa morreu.

Soluçando, começou a contar como perdera a esposa, a casa, o emprego, como estava se sentindo envergonhado.

O trem chegou na estação de Terry e, quando ele ia saindo, voltou-se e ouviu o velho convidar o bêbado para se sentar ao lado dele e contar-lhe tudo. O bêbado arriou no banco, a cabeça no colo do velho.

Isso é brilhantismo emocional.

PARTE TRÊS

INTELIGÊNCIA EMOCIONAL APLICADA

9

Casamento: Inimigos Íntimos

Amar e trabalhar, disse certa vez Sigmund Freud a seu discípulo Erik Erikson, são capacitações correlacionadas que indicam que alcançamos a plena maturidade. Se for assim, então a maturidade pode ser considerada uma etapa da vida em vias de extinção — a incidência de divórcios aponta para a necessidade crucial de uma inteligência emocional.

Vejamos as estatísticas. A porcentagem *anual* de divórcios mais ou menos estabilizou-se. Mas há outro modo de calculá-la, um modo que aponta para uma perigosa ascensão desse percentual: basta constatar a probabilidade de pessoas recém-casadas *eventualmente* se divorciarem. Embora a taxa real tenha parado de crescer, o *risco* de os casais recentes se divorciarem tem aumentado.

Essa tendência fica mais evidenciada se compararmos, ano a ano, o percentual de divórcios. Nos Estados Unidos, daqueles que se casaram em 1890, cerca de 10% se divorciaram. Para os casados em 1920, a taxa foi de cerca de 18%; para os casados em 1950, 30%. Em 1970, havia 50% de possibilidade de os casais se separarem. E, para os que se casaram a partir de 1990, a probabilidade de se divorciarem se aproximava do desnorteante 67%.[1] Se esta estimativa se mantiver, só três em dez dos recém-casados podem ter a expectativa de se manterem casados.

Pode-se argumentar que o aumento do número de divórcios não deva ser o resultado de uma redução da inteligência emocional, mas sim decorrente do declínio das pressões sociais que antes mantinham unido o mais infeliz dos casais. Mas, se por um lado as pressões sociais não mais sustentam um casamento, por outro as forças emocionais do casal se tornaram cruciais para o prosseguimento de sua união.

Os liames entre marido e mulher — e os desencontros afetivos que podem separá-los — têm sido avaliados nos últimos anos com uma precisão nunca vista. Talvez a maior constatação para que compreendamos o que mantém ou desfaz um casamento tenha vindo do uso de sofisticadas medições psicológicas, que permitem identificar, a cada instante, as nuanças afetivas que ocorrem na relação dos casais. Os cientistas agora podem detectar as ondas e o aumento de adrenalina, de outro modo invisíveis, na pressão sanguínea de um marido, e observar passageiras mas reveladoras microemoções que passam pela fisionomia da mulher. Essas medições psicológicas revelam a existência de um tema emocional oculto que explica as dificuldades por que passa um casal, um crítico nível de realidade emocional normalmente imperceptível ou ignorado pelo próprio casal. Essas medições põem a nu as forças emocionais que mantêm um relacionamento ou o destroem. Os desencontros têm raízes nos diferentes universos afetivos em que viveram quando eram jovens.

O CASAMENTO DELE E O CASAMENTO DELA: A INFÂNCIA DE CADA UM

Numa noite dessas, quando entrava num restaurante, um jovem saía furioso pela porta, com uma expressão terrível. Logo atrás, vinha uma jovem correndo, batendo desesperada com os punhos nas costas dele e gritando:

— Seu porra! Volte aqui e seja legal comigo!

Esse pedido pungente, incrivelmente contraditório, dirigido às costas que se afastavam, é típico do padrão mais comumente visto em casais cujo relacionamento não vai bem. Ela procura atrair, ele se retrai. Os terapeutas conjugais há muito observaram que, quando os casais procuram terapia, estão nesse padrão de atração-retraimento, ele reclamando das exigências e explosões "irracionais" dela e ela se queixando da indiferença dele ao que ela diz.

Esse final de jogo do casal demonstra que, na verdade, há realidades emocionais paralelas na vida de um casal: a dele e a dela. As raízes dessas diferenças, embora em parte biológicas, podem ser identificadas na infância, no mundo emocional onde vive o menino e no mundo emocional onde vive a menina. Muitas são as pesquisas que tratam desses diferentes mundos, cujas muralhas são reforçadas não só pelo tipo de brincadeira que meninos e meninas preferem, mas pelo temor que têm as crianças pequenas de serem alvo de gozação por terem uma "amiga" ou um "amigo".[2] Um estudo sobre a amizade na infância revelou que metade dos amigos de crianças de 3 anos é do sexo oposto; para as de 5 anos, são cerca de 20%; e, aos 7 anos, quase nenhum menino ou menina têm um "melhor amigo" que seja do sexo oposto.[3] Esses universos sociais separados pouco se cruzam até que os adolescentes comecem a namorar.

Nesse meio-tempo, meninos e meninas aprendem, de forma muito diferente, a lidar com as emoções. Os pais, em geral, falam sobre sentimentos — com exceção da raiva — mais com as filhas do que com os filhos.[4] As meninas recebem mais informação sobre emoções do que os meninos: quando os pais inventam histórias para contar aos filhos em idade pré-escolar, empregam mais palavras de cunho emocional quando se dirigem às filhas, e não aos filhos; quando as mães brincam com seus bebês, demonstram determinadas emoções se o bebê é menina, mas não se é menino; quando as mães falam com as filhas sobre sentimentos, falam com mais detalhes sobre suas próprias emoções do que o fazem com os filhos — embora com eles entrem em mais detalhes sobre as causas e consequências de emoções como a raiva (provavelmente contando uma história com objetivo de alertá-los).

Leslie Brody e Judith Hall, que fizeram um sumário de pesquisa sobre diferenças de emoções entre os sexos, sugerem que, pelo fato de desenvolverem a fala mais cedo que os meninos, as meninas têm mais desenvoltura na expressão de seus sentimentos e são mais hábeis que eles no emprego de palavras para avaliar e substituir reações emocionais como, por exemplo, brigas corporais; em contraste, as pesquisadoras observam:

— Meninos que não são estimulados a verbalizar suas emoções podem vir a ter pouca consciência, tanto de seus próprios sentimentos, quanto dos sentimentos dos outros.[5]

Em torno dos 10 anos, meninas e meninos são francamente agressivos, chegados ao confronto aberto quando ficam zangados. Aos 13 anos, ocorre uma reveladora diferença entre os sexos: as meninas se tornam mais capazes que os meninos de planejar ardilosas táticas agressivas como, por exemplo, isolar os outros, fazer futricas e cometer vingancinhas dissimuladas. Os meninos, em geral, continuam briguentos, ignorando a utilização de estratégias mais sutis.[6] Essa é apenas uma das muitas formas como os meninos — e, depois, homens — são menos sofisticados que o sexo oposto nos atalhos da vida afetiva.

Quando as meninas brincam juntas, o fazem em grupos pequenos e íntimos, onde é enfatizado o mínimo de hostilidade e valorizada a cooperatividade. Os meninos brincam em grupos maiores, com ênfase na competição. Pode-se ver uma importante diferença de comportamento entre meninos e meninas quando a brincadeira é interrompida porque alguém se machucou. Se um menino que se machucou fica irritado, espera-se que saia e pare de chorar para que a brincadeira recomece. Se o mesmo acontece entre as meninas, a *brincadeira para* e todas se voltam para ajudar a menina que chora. Essa diversidade de comportamento na brincadeira resume o que Carol Gilligan, de Harvard, aponta como uma desigualdade importante entre os sexos: os meninos fazem questão de serem independentes, autônomos e durões. As meninas, por outro lado, se consideram como parte de uma teia de ligações. Por isso, os meninos se sentem ameaçados diante de qualquer coisa que ponha em dúvida sua independência, enquanto as meninas se sentem ameaçadas pela possibilidade de uma ruptura em seus relacionamentos. E, como observou Deborah Tannen em seu livro *You Just Don't Understand,* essa diferente visão de mundo sinaliza para o que homens e mulheres querem e esperam de uma conversa, onde os homens gostam de falar de "coisas" e as mulheres buscam ligação afetiva.

Em suma, esses contrastes no aprendizado das emoções promovem aptidões bastante diferentes: as meninas tornam-se "capazes de captar sinais emocionais verbais e não verbais, de expressar e comunicar seus sentimentos" e os meninos são hábeis em "minimizar emoções que digam respeito a vulnerabilidade, culpa, medo e dor".[7] A comprovação dessa diversidade de comportamento é muito forte na literatura científica. Centenas de estudos constataram, por exemplo, que a média das mulheres é mais empática que os homens, pelo menos no que respeita à capacidade de interpretar os sentimentos não expressos de alguém através da expressão facial, tom de voz e outros indícios não verbais. Do mesmo modo, é geralmente mais fácil identificar os sentimentos no rosto de uma mulher que no de um homem: embora não haja diferença na expressividade facial de meninos e meninas muito pequenos, à medida que passam pela escola primária os meninos se tornam menos expressivos, e as meninas, mais. Isso pode em parte refletir outra diferença fundamental: as mulheres, em média, sentem qualquer tipo de emoção com maior intensidade e são mais voláteis que os homens — neste aspecto, as mulheres *são* mais "emocionais" que os homens.[8]

Tudo isso quer dizer que, de uma forma geral, a mulher chega ao casamento preparada para exercer o papel de administradora das emoções, enquanto os homens se casam sem esse ferramental que, enfim, será muito importante para que o casal se mantenha unido. Na verdade, o que as mulheres — e não os homens — consideram mais importante num relacionamento, conforme relatado em estudo sobre 264 casais, é a sensação de que o casal tem uma "boa comunicação".[9] Ted Huston, psicólogo da Universidade do Texas, após ter realizado uma profunda pesquisa sobre casais, observa:

— Para as mulheres, intimidade significa discutir tudo, sobretudo a própria relação. A maioria dos homens não entende o que as mulheres querem deles. Dizem: "Eu quero fazer coisas com ela, e ela só quer falar."

Huston constatou que, durante o namoro, os homens eram mais disponíveis para uma conversa no nível de intimidade requerido por suas futuras esposas. Mas, depois de casados, com o passar do tempo — sobretudo em casais mais tradicionais —, não mais queriam ter esse tipo de conversa com as esposas, achando que a proximidade significava apenas fazer coisas juntos, a jardinagem por exemplo, e não a discussão de problemas.

O crescente silêncio por parte dos maridos se justifica, em termos, pelo fato — se é que podemos afirmar alguma coisa — de os homens serem mais "polianescos" em relação ao estado de seu casamento, ao passo que as mulheres ficam mais ligadas em questões problemáticas: num estudo sobre o casamento, verificou-se que os homens têm uma visão mais cor-de-rosa que as mulheres em praticamente tudo o que ocorre no relacionamento do casal — sexo, finanças, ligações com parentes do outro cônjuge, como um escuta o outro, até onde suas falhas contam.[10] As mulheres, em geral, são mais francas sobre suas queixas que os maridos, sobretudo em casais infelizes. Basta combinar a visão cor-de-rosa que os homens têm do casamento com sua aversão a confrontos emocionais para que entendamos por que as mulheres tantas vezes se queixam de que os maridos tentam se esquivar da discussão sobre coisas perturbadoras no relacionamento. (Claro que essa diferença entre sexos é uma generalização e não se aplica a qualquer caso; um amigo psiquiatra reclama de sua mulher porque ela reluta em falar sobre emoções, cabendo a ele levantar esse tipo de questão.)

A dificuldade que os homens têm em falar sobre problemas num relacionamento é, sem dúvida, agravada por sua relativa falta de competência para interpretar expressões faciais de emoções. As mulheres, por exemplo, são mais sensíveis a uma expressão triste no rosto de um homem do que vice-versa.[11] Por isto é que a mulher tem de ficar muito triste para que o homem possa ao menos notar seus sentimentos, e ainda muito mais triste para que ele indague da razão de sua tristeza.

Há implicações nesse abismo que existe entre os homens e mulheres em matéria de emoção que se vão refletir na maneira como os casais lidam com as queixas e discordâncias que qualquer relacionamento íntimo inevitavelmente gera. Na verdade, questões específicas como a frequência com que o casal faz sexo, como disciplinar os filhos ou sobre o orçamento familiar não são o que faz ou rompe um casamento. O que é importante é *como* o casal discute esses pontos sensíveis. É suficiente chegar a um acordo sobre *como* discordar para garantir a sobrevivência conjugal; homens e mulheres têm de superar as diferenças de sexo inatas ao abordarem emoções perigosas. Sem isso, os casais ficam vulneráveis a problemas emocionais que acabam fazendo ruir o casamento. Como veremos, é muito mais provável que essas rachaduras apareçam se um ou os dois parceiros têm certos déficits de inteligência emocional.

FENDAS CONJUGAIS

Fred: Você pegou minha roupa na lavanderia?
Ingrid (arremedando): "Você pegou minha roupa na lavanderia?" Pegar a porra da sua roupa na lavanderia. Tá pensando que sou sua empregada?
Fred: Seria difícil. Se você fosse empregada, pelo menos saberia lavar roupas.

Se esse diálogo fosse de uma comédia teatral, seria cômico. Mas essa dolorosa e cáustica troca de palavras se deu entre um casal que (talvez não surpreenda) se divorciou poucos anos depois do diálogo.[12] O enfrentamento deles ocorreu num laboratório dirigido por John Gottman, psicólogo da Universidade de Washington, que fez talvez a mais detalhada análise da base emocional que une os casais e dos sentimentos corrosivos que os desunem.[13] Em seu laboratório, as conversas dos casais eram gravadas em vídeo e depois submetidas a horas de microanálises, para que fossem reveladas as correntes emocionais subterrâneas atuantes. Esse mapeamento das divergências que levam um casal a se divorciar avalizam a importância da inteligência emocional para a sobrevivência de um casamento.

Nas últimas duas décadas, Gottman acompanhou os altos e baixos de mais de duzentos casais, alguns recém-casados, outros casados há décadas. Ele mapeou a ecologia emocional do casamento com tal precisão que, num estudo, pôde prever quais casais pesquisados em seu laboratório (como Fred e Ingrid, cuja discussão sobre pegar a roupa na lavanderia foi tão acrimoniosa) se divorciariam dentro de três anos com *94% de exatidão,* uma precisão inaudita em estudos conjugais!

O vigor da análise feita por Gottman vem do método criterioso que utiliza e da minuciosidade de suas sondagens. Enquanto os casais conversam, sensores registram o mais leve fluxo na fisiologia deles; uma análise segundo a segundo das expressões faciais (onde é usado o sistema de leitura de emoções criado por Paul Ekman) detecta a mais rápida e sutil nuança de sentimento. Após a sessão, cada um dos cônjuges volta ao laboratório, assiste à gravação da conversa e revela o que estava pensando durante os momentos calorosos do diálogo. O resultado equivale a um raio X emocional daquela relação conjugal.

Gottman constatou que um dos primeiros sinais que indicam que um casamento está à beira do abismo é a crítica contundente. Num casamento saudável, marido e mulher se sentem à vontade para se queixarem um do outro. Mas, muitas vezes, no calor da raiva, as queixas são expressas de uma forma destrutiva, com ataques ao caráter do cônjuge. Por exemplo, Pamela e sua filha foram comprar sapatos, enquanto Tom, o marido, foi a uma livraria. Combinaram encontrar-se em frente ao correio uma hora depois e ir a uma matinê. Pamela foi pontual, mas não havia sinal de Tom.

— Por onde anda ele? O filme começa em dez minutos — queixou-se Pamela à filha. — Seu pai sempre arruma um jeito de foder com tudo.

Quando Tom apareceu, dez minutos depois, feliz por ter encontrado um amigo e desculpando-se pelo atraso, Pamela respondeu com sarcasmo:

— Tudo bem... seu atraso nos deu uma boa oportunidade para falar sobre a incrível capacidade que você tem de foder com tudo que planejamos. Você é irresponsável e egocêntrico.

A reclamação de Pamela excede os limites: é um assassinato do caráter do marido, uma crítica à pessoa, não ao fato. Na verdade, Tom pediu desculpas. Mas, por seu lapso, Pamela o rotula de "irresponsável e egocêntrico". A maioria dos casais tem desses momentos de vez em quando, no qual uma queixa sobre alguma coisa que um dos cônjuges fez é expressa sob a forma de um ataque que se dirige mais à pessoa que ao fato. Mas essas ásperas críticas pessoais têm um efeito emocional muito mais corrosivo do que as queixas mais moderadas. E tais ataques, como é esperado, se tornam mais prováveis à medida que marido ou mulher sentem que suas queixas não são ouvidas, ou são ignoradas.

A diferença entre queixas e críticas pessoais é simples. Numa queixa, a esposa declara especificamente o que a irrita e critica a *ação,* não o marido, dizendo como se sentiu: "Quando você esqueceu de pegar minhas roupas na lavanderia, me deu a sensação de que não liga para mim." Esta é uma expressão de inteligência emocional básica: assertiva não beligerante nem passiva. Mas, numa crítica pessoal, ela usa a queixa específica para lançar um ataque global ao marido: "Você é sempre egocêntrico e indiferente. Isso só prova que não posso esperar que faça nada direito." Esse tipo de crítica deixa a pessoa que a recebe sentindo-se envergonhada, desamada, censurada e cheia de defeitos, e é mais provável que conduza a uma reação defensiva do que a medidas para melhorar as coisas.

Tudo piora quando a crítica vem acompanhada de desprezo, uma emoção particularmente destrutiva. O desprezo vem facilmente com a ira; é, em geral, expresso não apenas nas palavras empregadas, mas também no tom da voz e na expressão irada. Na forma mais óbvia, é gozação ou insulto — "babaca", "megera", "incompetente". Mas igualmente daninha é a linguagem do corpo que transmite desprezo, sobretudo o sorriso de escárnio ou o franzir de lábios, que são os sinais universais de repugnância, ou o revirar de olhos, como a dizer: "Ai, meu saco!"

A expressão facial de desprezo é uma contração do músculo que repuxa os cantos da boca para o lado (em geral o esquerdo), enquanto os olhos se reviram para cima. Quando um cônjuge se expressa dessa forma, o outro, num intercâmbio emocional tácito, registra um aumento nos batimentos cardíacos de dois ou três por minuto. Essa conversa silenciosa tem seu preço; Gottman constatou que, se o marido mostra desprezo sempre, a mulher ficará mais propensa a ter problemas de saúde, que irão dos resfriados e gripes frequentes a infecções na bexiga e por fungos, além de sintomas gastrintestinais. E quando a mulher expressa repugnância, prima-irmã do desprezo, quatro ou mais vezes numa conversa de 15 minutos, isso é sinal silencioso de uma provável separação do casal dentro de quatro anos.

Claro, uma demonstração ocasional de desprezo ou repugnância não vai desfazer um casamento. Por outro lado, esse tiroteio emocional equivale ao hábito de fumar e ao colesterol alto como fatores de risco de males cardíacos — quanto mais intensos e constantes, maior o risco. No caminho para o divórcio, um desses fatores prediz o seguinte, numa escala crescente de infelicidade. A crítica e o desprezo ou mostras de repugnância habituais são sinais de perigo porque indicam que o marido ou a mulher formou um tácito julgamento negativo sobre o cônjuge. Em seus pensamentos, o cônjuge é motivo de constante condenação. Essas ideias negativas e hostis levam naturalmente a ataques que deixam o outro na defensiva — ou pronto para contra-atacar em represália.

Os dois lados da reação lutar-ou-fugir representam maneiras como um cônjuge pode responder a um ataque. A mais óbvia é revidar, chicoteando furioso. Essa rota, em geral, acaba numa infrutífera gritaria. Mas a reação alternativa, fugir, pode ser mais perniciosa, sobretudo quando a "fuga" é uma retirada para um pétreo silêncio.

Fechar-se é o último recurso. Dá "um branco" naquele que se fecha, e na verdade o que ele está fazendo é se retirar da conversa com uma pétrea expressão e silêncio. Essa atitude envia uma mensagem potente e desestimulante, com uma combinação de gélida distância, superioridade e nojo. Esse comportamento foi identificado sobretudo em casais que se encaminhavam para o desastre; em 85% dos casos, era o marido quem se fechava, como um contraponto a uma esposa que o atacava com crítica e sarcasmo.[14] Se esse comportamento se torna habitual, é devastador para a saúde de um relacionamento: corta toda a possibilidade de solucionar conflitos.

IDEIAS VENENOSAS

As crianças estão impossíveis e Martin, o pai, já começa a irritar-se. Ele volta-se para a esposa, Melanie, e diz num tom ríspido:

— Querida, não acha que as crianças podiam ficar quietas?

O que está pensando de fato é: "Ela dá muita moleza pras crianças."

Melanie, reagindo à ira dele, sente uma onda de raiva. O rosto fica tenso, as sobrancelhas se franzem, a cara feia fica pronta e ela responde:

— Estão se divertindo. Mas, tá certo, já vão pra cama.

Está pensando: "Lá vem ele de novo, não para de reclamar."

Martin está agora visivelmente furioso. Curva-se para a frente ameaçadoramente, punhos cerrados, e diz num tom irritado:

— Ponho eles na cama agora?

Está pensando: "Ela adora me contrariar. É melhor eu assumir o comando."

Melanie, de repente assustada com a ira de Martin, diz mansamente:

— Não, eu mesma ponho agora mesmo.

Pensa: "Ele está perdendo o controle — pode machucar as crianças. É melhor eu ceder."

Essas conversas paralelas — as faladas e as silenciosas — são relatadas por Aaron Beck, fundador da terapia cognitiva, como um exemplo dos tipos de pensamentos que envenenam um casamento.[15] O verdadeiro intercâmbio emocional entre Melanie e Martin é moldado pelo que estão pensando e esses pensamentos, por sua vez, são determinados por outra camada, mais profunda, que Beck chama de "pensamentos automáticos" — suposições passageiras, de fundo, sobre aquele que está pensando e sobre as pessoas que o cercam, que refletem nossas mais profundas atitudes emocionais. Para Melanie, o pensamento de fundo é alguma coisa do tipo: "Ele vive me atormentando com sua raiva." Para Martin, o pensamento mais importante é: "Ela não tem o direito de me tratar assim." Melanie sente-se uma vítima inocente no casamento e Martin sente verdadeira indignação por ser injustamente tratado.

Esse tipo de conjetura — de que se é uma vítima inocente, ou de verdadeira indignação — é corriqueiro entre cônjuges cujo casamento é problemático, onde o rancor e o ressentimento são continuamente alimentados.[16] Assim que pensamentos perturbadores, como a justa indignação, se tornam automáticos, se confirmam a si mesmos: o cônjuge que se sente vitimizado vive constantemente procurando qualquer coisinha que confirme o sentimento que tem de estar sendo vitimizado, ignorando ou não levando em consideração qualquer ato de bondade da parte do outro que contradiga ou não confirme essa visão.

Esses pensamentos são poderosos; disparam o sistema de alarme neural. Uma vez que a sensação de estar sendo vitimizado do marido dispara um sequestro emocional, ele se lembrará na mesma hora e ruminará sobre um monte de queixas que lhe lembram as maneiras como a mulher o vitimiza, esquecendo ao mesmo tempo tudo que ela tenha feito, em todo o relacionamento, que desminta a visão de que ele é uma vítima inocente. Isso põe a esposa numa situação de não ganhar nunca: mesmo coisas que ela faz com boa intenção podem ser reinterpretadas, quando vistas por uma lente tão negativa, e descartadas como frouxas tentativas de negar que ela é um algoz.

Os cônjuges que não têm essas opiniões geradoras de angústia podem fazer uma interpretação mais favorável do que acontece em situações idênticas, e assim é menos provável que sofram um desses sequestros emocionais, ou se os sofrerem, que tendam a recuperar-se mais prontamente. O modelo geral dos pensamentos que mantêm ou aliviam a angústia segue o padrão esboçado no Capítulo 6 pelo psicólogo Martin Seligman para as perspectivas pessimista e otimista. A opinião pessimista é que o cônjuge é inerentemente cheio de defeitos, de uma maneira imutável, e que causa infelicidade: "Ele é egoísta e absorto em si mesmo; assim foi criado e nunca mudará; espera que eu faça tudo para ele, e não poderia estar ligando menos para o que eu sinto." A opinião otimista, pelo contrário, seria algo do tipo: "Ele está sendo exigente agora, mas já foi atencioso antes; talvez esteja de mau humor — quem sabe não está com problemas no trabalho." Esta é uma opinião que não descarta o marido (nem o casamento) como irredimivelmente comprometido e sem esperança. Ao contrário, vê um mau momento como devido a circunstâncias que podem mudar. A primeira atitude traz angústia contínua; a segunda, alivia.

Os cônjuges que adotam uma visão pessimista são extremamente inclinados a sequestros emocionais; ficam furiosos, magoados ou de outro modo perturbados com coisas que o outro faz, e assim continuam depois que o episódio começa. A perturbação interior e a atitude pessimista deles, claro, torna muito mais provável que recorram à crítica e ao desprezo ao enfrentar o cônjuge, o que, por sua vez, aumenta a probabilidade de defensividade e do fechamento.

Talvez o mais virulento desses pensamentos tóxicos se encontre em maridos fisicamente violentos com as esposas. Um estudo sobre esse tipo de homem, feito por psicólogos da Universidade de Indiana, constatou que eles pensam exatamente como os valentões de seus tempos de escola: veem intenção hostil até em atos neutros das esposas e usam essa interpretação equivocada para justificar para si mesmos a violência que praticam (homens sexualmente agressivos no namoro fazem coisa semelhante, encarando as mulheres com desconfiança e assim ignorando as objeções delas).[17] Como vimos no Capítulo 7, esses homens se sentem particularmente ameaçados pelo que supõem ser ofensa, rejeição ou vexame público causados pelas esposas. Um típico cenário que provoca ideias "justificadoras" de violência nos espancadores de mulheres: "Numa reunião social, você percebe que durante a última meia hora sua esposa esteve conversando e rindo com o mesmo homem. Ele parece flertar com ela." Quando esses homens veem as esposas fazendo algo que possa sugerir rejeição ou abandono, suas reações são de indignação e revolta. Supostamente, pensamentos automáticos como "Ela vai me deixar" são disparadores de um sequestro emocional em que os esposos espancadores reagem por impulso, como dizem os pesquisadores, com "incompetentes respostas comportamentais" — tornam-se violentos.[18]

INUNDAÇÃO: O CASAMENTO ALAGADO

O que resulta dessas atitudes angustiantes são crises incessantes, porque provocam sequestros emocionais com mais frequência e tornam mais difícil recuperar-se da dor e fúria resultantes. Gottman emprega o termo apropriado *inundação* para essa susceptibilidade a frequentes angústias emocionais; os maridos ou esposas inundados ficam tão esmagados pela negatividade do cônjuge e por sua própria reação a ela que ficam encharcados de sentimentos pavorosos e descontrolados. As pessoas inundadas ouvem de forma distorcida e não reagem de forma lúcida; acham difícil organizar os pensamentos e recaem em reações típicas do homem primitivo. Querem que tudo pare, ou desejam fugir, ou, às vezes, revidar. A inundação é um sequestro emocional que se autoperpetua.

Algumas pessoas têm altos limiares para evitar a inundação, suportando com facilidade a raiva e o desprezo, enquanto outras "transbordam" à menor crítica feita pelo cônjuge. A descrição técnica da inundação se dá em termos de elevação de batimentos cardíacos a partir de níveis calmos.[19] Em repouso, os batimentos cardíacos das mulheres são cerca de 82 por minuto, os dos homens, cerca de 72 (a taxa específica varia de acordo com as dimensões do corpo). A inundação começa em cerca de 10 batidas acima da taxa da pessoa em repouso; se chega a 100 batidas por minuto (como acontece facilmente em momentos de raiva ou pranto), o corpo está bombeando adrenalina e outros hormônios que mantêm a perturbação alta por algum tempo. O momento de sequestro emocional é visível pelo ritmo cardíaco: pode subir 10, 20 ou mesmo até 30 batidas por minuto no espaço de uma única batida. Os músculos ficam tensos; a respiração, difícil. Vem uma inundação de pensamentos tóxicos, uma desagradável sensação de medo e raiva que parece inevitável e, subjetivamente, dura "uma eternidade" para passar. Nesse ponto — pleno sequestro —, as emoções da pessoa são tão intensas, sua perspectiva tão estreita e seus pensamentos tão confusos, que não há a menor possibilidade de verem as coisas sob outro ângulo ou de resolver o assunto de uma maneira racional.

Claro, a maioria dos maridos e esposas tem esses momentos intensos de vez em quando, quando brigam — é muito natural. O problema para um casamento começa quando um dos cônjuges se sente inundado quase sempre. Aí se sente esmagado pelo outro, vive em guarda à espreita de um ataque ou injustiça emocional, torna-se hipervigilante para qualquer sinal de ataque, insulto ou queixa, e, com certeza, reagirá mesmo ao menor sinal. Quando o marido se acha nesse estado, o fato de a esposa dizer "Querido, a gente precisa ter uma conversa" desperta o pensamento reativo "Está puxando briga de novo" e, com isso, dispara a inundação. Torna-se cada vez mais difícil recuperar-se da estimulação fisiológica, o que por sua vez torna mais fácil fazer com que diálogos banais sejam vistos sob uma luz sinistra, disparando de novo toda a inundação.

Esse é talvez o ponto crítico mais perigoso para o casamento, uma mudança catastrófica no relacionamento. O cônjuge inundado passou a pensar o pior do outro praticamente o tempo todo, vendo tudo que ele faz sob um aspecto negativo. Pequenas bobagens tornam-se grandes batalhas; os sentimentos são continuamente magoados. Com o tempo, o cônjuge começa a ver qualquer problema no casamento como sendo sério e impossível de ser sanado, uma vez que a própria inundação sabota qualquer tentativa de resolver as coisas. Diante disso, começa a parecer inútil discutir os problemas, e os cônjuges tentam resolver por si mesmos seus sentimentos perturbados. Começam a viver vidas paralelas, essencialmente isolados um do outro, e sentem-se sozinhos dentro do casamento. Gottman constata que, muito frequentemente, o passo seguinte é o divórcio.

Nessa trajetória para o divórcio, as trágicas consequências dos déficits de aptidão emocional ficam evidentes. Quando o casal permanece preso no reverberante ciclo de crítica e desprezo, defensividade e mutismo, pensamentos angustiantes e inundação emocional, o próprio ciclo reflete a desintegração da autoconsciência e do autocontrole emocional, da empatia e da capacidade de aliviar um ao outro e a si mesmo.

HOMENS: O SEXO FRÁGIL

Voltemos às diferenças de gênero na vida emocional, que se revelam um aguilhão oculto para os fracassos conjugais. Vejam esta constatação: mesmo após 35 anos ou mais de casamento, há uma distinção básica entre homens e mulheres na maneira de encarar choques emocionais. As mulheres, em média, nem de longe se incomodam tanto em mergulhar no dissabor de um bate-boca conjugal, o que não ocorre com seus companheiros. Essa conclusão, vinda de um estudo de Robert Levenson, da Universidade da Califórnia, em

Berkeley, se baseia no depoimento de 151 casais; todos em casamentos duradouros. Levenson constatou que os homens, unanimemente, achavam desagradável e eram mesmo aversos a irritar-se numa disputa conjugal, enquanto suas mulheres não se incomodavam muito.[20]

Os homens são inclinados à inundação numa mais baixa intensidade de negatividade que suas esposas; os homens, mais que as mulheres, reagem à crítica do cônjuge com uma inundação. Uma vez inundados, os homens secretam mais adrenalina na corrente sanguínea, e o fluxo de adrenalina é disparado por níveis mais baixos de negatividade da parte das esposas; os maridos levam mais tempo para se recuperarem fisiologicamente da inundação.[21] Isso sugere a possibilidade de aquela estoica imperturbabilidade masculina, tipo Clint Eastwood, representar uma defesa contra a sensação de esmagamento emocional.

Gottman acha que os homens se fecham como um mecanismo de defesa contra a inundação: sua pesquisa mostrou que, assim que começavam a fechar-se, seus batimentos cardíacos caíam cerca de 10 por minuto, trazendo uma sensação de alívio. Mas — e aí está um paradoxo —, uma vez que eles começavam a emudecer, era nas esposas que o ritmo cardíaco disparava para níveis que indicavam grande angústia. Esse tango límbico, com cada sexo buscando alívio em jogadas contrárias, leva a uma atitude muito diferente em relação ao confronto emocional: os homens querem evitá-los com o mesmo ardor com que as esposas se sentem obrigadas a buscá-los.

Enquanto o homem tende mais a se fechar, a mulher é mais chegada a críticas ao marido.[22] Essa assimetria surge como resultado de as esposas cumprirem seu papel de administradoras de emoção. Enquanto elas tentam levantar e resolver discordâncias e queixas, os maridos relutam mais em meter-se no que vão ser discussões acaloradas. Quando a esposa vê o marido retirar-se da briga, aumenta o volume e intensidade da queixa, começando a criticá-lo. Quando ele entra na defensiva ou se fecha, ela se sente frustrada e furiosa, e, assim, o desprezo vem sublinhar a sua frustração. Quando o marido se vê objeto da crítica e desprezo da esposa, começa a cair nos pensamentos de vítima inocente ou de justa indignação que provocam cada vez mais facilmente a inundação. Para proteger-se da inundação, torna-se cada vez mais defensivo ou simplesmente se fecha totalmente. Mas, quando os maridos se fecham, lembrem, isso dispara a inundação nas esposas, que se sentem inteiramente bloqueadas. E, à medida que o ciclo de brigas maritais cresce, é muito fácil perder o controle.

UM CONSELHO CONJUGAL PARA ELE E PARA ELA

Em vista do triste resultado potencial das diferenças nas maneiras como homens e mulheres lidam com sentimentos incômodos em seus relacionamentos, o que podem fazer os casais para proteger o amor e afeto que sentem um pelo outro

— em suma, o que é que protege um casamento? Com base na observação da interação nos casais cujos casamentos continuaram a prosperar por anos afora, os pesquisadores conjugais oferecem conselhos específicos para homens e mulheres e algumas palavras gerais para os dois sexos.

Homens e mulheres, em geral, precisam de diferentes sintonias emocionais. Para os homens, aconselha-se não contornar o conflito, mas compreender que quando a mulher faz alguma queixa ou apresenta discordância, pode estar fazendo isso como um ato de amor, tentando ajudar a manter o relacionamento saudável e no rumo certo (embora bem possa haver outros motivos para a hostilidade dela). Quando as queixas fervilham, vão crescendo em intensidade até vir a explosão; quando são ventiladas e resolvidas, a pressão desaparece. Mas os homens precisam entender que ira ou insatisfação não são sinônimos de ataque pessoal — as emoções das mulheres muitas vezes são apenas sublinhadores, enfatizando a força dos sentimentos delas em relação ao assunto.

Os homens também precisam ter o cuidado de não abreviar a discussão oferecendo uma solução prática logo que começa a conversa — em geral, é mais importante para a esposa sentir que o marido dá ouvidos à sua queixa e tem empatia com seus *sentimentos* no assunto (embora não precise concordar). Ela pode achar que qualquer coisa que ele proponha seja uma forma de negar seus sentimentos, como inconsequentes. Maridos capazes de atravessar com as esposas o calor da raiva, em vez de descartar as queixas delas como mesquinhas, ajudam-nas a sentirem-se ouvidas e respeitadas. Mais especialmente, as mulheres querem que se reconheçam e respeitem seus sentimentos como válidos, mesmo que os maridos discordem. Na maioria das vezes, quando uma mulher sente que sua opinião é ouvida e seus sentimentos registrados, acalma-se.

Quanto às mulheres, o conselho é bastante paralelo. Como um grande problema para os homens é o fato de as mulheres serem muito intensas ao expressarem suas queixas, elas precisam fazer um esforço muito grande e ter o cuidado de não agredir os maridos — queixar-se do que eles fizeram, mas não criticá-los como pessoas nem manifestar desprezo. Queixas não são ataques ao caráter, mas antes uma clara afirmação de que uma determinada ação causa ansiedade. Um raivoso ataque pessoal quase certamente leva o marido a colocar-se na defensiva ou a se fechar, o que será ainda mais frustrante e apenas aumentará a briga. Também ajuda se as queixas da mulher são postas no contexto maior de reafirmar ao marido o amor dela por ele.

A BOA BRIGA

O jornal da manhã oferece uma boa lição sobre como não resolver divergências num casamento. Marlene Lenick teve uma briga com o marido, Michael: ele queria ver o jogo Dallas Cowboys-Philadelphia Eagles, ela queria ver o noticiário da TV. Quando ele se instalou para assistir ao jogo, a Sra. Lenick lhe disse que estava "cheia daquele rúgbi". Foi ao quarto, pegou um revólver calibre 38 e desfechou-lhe dois tiros, quando ele, sentado, via o jogo. A Sra. Lenick foi acusada de tentativa de homicídio doloso, foi presa e, depois, solta sob uma fiança de 50 mil dólares; o Sr. Lenick foi considerado como em boas condições de saúde, recuperando-se das balas que lhe rasparam o abdome e perfuraram a omoplata esquerda e o pescoço.[23]

Embora poucas brigas conjugais sejam tão violentas — ou tão dispendiosas —, ainda assim oferecem uma boa oportunidade para levar inteligência emocional ao casamento. Por exemplo, os casais em casamentos duradouros tendem a se ater a um só assunto e dar a cada cônjuge, logo de início, a oportunidade de declarar sua opinião.[24] Mas esses casais dão um importante passo adiante: mostram um ao outro que estão sendo ouvidos. Como sentir-se ouvido é muitas vezes exatamente o que o cônjuge queixoso de fato quer, em termos emocionais um ato de empatia é um grande redutor de tensão.

O que mais notadamente falta nos casais que acabam se divorciando são tentativas dos cônjuges, numa discussão, de reduzir a tensão. A presença ou ausência de meios de sanar uma desavença é o que faz a diferença nas brigas de casais que têm um casamento saudável e as dos que acabam em divórcio.[25] Os mecanismos de reparo que impedem uma discussão de escalar para uma terrível explosão são medidas simples como, por exemplo, manter a discussão nos trilhos, mostrar empatia e reduzir a tensão. As medidas básicas são como um termostato emocional, impedindo os sentimentos expressos de transbordarem e esmagarem a capacidade dos cônjuges de se concentrarem no problema em questão.

Uma estratégia geral para fazer um casamento dar certo é não se concentrar nas questões específicas — educação dos filhos, sexo, dinheiro, tarefas domésticas —, que são motivo de briga entre os dois, mas sim cultivar a inteligência emocional do casal, com isso melhorando as possibilidades de resolver as coisas. Um punhado de aptidões emocionais — sobretudo ser capaz de acalmar-se (e acalmar o outro), de criar empatia, de saber ouvir — dá ao casal a possibilidade de resolver, de fato, as suas divergências. Isso torna possíveis desacordos saudáveis, as "boas brigas", que permitem a um casamento florescer e superar as coisas negativas que, quando vão se acumulando, podem destruí-lo.[26]

Claro, nenhum desses hábitos emocionais muda da noite para o dia; é preciso, no mínimo, persistência e vigilância. Os casais podem fazer as mudanças-chave na proporção direta da motivação que têm para tentar. Muitas ou a maioria das respostas emocionais tão facilmente provocadas no casamento foram esculpidas desde a infância, aprendidas primeiro em nossos relacionamentos mais íntimos ou moldadas para nós por nossos pais, e levadas para o casamento inteiramente formadas. E assim somos preparados para certos hábitos emocionais — reagindo com exagero ao que parece, por exemplo, ser uma ofensa, ou nos fechando em copas ao primeiro sinal de confronto —, embora possamos ter jurado que não iríamos agir como nossos pais.

Recuperando a Calma

Toda emoção forte tem sua raiz no impulso para agir: o controle desses impulsos é básico para a inteligência emocional. Mas isso pode ser particularmente difícil nos relacionamentos amorosos, onde temos tanta coisa em jogo. As reações provocadas aqui tocam em algumas de nossas mais profundas necessidades de sermos amados e respeitados, no medo do abandono ou da perda de afeto. Não admira que possamos agir numa briga conjugal como se estivesse em causa a nossa própria existência.

Mesmo assim, nada se resolve positivamente quando o marido ou a mulher está em pleno sequestro emocional. Uma aptidão-chave é os cônjuges aliviarem seus próprios sentimentos angustiados. Em essência, isso significa dominar a habilidade de recuperar-se rapidamente da inundação causada por um sequestro emocional. Como a capacidade de ouvir, pensar e falar com clareza desaparecem durante um desses picos emocionais, acalmar-se é um passo imensamente construtivo, sem o qual não pode haver maior progresso na solução do que está em causa.

Casais que ambicionam muito mais para seu relacionamento podem aprender a monitorar o pulso a cada cinco minutos, mais ou menos, na ocorrência de uma interação incômoda, apalpando a carótida, alguns centímetros abaixo do lobo da orelha e do queixo (pessoas que fazem aeróbica aprendem isso facilmente).[27] Contando-se o pulso por 15 segundos e multiplicando-se por quatro tem-se o ritmo de batidas por minuto. Fazer isso quando em estado de calma proporciona uma linha de referência; se o pulso sobe mais do que, digamos, dez batidas por minuto, assinala o início de uma inundação. Se sobe tanto, o casal precisa de uma folga de vinte minutos um do outro para acalmar-se antes de retomar a discussão. Embora uma folga de cinco minutos possa parecer bastante longa, o verdadeiro tempo de recuperação fisiológica é mais gradual. Como vimos no Capítulo 5, a raiva residual provoca mais raiva; quanto maior a espera, mais tempo se dá ao corpo para recuperar-se da estimulação anterior.

Para casais que, compreensivelmente, acham incômodo monitorar o ritmo do coração durante uma briga, é mais simples preestabelecer um acordo que permita a um dos cônjuges pedir um tempo aos primeiros sinais de inundação num dos dois. Durante esse intervalo, o retorno à calma pode ser alcançado através de uma técnica de relaxamento ou exercício aeróbico (ou qualquer outro dos métodos que examinamos no Capítulo 5), que ajuda os cônjuges a se recuperarem do sequestro emocional.

Uma Conversa Desintoxicante Consigo Mesmo

Como a inundação é provocada por pensamentos negativos sobre o cônjuge, muito ajuda se o marido ou a mulher que está sendo perturbado por esses rudes julgamentos os atacar de frente. Sentimentos como “Não vou mais aceitar isso” são slogans de vítima inocente ou de justa indignação. Como observa o terapeuta cognitivo Aaron Beck, pegando esses pensamentos e contradizendo-os — em vez de simplesmente ficar furioso ou magoado por eles — o marido ou a mulher pode começar a se livrar do domínio deles.[28]

Isso exige o monitoramento desses pensamentos, a compreensão de que não temos de acreditar neles e o esforço deliberado de trazer à mente provas ou perspectivas que os questionem. Por exemplo, a esposa que sente no calor do momento que "ele não se importa comigo — é muito egoísta" deve contestar esse pensamento lembrando-se de várias coisas feitas pelo marido que são, na verdade, sinais de consideração. Isso lhe permite reenquadrar o pensamento como: "Bem, ele liga pra mim às vezes, embora o que acabou de fazer tenha sido uma desconsideração e tenha me perturbado." A última formulação abre a possibilidade de mudança e uma decisão positiva: a anterior só fomenta raiva e ressentimento.

Ouvir e Falar de Forma Não Defensiva

Ele:

— Você está gritando!

Ela:

— É claro que estou gritando: você não ouviu uma palavra do que estou dizendo. Simplesmente não escuta.

Escutar é uma aptidão que mantém os casais juntos. Mesmo no calor de uma discussão, quando os dois sofrem um sequestro emocional, um ou outro, ou às vezes ambos, podem dar um jeito de escutar o que está por trás da raiva e ouvir e responder a um gesto conciliador do cônjuge. Mas os casais que rumam para o divórcio se absorvem na raiva e fixam-se nos pontos específicos da questão em pauta, não conseguindo escutar — quanto mais retribuir — qualquer proposta de paz implícita no que o cônjuge diz. A defensividade no ouvinte assume a forma de ignorar ou repelir de saída a queixa do cônjuge, reagindo a ela como se fosse mais um ataque que uma tentativa de mudar um comportamento. Claro, numa discussão, o que um cônjuge diz é muitas vezes em forma de ataque, ou é dito com uma negatividade tão forte que fica difícil ouvir alguma coisa que não seja um ataque.

Mesmo no pior caso, é possível um casal selecionar deliberadamente o que ouve, ignorando as partes hostis e negativas do diálogo — o tom perverso, o insulto, a crítica despreziva — e ouvir a mensagem principal. Para conseguir esse feito, será útil se os cônjuges se lembrarem de ver a negatividade um do outro como uma declaração implícita de como a questão é importante para eles uma exigência de atenção a ser dada. Então, se ela grita: "Quer *parar* de me interromper, pelo amor de Deus!", ele talvez possa ser mais capaz de dizer, sem reagir abertamente à hostilidade dela: "Tudo bem, acabe de falar."

A mais poderosa forma de ouvir não defensivamente, claro, é a empatia: ouvir de fato os sentimentos *por trás* do que está sendo dito. Como vimos no Capítulo 7, para um cônjuge de fato entrar em empatia com o outro é preciso que suas próprias reações emocionais se acalmem a um ponto em que ele fique suficientemente receptivo para poder refletir os sentimentos do outro cônjuge. Sem essa sintonização emocional, é provável que o sentimento de um a respeito do sentimento do outro seja equivocado. A empatia deteriora-se quando nossos próprios sentimentos são tão fortes que não permitem harmonização fisiológica, mas simplesmente passam por cima de tudo mais.

Um método de ouvir emocional e eficaz, chamado "espelhamento", é comumente usado em terapia conjugal. Quando um cônjuge faz uma queixa, o outro a repete usando as próprias palavras do queixoso, tentando captar não apenas o pensamento, mas também o sentimento que o acompanha. O cônjuge que espelha confere com o outro para se assegurar de que as repetições estão corretas, e, se não, tenta de novo, até estarem — uma coisa que parece simples, mas que é surpreendentemente traiçoeira na execução.[29] O efeito do se ver espelhado com exatidão não é apenas sentir-se entendido, mas ter a sensação extra de estar em sintonia emocional. Isso, por si só, às vezes é suficiente para desarmar um ataque iminente, e vai longe no impedir que a discussão das queixas desande em brigas.

A arte do falar não defensivo nos casais centra-se na manutenção do que se diz numa queixa específica, sem desandar para o ataque pessoal. O psicólogo Haim Ginott, avô dos programas de comunicação efetiva, recomendava que a melhor fórmula para uma queixa é "XYZ": "Quando você fez X, me fez sentir Y e eu preferia que você, em vez disso, fizesse Z." Por exemplo, "Quando você não me ligou para dizer que ia chegar atrasado para nosso compromisso de jantar, eu me senti menosprezada e zangada. Eu gostaria que você me dissesse que vai se atrasar" em vez de "Você é um sacana irresponsável, só pensa em si mesmo", que é como a questão é muitas vezes colocada nas brigas entre os casais. Em suma, a comunicação aberta não contém provocações, ameaças ou insultos. E tampouco dá lugar às inúmeras formas de defensividade — desculpas, negação de responsabilidade, contra-ataque com uma crítica e coisas assim. Também aqui a empatia é uma ferramenta poderosa.

Finalmente, respeito e amor desarmam a hostilidade no casamento, como em tudo mais na vida. Uma poderosa maneira de acabar com uma briga é dizermos ao cônjuge que podemos ver as coisas de outra perspectiva e que esse ponto de vista pode ser válido, mesmo que não concordemos com ele. Outra é assumir responsabilidade ou mesmo desculpar-se, se vemos que estamos errados. Na pior das hipóteses, a validação significa pelo menos transmitir que estamos ouvindo e reconhecemos as emoções expressas, mesmo que não concordemos com o argumento: "Vejo que você está perturbada." E em outras horas, quando não houver briga, a validação vem sob a forma de elogios, encontrar alguma coisa que possamos apreciar de fato e dizer uma boa palavra.

A validação, claro, é uma maneira de aliviar o cônjuge, ou acumular capital emocional em forma de sentimentos positivos.

Treinamento

Como essas manobras podem ser necessárias no calor do confronto, quando certamente a estimulação emocional estará alta, têm de ser superaprendidas, para podermos usá-las quando necessário. Isso se deve ao fato de que o cérebro emocional aplica as respostas aprendidas no início da vida durante repetidos momentos de raiva e dor e, portanto, se torna dominante. Como memória e resposta são específicas das emoções, nesses momentos, as reações associadas a tempos mais calmos são menos fáceis de serem evocadas para servirem de base para a ação. Se uma resposta emocional mais produtiva é desconhecida ou não foi bem treinada, é extremamente difícil tentá-la quando perturbado. Mas se a resposta é treinada para se tornar automática, há maior possibilidade de expressar-se quando ocorrerem crises emocionais. Por esses motivos, as estratégias acima precisam ser testadas e ensaiadas em choques não tão tensos, não no calor da batalha, para que funcionem como uma primeira resposta adquirida (ou pelo menos uma segunda resposta não muito atrasada) no repertório dos circuitos emocionais. Em essência, esses antídotos para a desintegração conjugal são uma pequena educação remediadora em inteligência emocional.

10

Administrar com o Coração

Melburn McBroom era um chefe autoritário, cujo mau gênio intimidava os que trabalhavam com ele. Essa faceta de sua personalidade não seria tão significativa caso ele trabalhasse num escritório ou fábrica. Mas acontece que McBroom era piloto de uma companhia aérea.

Em 1978, o avião de McBroom aproximava-se de Portland, Oregon, quando ele percebeu que havia um problema no trem de aterrissagem. Executou um procedimento-padrão, circulando o campo de pouso em grande altitude, enquanto tentava resolver o problema do mecanismo.

Enquanto se fixava no trem de aterrissagem, os medidores de combustível moviam-se rapidamente para o nível zero. Como os copilotos tinham muito medo das reações dele, mesmo antevendo a tragédia, ficaram calados. O avião caiu, matando dez pessoas.

A história desse acidente hoje é contada, à guisa de advertência, em treinamento de segurança dado a pilotos de companhias aéreas. Oitenta por cento dos acidentes aéreos são devidos a erros que poderiam ter sido evitados se a tripulação trabalhasse de forma mais harmônica.[1] O trabalho em equipe, a existência de canais abertos de comunicação, a cooperatividade, o saber escutar e dizer o que se pensa — rudimentos de inteligência social — são agora enfatizados aos pilotos em treinamento, juntamente com as habilidades técnicas que deles são exigidas.

A cabine de um avião é um microcosmo de qualquer organização de trabalho. Mas, não fora a dramática constatação da realidade de um acidente aéreo, os efeitos destrutivos causados por um péssimo temperamento, trabalhadores intimidados ou chefes arrogantes — ou qualquer das dezenas de outras variedades de deficiências emocionais encontráveis no local de trabalho —, passariam em grande parte despercebidos por aqueles que estão de fora do ambiente. Os custos dessa deficiência, porém, podem ser constatados através do decréscimo no nível de produtividade, no aumento das perdas de prazo, em erros e acidentes, e no êxodo de funcionários para ambientes em que se sintam melhor. Há, nos baixos níveis de inteligência emocional no trabalho, inevitavelmente, um custo para o balanço final. Quando isso se generaliza, as empresas desabam e vão à ruína.

O custo-benefício proporcionado pela inteligência emocional é uma ideia relativamente nova nas empresas, que alguns administradores hesitam em levar em consideração. Uma pesquisa feita junto a 250 executivos constatou que a maioria achava que no trabalho deveriam usar "a cabeça, não o coração". Muitos disseram temer que a empatia ou solidariedade para com aqueles com quem trabalhavam os pusesse em conflito com as metas organizacionais. Um deles achava que a hipótese de sentir os sentimentos daqueles com quem trabalhava era absurda — seria, disse, "impossível lidar com as pessoas". Outros argumentaram que, caso não mantivessem um distanciamento afetivo, não seriam capazes de tomar as decisões "duras" que os negócios exigem — embora a probabilidade seja de que pudessem tomar essas decisões de um modo mais humano.[2]

A pesquisa foi feita na década de 1970, quando o cenário no mundo dos negócios era muito diferente. O que quero dizer é que, hoje, esse tipo de atitude é obsoleta, um luxo de dias passados: uma nova realidade competitiva impõe a utilização da inteligência emocional no ambiente de trabalho e no mercado. Como observou Shoshona Zuboff, psicóloga da Escola de Comércio de Harvard, "as empresas passaram por uma radical revolução neste século e, consequentemente, o cenário emocional também mudou. Houve um longo período de dominação administrativa na hierarquia empresarial, quando se premiava o chefe manipulador, o combatente na selva. Mas essa hierarquia rígida começou a desmoronar na década de 1980, sob pressões vindas tanto da globalização como da tecnologia de informação. O combatente na selva hoje simboliza o que as empresas eram ontem; o virtuose em aptidões interpessoais é o que as empresas serão amanhã".[3]

Essa observação faz sentido — imaginem as consequências para um grupo de trabalho em que um dos participantes não pode expressar sua raiva e não é sensível ao que sentem as pessoas à sua volta. Todos os efeitos deletérios de perturbação do pensamento examinados no Capítulo 6 também se aplicam ao ambiente de trabalho: quando emocionalmente perturbadas, as pessoas não se lembram, não acompanham, não aprendem nem tomam decisões com clareza. Como disse um consultor administrativo:

— A tensão idiotiza as pessoas.

Do lado positivo, imaginem como são proveitosas para o trabalho as aptidões emocionais básicas — estar sintonizado com os sentimentos daqueles com quem tratamos, saber lidar com discordâncias para que elas não cresçam, saber entrar em fluxo na execução de um trabalho. Liderar não é dominar, mas, sim, a arte de convencer as pessoas a trabalharem com vistas a um objetivo comum. E, em termos de condução da própria carreira, talvez não haja nada mais essencial do que saber o que sentimos a respeito do quê — e que mudanças nos deixariam de fato satisfeitos com o nosso trabalho.

Um motivo menos óbvio para que as aptidões emocionais devam ser a prioridade número um no plano das habilidades empresariais é o fato de promoverem mudanças radicais no ambiente de trabalho. Vou explicar o que quero dizer identificando a importância que há na utilização de três tipos de aptidões da inteligência emocional: poder externar reclamações sob a forma de críticas construtivas, criar uma atmosfera em que a diversidade não se constitua numa fonte de discórdia e onde o trabalho em equipe seja eficaz.

A CRÍTICA É A TAREFA NÚMERO UM

Ele era um engenheiro muito experiente, dirigia um projeto de desenvolvimento de programas de computador e estava apresentando o resultado de meses de trabalho de sua equipe ao vice-presidente para desenvolvimento de produtos da empresa. Os homens e mulheres que haviam trabalhado longos dias com ele, semana após semana, ali estavam, orgulhosos de mostrar o fruto de um esforço tão grande. Mas, quando o engenheiro acabou de fazer a apresentação do projeto, o vice-presidente voltou-se para ele e perguntou sarcasticamente:

— Quanto tempo você tem de formado? Essas especificações são ridículas. Não têm chance de serem aprovadas por mim.

O engenheiro, extremamente embaraçado e sem graça, ficou sentado macambúzio durante o resto da reunião, totalmente calado. O pessoal da sua equipe fez algumas observações *pro forma* — algumas hostis, inclusive — em defesa do projeto. O vice-presidente teve de se retirar e a reunião foi abruptamente interrompida, deixando um traço de ressentimento e raiva.

Nas duas semanas seguintes, o engenheiro viveu obcecado com as observações feitas pelo vice-presidente. Desanimado e deprimido, estava certo de que nunca mais receberia outra tarefa importante na empresa e pensava em demitir-se, embora gostasse de trabalhar ali.

Finalmente, foi até o vice-presidente, lembrou-lhe da reunião, das críticas que fizera e falou do efeito desmoralizante que elas causaram. Depois fez uma pergunta bem objetiva:

— Estou meio confuso com o que o senhor pretendia. Acho que não estava apenas querendo me embaraçar... tinha algum outro objetivo em mente?

O vice-presidente ficou surpreso — não imaginara que suas observações tivessem causado tanta devastação. O que na verdade achara é que o projeto era bom, mas que deveria ser mais elaborado; não pretendera absolutamente descartá-lo. Simplesmente não percebera, disse, como se expressara mal, nem que havia ferido os sentimentos de alguém. E, ainda que tarde, desculpou-se.[4]

O que de fato ocorreu foi um problema de ausência de feedback, ou seja, de as pessoas não terem recebido a informação necessária para que seus esforços fossem mantidos nos trilhos. Em sua acepção original, formulada pela Teoria de

Sistemas, o feedback consiste no intercâmbio de informações sobre o funcionamento de parte de um sistema, já que uma parte interage com as demais, de tal modo que, quando uma delas entra em desarmonia com o todo, deva ser reajustada. Numa empresa, todos fazem parte de um sistema e, neste caso, o feedback é a possibilidade de evitar a entropia — a troca de informação permite que as pessoas saibam que seus respectivos trabalhos estão sendo bem executados, que precisam aprimorá-lo, melhorar ou reformular totalmente. Sem feedback, as pessoas ficam no escuro; não têm ideia da avaliação que o chefe faz de seu trabalho, com os colegas, ou o que é esperado delas, e qualquer problema que eventualmente exista só tende a se agravar com o passar do tempo.

Num certo sentido, a crítica é uma das mais importantes tarefas de um administrador. Contudo, é também temida e postergada. E, tal como o sarcástico vice-presidente, muitos administradores dominam mal a difícil arte de fornecer o feedback. Essa deficiência tem um alto custo: assim como a saúde emocional de um casal depende da forma como eles externam suas queixas, também a eficiência, satisfação e produtividade das pessoas no trabalho dependem de como lhes são transmitidos os problemas incômodos. Na verdade, a maneira como são feitas e como são recebidas as críticas diz muito sobre até onde as pessoas estão satisfeitas com seu trabalho, com os que trabalham com elas e com a chefia.

A Pior Maneira de Motivar Alguém

As vicissitudes emocionais que atuam no casamento também atuam no ambiente de trabalho, assumindo formas semelhantes. As críticas são expressas mais como ataques pessoais do que como reclamações específicas a partir das quais alguma medida possa ser tomada; há agressões emocionais com forte carga de repugnância, sarcasmo e descaso; esse tipo de atitude provoca uma reação defensiva, fuga à responsabilidade e, finalmente, o retraimento total ou a acirrada resistência passiva que vem do sentimento de ter sido injustamente tratado. Na verdade, uma das formas mais comuns de crítica destrutiva no local de trabalho, diz um consultor empresarial, é uma declaração generalizada do tipo "Você está fodendo tudo", feita num tom duro, sarcástico, inamistoso, que não abre espaço para um argumento ou sugestão de como fazer melhor. Deixa a pessoa que a recebe impotente e com rancor. Da perspectiva da inteligência emocional, essa crítica demonstra ignorância acerca dos sentimentos que serão provocados naqueles que a recebem e do efeito devastador que esses sentimentos terão em sua motivação, energia e confiança na execução do trabalho.

Essa dinâmica destrutiva foi identificada em pesquisa feita com administradores a quem foi solicitado que se lembrassem das vezes em que perderam as estribeiras com empregados e quando, no calor daqueles momentos, fizeram ataques pessoais.[5] Os ataques raivosos causaram efeitos muito semelhantes aos que ocorrem na relação conjugal: os empregados agredidos ficaram na defensiva, dando desculpas, ou fugiram à responsabilidade. Ou fecharam-se em copas — quer dizer, tentaram evitar qualquer contato com o administrador que engrossou com eles. Se fossem submetidos à análise do mesmo microscópio emocional que John Gottman usou em casais, sem dúvida ficaria demonstrado que esses empregados ressentidos estavam se sentindo como vítimas inocentes ou estavam indignados com justa razão, o que também é comum em maridos e mulheres que se sentem injustamente agredidos. Caso houvesse uma mensuração de suas fisiologias, provavelmente também seria vista a inundação que reforça tais pensamentos. E, no entanto, os administradores apenas se sentiram mais irritados e ameaçados por esse tipo de reação, o que determinou o início do ciclo que, no mundo das empresas, termina com o empregado demitindo-se ou sendo demitido — o equivalente empresarial do divórcio.

Na verdade, uma pesquisa junto a 108 administradores e funcionários de escritório revelou que a crítica inepta antecedia a desconfiança, confronto de personalidades, disputas pelo poder e por salário como motivo de conflito no trabalho.[6] Uma experiência feita no Instituto Politécnico Rensselaer mostra com exatidão como é prejudicial para as relações de trabalho uma crítica contundente. Numa simulação, voluntários receberam a tarefa de criar um anúncio para um novo xampu. Outro voluntário (um auxiliar-cúmplice dos pesquisadores) simulava estar julgando os anúncios propostos; na verdade, os voluntários recebiam uma de duas críticas pré-combinadas. Uma era ponderada e específica. Mas a outra era sob a forma de ameaças e se referia a deficiências inatas da pessoa, com observações do tipo "Você nem sequer tentou; parece que não faz nada direito" e "Talvez você não tenha talento. Eu tentaria arranjar outra pessoa para fazer isso".

Conforme era previsível, os que foram atacados ficaram tensos, com raiva e hostis, dizendo que se recusariam a trabalhar ou cooperar em futuros projetos com a pessoa que fizera a crítica. Muitos observaram que procurariam evitar qualquer contato — em outras palavras, iam fechar-se em copas. A crítica dura os deixou de moral tão baixo que não mais tentaram se esforçar no trabalho e, o que talvez tenha sido pior, disseram que não mais se sentiam capazes de trabalhar bem. O ataque pessoal arrasara o seu moral.

Muitos administradores são muito críticos, mas econômicos nos elogios, deixando os empregados com a sensação de que só têm conhecimento da avaliação de seus trabalhos quando cometem um erro. Essa tendência à crítica é agravada quando os administradores demoram muito a dar qualquer feedback.

— A maioria dos problemas no desempenho de um empregado não surge de repente; desenvolve-se com o tempo — observa J. R. Larson, psicólogo da Universidade de Illinois. — Quando o chefe não diz imediatamente o que sente, isso leva a um lento acúmulo de frustração. E aí, um dia, explode. Se a crítica tivesse sido feita antes, o empregado poderia ter corrigido o problema.

Muitas vezes, as pessoas criticam apenas quando a coisa transborda, quando ficam iradas demais para conterem-se. E é aí que fazem a crítica da pior forma, num tom de sarcasmo mordaz, com um monte de reclamações que guardaram para si, ou fazem ameaças. Esses ataques são como um tiro que sai pela culatra. São recebidos como afronta, e quem os recebe fica, por sua vez, com raiva. É a pior maneira de motivar alguém.

Criticar com Habilidade

Pensem na alternativa.

Uma crítica hábil pode ser uma das mais proveitosas mensagens que um administrador envia. Por exemplo, o que aquele vice-presidente desdenhoso poderia ter dito — mas não disse — ao engenheiro de programas de computador era: "O principal problema nesta etapa é que seu plano vai demorar muito e com isso elevar os custos. Eu gostaria que você pensasse mais sobre sua proposta, para ver se descobre uma maneira de reduzir o tempo de execução do serviço." Essa mensagem causa uma reação oposta à da crítica destrutiva: em vez de criar impotência, raiva e revolta, oferece a possibilidade de um melhor desempenho e sugere o início de um plano para isso.

A crítica feita de forma hábil concentra-se no que a pessoa fez e no que pode fazer, em vez de identificar um traço do caráter da pessoa num trabalho malfeito. Como observa Larson:

— Um ataque ao caráter... chamar alguém de idiota ou incompetente... é erro de alvo. A gente põe logo o sujeito na defensiva, de modo que ele não fica mais receptivo ao que temos a lhe dizer para melhorar as coisas.

Este conselho, claro, é igual àquele dado aos casais que discutem suas queixas.

E, em termos de motivação, quando as pessoas acreditam que seus fracassos se devem a algum déficit imutável em si mesmas, se desiludem e desistem. A crença básica que leva ao otimismo, lembrem, é de que os reveses ou fracassos se devem a circunstâncias nas quais podemos interferir com a finalidade de mudar para melhor.

Harry Levinson, psicanalista que se tornou consultor de empresas, dá os seguintes conselhos sobre a arte da crítica, intricadamente interligada à arte do elogio:

Seja específico. Pegue um incidente importante, um fato que ilustre um problema crítico que precise ser resolvido, ou um padrão de deficiência, como a incapacidade de realizar bem determinadas etapas de um serviço. É desmoralizante simplesmente ouvir que estamos fazendo "alguma coisa errada", sem saber que coisas são essas para que possamos corrigi-las. Concentre-se nos detalhes, dizendo o que a pessoa fez bem, o que fez mal, dando-lhe a oportunidade de mudar. Não faça rodeios, nem seja indireto nem evasivo; isso confundirá a verdadeira mensagem. Este conselho, evidentemente, é semelhante ao dado aos casais sobre a declaração "XYZ" de uma queixa; diga exatamente qual é o problema, o que está errado ou como o faz sentir, e o que pode mudar.

— A especificidade — diz Levinson — é tão importante no elogio quanto na crítica. Não vou dizer que o elogio vago não tenha nenhum efeito, mas não tem muito, e não se pode aprender com ele.[7]

Ofereça uma solução. A crítica, como todo feedback útil, deve ser acompanhada de uma sugestão para resolver o problema. De outro modo, deixa quem a recebe frustrado, desmoralizado ou desmotivado. A crítica pode abrir portas para outras alternativas de que a pessoa não se dera conta ou simplesmente sensibilizar para deficiências que exigem atenção — mas deve incluir sugestões sobre como cuidar desses problemas.

Faça a crítica pessoalmente. As críticas, como os elogios, são mais efetivas cara a cara e em particular. As pessoas que não se sentem à vontade para fazer críticas — ou um elogio — provavelmente devem querer fazê-lo a distância, através de um memorando, por exemplo. Mas esta é uma forma de comunicação muito impessoal e rouba da pessoa que a recebe a oportunidade de responder ou de prestar esclarecimentos.

Seja sensível. Este é um apelo pela empatia, para estar sintonizado com o impacto que você provoca com o que diz e como o diz sobre a pessoa a quem você se dirige. Levinson observa que os administradores que têm pouca empatia são mais inclinados a dar feedback de uma maneira que machuca, com o arrepiante sarcasmo. Feita desta forma, a crítica é destrutiva; em vez de abrir caminho para uma correção, cria um revide emocional de ressentimento, raiva, defensividade e distanciamento.

Levinson também dá alguns conselhos emocionais para os que recebem a crítica. Um deles é vê-la como uma informação valiosa para aprimorar o seu próprio trabalho, e não como um ataque pessoal. Outro é manter vigilância sobre o impulso para cair na defensiva, em vez de assumir a responsabilidade. E, caso seja muito perturbador, peça para continuar a conversa mais tarde, após o período necessário para a absorção da mensagem difícil e para esfriar um pouco. Finalmente, ele aconselha as pessoas a verem a crítica como uma oportunidade de trabalhar junto com quem critica, para resolver o problema, e não como uma situação de confrontamento. Todos esses sábios conselhos, é claro, fazem eco com as sugestões oferecidas a casais que tentam lidar com suas queixas sem causar danos permanentes a seu relacionamento. Assim no casamento como no trabalho.

CONVIVENDO COM A DIVERSIDADE

Sylvia Skeeter, ex-capitã do Exército, aos 30 anos era gerente de turno num restaurante da cadeia Denny's, em Colúmbia, na Carolina do Sul. Numa tarde sem movimento, um grupo de negros — um pastor protestante, um pastor assistente e duas cantoras de gospel visitantes — entrou para comer, e lá ficou esperando durante muito tempo, sem que as garçonetes viessem atendê-los. Sylvia lembra que as garçonetes "olhavam duro para eles, as mãos nas cadeiras, e continuavam a conversar, como se aquelas pessoas negras que estavam a cinco palmos de distância não existissem".

Indignada, Sylvia enfrentou-as e queixou-se ao gerente geral, que deu de ombros, dizendo:

— Foi assim que elas foram educadas, e eu não posso fazer nada.

Sylvia demitiu-se na hora; ela é negra.

Se isso fosse um incidente isolado, esse momento de gritante injustiça poderia ter passado despercebido. Mas Sylvia Skeeter foi uma das centenas de pessoas que se apresentaram para depor sobre o generalizado padrão de preconceito antinegros que havia em toda a cadeia Denny's de restaurantes, um padrão que resultou no pagamento de 54 milhões de dólares, em processo movido por sindicato de classe, em favor de milhares de clientes negros que haviam sofrido tais ofensas.

Entre os queixosos havia um destacamento de sete agentes afro-americanos do Serviço Secreto, que esperou durante uma hora por seus bifes, enquanto os colegas brancos à mesa ao lado eram servidos prontamente — iam todos fazer a segurança de uma visita do presidente Clinton à Academia Naval de Annapolis. Havia também uma moça negra paralítica das pernas, em Tampa, na Flórida, que ficou duas horas sentada na cadeira de rodas esperando pela comida, tarde da noite, depois de um baile de formatura. A ação movida pelo sindicato afirmava que o padrão de discriminação se devia à generalizada suposição em toda a cadeia Denny's — sobretudo no nível de gerente distrital e de filial — de que não valia a pena investir em fregueses negros. Hoje, em parte devido ao que resultou do processo e da publicidade que o cercou, a cadeia Denny's está recompensando a comunidade negra. E todos os empregados, sobretudo os gerentes, têm de assistir a sessões sobre as vantagens de se ter uma clientela multirracial.

Esses seminários tornaram-se parte dos treinamentos internos de empresas por todos os Estados Unidos, com o crescente entendimento, de parte dos administradores, de que mesmo que os funcionários sejam preconceituosos, no local de trabalho devem aprender a agir como se não tivessem nenhum. Os motivos, além e acima da decência humana, são pragmáticos. Um deles é a mudança da força de trabalho, à medida que os brancos, que antes eram o grupo dominante, hoje são minoria. Pesquisa realizada junto a centenas de empresas norte-americanas constatou que mais de três quartos dos novos empregados não eram brancos — uma mudança etnográfica que também se reflete em larga medida na mutante formação dos clientes.[8] Outro motivo é a maior necessidade que as empresas internacionais têm de ter funcionários que não apenas afastem qualquer tendenciosidade na apreciação de pessoas de várias culturas (e mercados), mas também transformem essa apreciação em vantagem competitiva. Uma terceira motivação é o fruto potencial da diversidade, em termos de maior criatividade coletiva e de energia empresarial.

Tudo isso quer dizer que a cultura de uma organização tem de mudar para promover a tolerância, mesmo que os preconceitos individuais permaneçam. Mas como pode uma empresa fazer isso? A triste verdade é que a panóplia de "cursos de treinamento" de um dia, um vídeo ou um fim de semana não parece acabar com o fanatismo dos empregados que fazem tais cursos com profundo preconceito contra um ou outro grupo, sejam brancos contra pretos, pretos contra asiáticos, ou asiáticos contra hispânicos. Na verdade, o resultado obtido nos diversos cursos de diversidade ineficientes — que suscitam falsas expectativas prometendo demais, ou simplesmente geram uma atmosfera de confronto, em vez de entendimento — talvez seja o de aumentar as tensões que dividem grupos no ambiente de trabalho, enfatizando ainda mais essas diferenças. Para compreender o que se *pode* fazer, é útil primeiro entender a natureza do próprio preconceito.

As Raízes do Preconceito

Hoje, o Dr. Vamik Volkan é psiquiatra na Universidade da Virgínia, mas ele lembra o que foi ser criado numa família turca na ilha de Chipre, então seriamente contestada por turcos e gregos. Em criança, Volkan ouvia dizer que o cordão na cintura do pope grego tinha um nó para cada criança turca que ele estrangulara, e lembra-se do tom de consternação com que lhe diziam que os vizinhos gregos comiam porco, cuja carne, para a cultura turca, era considerada imunda demais. Agora, na qualidade de estudioso do conflito étnico, ele cita essas lembranças de infância para mostrar como os ódios entre grupos são mantidos acesos anos afora, à medida que cada geração é inundada por preconceitos hostis como esses.[9] O preço psicológico da lealdade ao próprio grupo pode ser a antipatia do outro grupo, sobretudo quando há uma longa história de inimizade entre eles.

Os preconceitos são um tipo de aprendizado emocional que ocorre na tenra idade, o que torna difícil erradicar esse tipo de reação, mesmo em pessoas que, adultas, acham errado tê-la.

— Os sentimentos preconceituosos se formam na infância, ao passo que as crenças usadas para justificá-los vêm depois — explicou Thomas Pettigrew, psicólogo social da Universidade da Califórnia, em Santa Cruz, que estuda o assunto há décadas. — Mais tarde, você pode não querer mais ser preconceituoso, mas é muito mais fácil mudar crenças intelectuais que sentimentos arraigados. Muitos sulistas me confessaram, por exemplo, que, embora racionalmente não mais tenham preconceitos, sentem nojo quando apertam a mão de um negro. Esses sentimentos são resíduos do que aprenderam em casa quando eram crianças.[10]

O poder dos estereótipos que sustentam os preconceitos vem em parte de uma dinâmica mais neutra da mente que torna todos os tipos de estereótipos mais autoconfirmantes.[11] As pessoas lembram com mais facilidade exemplos que reforçam os estereótipos e tendem a descartar os que os desmentem. Ao encontrar numa festa um inglês emocionalmente aberto e simpático, que desmente o estereótipo "fleumático" e reservado, por exemplo, as pessoas acham que ele é fora do padrão ou que "andou bebendo".

A tenacidade dos preconceitos sutis pode explicar por quê, enquanto nos últimos quarenta anos, mais ou menos, o comportamento racial dos americanos brancos em relação aos negros tenha sido mais tolerante, persistem formas mais sutis de preconceito; as pessoas negam atitudes racistas mesmo quando agem com preconceitos encobertos.[12] Quando questionadas, tais pessoas dizem que não são intolerantes, mas em situações ambíguas ainda agem de forma preconceituosa — embora apresentem outra justificativa. Essa tendenciosidade pode fazer com que, por exemplo, um administrador branco — que julga não ter preconceitos — rejeite um candidato negro a um emprego, ostensivamente não por sua raça, mas porque sua formação e experiência "não são muito adequadas" para o trabalho, enquanto emprega um candidato branco com a mesma qualificação. Ou pode ocorrer sob a forma de dar a um vendedor branco treinamento e dicas úteis para fazer um contato telefônico, mas não lembrar de agir da mesma forma com um vendedor negro ou hispânico.

Não Tolerar a Intolerância

Se os preconceitos há muito tempo introjetados não podem ser tão facilmente extirpados, resta-nos saber o que *fazer* a respeito. Na Denny's, por exemplo, as garçonetes ou os gerentes de filiais que discriminavam pessoas negras raramente eram contestados, se é que eram. Pelo contrário, alguns administradores até estimulavam o preconceito, ao menos de forma tácita, na medida em que exigiam que os clientes negros pagassem antes de serem servidos, quando negavam a esse tipo de cliente a oferta de refeições grátis, anunciadas publicamente, a título de comemoração do aniversário da empresa, ou quando informavam que a casa já estava fechada, quando eram negros os fregueses que queriam entrar. Como disse John P. Relman, o advogado que processou a Denny's em nome dos agentes negros do Serviço Secreto:

— A administração da Denny's fechava os olhos para o que os empregados faziam. Isso devia passar alguma mensagem... que liberava qualquer inibição de os gerentes locais agirem de acordo com seus princípios racistas.[13]

Mas tudo que sabemos sobre as raízes do preconceito e como combatê-lo eficazmente sugere que é esse tipo de atitude — fazer vistas grossas a atos tendenciosos — que permite que a discriminação viceje. Nada fazer, nesse contexto, é um ato importante em si, deixando o vírus do preconceito espalhar-se livremente. Mais objetivo que os cursos de diversidade — ou talvez essencial para que eles tenham melhor efeito — é que as normas do grupo sejam decisivamente mudadas, tomando-se uma posição ativa contra qualquer ato de discriminação, dos mais altos aos mais baixos escalões da administração. Os preconceitos não vão embora, mas os atos de preconceito podem ser sufocados, caso se mude o clima. Como disse um executivo da IBM:

— Não toleramos ofensas ou insultos de qualquer tipo; o respeito ao indivíduo é fundamental na cultura da IBM.[14]

Se a pesquisa sobre o preconceito tem algo a dar como contribuição para tornar a cultura empresarial mais tolerante, é encorajar as pessoas a denunciar, ainda que mínimos, os atos de discriminação ou perseguição — piadas ofensivas, digamos, ou a afixação de calendários de mulheres nuas que humilham as colegas de trabalho. O simples ato de chamar o preconceito de preconceito ou protestar contra ele, no momento em que se manifesta, já estabelece uma atmosfera social que o desestimula; não dizer nada só serve para coonestá-lo.[15] Nesse esforço, os que estão em posição de chefia desempenham um papel central: o fato de não condenarem atos de preconceito corresponde a uma mensagem tácita de que tais atos estão liberados. Tomar medidas como uma reprimenda envia a poderosa mensagem de que o preconceito não é uma bobagem, mas tem consequências reais — e negativas.

Também aqui as aptidões da inteligência emocional são vantajosas, sobretudo no que diz respeito à habilidade social de saber não apenas quando, mas *como* protestar produtivamente contra o preconceito. Esse feedback deve se revestir de toda a sutileza de uma crítica construtiva, para que possa ser ouvido sem defensividade. Se administradores e colegas de trabalho fazem isso naturalmente, ou aprendem a fazê-lo, é mais provável que os incidentes de preconceito não mais ocorram.

Os mais eficazes cursos de treinamento de diversidade estabeleceram uma nova regra básica explícita, nas organizações, que proíbe o preconceito sob qualquer forma e com isso estimula as pessoas que têm sido testemunhas e/ou circunstantes silenciosas a manifestarem seu desconforto e objeção. Outro ativo ingrediente nos cursos de diversidade é o de se colocar no lugar do outro, uma posição que estimula a empatia e a tolerância. Na medida em que as pessoas passam a entender o sofrimento daqueles que se sentem discriminados, é mais provável que o denunciem.

Em suma, é mais prático tentar suprimir a expressão do preconceito do que o preconceito em si; os estereótipos mudam muito devagar, quando mudam. Simplesmente juntar pessoas de diferentes grupos pouco ou nada faz para reduzir a intolerância, como mostram casos de dessegregação escolar em que a hostilidade intergrupos aumentou, em vez de diminuir. Para a pletora de programas de cursos de treinamento de diversidade que inundam o mundo empresarial, isso quer dizer que uma meta realista é mudar o *comportamento* de um grupo; esses programas muito podem fazer para elevar na consciência coletiva a ideia de que o fanatismo e o preconceito não são aceitáveis e não serão tolerados. Mas é irrealista esperar que um programa desses erradique preconceitos profundamente enraizados.

Contudo, como os preconceitos são um tipo de aprendizado emocional, *é* possível o reaprendizado — embora leve tempo e não se deva esperar que surta efeito em uma única jornada de treinamento para a diversidade. O que pode contar, porém, é a camaradagem constante e os esforços diários para uma meta comum de pessoas de diferentes origens. A lição neste caso vem da dessegregação nas escolas: quando os grupos não se fundem socialmente, formando, ao contrário, bandos hostis, os estereótipos negativos se intensificam. Mas, quando os alunos trabalham juntos em condições de igualdade para alcançar uma meta comum, como nas equipes esportivas ou em conjuntos musicais, seus estereótipos se desfazem — como pode acontecer naturalmente no ambiente de trabalho, quando as pessoas trabalham anos juntas como iguais.[16]

Deixar de combater o preconceito no local de trabalho é perder uma oportunidade maior: aproveitar as possibilidades criativas e empresariais proporcionadas por uma força de trabalho diversificada. Como veremos, é provável que um grupo de trabalho composto por variadas forças e perspectivas, se puder operar em harmonia, produza soluções melhores, mais criativas e mais eficazes do que o trabalho individual isolado.

SABEDORIA ORGANIZACIONAL E QI DE GRUPO

No início do século XXI, um terço da força de trabalho americana foi formada por "trabalhadores do conhecimento", pessoas cuja produtividade adiciona valor à informação — seja como consultores de mercado, escritores ou programadores de computador. Peter Drucker, eminente especialista empresarial que cunhou a expressão "trabalhadores do conhecimento", observa que esse tipo de mão de obra é altamente especializada e que sua produtividade depende de seus esforços poderem ser coordenados como parte de uma equipe organizacional: escritores não são editores; programadores de computador não são distribuidores de programas. Embora as pessoas tenham sempre trabalhado em associação, diz Drucker, com o trabalho de conhecimento "são as equipes — e não o esforço de um indivíduo — que se constituem na unidade de trabalho".[17] E isso explica por que a inteligência emocional, as aptidões que ajudam as pessoas a entrarem em harmonia, deveria ser valorizada como um produto do ambiente de trabalho nos anos futuros.

Talvez a mais tradicional forma de trabalho em equipe numa organização seja a reunião, essa parte inevitável do destino do executivo — numa sala de reunião, numa conferência por telefone, no gabinete de alguém. As reuniões — pessoas numa mesma sala — são apenas o mais óbvio, e de certa forma antiquado, exemplo de compartilhamento do trabalho. As redes eletrônicas, e-mails, teleconferências, equipes de trabalho, redes informais e coisas do gênero estão surgindo como novas entidades funcionais nas organizações. Enquanto a hierarquia explícita, distribuída num mapa organizacional, é o esqueleto de uma organização, esses pontos de contato humano são o seu sistema nervoso central.

Sempre que as pessoas se reúnem para chegarem a um consenso, seja numa reunião de planejamento executivo ou como uma equipe trabalhando para chegar a um produto partilhado, têm num sentido muito concreto um QI de grupo, que é a soma total dos talentos e aptidões de todos os envolvidos. A forma como realizarão a sua tarefa bem como o êxito que obterão, serão determinados pelo nível desse QI. O tipo de elemento mais importante na inteligência de grupo, revela-se, não é o QI médio no sentido acadêmico, mas sim a inteligência emocional. A chave para um alto QI de grupo é a harmonia existente entre os membros que o compõem. É essa capacidade de harmonizar que, mantida a igualdade de condições em tudo mais, tornará um grupo especialmente talentoso, produtivo e bem-sucedido, e fará outro — com membros cujo talento e habilidade são iguais em outros aspectos — se sair mal.

A ideia de que há uma inteligência de grupo vem de Robert Sternberg, psicólogo de Yale, e de Wendy Williams, universitário, que tentaram entender por que alguns grupos trabalham de forma mais eficaz do que outros.[18] Afinal, quando as pessoas se reúnem para trabalhar em equipe, cada uma porta consigo certos talentos — digamos, de fluência verbal, criatividade, empatia ou conhecimento técnico. Embora um grupo não possa ser mais "inteligente" que a soma total dessas forças específicas, pode ser muito mais burro caso seus mecanismos internos não permitam que as pessoas exibam seus talentos. Essa máxima ficou evidenciada quando Sternberg e Williams recrutaram pessoal para participar de grupos que receberam o desafio criativo de produzir uma campanha publicitária eficiente para um fictício adoçante que prometia ser um substituto do açúcar.

Uma das coisas que surpreenderam foi que as pessoas muito *ávidas* para participar eram um peso para o grupo, reduzindo o desempenho geral; os ansiosos pés de boi eram controladores ou dominadores demais. Essas pessoas parecem não ter um elemento básico de inteligência social, ou seja, a capacidade de reconhecer o que é bom e o que não é no toma lá dá cá. Outra coisa negativa era o peso morto, o pessoal que não participava do trabalho.

Um dos importantes fatores para a maximização da excelência de um grupo era o quanto os participantes eram capazes de criar um clima de harmonia interna, de forma que o talento de cada um fosse aproveitado. O desempenho geral de grupos harmoniosos era facilitado pela existência de um membro particularmente talentoso; nos grupos onde havia mais atrito era reduzida a capacidade de capitalizar o fato de terem membros de alta qualificação. Em grupos onde há altos níveis de estática social e emocional — seja por medo ou raiva, rivalidades ou ressentimentos —, as pessoas não conseguem dar o melhor de si. Mas a harmonia permite a um grupo aproveitar ao máximo as capacidades mais criativas e talentosas de seus membros.

Embora a moral dessa história fique bastante clara para, digamos, as equipes de trabalho, tem uma implicação mais geral para quem trabalha em uma organização. Muitas coisas que as pessoas fazem no trabalho dependem de sua capacidade de recorrer a uma dispersa rede de colegas; diferentes tarefas podem implicar o recurso a diferentes membros da rede de trabalho. Na verdade, isso cria a oportunidade de formação de grupos temporários para uma tarefa específica, cada grupo com membros apropriados para oferecer uma ótima coleção de talentos, conhecimento e colocação. A possibilidade de as pessoas formarem uma rede — na verdade, transformá-la numa equipe temporária, apenas para aquele fim — é um fator crucial para o sucesso no trabalho.

Vejam, por exemplo, um estudo sobre profissionais excepcionais dos Laboratórios Bell, mundialmente famosa empresa de pesquisa científica de alto nível. Ela emprega engenheiros e cientistas com elevadíssimo QI acadêmico. Mas dentro desse banco de talentos, alguns são considerados brilhantes, enquanto outros têm apenas produção mediana. O que faz a diferença entre as estrelas e os outros não é o QI acadêmico deles, mas o QI *emocional*. São mais capazes de motivarem-se e de transformar suas redes informais em equipes específicas.

As "estrelas" foram objeto de estudo numa divisão dos laboratórios, uma unidade que cria e projeta as chaves eletrônicas que controlam os sistemas telefônicos — um exemplo de engenharia eletrônica altamente sofisticada e exigente.[19] Como a tarefa transcende a capacidade individual de qualquer pessoa, é feita em equipes que podem ser formadas por apenas cinco ou até 150 engenheiros. Nenhum deles sabe o suficiente para fazer o trabalho sozinho; para se obterem resultados, é necessário canalizar os conhecimentos de outras pessoas. A fim de descobrir qual era a diferença entre os que produziam muito e aqueles cuja produção era mediana, Robert Kelley e Janet Caplan pediram a administradores e aos próprios engenheiros que indicassem os 10 a 15% deles que se destacavam como estrelas.

Quando compararam as estrelas com todos os demais, a descoberta mais sensacional, a princípio, foram as poucas diferenças entre os dois grupos. "Com base numa ampla gama de medições sociais e cognitivas, desde os testes-padrão de QI até os inventários de personalidade, há pouca diferença significativa em qualidades inatas", escreveram Kelley e Caplan na *Harvard Business Review*. "Com o passar do tempo, o talento acadêmico não era um bom previsor de produtividade no trabalho", tampouco o QI.

Mas, após detalhadas entrevistas, as diferenças surgiram nas estratégias internas e interpessoais que as "estrelas" utilizavam para conseguir fazer o trabalho. Revelou-se que uma das mais importantes era a relação que mantinham com uma rede de pessoas-chave. As coisas fluem mais suavemente para os que se destacam porque eles investem tempo no cultivo de bons relacionamentos com pessoas cujos serviços podem ser necessários numa emergência, como parte de uma instantânea equipe improvisada para resolver um problema ou lidar com uma crise. "Um profissional médio nos Laboratórios Bell falou de uma ocasião em que seu trabalho fora frustrado por um problema técnico", observaram Kelley e Caplan. "Com muita dificuldade, ligou para vários gurus técnicos e ficou à espera, perdendo valioso tempo com ligações que não eram retornadas e correspondência eletrônica que ficava sem resposta. Os profissionais-estrela, porém, raramente enfrentam tais situações, porque se dão ao trabalho de montar redes confiáveis antes que venham a precisar delas. Quando ligam para alguém, quase sempre obtêm uma resposta mais rápida."

As redes informais são especialmente críticas para lidar com problemas imprevistos. "A organização formal é estabelecida para tratar de problemas facilmente previsíveis", observa um estudo dessas redes. "Mas quando surgem imprevistos, a organização informal mostra o seu valor. Sua complexa teia de ligações sociais forma-se toda vez que colegas se comunicam, e solidifica-se com o tempo em redes surpreendentemente estáveis. Altamente adaptáveis, as redes informais movem-se diagonal e elipticamente, saltando a hierarquia funcional para chegar a um resultado.[20]

A análise de redes informais mostra que, apesar de trabalharem juntas diariamente, não necessariamente as pessoas trocarão confidências íntimas (como o desejo de mudar de emprego, ou o ressentimento com o comportamento do chefe ou dos colegas), nem recorrerão umas às outras em momentos de crise. Na verdade, uma visão mais sofisticada das redes informais mostra que há pelo menos três variedades delas: redes de comunicações — quem fala com quem; redes de especialistas, baseadas nas pessoas a quem se recorre para consultas; e redes de confiança. Ser um nódulo principal na rede de especialistas significa que a pessoa será reconhecida como tendo uma excelência técnica, o que muitas vezes leva à promoção. Mas não há praticamente relação alguma entre ser um especialista e ser um repositório de segredos, dúvidas e vulnerabilidades. Um tiranete ou microgerente de escritório pode ser o máximo em termos de conhecimento, mas é tão pouco confiável que isso solapará sua capacidade de administrar e, na verdade, o excluirá das redes de informação. As estrelas de uma organização são muitas vezes aqueles que têm fortes ligações em todas as redes de comunicação, conhecimento e confiança.

Além de dominarem essas redes essenciais, outras formas de sabedoria organizacional que as estrelas dos Laboratórios Bell haviam dominado incluíam a coordenação eficaz de seus esforços no trabalho em equipe; liderar na formação de consenso; ver as coisas da perspectiva de outrem, fossem eles clientes ou outros membros da equipe; e promover a cooperatividade, evitando conflitos. Embora tudo isso dependa de traquejo social, as estrelas também demonstravam outro tipo de habilidade: tomar a iniciativa — sentir motivação suficiente para assumir responsabilidades acima e além de suas funções específicas — e autoadministrar-se, no sentido de coordenar bem o seu tempo e seus compromissos de trabalho. Todas essas aptidões, claro, são aspectos da inteligência emocional.

Há fortes sinais de que o que acontece nos Laboratórios Bell prenuncia o futuro de toda a vida empresarial, um amanhã onde as aptidões básicas da inteligência emocional serão cada vez mais importantes nos trabalhos em equipe, na cooperação, na ajuda às pessoas para que aprendam juntas como trabalhar com mais eficiência. À medida que serviços baseados no conhecimento e no capital intelectual se tornam mais fundamentais para as empresas, melhorar a maneira como as pessoas trabalham em equipe será uma grande forma de influenciar o capital intelectual, o que faz uma crítica diferença competitiva. Para prosperar, senão para sobreviver, as empresas deveriam desenvolver sua inteligência emocional coletiva.

11

A Emoção na Clínica Médica

"— Quem ensinou tudo isso ao senhor, Doutor?
A resposta veio prontamente:
— O sofrimento."

Albert Camus,
A Peste

Uma dorzinha nas virilhas me fez ir ao médico. Tudo estava normal, exceto o resultado do exame de urina. Havia traços de sangue.

— Quero que você vá ao hospital e faça alguns exames... função renal, citologia... — ele disse, no tom objetivo que é próprio dos médicos.

Não sei o que ele disse depois. A palavra *citologia* era tudo o que havia na minha cabeça. Câncer.

Tenho uma vaga lembrança do que ele me disse sobre quando e onde fazer os exames. Era uma instrução simples, mas tive de pedir que a repetisse três ou quatro vezes. *Citologia* — a palavra ainda reverberava na minha cabeça. Este pequeno vocábulo me tomara de assalto.

Por que essa minha reação? Meu médico estava apenas sendo minucioso e competente, percorrendo as ramificações numa árvore de decisão diagnóstica. Havia uma probabilidade mínima de eu ter câncer. Mas essa análise racional era irrelevante naquele momento. Na terra dos doentes, as emoções reinam supremas; o medo bane o raciocínio. Ficamos tão fragilizados emocionalmente quando doentes porque nosso bem-estar mental repousa, em parte, na ilusão de que somos invulneráveis. A doença — sobretudo uma doença severa — acaba com essa ilusão, desmentindo a premissa de que nosso pequeno mundo está protegido de qualquer coisa. De repente ficamos abalados, desamparados e conscientes de nossa vulnerabilidade.

O problema se agrava quando os médicos não levam em consideração o lado *emocional* do paciente, mesmo quando lhe dão toda a assistência clínica. Essa falta de percepção demonstra que a prática médica não está se dando conta de vários indícios que demonstram, muitas vezes, que a condição emocional das pessoas desempenha um papel muito importante na vulnerabilidade à doença e no processo de cura. De um modo geral, a moderna assistência médica não recorre à inteligência emocional.

Para o paciente, qualquer contato com uma enfermeira ou médico pode ser uma boa oportunidade para que ele obtenha informações acerca de seu estado clínico e, assim, fique mais tranquilo, reconfortado e aliviado — se, pelo contrário, esse contato for desastroso, pode ser um convite ao desespero. Muitas vezes, a equipe médica está muito ocupada ou é indiferente à angústia do paciente. É claro que há enfermeiros e médicos que demonstram solidariedade, que aproveitam a oportunidade para não só dar ao paciente a assistência clínica, mas também para prestar as informações necessárias ao seu bem-estar emocional. Mas a tendência geral é para um universo profissional em que imperativos institucionais impedem que a vulnerabilidade do paciente seja considerada, e também a equipe médica se sente de tal forma premida que descarta esse tipo de questão. Diante da dura realidade de um sistema médico cada vez mais cronometrado por contabilistas, a coisa parece estar piorando.

Além do argumento humanitário que convoca os médicos para que dispensem, junto com o tratamento clínico, cuidados que envolvam a saúde emocional do paciente, existem outras razões convincentes o bastante para que esses profissionais considerem a realidade psicológica e social dos pacientes como pertinente à área médica, e não fora dela. Agora há argumentos científicos que demonstram, efetivamente, que há ganhos para a eficácia *médica,* tanto no campo preventivo como no tratamento de doenças, quando o estado emocional das pessoas é, juntamente com seu problema clínico, objeto de tratamento. Isto não é válido, evidentemente, para todo e qualquer caso. Mas a análise de dados referentes a centenas de casos revela que, cada vez mais, é clinicamente vantajosa a adoção de um padrão de assistência médica que inclua a intervenção *emocional* no caso de doenças graves.

Historicamente, a moderna medicina tem assumido como missão a cura dos *sintomas da doença* — a desordem clínica —, ignorando o *doente,* ou seja, aquele que convive com a doença. Os pacientes, ao aceitarem esse tipo de tratamento que lhes é dado, o estão avalisando porque, ou não tomam consciência de suas emoções ou, se tomam, consideram-nas irrelevantes para o curso da doença. E esse comportamento é reforçado por um modelo médico que afasta inteiramente a hipótese de que a mente influencia o corpo de forma considerável.

Ainda por cima, há uma ideologia igualmente improdutiva que segue outra direção: é possível autocurar-se de não importa qual doença, simplesmente através de uma autoajuda que conduz à felicidade ou através de pensamentos positivos; que a doença é causada pelo indivíduo e, portanto, ele deve se sentir culpado por ter adoecido. Qual o resultado dessa retórica segundo a qual "o-comportamento-cura-tudo"? Antes de mais nada, uma generalizada confusão e equívocos sobre até onde a doença pode ser afetada pela mente. E algo que talvez seja pior — a criação de uma culpa, na cabeça das pessoas, que muitas vezes passam a se sentirem causadoras da doença de que são portadoras, como se isso fosse um sinal de alguma falha moral ou indignidade espiritual.

A verdade está em algum ponto entre esses extremos. Baseado em informações obtidas junto à comunidade científica, pretendo dirimir dúvidas e substituir as bobagens por uma clara compreensão do papel das nossas emoções — e inteligência emocional — na saúde e na doença.

A MENTE DO CORPO: COMO AS EMOÇÕES AFETAM A SAÚDE

Em 1974, uma descoberta num laboratório da Faculdade de Medicina e Odontologia da Universidade de Rochester redesenhou o mapa biológico do corpo: o psicólogo Robert Ader descobriu que o sistema imunológico, tal como o cérebro, era capaz de aprender. Essa constatação causou um grande impacto porque o saber que, à época, predominava na medicina era que apenas o cérebro e o sistema nervoso central podiam sofrer alterações como reação à experiência. A descoberta de Ader levou à investigação que resultou na descoberta de miríades de formas de comunicação entre o sistema nervoso central e o sistema imunológico — rotas biológicas que fazem com que se considere que mente, emoção e corpo não sejam entidades separadas, mas intimamente interligadas.

Nessa experiência, ratos brancos receberam um medicamento que eliminava artificialmente a quantidade de células T que combatem doenças que circulam no sangue. Esse medicamento lhes era dado com água sacarinada. Mas Ader descobriu que dar aos ratos apenas a água sacarinada, sem o medicamento supressor, ainda resultava na redução da contagem das células T — a ponto de alguns dos ratos adoecerem e morrerem. O sistema imunológico deles aprendera a suprimir as células T em resposta à água adocicada. Isso simplesmente não devia acontecer, de acordo com o conhecimento científico da época.

O sistema imunológico é o "cérebro do corpo", como diz o cientista Francisco Varela, da Escola Politécnica de Paris, ao definir como o corpo percebe a si mesmo — o que faz parte dele e o que não faz.[1] As células imunológicas circulam na corrente sanguínea, entrando em contato com praticamente todas as outras células. Aquelas que elas reconhecem, deixam em paz; as que não conseguem reconhecer, atacam. O ataque ou nos defende de vírus, bactérias e câncer, ou, se as células imunológicas não reconhecem células que são próprias do corpo, instala-se uma doença autoimune, como a alergia ou o lúpus. Até o dia em que Ader fez essa casual descoberta, qualquer anatomista, médico ou biólogo, acreditava que o cérebro (bem como suas extensões por todo o corpo, via sistema nervoso central) e o sistema imunológico central eram entidades distintas, nenhuma capaz de influenciar no funcionamento da outra. Não havia rota ligando os centros no cérebro que monitoravam o gosto que o rato sentia com as áreas da medula óssea que fabricam as células T. Era dessa forma que se pensava há um século.

Com o decorrer dos anos, a modesta descoberta de Ader impôs uma nova visão acerca das ligações entre o sistema imunológico e o sistema nervoso central. O campo que estuda isso, a psiconeuroimunologia, ou PNI, é hoje uma área médica de ponta. A própria denominação é um reconhecimento das ligações: *psico,* de "mente"; *neuro,* do sistema neuroendócrino (que inclui o sistema nervoso e o sistema hormonal); e *imunologia,* do sistema imunológico.

Uma rede de pesquisadores tem descoberto que os mensageiros químicos que operam mais extensamente, tanto no cérebro quanto no sistema imunológico, são os mais densos nas áreas neurais que regulam a emoção.[2] Alguns dos mais fortes indícios da existência de uma linha reta que permite que as emoções causem impacto sobre o sistema imunológico vieram de David Felten, um colega de Ader. No início, ele percebeu que as emoções exercem um poderoso efeito sobre o sistema nervoso autônomo, o qual regula tudo, desde quanta insulina é secretada até os níveis da pressão sanguínea. Depois, trabalhando com a esposa Suzanne, Felten e outros colegas identificaram um ponto de encontro onde o sistema nervoso autônomo fala diretamente com os linfócitos e macrófagos, células do sistema imunológico.[3]

Através de análises feitas em microscópio eletrônico, eles encontraram contatos do tipo sinapses, onde os terminais nervosos do sistema autônomo têm extremidades que dão diretamente nas células imunológicas. Esse ponto de contato físico permite que as células nervosas liberem neurotransmissores para regular as células imunológicas; na verdade, elas enviam sinais de um lado para outro. A descoberta é revolucionária. Ninguém suspeitava que as células imunológicas poderiam ser alvo de mensagens enviadas dos nervos.

Para testar a importância dessas terminações nervosas no funcionamento do sistema imunológico, Felten foi mais adiante em suas investigações. Em experiências com animais, removeu alguns nervos de nódulos linfáticos e do baço — onde são fabricadas ou armazenadas as células imunológicas — e depois utilizou vírus para que atacassem o sistema imunológico. Resultado: uma enorme queda de resposta imunológica ao vírus. Ele concluiu que, sem essas terminações nervosas, o sistema imunológico simplesmente não responde como deveria à ameaça de um vírus ou bactéria invasores. Em suma, o sistema nervoso não apenas está ligado ao sistema imunológico, mas também é essencial para a função imunológica adequada.

Outra importante rota que liga emoções e sistema imunológico está na influência dos hormônios liberados no estresse. As catecolaminas (epinefrina e norepinefrina — também conhecidas como adrenalina e noradrenalina), cortisol e prolactina e os opiatos naturais betaendorfina e encefalina são todos liberados durante a estimulação do estresse. Cada um deles tem um forte impacto sobre as células imunológicas. Embora as relações sejam complexas, a influência principal é que, enquanto esses hormônios percorrem o corpo, as células imunológicas têm sua função obstruída: o estresse acaba com a resistência imunológica, ao menos temporariamente, ao que se supõe numa conservação de energia que dá prioridade à emergência mais imediata, mais premente para a sobrevivência. Mas se o estresse é constante e intenso, essa eliminação pode se tornar duradoura.[4]

Microbiólogos e outros cientistas constatam cada vez mais essas ligações entre o cérebro e os sistemas cardiovascular e imunológico — tendo primeiro de aceitar a outrora radical ideia de que elas existem mesmo.[5]

EMOÇÕES TÓXICAS: DADOS CLÍNICOS

Apesar desses indícios, muitos ou a maioria dos médicos ainda se mostram céticos sobre a possibilidade de as emoções influírem em termos clínicos. Esse tipo de pensamento se justifica porque, embora muitos estudos tenham constatado que o estresse e as emoções diminuam a eficácia de várias células imunológicas, nem sempre fica claro se o alcance dessas mudanças é suficientemente grande para ser significativo em termos *clínicos.*

Mesmo assim, os médicos cada vez mais admitem que as emoções exercem um papel importante na clínica médica. Por exemplo, o Dr. Camran Nezhat, eminente cirurgião ginecolaparoscópico da Universidade de Stanford, diz:

— Se alguém em vias de ser submetido a uma cirurgia me diz que está em pânico e não se sente em condições de se submeter a ela, eu cancelo a cirurgia. — E explica: — Todo cirurgião sabe que as pessoas muito apavoradas se dão mal na cirurgia. Sangram demais, contraem infecções e há complicações. Têm uma recuperação mais difícil. É muito melhor que estejam tranquilas.

O motivo é óbvio: o pânico e a ansiedade aumentam a pressão sanguínea, e veias distendidas pela pressão sangram mais profusamente quando cortadas pelo bisturi do cirurgião. O excesso de sangramento é uma das mais problemáticas complicações cirúrgicas, e às vezes leva à morte.

Além desses fatos clínicos, os indícios para o significado *clínico* das emoções vêm crescendo. É possível que o dado mais convincente sobre a importância clínica da emoção venha de uma análise em larga escala, com milhares de homens e mulheres, que reuniu resultados de 101 estudos menores num único grande estudo. Este estudo confirma que determinados tipos de emoção fazem mal à saúde — num certo grau.[6] Descobriu-se que pessoas que sofriam de ansiedade crônica, longos períodos de tristeza e pessimismo, incessante estresse ou desgosto, inarredável ceticismo ou desconfiança corriam risco dobrado de contrair doenças — incluindo asma, artrite, dores de cabeça, úlceras pépticas e males cardíacos (cada uma delas representante de grandes e amplas categorias de doença). Essa ordem de magnitude faz com que as emoções perturbadoras se constituam num fator de risco tão tóxico para a doença cardíaca quanto, por exemplo, o fumo ou o colesterol alto — em outras palavras, são uma grande ameaça para a saúde.

É evidente que essa é uma genérica correlação estatística entre saúde e emoção, e de nenhum modo indica que qualquer pessoa que conviva cronicamente com esses sentimentos será presa fácil de doenças. Mas as evidências do importante papel exercido pela emoção na doença são muito maiores do que mostra o estudo. Uma análise mais atenta dos dados relativos a determinados tipos de emoção, sobretudo as três grandes — raiva, ansiedade e depressão —, esclarece mais algumas formas específicas em que os sentimentos têm significado clínico, mesmo que os mecanismos biológicos pelos quais essas emoções exercem seus efeitos ainda não estejam plenamente entendidos.[7]

Quando a Raiva é *Suicida*

> Algum tempo atrás, diz o homem, uma batida na lateral de seu carro o levou a uma longa e frustrante jornada. Após percorrer a interminável burocracia da empresa de seguro e oficinas que causaram mais danos ao carro, ainda teve de arcar com uma despesa de 800 dólares. E nem fora culpa dele. Ficou tão chateado que sempre que entrava no carro sentia repugnância. Acabou vendendo-o, frustrado. Anos depois, essas lembranças ainda o deixavam lívido de indignação.

Essa amarga lembrança foi evocada propositalmente, como parte de um estudo sobre a raiva em cardiopatas, na Faculdade de Medicina da Universidade de Stanford. Todos os pacientes objeto da pesquisa tinham, como aquele homem rancoroso, sofrido um ataque cardíaco, e o que o estudo pretendia era identificar se a raiva teria, de alguma forma, causado um impacto significativo sobre suas funções cardíacas. O resultado foi impressionante: à medida que essas pessoas iam narrando fatos que os haviam aborrecido, a eficácia do bombeamento do coração caía 5%.[8] Alguns dos pacientes tiveram uma queda de eficiência de 7% ou mais — uma faixa que os cardiologistas consideram como um sinal de isquemia miocárdica, uma perigosa queda no fluxo do sangue para o próprio coração.

A queda na eficiência de bombeamento não se verificou em outros tipos de sentimento desagradáveis, como na ansiedade, nem durante esforços físicos; a raiva parece ser a espécie de emoção que mais mal faz ao coração. Ao evocarem o incidente perturbador, os pacientes disseram que estavam sentindo menos raiva do que haviam sentido quando a coisa acontecera, o que sugere que seus corações teriam sido ainda mais obstruídos num acontecimento verdadeiramente enfurecedor.

Essa constatação é parte de uma rede maior de indícios, que surgem de dezenas de estudos que demonstram como é nocivo, para o funcionamento do coração, o sentimento da raiva.[9] Não mais vigora a antiga ideia de que uma personalidade Tipo A, afobada e com pressão alta, corre grande risco de doença cardíaca, mas dessa teoria abandonada emergiu uma nova constatação: o rancor é que é prejudicial à saúde.

Grande parte dos dados sobre o rancor veio de uma pesquisa feita pelo Dr. Redford Williams na Universidade Duke.[10] Por exemplo, ele descobriu, a partir de avaliação de rancor em estudantes de medicina, que aqueles com maior índice de hostilidade à época de estudantes tinham sete vezes maior probabilidade de morte aos 50 anos quando comparados a colegas com menor índice de hostilidade — essa tendência constituiu-se num previsor de morte ainda jovem, mais forte que outros fatores de risco como fumar, pressão sanguínea alta e colesterol alto. E descobertas de um colega, o Dr. John Barefoot, da Universidade da Carolina do Norte, mostram que nos pacientes cardíacos submetidos à angiografia, quando um tubo é inserido na artéria coronária para medir lesões, as contagens em testes de rancor se correlacionam com a extensão e severidade da doença coronária.

Claro, ninguém está dizendo que a raiva, por si só, causa doença na artéria coronária; é apenas um entre vários fatores interagentes. Como explica Peter Kaufman, diretor em exercício do Setor de Medicina Comportamental do Instituto do Coração, Pulmão e Sangue:

— Ainda não podemos saber se a raiva e o rancor desempenham um papel causal no desenvolvimento precoce de doença na artéria coronária, ou se a intensificam, uma vez iniciada a doença cardíaca, ou as duas coisas juntas. Mas considere um jovem de 20 anos que sempre se aborrece. Cada episódio de raiva acrescenta um estresse extra ao coração, aumentando o ritmo cardíaco e a pressão do sangue. Quando isso se repete continuamente, pode causar dano — sobretudo porque a turbulência do sangue correndo pela artéria coronária, a cada batida, pode causar microlesões no vaso, onde se formam placas. Se seu ritmo cardíaco é mais rápido e a pressão do sangue mais alta porque você vive habitualmente aborrecido, em trinta anos isso pode levar a uma mais rápida formação de placas e, portanto, a uma doença na artéria coronária.[11]

Assim que surge a doença, os mecanismos disparados pela raiva afetam a própria eficiência do bombeamento cardíaco, como foi mostrado no estudo de evocação de momentos de raiva em pacientes cardíacos. O resultado é que o sentimento de raiva torna-se particularmente letal nos que são cardiopatas. Um estudo realizado na Faculdade de Medicina de Stanford, com 1.012 homens e mulheres que haviam sofrido um primeiro ataque cardíaco e que foram observados, durante oito anos, mostrou que entre homens mais agressivos e hostis, no início, houve maior incidência de outro ataque cardíaco.[12] Resultados semelhantes foram obtidos num estudo da Faculdade de Medicina de Yale, com 929 homens que haviam sobrevivido a ataques cardíacos e foram acompanhados durante dez anos.[13] Aqueles que foram considerados como facilmente suscetíveis à raiva tinham três vezes mais probabilidade de morrer de parada cardíaca do que os de temperamento mais estável. E se também tinham altos níveis de colesterol, o risco trazido pela raiva era cinco vezes maior.

Os pesquisadores de Yale observam que talvez não seja apenas a raiva que aumenta o risco de morte por doenças cardíacas, mas sim sentimentos negativos muito intensos, de qualquer espécie, que enviam regularmente ondas de hormônio de estresse por todo o corpo. Mas, no todo, as mais fortes correlações científicas entre emoções e doença cardíaca apontam para a raiva: um estudo da Faculdade de Medicina de Yale pediu a mais de 1.500 homens e mulheres que haviam sofrido ataques cardíacos que falassem de seu estado de humor nas horas que antecederam a crise. Foi constatado que a raiva mais que duplicava o risco de parada cardíaca em pessoas que já tinham problemas de coração; o risco maior durava cerca de duas horas depois da provocação da raiva.[14]

Tais constatações não significam que as pessoas devam tentar não sentir raiva, quando ela é apropriada. Na verdade, há indícios de que tentar suprimir completamente esses sentimentos, no calor do momento, resulta, na verdade, numa agitação maior do corpo e pode elevar a pressão sanguínea.[15] Por outro lado, como vimos no Capítulo 5, quando damos vazão à raiva, simplesmente a alimentamos, tornando-a uma resposta-padrão para qualquer situação que nos aborreça. Williams assim resolve esse paradoxo: se devemos ou não expressar a raiva é uma questão menos importante do que ter, de forma crônica, sentimentos de raiva. Uma ocasional demonstração de ressentimento não faz mal à saúde; o problema é quando o ressentimento se torna tão constante a ponto de definir um estilo pessoal antagonístico — assinalado por repetidos sentimentos de desconfiança e ceticismo e pela tendência a tecer comentários sarcásticos, além de outros mais óbvios ataques de mau gênio e cólera.[16]

A notícia auspiciosa é que a raiva crônica não é necessariamente uma sentença de morte: ser rancoroso é um hábito que pode ser mudado. Um grupo de pacientes cardiopatas da Faculdade de Medicina da Universidade de Stanford foi inscrito num programa destinado a ajudá-los a controlar suas tendências ao "pavio curto". Comparados com aqueles que não tinham tentado alterar o comportamento, para os cardiopatas que participaram do programa a probabilidade de sofrerem outra crise ficou reduzida em 44%.[17] Um outro programa, concebido por Williams, tem obtido semelhantes resultados benéficos.[18] Tal como o programa de Stanford, fornece um treinamento básico em inteligência emocional, sobretudo no que diz respeito a tomar consciência da raiva tão logo ela se inicie, na capacidade de mantê-la sob controle uma vez iniciada e na empatia. Pede-se aos pacientes que anotem pensamentos céticos ou rancorosos quando os percebam. Se os pensamentos persistem, eles tentam eliminá-los, dizendo (ou pensando): "Para!" E são estimulados a substituir, diante de situações críticas, esses pensamentos por outros que sejam racionais — por exemplo, se um elevador demora a chegar, buscar uma boa explicação, em vez de sentir raiva por uma imaginária pessoa egoísta que possa ser responsável pela demora. Para contatos frustrantes, eles treinam a capacidade de ver as coisas da perspectiva da outra pessoa — a empatia é um bálsamo para a raiva.

Como disse Williams:

— O antídoto para a hostilidade é desenvolver um espírito mais confiante. Basta que tenhamos um bom motivo para isso. Quando as pessoas constatam que a hostilidade pode levá-las muito cedo para a cova, se dispõem a tentar.

Tensão: Ansiedade Fora de Propósito e Fora de Lugar

Eu vivo ansiosa e tensa o tempo todo. Tudo começou quando eu estava no ginásio. Eu era uma estudante que só tirava A, sempre preocupada com minhas notas, em saber se os meus colegas e os professores gostavam de mim, em estar preparada para as aulas — coisas assim. Meus pais faziam muita pressão para eu me sair bem na escola e ser exemplar... Acho que simplesmente desabei sob toda essa pressão, porque meus problemas estomacais começaram no segundo ano ginasial. Desde essa época, preciso ter realmente muito cuidado com cafeína e comidas muito condimentadas. Noto que, quando fico preocupada ou tensa, o estômago fica ardendo, e, como sempre estou preocupada com uma coisa ou outra, vivo nauseada.[19]

A ansiedade — um problema causado pelas pressões da vida — é talvez a emoção com maior correlação científica ligando-a ao começo de uma doença e ao curso da recuperação. Quando a ansiedade serve para que nos preparemos para lidar com algum perigo (uma suposta utilidade na evolução humana), está nos prestando um bom serviço. Mas na vida moderna a ansiedade é, na maioria das vezes, fora de propósito e dirigida para o alvo errado — a raiva se torna patológica quando ocorre em circunstâncias triviais ou quando é invocada pela mente como reação equivocada, dirigida ao alvo errado. Repetidos ataques de ansiedade indicam altos níveis de estresse. A mulher cuja preocupação constante lhe causa problemas gastrintestinais é um exemplo didático de como a ansiedade e o estresse exacerbam problemas clínicos.

Num comentário de 1993, nos *Archives of Internal Medicine,* sobre a extensa pesquisa sobre a correlação estresse-doença, Bruce McEwen, psicólogo de Yale, observou um largo espectro de efeitos: comprometimento do sistema imunológico a ponto de disparar a metástase do câncer; aumento da vulnerabilidade a infecções virais; exacerbação na formação de placas que levam à arteriosclerose e à obstrução do sangue que causa enfarte do miocárdio; aceleração do início da diabete Tipo I e do curso da Tipo II; e piora ou provocação de uma crise asmática.[20] O estresse também pode levar à ulceração do trato gastrintestinal, provocando sintomas como colite ulcerativa e doenças inflamatórias do intestino. O próprio cérebro está sujeito aos efeitos de longo prazo do estresse constante, incluindo danos ao hipocampo e, portanto, à memória. De um modo geral, diz McEwen, "crescem os indícios de que o sistema nervoso está sujeito a 'desgaste e rompimento' como resultado de experiências estressantes".[21]

Indícios particularmente fortes do impacto clínico do estresse vieram de estudos sobre doenças infecciosas como resfriados, gripes e herpes. Vivemos constantemente expostos a esses vírus, mas em geral nosso sistema imunológico os mantém a distância — só que, sob estresse emocional, essas defesas na maioria das vezes falham. Em experimentos nos quais a robustez do sistema imunológico foi avaliada diretamente descobriu-se que o estresse e a ansiedade o debilitam, mas a maioria desses estudos não deixa claro se a gama de enfraquecimento imunológico tem significado clínico — ou seja, se é suficientemente grande para abrir caminho à doença.[22] Por esse motivo, mais fortes ligações científicas entre tensão e ansiedade com vulnerabilidade clínica vêm de estudos de acompanhamento: aqueles que começam com pessoas saudáveis e monitoram primeiro um aumento de perturbação, seguido por um enfraquecimento do sistema imunológico e o início da doença.

Num dos estudos mais cientificamente sérios, Sheldon Cohen, psicólogo da Universidade de Carnegie-Mellon, trabalhando com cientistas numa unidade de pesquisa especializada em resfriados em Sheffield, na Inglaterra, avaliou cuidadosamente o nível de estresse com que as pessoas conviviam e em seguida as expôs sistematicamente a um vírus de resfriado. Nem todos contraíram a doença; um sistema imunológico robusto pode resistir — e o faz constantemente — ao vírus do resfriado. Cohen constatou que quanto mais tensão as pessoas tinham em suas vidas, mais provável era que pegassem resfriado. Entre aqueles que viviam sob baixa tensão, 27% se resfriaram após expostos ao vírus; entre os mais tensos, 47% ficaram doentes — prova cabal de que a própria tensão debilita o sistema imunológico.[23] (Embora esse talvez seja um daqueles resultados científicos que confirmam o que todo mundo já sabia ou suspeitava, é considerado uma descoberta que fez época, dado o seu rigor científico.)

Do mesmo modo, casais que durante três meses, diariamente, tiveram de lidar com questões desgastantes e perturbadoras como, por exemplo, discussões conjugais, mostraram um forte padrão: três ou quatro dias após uma série particularmente intensa de perturbações, contraíram resfriado ou infecção das vias respiratórias. O período de retardo é precisamente o tempo de incubação dos vírus mais comuns de resfriado, sugerindo que a exposição ao vírus, quando estavam mais preocupados e perturbados, os tornava mais vulneráveis.[24]

O mesmo padrão estresse-infecção se aplica ao vírus do herpes — tanto aquele que causa feridas nos lábios quanto o que causa lesões genitais. Assim que as pessoas são expostas a esse vírus, ele fica latente, eclodindo de tempos em tempos. A atividade desse vírus pode ser identificada pelos níveis de específicos anticorpos no sangue. Através desse método, foi possível descobrir a reativação do vírus do herpes em estudantes em exame final, em mulheres recém-separadas e entre pessoas estressadas por estarem cuidando de pessoa da família com o mal de Alzheimer.[25]

O que a ansiedade acarreta não é apenas a redução da resposta imunológica; outra pesquisa mostra efeitos adversos no sistema cardiovascular. Enquanto o sentimento de rancor crônico e a raiva episódica parecem pôr os homens sob um grande risco de contração de doença cardíaca, as emoções mais letais em mulheres são a ansiedade e o medo. Numa pesquisa feita na Faculdade de Medicina de Stanford com mais de mil homens e mulheres que haviam sofrido um ataque cardíaco, as mulheres que sofreram um segundo ataque se caracterizavam por uma grande tendência a sentir medo e ansiedade. Em muitos casos, o medo se apresentava sob a forma de fobias incapacitantes: após o primeiro ataque cardíaco, as pacientes paravam de dirigir, de trabalhar ou evitavam sair de casa.[26]

Os insidiosos efeitos físicos da tensão mental e ansiedade — produzidas por um determinado tipo de profissão ou por uma vida sob grande pressão, como a da mãe solteira que faz malabarismos para dar conta das tarefas domésticas e do trabalho fora de casa — estão sendo identificados num nível anatomicamente minucioso. Por exemplo, Stephen Manuck, psicólogo da Universidade de Pittsburgh, submeteu trinta voluntários, em laboratório, a uma provação rigorosa, carregada de ansiedade e, enquanto isso, monitorava o sangue dos homens, avaliando uma substância secretada por plaquetas de sangue chamada adenosina trifosfato ou ATP, que pode provocar mudanças nos vasos sanguíneos, causando ataque cardíaco ou derrames. Quando os voluntários se achavam sob intenso estresse, seus níveis de ATP subiam acentuadamente, o mesmo acontecendo com o ritmo cardíaco e a pressão sanguínea.

Conforme é de se supor, os riscos para a saúde são maiores para aqueles que trabalham sob intensa "pressão": alta exigência de desempenho e pouca ou nenhuma possibilidade de ter sob o próprio controle as tarefas que lhes são exigidas (uma situação que acarreta, entre outros problemas, a hipertensão arterial em motoristas de ônibus). Por exemplo, num estudo com 569 pacientes com câncer colorretal e com um grupo de comparação portador da mesma doença, os que disseram que, nos últimos dez anos, tinham sofrido grande contrariedade no trabalho tinham cinco vezes e meia mais probabilidades de ter câncer do que os que não viviam sob esse tipo de estresse.[27]

Como o custo clínico da perturbação é muito grande, técnicas de relaxamento — que imediatamente refreiam a estimulação fisiológica da tensão — estão sendo usadas clinicamente para aliviar os sintomas de uma grande variedade de doenças crônicas. Entre elas estão a doença cardiovascular, alguns tipos de diabete, artrite, asma, problemas gastrintestinais e dor crônica, para citar algumas. Na medida em que qualquer sintoma é agravado pela tensão e perturbação emocional, o auxílio aos pacientes para que consigam relaxar e controlar seus sentimentos turbulentos muitas vezes proporciona algum alívio.[28]

O Peso Clínico da Depressão

Ela recebeu o diagnóstico de um câncer metastático no seio, um retorno e disseminação da malignidade, vários anos depois do que julgara ter sido uma bem-sucedida cirurgia para extirpar a doença. Agora o médico não mais podia falar de cura e a quimioterapia, na melhor das hipóteses, ofereceria apenas mais uns poucos meses de vida. Ela estava, compreensivelmente, deprimida — tanto que, sempre que ia ao oncologista, a certa altura caía em prantos. Reação do médico a cada consulta: pedir-lhe que deixasse imediatamente o consultório.

Deixando de lado a lamentável frieza do oncologista, era importante, do ponto de vista clínico, o fato de ele não querer lidar com a tristeza da paciente? Quando uma doença se torna tão virulenta, é improvável que qualquer emoção tenha algum efeito considerável sobre o seu progresso. Embora a depressão dessa mulher, com toda a certeza, tenha obscurecido a qualidade de seus últimos meses de vida, os indícios clínicos de que a melancolia possa afetar o curso do câncer ainda são contraditórios.[29] Mas, afora o câncer, alguns estudos sugerem que a depressão exerce influência em muitos outros males encontrados na clínica médica, sobretudo no agravamento de uma doença, depois de iniciada. É cada vez maior o número de indícios que demonstram que, para pacientes com doenças sérias e deprimidos, seria útil, em termos clínicos, tratar também da depressão.

O complicador trazido pelo tratamento da depressão na clínica médica é que os seus sintomas, que incluem a perda de apetite e a letargia, são facilmente confundíveis com sintomas de outras doenças, sobretudo por médicos com pouca formação em diagnose psiquiátrica. Essa incapacidade de diagnosticar a depressão pode, por si só, agravar o problema, pois significa que a depressão de um paciente — como a da paciente de câncer no seio que chorava — passa despercebida e não é tratada. E a ausência do diagnóstico e do tratamento pode aumentar o risco de morte em doenças graves.

Por exemplo, de 100 pacientes que receberam transplantes de medula óssea, 12 dos 13 que estavam deprimidos morreram no primeiro ano após a cirurgia, enquanto 34 dos 87 restantes continuavam vivos dois anos depois.[30] E em pacientes com insuficiência renal crônica que faziam hemodiálise, era mais provável que aqueles com depressão severa diagnosticada morressem nos dois anos seguintes; a depressão era um fator de previsão de morte mais forte que qualquer outro sintoma clínico.[31] No caso, a rota que ligava emoção à condição clínica não era biológica, mas comportamental: os pacientes deprimidos não obedeciam às prescrições médicas — trapaceavam nas dietas, por exemplo, o que os punha sob maior risco.

Há indícios de que também os problemas cardíacos se exacerbem com a depressão. Num estudo com 2.832 homens e mulheres de meia-idade acompanhados durante 12 anos, para aqueles que se sentiam sempre desesperançados também havia uma probabilidade maior de mortalidade por doença cardíaca.[32] E para cerca de 3% daqueles que sofriam de depressão severa, a taxa de mortalidade por doença cardíaca, em comparação com aqueles que não estavam em depressão, era quatro vezes maior.

É muito provável que a depressão cause problemas clínicos particularmente graves para aqueles que sofreram ataque cardíaco.[33] Em estudo feito num hospital de Montreal, pacientes que tiveram alta após serem tratados de um primeiro ataque cardíaco e estavam deprimidos corriam um risco muitíssimo maior de morrer nos seis meses seguintes. Constatou-se que para um entre oito com depressão grave, a taxa de mortalidade foi cinco vezes mais alta que para outros com igual doença — um efeito clínico de dimensão igual ao risco de morte associado a problemas cardíacos como a disfunção no ventrículo esquerdo ou um histórico de ataques cardíacos anteriores. Entre os possíveis mecanismos que podem explicar por que a depressão aumenta tanto a possibilidade de um outro ataque estão os seus efeitos sobre a variabilidade do ritmo cardíaco, que aumenta o risco de arritmias fatais.

Também foi constatado que a depressão complica a recuperação de fratura da bacia. Num estudo com senhoras portadoras desse tipo de fratura, milhares receberam avaliações psiquiátricas ao darem entrada no hospital. Aquelas que estavam deprimidas ficaram no hospital numa média de oito dias a mais do que aquelas com problema idêntico, mas não deprimidas, e tinham só um terço de probabilidade de voltarem a andar. Mas aquelas que estavam sob depressão e que, além dos cuidados clínicos, também tiveram assistência psiquiátrica, precisaram de menos fisioterapia para voltar a andar e menos hospitalização nos três meses que se seguiram à alta.

Do mesmo modo, num estudo de pacientes cuja condição era tão crítica que estavam entre os primeiros 10% dos que usavam serviços médicos — muitas vezes por terem múltiplas doenças, como problemas cardíacos e diabete —, cerca de um em seis era portador de depressão grave. Quando foram tratados deste problema, o número de dias por ano que ficaram incapacitados caiu de 79 para 51 para aqueles com grande depressão, e de 62 dias para apenas 18 para os que tinham sido tratados de depressão branda.[34]

OS BENEFÍCIOS CLÍNICOS DO OTIMISMO

Os crescentes indícios sobre os efeitos clínicos adversos dos sentimentos de raiva, ansiedade e depressão, portanto, são muito fortes. Tanto a raiva quanto a ansiedade, quando crônicas, podem fazer com que a pessoa fique mais susceptível a várias doenças. Ao mesmo tempo que a depressão talvez não possa ser associada ao contraimento de doenças, ela dificulta a recuperação clínica e aumenta o risco de morte, sobretudo em pacientes mais fragilizados em virtude de doença grave.

Mas se a perturbação emocional crônica, em suas muitas formas, é tóxica, o oposto pode ser revigorante. Isso não quer dizer, de modo algum, que sentimentos positivos curem ou que basta sorrir e ser feliz para que o curso de uma doença séria se reverta. Os benefícios proporcionados por emoções positivas são imperceptíveis, mas pesquisas feitas junto a um grande número de pessoas permitem verificar seus efeitos nas inumeráveis e complexas variáveis que afetam o curso da doença.

O Custo do Pessimismo e os Benefícios do Otimismo

Tal como ocorre na depressão, há ônus clínicos acarretados pelo pessimismo e vantagens correspondentes no otimismo. Por exemplo, 122 homens que tiveram um primeiro ataque cardíaco foram avaliados quanto ao grau de otimismo ou pessimismo. Oito anos depois, dos 25 mais pessimistas, 21 haviam morrido; dos 25 mais otimistas, apenas seis. A forma como encaravam a vida revelou-se um melhor previsor de sobrevivência do que qualquer outro fator clínico de risco, incluindo a extensão do dano causado ao coração no primeiro ataque, bloqueio de artéria, nível de colesterol ou pressão do sangue. E em outra pesquisa, os pacientes mais otimistas entre os que iam se submeter a uma cirurgia de ponte de safena tiveram uma recuperação muito mais rápida e menos complicações clínicas durante e após a cirurgia do que os pacientes mais pessimistas.[35]

Como seu primo-irmão, a esperança na recuperação tem poder curativo. As pessoas que confiam na recuperação são, naturalmente, mais capazes de suportar circunstâncias adversas, inclusive problemas de saúde. Num estudo de pessoas paralíticas por danos na coluna, as mais confiantes conseguiram conquistar maior grau de mobilidade física, em comparação com outros pacientes com danos assemelhados, mas que eram pessimistas. A esperança na recuperação é muito importante nos casos de lesão espinhal, pois este é um tipo de tragédia clínica que envolve normalmente pessoas que, em torno dos 20 anos, ficam paralíticas devido a acidentes e que terão de lidar com essa deficiência durante muitos anos. A maneira como reagem emocionalmente será determinante para que se esforcem para obter um melhor desempenho físico e social.[36]

O motivo pelo qual uma perspectiva otimista ou pessimista afeta a saúde é uma questão aberta a várias explicações. Uma teoria sugere que o pessimismo leva à depressão, que por sua vez interfere com a resistência do sistema imunológico a tumores e infecções — uma especulação não comprovada até o presente. Ou pode acontecer de pacientes pessimistas não se cuidarem — alguns estudos constataram que os pessimistas fumam e bebem mais, e fazem menos exercício que os otimistas, e são em geral mais descuidados com a saúde. Ou pode ser que um dia seja descoberto que a fisiologia da esperança possa biologicamente ajudar o corpo em sua luta contra a doença.

Com um Pouco de Ajuda de Meus Amigos: O Valor Clínico das Relações Afetivas

Acrescente-se a solidão à lista de riscos emocionais para a saúde — e os laços emocionais estreitos à lista de fatores protetores. Estudos feitos durante duas décadas, envolvendo mais de 37 mil pessoas, mostram que o isolamento social — a sensação de que não temos com quem partilhar os nossos mais íntimos sentimentos ou ter uma relação de intimidade — duplica a possibilidade de contrairmos doença ou de morrermos.[37] O isolamento, por si só, concluiu uma comunicação científica de 1987 publicada na revista *Science*, "é tão importante para as taxas de mortalidade quanto o fumo, a alta pressão sanguínea, o colesterol alto, a obesidade e a falta de exercício físico". Na verdade, o fumo aumenta o risco de mortalidade por um fator de apenas 1,6%, enquanto o isolamento social representa um risco de 2,0%, ou seja, é pior para a saúde.[38]

Para os homens, o isolamento é mais difícil de suportar. Os que viviam isolados, em comparação com aqueles que mantinham estreitos laços sociais, tinham de duas a três vezes mais probabilidade de morrer; nas mulheres em idênticas condições, o risco era uma vez e meia maior do que para as outras que tinham mais ligações sociais. A diferença na forma como homens e mulheres reagem ao isolamento talvez se justifique pelo fato de os relacionamentos delas tenderem a ser mais estreitos emocionalmente; alguns poucos laços sociais para uma mulher são mais reconfortantes que igualmente poucas amizades para um homem.

Há uma grande diferença entre solidão e isolamento; muitas pessoas que vivem sozinhas ou que têm poucos contatos com amigos vivem satisfeitas e saudáveis. É a sensação subjetiva de estar isolado das pessoas, e de não ter com quem contar, que se constitui em risco para a saúde. Essa constatação é sinistra, em vista, nas modernas sociedades urbanas, do crescente isolamento gerado pelo hábito de ficar vendo televisão sozinho e da diminuição de hábitos sociais como frequentar um clube e visitar pessoas, e sugere um maior valor para os grupos de autoajuda do tipo Alcoólicos Anônimos, como formas substitutivas de vida em comunidade.

O poder do isolamento como fator de risco para a saúde — e o poder curativo dos laços estreitos — pode ser constatado em estudo de cem pacientes de transplante de medula óssea.[39] Entre os pacientes que contavam com grande apoio emocional dos cônjuges, família ou amigos, 54% sobreviveram ao transplante até dois anos, contra apenas 20% daqueles que haviam relatado não terem esse tipo de recurso afetivo. Do mesmo modo, idosos que sofrem ataques cardíacos, mas têm duas ou mais pessoas com quem podem contar emocionalmente, têm duas vezes mais probabilidade de sobreviver mais de um ano após a crise do que as pessoas que não têm esse apoio.[40]

Talvez a prova mais reveladora da potência curativa dos laços afetivos venha de um estudo sueco publicado em 1993.[41] Ofereceu-se a todos os homens que viviam na cidade sueca de Göteborg, nascidos em 1933, um exame médico gratuito; sete anos depois, esses 752 homens foram contatados. Quarenta e um deles haviam morrido.

Aqueles que, no primeiro exame, disseram estar vivendo sob intensa tensão emocional tiveram uma taxa de mortalidade três vezes maior que os que disseram que suas vidas eram calmas e plácidas. A perturbação emocional devia-se a graves problemas financeiros, insegurança no emprego ou ser forçado a deixá-lo, ser objeto de um processo judicial ou estar se divorciando. Três ou mais desses problemas no ano anterior ao exame era um fator de previsão mais seguro de morte nos sete anos que se seguiram do que indicadores clínicos como a alta pressão sanguínea, alta concentração de triglicerídeos no sangue ou altos níveis de colesterol.

Contudo, entre os homens que disseram ter uma rede confiável de intimidade — esposa, amigos íntimos e outros —, *não houve qualquer correlação* entre o alto nível de tensão e a taxa de mortalidade. O fato de terem pessoas com quem contar, conversar, pessoas que podiam oferecer consolo, ajuda e aconselhamento protegia-os do impacto mortal dos rigores e traumas da vida.

A qualidade e um razoável número de pessoas com quem nos relacionamos parecem ser fundamentais para amenizar tensões. Os relacionamentos negativos têm um alto custo. As discussões conjugais, por exemplo, causam um impacto negativo no sistema imunológico.[42] Um estudo de colegas que moravam num quarto na universidade constatou que quanto mais eles antipatizavam um com o outro, mais susceptíveis ficavam a resfriados e gripes, e com mais frequência procuravam assistência médica. John Cacioppo, psicólogo da Universidade do Estado de Ohio, que fez essa pesquisa, me disse:

— São os relacionamentos mais importantes na vida da gente, as pessoas com quem a gente mantém contato cotidiano, que são importantes para nossa saúde. E quanto mais significativo for o relacionamento, mais ele é importante para a preservação de nossa saúde.[43]

O Poder Curativo do Apoio Emocional

Em *As Alegres Aventuras de Robin Hood,* Robin aconselha a um jovem discípulo: "Conte-nos seus problemas e fale livremente. Uma enxurrada de palavras sempre ameniza as mágoas do coração; é como abrir as comportas de uma represa que está transbordante." Este exemplo de sabedoria popular faz sentido; o desabafo é um bom remédio. A corroboração científica do conselho de Robin vem de James Pennebaker, psicólogo da Universidade Metodista do Sul, que demonstrou, numa série de experimentos, que, quando as pessoas expressam os sentimentos que mais as perturbam, o efeito clínico é benéfico.[44] O método dele é muito simples: pede às pessoas que escrevam, durante 15 ou vinte minutos por dia, pelo período de mais ou menos cinco dias, sobre, por exemplo, "a mais traumática experiência que já tiveram", ou alguma preocupação premente. O que as pessoas escrevem pode ficar só para elas mesmas, se quiserem.

O resultado dessa "confissão" é impressionante: melhor função imunológica, quedas significativas de atendimento em centros de saúde nos seis meses seguintes, menor falta ao trabalho e até melhor função enzimática do fígado. Além disso, aqueles em cujos textos havia mais sinais de pensamentos turbulentos foram os que obtiveram maior melhora na função imunológica. A pesquisa revelou um padrão específico como a forma "mais saudável" de extravasar sentimentos perturbadores: primeiro, expressar um alto nível de tristeza, ansiedade, raiva — qualquer sentimento perturbador que o tema evocasse;

depois, no decorrer dos dias seguintes, tecer uma narrativa, identificando algum significado no trauma ou esforço.

Esse processo, óbvio, se assemelha ao que ocorre na psicoterapia. Na verdade, as constatações de Pennebaker sugerem por que outros estudos mostram que pacientes que recebem ajuda psicoterápica, além de intervenções cirúrgicas ou tratamento clínico, muitas vezes obtêm melhoras mais significativas *em suas condições clínicas* do que os que recebem apenas tratamento clínico.[45]

Talvez a maior demonstração do valor clínico do apoio emocional esteja nos encontros de grupo da Faculdade de Medicina da Universidade de Stanford, destinados a mulheres com avançado câncer metastático no seio. Após um tratamento inicial, que muitas vezes incluíra cirurgia, o câncer dessas mulheres voltara e espalhava-se por todo o corpo. Era só uma questão de tempo, clinicamente falando, para que a doença, expandindo-se, as matasse. O próprio Dr. David Spiegel, que fez o estudo, ficou espantado com as constatações, o mesmo acontecendo com a comunidade médica: as mulheres com avançado câncer no seio que participavam regularmente das reuniões sobreviviam *duas vezes mais* que aquelas que portavam a mesma doença, mas que a enfrentavam sozinhas.[46]

Todas as mulheres receberam a assistência clínica padrão; a única diferença era que algumas também participavam dos grupos, onde podiam desabafar com outras que entendiam o que elas estavam passando e estavam disponíveis para ouvir os seus temores, dor e mágoa. Para muitas delas, aquele era o único lugar onde podiam falar abertamente sobre seus sentimentos, porque as pessoas com quem conviviam temiam referir-se ao câncer e à morte iminente. As mulheres que frequentavam os grupos viveram, em média, mais três anos e um mês, enquanto as outras morreram, em média, em um ano e sete meses — um ganho em expectativa de vida para essas pacientes maior que qualquer remédio ou outro tratamento clínico. Como disse o Dr. Jimmie Holland, oncologista psiquiátrico e chefe do Sloan-Kettering Memorial Hospital, um centro de tratamento de câncer na cidade de Nova York:

— Todo paciente de câncer devia frequentar um grupo desse tipo.

Na verdade, se os efeitos produzidos pela participação em grupos de apoio desse gênero pudessem ser produzidos por uma determinada droga, os laboratórios farmacêuticos estariam se engalfinhando para fabricá-la.

A APLICAÇÃO DA INTELIGÊNCIA EMOCIONAL NA ASSISTÊNCIA CLÍNICA

No dia em que um checkup de rotina detectou sangue em minha urina, meu médico me mandou fazer um exame em que me injetaram uma tintura radiativa. Fiquei deitado numa mesa, enquanto uma máquina de raios X produzia sucessivas imagens do avanço da tintura pelos meus rins e bexiga. Eu tinha companhia no exame: um amigo íntimo, médico, por acaso estava na cidade por alguns dias e ofereceu-se para ir ao hospital comigo. Ficou sentado na sala enquanto a máquina de raios X, num trilho automático, rodava em busca de novos ângulos de câmera, zumbia e soltava estalidos; zumbia e soltava estalidos.

O exame levou uma hora e meia. No finalzinho, um nefrologista entrou correndo na sala, apresentou-se às pressas e saiu com as chapas. Não voltou para me dizer o que elas mostravam.

Quando estávamos saindo da sala de exames, meu amigo e eu passamos pelo nefrologista. Sentindo-me abalado e um pouco tonto por causa do exame, não tive a presença de espírito de fazer a única pergunta que permanecera em minha cabeça durante toda a manhã. Mas meu companheiro, o médico, fez:

— Doutor — disse —, o pai de meu amigo morreu de câncer na bexiga. Ele está ansioso para saber se o senhor viu algum sinal de câncer nas chapas.

— Nada de anormal — foi a sucinta resposta do nefrologista, que corria para seu próximo compromisso.

Minha incapacidade de perguntar o que mais me importava acontece mil vezes por dia em hospitais e clínicas por toda parte. Um estudo de pacientes em salas de espera constatou que cada um tinha uma média de três ou mais perguntas a fazer ao médico. Mas quando saíam do consultório, uma média de apenas uma e meia dessas perguntas fora respondida.[47] Essa constatação revela uma das muitas formas como as necessidades emocionais dos pacientes ficam sem atendimento pela medicina moderna. Perguntas não respondidas alimentam incerteza, medo, catastrofização. E levam os pacientes a não seguirem prescrições que não entendem plenamente.

Há muitas formas de a medicina expandir sua concepção a respeito do que é saúde, para nela incluir a vivência afetiva da doença. Por exemplo, os pacientes poderiam receber, de forma rotineira, informações essenciais para os cuidados que terão consigo mesmos; há hoje programas de computador que permitem a qualquer pessoa acessar a literatura médica relativa a doenças específicas, o que possibilita que os pacientes fiquem em igualdade de condições com os seus médicos e que, portanto, tomem decisões com base em informação científica.[48] Outra abordagem são os programas que, em poucos minutos, ensinam aos pacientes a serem mais eficazes nas perguntas que farão aos médicos, para que, quando tiverem três perguntas a fazer, saiam do consultório com três respostas.[49]

Os momentos em que os pacientes enfrentam uma cirurgia ou exames invasivos e dolorosos são de muita ansiedade — e uma oportunidade ideal para lidar com a dimensão emocional. Alguns hospitais têm criado instruções pré-cirurgia que os ajuda a aliviar seus temores e lidar com seus desconfortos — por exemplo, ensinando aos pacientes técnicas de relaxamento, respondendo a suas perguntas muito antes da cirurgia e dizendo-lhes vários dias antes o que provavelmente sentirão durante a recuperação. Resultado: os pacientes recuperam-se da cirurgia numa média de dois a três dias antes do previsto.[50]

Ser paciente num hospital é uma experiência tremendamente solitária e de desamparo. Mas alguns hospitais já começaram a projetar quartos onde membros da família podem ficar com os pacientes, cozinhando e cuidando deles como o fariam em casa — um passo progressista que, ironicamente, é rotina em todo o Terceiro Mundo.[51]

O exercício de relaxamento ajuda os pacientes a lidar com parte da angústia que trazem os sintomas, e também com as emoções que podem estar provocando ou exacerbando esses sintomas. Um modelo exemplar é a Clínica de Redução da Tensão de Jon Kabat-Zinn, no Centro Médico da Universidade de Massachusetts, que oferece aos pacientes um curso de dois meses e meio de meditação e ioga; a ênfase é na tomada de consciência dos episódios emocionais à medida que ocorrem, e no cultivo de uma prática diária que proporciona profundo relaxamento. Os hospitais produziram vídeos do curso que podem ser vistos pelos pacientes — uma dieta emocional muito melhor para os acamados que a gororoba habitual das telenovelas.[52]

Relaxamento e ioga também fazem parte do programa inovador para o tratamento de doenças cardíacas criado pelo Dr. Dean Ornish.[53] Após um ano desse programa, que incluía uma dieta pobre em gordura, os pacientes com problema cardíaco severo o suficiente para merecer uma ponte de safena na verdade revertiam a acumulação das placas que obstruíam as artérias. Ornish diz que o curso de relaxamento é uma das partes mais importantes do programa. Como o de Kabat-Zinn, aproveita o que o Dr. Herbert Benson chama de "resposta de relaxamento", o oposto fisiológico da estimulação da tensão que contribui para um amplo espectro de problemas clínicos.

Finalmente, há o valor terapêutico adicional do médico ou enfermeiro empático, sintonizado com os pacientes, capaz de ouvir e de se fazer ouvir. Esse tipo de conduta constitui-se numa "assistência centrada no relacionamento", na aceitação de que o relacionamento entre médico e paciente é em si um fator importante. Esses relacionamentos seriam mais prontamente estimulados se a formação médica incluísse algumas ferramentas básicas de inteligência emocional, sobretudo a autoconsciência e as artes da empatia e do saber ouvir.[54]

POR UMA MEDICINA QUE SE ENVOLVA

Essas medidas são um começo. Mas, para a medicina ampliar seus horizontes e neles inserir o impacto das emoções, devem-se levar a sério duas grandes implicações das descobertas científicas:

1. *Ajudar as pessoas a lidar melhor com sentimentos incômodos como a raiva, ansiedade, depressão, pessimismo e sensação de solidão é uma forma de prevenir doenças.* Como os dados mostram que a toxicidade dessas emoções, quando crônicas, equivale ao hábito de fumar, ajudar as pessoas a lidar melhor com elas tem, potencialmente, um ganho clínico tão grande quanto conseguir que os fumantes deixem de fumar. Uma das maneiras de fazer isso e que se refletiria na saúde pública seria transmitir as mais básicas aptidões da inteligência emocional às crianças, de modo a

torná-las hábitos para toda a vida. Outra estratégia preventiva e que geraria dividendos seria ensinar o controle de emoção a pessoas que, idosas, vão se aposentar, uma vez que o bem-estar emocional é um dos fatores que determinam se a pessoa idosa declina ou floresce. Um terceiro alvo seriam as chamadas populações de risco — os muito pobres, as mães solteiras que trabalham fora, os moradores de bairros com alto índice de criminalidade e outros tais —, que vivem sob extraordinária pressão no dia a dia, e que por isso poderiam obter ganhos, do ponto de vista clínico, se soubessem lidar com o custo emocional dessas tensões.

2. *Muitos pacientes podem auferir imensos benefícios quando a assistência clínica é acompanhada de assistência psicológica.* Embora o fato de um médico ou enfermeiro oferecer conforto e consolo a um paciente angustiado já seja um grande passo em direção a uma assistência mais humana, é possível fazer mais. Acontece que, muitas vezes, a oportunidade de prestar assistência emocional se perde na maneira como, hoje, é praticada a medicina; este é um ponto cego para a medicina. Apesar dos crescentes dados sobre a utilidade clínica do atendimento a carências emocionais, além dos indícios que sugerem a ligação entre o centro emocional do cérebro e o sistema imunológico, muitos médicos continuam céticos acerca da importância das emoções de seus pacientes em termos clínicos, descartando qualquer sinal a favor como sendo trivial, folclórico, como "periférico" ou, pior, como exageros de alguns poucos que querem se promover.

Embora cada vez mais aumente a procura por uma medicina mais humana, esta está em vias de extinção. É claro que ainda há médicos e enfermeiros dedicados, que dispensam aos pacientes uma atenção carinhosa e sensível. Mas a própria cultura em mudança da medicina, à medida que se submete cada vez mais a imperativos empresariais, faz com que esse tipo de assistência seja cada vez mais difícil de ser encontrado.

Mas pode haver um ganho comercial na medicina humanística: há indícios de que tratar perturbações emocionais nos pacientes é economicamente vantajoso — sobretudo na medida em que impede ou retarda o início da doença, ou ajuda os pacientes a obter alta mais depressa. Num estudo de pacientes idosos com fratura de bacia na Faculdade de Medicina Mt. Sinai, na cidade de Nova York e na Universidade do Noroeste, foi constatado que os pacientes que eram tratados da depressão, além do tratamento ortopédico normal, deixaram o hospital uma média de dois dias antes; a economia total para as centenas de pacientes foi de 97.361 dólares em despesas médicas.[55]

Essa assistência extra também deixa os pacientes mais satisfeitos com seus médicos e com o tratamento. No emergente mercado médico, onde os pacientes muitas vezes têm a opção de escolher entre planos de saúde concorrentes, os níveis de satisfação sem dúvida entram na equação dessas decisões muito pessoais — experiências frustrantes levam os pacientes a buscar assistência em outra parte, enquanto as agradáveis se traduzem em fidelidade.

Acrescente-se, finalmente, que a ética médica exige uma abordagem humanística. Um editorial do *Journal of the American Medical Association,* ao comentar uma comunicação científica sobre o fato de a depressão aumentar cinco vezes a probabilidade de morte após o tratamento de um ataque cardíaco, observa: "A clara demonstração de que fatores psicológicos como depressão e isolamento social distinguem os pacientes de doenças cardíacas como de alto risco significa que seria antiético não começar a tratar esses fatores."[56]

O que as constatações sobre emoções e saúde estão a dizer é que não mais é adequada a assistência médica que ignora como as pessoas *se sentem* quando convivem com uma doença crônica ou séria. É hora de a medicina tirar um proveito mais metódico da estreita ligação que existe entre emoção e saúde. O que hoje é exceção poderia — e deveria — ser a tendência geral, de forma que uma medicina verdadeiramente assistencial esteja ao alcance de todos. No mínimo, isso tornaria a medicina mais humana. E, para alguns, pode apressar o curso da recuperação. "Ter compaixão", disse um paciente em carta aberta a seu cirurgião, "é mais do que segurar a mão. É o equivalente a um bom remédio."[57]

PARTE QUATRO

MOMENTOS OPORTUNOS

12

O Ambiente Familiar

Está acontecendo um pequeno drama familiar. Carl e Ann ensinam à filha Leslie, de apenas 5 anos, como jogar um novo videogame. Mas, quando Leslie começa a jogar, as ansiosas tentativas dos pais em "ajudar" só atrapalham. Orientações contraditórias voam para todos os lados.

— Pra direita, pra direita: pare aí. Pare aí. Pare! — grita a mãe, Ann, num tom cada vez mais intenso e ansioso, enquanto Leslie, mordendo os lábios e com os olhos arregalados para a tela, se esforça para seguir as orientações.

— Está vendo, não está alinhado... pra esquerda! Pra esquerda! — ordena bruscamente o pai.

Enquanto isso, a mãe, revirando os olhos de frustração, continua gritando:

— Pare! Pare!

Leslie, sem saber a quem atender, tensiona o queixo e aperta os olhos, que se enchem de lágrimas.

Os pais começam a discutir, ignorando as lágrimas da menina.

— Ela não está movendo o joystick *tanto* assim! — diz Ann a Carl, exasperada.

As lágrimas começam a rolar pela face de Leslie. Seus pais parecem não perceber. Quando Leslie ergue a mão para enxugar as lágrimas, o pai interrompe:

— Tudo bem, pegue o joystick outra vez... você quer estar pronta pra atirar. Vai, pega!

E a mãe berra:

— Tudo bem, mexe só um pouquinho!

Mas a essa altura Leslie já está soluçando baixinho, sozinha com sua angústia. É de momentos como esses que as crianças extraem grandes e profundos ensinamentos. No caso de Leslie, a conclusão a que talvez chegue é que nem seus pais nem ninguém no mundo se importam com os seus sentimentos, qualquer que seja a situação.[1] Quando experiências desse tipo se repetem muitas vezes durante a infância, transmitem algumas das mais fundamentais mensagens emocionais que levaremos por toda a vida — lições que podem determinar o curso de uma vida. A vida em família é onde iniciamos a aprendizagem emocional; nesse caldeirão íntimo aprendemos como nos sentir em relação a nós mesmos e como os outros vão reagir a nossos sentimentos; aprendemos como avaliar nossos sentimentos e como reagir a eles; aprendemos como interpretar e manifestar nossas expectativas e temores. Aprendemos tudo isso não somente através do que nossos pais fazem e do que dizem, mas também através do modelo que oferecem quando lidam, individualmente, com os seus próprios sentimentos e com aqueles sentimentos que se passam na vida conjugal. Alguns pais são professores emocionais talentosos, outros, são atrozes.

Há centenas de estudos que demonstram que a forma como os pais tratam os filhos — se com rígida disciplina ou empática compreensão, indiferença ou simpatia etc. — tem consequências profundas e duradouras para a vida afetiva da criança. Mas só recentemente surgiram dados concretos que mostram que ter pais emocionalmente inteligentes é em si de enorme proveito para a criança. A maneira como um casal lida com os seus sentimentos — além do trato direto com a criança — passa poderosas lições para seus filhos, que são aprendizes astutos, sintonizados com os mais sutis intercâmbios emocionais na família. Quando equipes de pesquisa chefiadas por Carole Hooven e John Gottman, na Universidade de Washington, fizeram uma microanálise da forma como os casais interagem no trato com os filhos, constataram que aqueles que eram mais competentes, do ponto de vista emocional, na relação conjugal eram também os mais eficazes na ajuda aos altos e baixos emocionais dos filhos.[2]

A pesquisa junto às famílias começou quando um dos filhos tinha 5 anos, e se repetiu quando chegou aos 9. Além de observar os pais conversarem um com o outro, a equipe também os observava (como ocorreu com a família de Leslie) ao tentarem ajudar o filho pequeno a operar um videogame — uma interação aparentemente inócua, mas bastante reveladora sobre as correntes emocionais entre pais e filhos.

Alguns pais e mães eram como Carl e Ann: impositivos, perdendo a paciência diante da inépcia do filho, elevando a voz indignados ou exasperados, às vezes até mesmo reduzindo o filho a um "idiota" — em suma, caindo na mesma tendência de descaso e nojo que corrói um casamento. Outros, porém, eram tolerantes com os erros dos filhos, deixando que descobrissem, por eles mesmos, como jogar, sem lhes impor as suas vontades. A sessão de videogame foi um inesperado barômetro do padrão emocional dos pais.

Os três mais comuns padrões de pais emocionalmente inábeis são:

- *Ignorar qualquer tipo de sentimento.* Esses pais consideram a perturbação emocional do filho como algo banal ou que os chateia, uma coisa que passará com o tempo. Não aproveitam o momento para uma aproximação maior com o filho ou para iniciá-lo na competência emocional.
- "*Laissez-faire.*" Esses pais sabem o que o filho está sentindo, mas partem do princípio que qualquer que seja a forma com que a criança vá lidar

com a tempestade emocional está ótimo — por exemplo, até mesmo batendo em alguém. Tal como aqueles pais que ignoram os sentimentos da criança, estes pais raramente intervêm para sugerir ao filho um sentimento diferente. Tentam aliviar todas as perturbações e, por exemplo, serão capazes de "comprar" a criança para que ela não fique triste ou zangada.

- *Ser muito rigoroso, não respeitar o que a criança sente.* Esses pais são em geral desaprovadores, severos nas críticas e nos castigos. Podem, por exemplo, proibir qualquer manifestação de raiva e castigá-las ao menor sinal de irritabilidade. São os pais que berram irados com a criança que tenta argumentar: "Não fale assim comigo!"

Finalmente, há pais que aproveitam um momento de perturbação do filho para agir como uma espécie de treinador ou mentor emocional. Levam os sentimentos do filho tão a sério que fazem tudo para entender o que exatamente se passou ("Você está triste porque Tommy o magoou?") e para ajudá-lo a encontrar uma forma de não se sentir tão mal ("Em vez de bater nele, por que você não brinca com outra coisa até sentir vontade de voltar a brincar com ele?").

Para serem treinadores tão eficientes, os próprios pais devem ter uma compreensão profunda acerca dos rudimentos da inteligência emocional. Uma das coisas que uma criança deve saber, e que faz parte de sua aprendizagem emocional, é, por exemplo, distinguir sentimentos; se, por exemplo, um pai está fora de sintonia com seu próprio sentimento de tristeza, ele não será capaz de ajudar o filho a saber a diferença que há entre lamentar uma perda, sentir-se triste num filme triste e sentir tristeza porque alguma coisa ruim aconteceu com alguém que a criança gosta. Além dessa distinção, há compreensões mais sofisticadas acerca de emoções, como, por exemplo, saber que a raiva vem do fato de nos sentirmos magoados.

À medida que crescem, as crianças vão adquirindo maturidade para chegar a um outro nível de aprendizagem emocional. Mudam as crianças e muda a forma como elas lidam com as emoções. Como vimos no Capítulo 7, as lições de empatia começam na infância, com pais em sintonia com os sentimentos de seus bebês. Embora algumas aptidões emocionais sejam aperfeiçoadas com os amigos ao longo da vida, pais emocionalmente aptos muito podem fazer para ajudar os filhos em relação a cada um dos elementos básicos da inteligência emocional: aprender a reconhecer, controlar e canalizar os sentimentos; ter empatia e lidar com os sentimentos que afloram em seus relacionamentos.

O impacto causado por uma paternidade exercida nesses termos é muito significativo.[3] Aquela equipe da Universidade de Washington constatou que quando os pais são emocionalmente aptos, comparados com os que não lidam bem com os sentimentos, os filhos — por consequência — têm, em relação a eles, um bom relacionamento, afeição e menos tensão. Mas, além disso, essas crianças também são hábeis no lidar com as próprias emoções, mais eficazes na procura de alívio para suas perturbações, e se perturbam com menos frequência. São também mais relaxadas *biologicamente,* com baixos níveis de hormônios de estresse e outros indicadores fisiológicos de estimulação emocional (um padrão que, se mantido pela vida afora, pode ser uma garantia de boa saúde física, como vimos no Capítulo 11). Ganham também no que diz respeito à sociabilidade: essas crianças são mais dadas e queridas por outras crianças, e os professores as consideram mais sociáveis. Pais e professores são unânimes em classificá-las entre as que menos apresentam problemas comportamentais do tipo rudeza ou agressividade. Por fim, há benefícios de ordem cognitiva; essas crianças são mais atentas e, portanto, aprendem melhor. Para um nível de QI constante, as crianças de 5 anos que tiveram pais que foram bons treinadores tiravam melhores notas em matemática e leitura ao atingirem a terceira série (este é um forte argumento em defesa do ensino da inteligência emocional como pré-requisito para a aprendizagem acadêmica e para a vida em geral). Assim, os benefícios obtidos por filhos de pais emocionalmente aptos são uma surpreendente — quase estonteante — gama de vantagens em todo o espectro de inteligência emocional e em tudo mais na vida.

O QUE É PRECISO APRENDER ANTES DE ENTRAR PARA A ESCOLA

É na tenra infância, no berço, que as crianças recebem dos pais os ensinamentos emocionais que levarão para suas vidas. O Dr. T. Berry Brazelton, eminente pediatra de Harvard, aplica um teste bastante simples para avaliar o que, basicamente, os bebês já têm como perspectiva de vida. Ele entrega dois blocos a um bebê de oito meses e depois mostra-lhe como quer que ele os junte. O bebê confiante a respeito da vida e em suas próprias aptidões, diz Brazelton,

> pega um bloco, coloca na boca, esfrega no cabelo, deixa cair no chão, aguarda que peguemos para ele. Pegamos e ele, então, cumpre a tarefa — junta os dois blocos. Depois olha para a gente com olhinhos brilhando que dizem: "Diz se eu não sou o máximo!"[4]

Os bebês desse tipo obtiveram uma boa dose de aprovação e estímulo dos adultos com quem conviveram; suas expectativas são de serem sempre bem-sucedidos diante de qualquer pequeno desafio que tenham de enfrentar. Ao contrário, bebês que vêm de lares muito soturnos, desordenados ou desatenciosos cumprem a mesma pequena tarefa de uma maneira que denota um derrotismo. Eles juntam os blocos, entendem a instrução e têm a coordenação motora necessária para o cumprimento da tarefa. Mas, ainda assim, diz Brazelton, sua fisionomia é "caidinha", uma expressão que diz: "Tudo o que faço é malfeito. Está vendo, fiz tudo errado." É provável que essas crianças passem a vida com uma perspectiva pessimista, não esperando encorajamento nem interesse dos professores, não tendo prazer na escola, e talvez abandonem os estudos.

A diferença entre as duas perspectivas — crianças confiantes e otimistas *versus* as derrotistas — começa a ganhar forma nos primeiros anos de vida. Os pais, diz Brazelton, "precisam entender como a sua atuação pode gerar confiança, curiosidade, prazer na aprendizagem e a definir limites" para que seus filhos lidem bem com a vida. Essa observação se baseia num crescente conjunto de indícios que mostram como o sucesso escolar depende, em grande parte, de características emocionais que foram cultivadas nos anos que antecedem a entrada da criança na escola. Como vimos no Capítulo 6, por exemplo, a capacidade de crianças de 4 anos em controlar o impulso de agarrar um marshmallow previa uma vantagem de 210 pontos em suas contagens no SAT 14 anos depois.

A primeira oportunidade para moldar os ingredientes da inteligência emocional é nos primeiros anos, embora essas aptidões continuem a formar-se durante todo o período escolar. As aptidões emocionais que, posteriormente, as crianças adquirem formam-se em cima daquelas aprendidas nos primeiros anos. E essas aptidões, como vimos no Capítulo 6, são o alicerce essencial de todo o aprendizado. Um trabalho realizado no Centro Nacional de Programas Clínicos Infantis afirma que o sucesso na escola não é previsível tanto pelo capital de fatos da criança ou de sua capacidade precoce de ler quanto por medidas emocionais e sociais: ser autoconfiante e interessado; saber que tipo de comportamento adotar e como frear o impulso para se comportar mal; ser capaz de aguardar a sua vez, seguir orientações e procurar ajuda junto aos professores; e expressar suas necessidades quando em companhia de outras crianças.[5]

Quase todos os alunos que se saem mal na escola, diz o trabalho, não têm nenhum desses elementos de inteligência emocional (independentemente de também terem problemas cognitivos como, por exemplo, dificuldade em aprender). A magnitude do problema é grande; em alguns estados norte-americanos, quase uma em cada cinco crianças repete a primeira série, e depois, com o passar dos anos, vai ficando cada vez mais para trás em relação aos colegas, perdendo a motivação, ficando ressentida e conflituosa.

Para que uma criança esteja pronta para ir para a escola, é necessário que ela já tenha um conhecimento básico: *como* aprender. O trabalho relaciona sete dos principais ingredientes dessa aptidão fundamental — todos relacionados com a inteligência emocional.[6]

1. *Confiança.*
   O senso de controle e domínio sobre o próprio corpo, comportamento e mundo; a sensação que a criança tem de que é mais provável vencer do que fracassar naquilo que empreender e de que os adultos lhe ajudarão nesse intento.

2. *Curiosidade.*
   A sensação de que descobrir coisas é positivo e dá prazer.
3. *Intencionalidade.*
   O desejo e capacidade de absorver um impacto e explorar isso com persistência. Está relacionada com a sensação de ser competente, eficiente.
4. *Autocontrole.*
   A capacidade de moldar e controlar as próprias ações de forma apropriada à sua idade; o senso de controle interno.
5. *Relacionamento.*
   A capacidade de entrosar-se com os outros, baseada na sensação de que é compreendida por eles e que os compreende.
6. *Capacidade de comunicar-se.*
   O desejo e capacidade de, verbalmente, trocar ideias, partilhar sentimentos e concepções com os outros. Está relacionado com o senso de confiança nos outros e de prazer em estar com eles, inclusive com adultos.
7. *Cooperatividade.*
   A capacidade de harmonizar as próprias necessidades com as dos outros nas atividades em grupo.

Se a criança vai iniciar sua vida acadêmica, no jardim de infância, de posse dessas aptidões, depende muito de os seus pais — e professores no maternal — lhe terem dado um tipo de atenção cujo pressuposto tenha sido de que "a inteligência emocional começa no berço". Esses rudimentos de inteligência emocional equivalem aos rudimentos de inteligência acadêmica proporcionados pelos chamados programas de "Vantagem Inicial" utilizados na pré-escola.

APRENDIZAGEM EMOCIONAL BÁSICA

Digamos que um bebê de dois meses acorda às três da manhã e começa a chorar. A mãe o atende e, na meia hora seguinte, o bebê mama satisfeito nos braços dela, que o olha com afeição, dizendo-lhe que está feliz por vê-lo, mesmo de madrugada. O bebê, contente com o amor da mãe, volta a dormir.

Agora digamos que outro bebê de dois meses, que acordou chorando de madrugada, se vê diante de uma mãe tensa e irritável, que acabou de adormecer a uma hora atrás, após uma briga com o marido. O bebê já fica tenso quando a mãe o pega, de forma abrupta, e dizendo: "Fica quieto! Não estou em condições de suportar mais nada! Por favor, acaba logo com isso." Enquanto o bebê mama, a mãe mira com um olhar pétreo para a frente, não para ele, lembrando da briga com o marido, ficando mais agitada à medida que pensa. O bebê, captando sua tensão, se contorce, enrijece e para de mamar. "Só isso?", a mãe diz. "Então não mame." Com a mesma falta de carinho o põe de volta no berço e sai danada da vida, e ele, exausto de tanto chorar, acaba adormecendo.

Os dois cenários constam de relatório do Centro Nacional para Programas Clínicos Infantis como exemplo de tipos de interação que, constantemente reiterados, instilam sentimentos muito diferentes num bebê, sobre ele mesmo e suas relações mais íntimas.[7] O primeiro bebê está tendo a certeza de que as pessoas perceberão suas carências e o ajudarão, e que ele é capaz de obter ajuda; o segundo está descobrindo que, na realidade, ninguém lhe dá a mínima, que não é possível contar com as pessoas e que seus esforços para conseguir consolo serão inúteis. Claro, a maioria dos bebês de vez em quando tem uma provinha de cada um desses tipos de interação. Mas, na medida em que uma ou outra é típica de como os pais o tratam ao longo dos anos, ela se constituirá em ensinamentos emocionais básicos que lhe darão a dimensão de sua segurança, do quanto se sentirá eficaz e até onde poderá confiar nos outros. Erik Erikson traduz essas circunstâncias em termos de a criança vir a sentir uma "confiança básica" ou uma desconfiança básica.

Essa aprendizagem emocional começa nos primeiros momentos da vida e continua durante toda a infância. Todos os pequenos intercâmbios entre pais e filhos contêm um tema emocional, e, com a repetição dessas mensagens através dos anos, as crianças formam o núcleo de sua perspectiva e aptidões emocionais. Uma menininha que não consegue resolver um quebra-cabeça e pede ajuda à mãe atarefada recebe um determinado tipo de mensagem se é atendida com um visível prazer da mãe, e inteiramente outro se a mãe é ríspida: "Não enche — tenho mais o que fazer." Quando esse tipo de contato se torna um padrão entre a criança e os pais, ele molda a expectativa emocional da criança a respeito de relacionamentos, perspectivas que irão caracterizar o comportamento dela em todas as áreas da vida, para melhor ou pior.

Os problemas são maiores para as crianças cujos pais são grosseiramente ineptos — imaturos, viciados em drogas, deprimidos ou cronicamente raivosos, ou simplesmente desnorteados e vivendo de forma desordenada. Pais nessa situação tendem a não cuidar adequadamente dos filhos e, muito menos, a entrarem em sintonia com as necessidades emocionais deles. Há estudos que constatam que a negligência, pura e simples, pode ser mais prejudicial que os maus-tratos diretos.[8] Uma pesquisa feita com crianças maltratadas constatou que os jovens que foram negligenciados eram os que tinham o pior desempenho escolar: eram os mais ansiosos, desatentos e apáticos, alternando agressividade com retraimento. Entre eles, o índice de repetência na primeira série era de 65%.

Os três ou quatro primeiros anos de vida são um período em que o cérebro da criança cresce até cerca de dois terços de seu tamanho final, e evolui em capacidade num ritmo que nunca mais voltará a ocorrer. É nesse período, mais do que na vida posterior, que os principais tipos de aprendizagem ocorrem mais facilmente — e a aprendizagem emocional é a mais importante. Nessa época, a tensão severa pode prejudicar os centros de aprendizagem do cérebro (e, portanto, o intelecto). Embora, como iremos ver, isso mais tarde possa, numa certa medida, ser remediado por experiências oferecidas pela vida, o impacto causado por esse primeiro aprendizado é profundo. Como resume um trabalho sobre a principal lição emocional dos primeiros quatro anos de vida, as consequências duradouras são grandes:

> A criança que não consegue se concentrar, que é mais desconfiada que confiante, mais triste ou zangada do que otimista, mais destrutiva que respeitosa, e muito ansiosa, que vive preocupada com fantasias assustadoras, e que se sente em geral infeliz — uma criança assim tem, normalmente, pouca oportunidade, quanto mais igual oportunidade, de reivindicar para si as possibilidades que o mundo lhe oferece.[9]

COMO FABRICAR UM BRIGÃO

Muito se pode aprender sobre os efeitos para toda a vida causados por pais emocionalmente ineptos — sobretudo em seu papel de tornar as crianças agressivas — através de estudos longitudinais com um grupo de 870 pessoas do norte do estado de Nova York, que foram acompanhadas dos 8 aos 30 anos.[10] Os mais belicosos deles, quando crianças — os mais briguentos e que habitualmente apelavam para a força física para impor sua vontade —, eram os que provavelmente teriam de abandonar a escola e, aos 30 anos, tinham folha corrida pela prática de crimes violentos. Também pareciam estar passando adiante sua tendência à violência: seus filhos, na escola primária, eram exatamente os encrenqueiros que tinham sido os seus pais delinquentes.

Há um ensinamento a ser extraído sobre a agressividade, passada de geração a geração. Afora quaisquer tendências herdadas, os encrenqueiros, já adultos, agiam de modo que a vida em família era o local de aprendizagem da agressão. Quando crianças, tiveram pais que os disciplinaram de forma arbitrária e com implacável severidade; como pais, repetiam o padrão. Isso é válido para qualquer que tenha sido aquele — o pai ou a mãe — que, na infância, fora altamente agressivo. Meninas agressivas tornavam-se exatamente tão arbitrárias e severas no disciplinamento de seus filhos e o mesmo acontecia com os meninos, quando se tornaram pais. E, embora punissem seus filhos de forma muito severa, não se interessavam muito sobre a vida deles, ignorando-os na maior parte do tempo. Simultaneamente, passavam para os filhos um exemplo vívido — e violento — de agressividade, um modelo que levavam consigo para a escola e as brincadeiras, e que era adotado para a vida em geral. Esses pais não eram necessariamente maus, nem deixavam de querer o melhor para os filhos; o que eles estavam fazendo era apenas repetir o estilo adotado por seus próprios pais.

De acordo com esse modelo de violência, essas crianças eram caprichosamente disciplinadas: se os pais estavam de mau humor, elas recebiam castigos severos; se de bom humor, podiam ficar impunes em casa. Assim, o castigo ocorria não pelo que a criança tinha feito, mas ao sabor do humor paterno. Eis a receita perfeita para o sentimento de inutilidade e desamparo, e para a sensação de que o mundo é uma grande ameaça e, a qualquer momento, podemos ser atingidos. Vista à luz da vida doméstica que a gera, a atitude combativa e desafiadora dessas crianças diante da vida em geral faz um certo sentido, por mais infeliz que continue sendo. O que é doloroso constatar é como essas lições deprimentes são aprendidas cedo, e como são terríveis os custos para a vida emocional de uma criança.

MAUS-TRATOS: A EXTINÇÃO DA EMPATIA

Na bagunça de uma creche, Martin, de apenas dois anos e meio, esbarrou numa menina, que, inexplicavelmente, abriu o berreiro. Martin tentou pegar na mão dela, mas quando a menina se afastou, ele deu-lhe tapinhas no braço.

Como a menina continuasse a chorar, Martin desviou os olhos e gritou, muitas vezes, cada vez mais rápido e mais alto:

— Pare já com isso. *Pare já com isso!*

Quando outra vez deu-lhe tapinhas, ela não "obedeceu". Ele então arreganhou os dentes como um cachorro rosnando, sibilando para a menina que chorava.

Mais uma vez, começou a dar tapas, que se transformaram em murros, e ele continuou batendo sem parar na coitada da menina, apesar dos gritos dela.

Esse incidente perturbador demonstra como o maltrato — ser agredido seguidamente ao sabor dos humores dos pais — distorce a inclinação natural da criança para a empatia.[11] A reação bizarra e quase brutal de Martin à aflição da coleguinha de brincadeira é típica de crianças como ele, vítimas elas próprias, desde pequenas, de espancamento e outros maus-tratos físicos. Essa reação destaca-se como um flagrante contraste com as habituais súplicas e tentativas das crianças pequenas para consolar um coleguinha que chora, examinadas no Capítulo 7. A violenta reação de Martin a um sentimento de aflição que ele presenciou na creche talvez reflita o que ele aprendeu em casa sobre lágrimas e aflição: o choro dever ser enfrentado a princípio com um peremptório gesto de consolo, mas, se continua, a progressão vai de olhares maus e gritos às pancadas e à surra pura e simples. O que é mais preocupante é que Martin já parece carecer da mais primitiva espécie de empatia, o instinto de não mais agredir alguém já machucado. Aos dois anos e meio, exibia em botão os impulsos morais de um bruto cruel e sádico.

A maldade de Martin, substituta da empatia, ocorre em crianças que, como ele, tão novinhas já trazem marcas dos maus-tratos físicos e emocionais que receberam em casa. Martin fazia parte de um grupo de nove dessas crianças, de 1 a 3 anos, observadas, na creche, durante um período de duas horas. Crianças que foram submetidas a maus-tratos foram comparadas com outras nove, numa creche para crianças que eram igualmente pobres e cujas famílias viviam sob grande tensão, mas que não sofriam maus-tratos físicos. A forma como cada um dos grupos reagia quando uma outra criança se machucava ou ficava perturbada era nitidamente diferente. De 23 desses incidentes, cinco das nove crianças que não tinham sido maltratadas reagiram à perturbação de outra criança com preocupação, tristeza ou empatia. Mas em 27 casos onde as crianças maltratadas podiam ter feito isso, nenhuma mostrou a mínima preocupação; ao contrário, reagiram ao choro do amiguinho com medo, raiva ou, como Martin, com uma agressão física.

Uma menina que sofrera maus-tratos armou uma expressão feroz, ameaçadora, para outra que caíra no choro. E Thomas, de 1 ano, outra das crianças maltratadas, ficou paralisado de terror quando ouviu uma criança chorando do outro lado da sala; ficou completamente imóvel, o rosto tomado de medo, as costas rigidamente eretas, a tensão aumentando à medida que o choro continuava — como se preparando para sofrer um ataque dirigido a ele próprio. E Kate, de dois anos e quatro meses, também maltratada, foi quase sádica: escolhendo Joey, um menino menor, jogou-o no chão com um chute e, uma vez ele caído, olhou-o ternamente e começou a dar-lhe delicados tapinhas nas costas — para em seguida intensificar os tapas e ignorar o desespero do coleguinha. Continuou a atacá-lo, curvando-se para esmurrá-lo até ele afastar-se, se arrastando.

É claro que essas crianças tratam as outras como elas próprias foram tratadas. E a desumanidade dessas crianças maltratadas é simplesmente uma versão mais extremada daquela que é vista em crianças cujos pais são críticos, ameaçadores e severos em seus castigos. Essas crianças também tendem a não se preocupar quando os coleguinhas se machucam ou choram; parecem representar um extremo de uma progressão de frieza que culmina na brutalidade das crianças maltratadas. Ao longo da vida, como grupo, elas têm mais probabilidade de apresentarem problemas de aprendizagem, serem mais agressivas e rejeitadas pelos colegas (o que não admira, pelo que prenuncia sua brutalidade no pré-escolar), mais inclinadas à depressão e, como adultos, a se meterem em problemas com a lei e a cometerem mais crimes violentos.[12]

Essa ausência de empatia repete-se às vezes, se não frequentemente, nas gerações seguintes, com pais brutais que foram brutalizados pelos seus próprios pais na infância.[13] É um dramático contraste com a empatia em geral apresentada por filhos de pais protetores, que ensinam os filhos pequenos a mostrar interesse pelos outros e a compreender como a maldade faz as outras crianças se sentirem. Sem essas lições de empatia, essas crianças parecem não aprendê-la de modo algum.

O que talvez mais preocupa nas crianças maltratadas é como parecem ter aprendido cedo a reagir como versões em miniatura de seus pais brutais. Mas, diante dos espancamentos que receberam às vezes como uma dieta diária, as lições emocionais são demasiado claras. Lembrem-se que é nos momentos em que as paixões se exacerbam ou quando estamos em crise que as tendências primitivas dos centros límbicos do cérebro assumem o papel mais dominante. Nesses momentos, os hábitos que o cérebro emocional aprendeu repetidas vezes irão dominar, para melhor ou pior.

Ver como o próprio cérebro é moldado pela brutalidade — pela força — sugere que a infância é um momento oportuno para o aprendizado de lições emocionais. Essas crianças espancadas tiveram uma dieta inicial e constante de trauma. Talvez o mais instrutivo paradigma para entender a aprendizagem pela qual passaram essas crianças maltratadas esteja em constatar como o trauma pode deixar uma marca duradoura no cérebro — e como mesmo essas marcas bárbaras podem ser sanadas.

13

Trauma e Reaprendizado Emocional

Som Chit, uma refugiada cambojana, recusou-se a dar aos filhos metralhadoras AK-47 de brinquedo. Os garotos — de 6, 7 e 9 anos — queriam as armas para participar de uma brincadeira que seus coleguinhas na escola chamam de "Purdy". Nessa brincadeira, Purdy é um bandido que usa uma pequena metralhadora para matar um monte de crianças, e depois se suicida. Às vezes, as crianças criam um final diferente: são elas que matam Purdy.

"Purdy" era a macabra reencenação, feita por alguns dos sobreviventes dos catastróficos acontecimentos de 17 de fevereiro de 1989, na Escola Primária Cleveland, em Stockton, Califórnia. Naquele dia, na hora do recreio das crianças de primeira, segunda e terceira séries, Patrick Purdy — que inclusive havia estudado na Cleveland uns vinte anos antes — postou-se à beira do pátio e disparou rajadas e mais rajadas de balas 7,22mm sobre as centenas de crianças que brincavam. Durante sete minutos, espalhou balas pelo pátio, depois encostou uma pistola na cabeça e se matou. Quando a polícia chegou, encontrou cinco crianças mortas e 29 gravemente feridas.

Nos meses seguintes, o jogo Purdy apareceu espontaneamente nas brincadeiras dos meninos e meninas da Cleveland, e foi um dos muitos sinais de que aqueles sete minutos e seus destroços ficaram vívidos na lembrança das crianças. Quando visitei a escola, que fica apenas a uma pequena corrida de bicicleta do bairro vizinho da Universidade do Pacífico onde fui criado, fazia cinco meses que Purdy havia transformado o recreio num pesadelo. Sua presença ainda era palpável, embora os mais horríveis dos sangrentos restos do tiroteio — muitos buracos de balas, poças de sangue, pedaços de carne, pele e couro cabeludo — houvessem desaparecido na manhã seguinte após o incidente, após o prédio ter sido lavado e pintado.

Àquela altura, as mais profundas marcas na Cleveland não estavam no prédio, mas na psique das crianças e do corpo docente, que tentavam continuar a vida normalmente.[1] O que talvez tenha mais me impressionado foi como aqueles poucos minutos eram revividos repetidas vezes a qualquer pequeno detalhe que guardasse a mínima semelhança com a tragédia. Um professor me disse, por exemplo, que uma onda de medo varrera a escola quando foi anunciado que se aproximava o Dia de São Patrick; algumas crianças, de algum modo, imaginaram que o dia era em homenagem ao assassino, Patrick Purdy.

— Sempre que ouvimos uma ambulância se dirigindo para a casa de repouso que fica na mesma rua da escola, tudo para — disse-me outro professor. — As crianças ficam à escuta, para ver se a ambulância para aqui na escola ou se segue adiante.

Durante semanas, muitas crianças ficaram com medo dos espelhos dos banheiros; correra na escola o boato de que a "Sangrenta Virgem Maria", uma espécie de monstro de fantasia, escondia-se ali. Semanas após o tiroteio, uma menina correra frenética à diretora da escola, Pat Busher, berrando:

— Estou ouvindo tiros! Estou ouvindo tiros!

O som era da corrente que balançava num poste de *tetherball*.*

Muitas crianças tornaram-se supervigilantes, sempre à espreita de que o terror se repetisse; alguns meninos e meninas passavam o recreio rondando perto das portas da sala de aula, não se atrevendo a sair para o pátio onde haviam ocorrido os assassinatos. Outros só brincavam em grupos pequenos e, enquanto isso, uma das crianças ficava de olheiro. Muitos continuaram durante meses a evitar as áreas "más", onde as crianças haviam morrido.

As lembranças persistiram, também, através de sonhos desagradáveis, que invadiam o inconsciente das crianças durante o sono. Além de pesadelos com o tiroteio, elas eram invadidas por sonhos de ansiedade que as deixavam apreensivas pela hipótese de que, em breve, também morreriam. Algumas tentavam dormir de olhos abertos para não sonhar.

Todas essas reações são bem conhecidas por psiquiatras como os sintomas principais do distúrbio da tensão pós-traumática (PTSD).** No núcleo desse trauma, diz o Dr. Spencer Eth, psiquiatra infantil especializado em PTSD em crianças, está "a intrusa lembrança da ação violenta central: o golpe final com o punho, a faca entrando, o disparo de uma espingarda. As lembranças são experiências perceptivas intensas — a visão, o som e o cheiro dos tiros; os gritos ou o súbito silêncio da vítima; o jorrar do sangue; as sirenes da polícia".

Esses momentos vívidos, aterrorizantes, dizem hoje os neurocientistas, tornam-se lembranças impressas nos circuitos emocionais. Os sintomas são, na verdade, sinais de uma amígdala cortical superestimulada impelindo as vívidas

---

* Jogo surgido na década de 1990, em que duas crianças impelem uma bola, presa por uma corda ou corrente a um poste, para que se enrole totalmente no poste, no sentido contrário uma da outra. (N. T.)

** Do inglês, *post traumatic stress disorder*. (N. T.)

lembranças do momento traumático a continuar invadindo a consciência. Como tal, as lembranças traumáticas tornam-se gatilhos sensíveis, prontos para soar o alarme ao menor sinal de que o momento temido está para acontecer mais uma vez. Esse fenômeno de gatilho sensível é uma marca característica de todos os tipos de trauma emocional, incluindo os repetidos maus-tratos físicos na infância.

Qualquer fato traumatizante pode gravar essas lembranças disparadoras na amígdala cortical: um incêndio ou acidente de carro, uma catástrofe natural como um terremoto ou furacão, estupro ou assalto. Milhares de pessoas todo ano vivem esse tipo de tragédia e muitas, ou a maioria, ficam com uma espécie de ferida emocional marcada no cérebro.

Os atos de violência são mais perniciosos do que catástrofes naturais como os furacões porque, ao contrário das vítimas de um desastre natural, as vítimas de uma violência se sentem como se tivessem sido escolhidas como alvo de uma maldade. Isso destrói todo um sistema de confiança no ser humano e nas pessoas com quem se relacionam, crenças que as catástrofes naturais deixam intatas. De uma hora para outra, o mundo em que vivemos torna-se um lugar perigoso, onde o outro é visto como uma ameaça em potencial à nossa segurança.

As crueldades perpetradas pelo homem gravam na memória de suas vítimas uma predisposição para um medo em relação a qualquer coisa que evoque, ainda que vagamente, a agressão sofrida. Um homem que foi golpeado na nuca, e nunca viu o atacante, ficou tão amedrontado depois, que tentava andar na rua pouco à frente de uma senhora para sentir-se seguro de que não seria de novo atingido na nuca.[2] Uma mulher assaltada por um homem que entrou num elevador com ela e a obrigou a sair à ponta de faca num andar desocupado ficou durante semanas com medo de entrar não só em elevadores, mas também no metrô ou qualquer outro espaço fechado onde pudesse sentir-se acuada; saiu correndo do banco quando viu um homem enfiar a mão no paletó, da mesma forma como tinha feito o assaltante.

A marca do horror na memória e a supervigilância que dela resulta podem durar a vida inteira, como constatou um estudo sobre sobreviventes do Holocausto. Quase cinquenta anos depois de terem passado fome, de terem assistido ao massacre de seus entes queridos e o terror constante nos campos de morte nazistas, as lembranças que os perseguiam continuavam vivas. Um terço dizia sentir um medo generalizado. Quase três quartos deles disseram que ainda ficavam ansiosos com coisas que lembravam a perseguição nazista, como a visão de um uniforme, uma batida na porta, cães latindo, ou fumaça subindo de uma chaminé. Cerca de 60% disseram que pensavam no Holocausto quase diariamente; mesmo meio século depois, até oito em dez ainda sofriam de pesadelos recorrentes. Como disse um sobrevivente:

— Se você passou por Auschwitz e não tem pesadelos, você não é normal.

O HORROR CONGELADO NA LEMBRANÇA

Palavras de um veterano do Vietnã, de 48 anos, cerca de 24 anos depois de passar por um momento horrorizante numa terra distante:

> Não consigo tirar isso da minha cabeça! As imagens voltam como uma inundação em vívidos detalhes, provocadas pelas coisas mais corriqueiras, como uma porta batendo, a visão de uma oriental, o contato com um tapete de bambu ou o cheiro de costeleta de porco frita. Ontem à noite eu fui para a cama, dormia bem para variar. Aí, de madrugada, veio uma tempestade e trovões. Acordei no mesmo instante, gelado de medo. Estou de volta ao Vietnã, no meio da estação das monções, em meu posto de sentinela. Tenho certeza de que serei atingido na próxima rajada e que vou morrer. As mãos estão geladas, mas suo pelo corpo inteiro. Sinto cada fio de cabelo da nuca eriçar-se. Não consigo respirar, o coração martela. Sinto um cheiro úmido de enxofre. De repente, vejo o que restou de meu companheiro Troy... numa bandeja de bambu, mandada para nosso acampamento pelos vietcongues... O relâmpago e o trovão que se seguem me abalam de tal modo que caio no chão.[3]

A lembrança horrível, vívida e rica em detalhes, apesar de decorridas mais de duas décadas, ainda tem o poder de causar nesse ex-soldado o mesmo medo que ele sentiu naquele dia fatídico. O PTSD representa um perigoso rebaixamento do ponto de alarme, fazendo com que as pessoas reajam às coisas banais da vida como se fossem situações de emergência. O circuito sequestrador discutido no Capítulo 2 parece crítico no deixar uma marca tão poderosa na memória: quanto mais brutais, chocantes e horrendos os fatos que disparam o sequestro da amígdala cortical, mais indelével a lembrança. A base neural dessas lembranças parece ser uma generalizada alteração na química do cérebro posta em movimento por um único exemplo de terror arrasador.[4] Embora as constatações do PTSD se baseiem normalmente no impacto de um episódio, resultados semelhantes podem ser causados por crueldades infligidas durante muitos anos, como acontece com crianças maltratadas sexual, física ou emocionalmente.

O mais detalhado trabalho sobre essas alterações cerebrais está sendo feito no Centro Nacional do Distúrbio da Tensão Pós-traumática, uma rede de pesquisa local nos hospitais da Administração dos Veteranos, onde se concentram vários veteranos do Vietnã e de outras guerras que sofrem de PTSD. Foi de estudos sobre veteranos como esses que veio a maior parte do nosso conhecimento sobre o PTSD. Mas essas descobertas também se aplicam a crianças que sofreram forte trauma emocional, como as da Escola Cleveland.

— As vítimas de um trauma devastador talvez jamais voltem a ser biologicamente as mesmas — disse-me o Dr. Dennis Charney.[5] Psiquiatra de Yale, ele é diretor de neurociência clínica no Centro Nacional. — Não importa se foi o incessante terror do combate, da tortura ou dos repetidos maus-tratos na infância, ou uma única experiência, como ver-se preso num furacão ou quase morrer num acidente de carro. Toda tensão incontrolável pode ter o mesmo efeito biológico.

A palavra-chave é *incontrolável.* Se as pessoas sentem que podem fazer alguma coisa diante de uma situação catastrófica, exercer algum controle, por menor que seja, ficam melhor, em termos emocionais, do que as que se sentem totalmente impotentes. A sensação de impotência é o que torna um determinado fato *subjetivamente* arrasador. Como disse o Dr. John Krystal, diretor do Laboratório de Psicofarmacologia Clínica do centro:

— Digamos que alguém que é atacado com uma faca sabe se defender e age, enquanto outra pessoa na mesma situação pensa: "Estou morto." A pessoa que não tem como se defender é a mais susceptível de sofrer um PTSD. É a sensação de que a vida da gente está em perigo *e a gente não pode fazer nada para escapar*: é esse o momento em que começa a mudança no cérebro.

A impotência como o fator decisivo na provocação do PTSD foi demonstrada em dezenas de estudos sobre pares de ratos de laboratório, cada um numa gaiola diferente, cada um recebendo leves — mas, para um rato, bastante tensionantes — choques elétricos de idêntica severidade. Só que um dos ratos tem uma alavanca em sua gaiola; quando ele a empurra, o choque cessa nas duas gaiolas. Durante dias e semanas, os ratos recebem precisamente a mesma quantidade de choques. Mas o que tem o poder de desligar os choques sai sem sinais permanentes de tensão. Só no rato impotente é que ocorrem as mudanças no cérebro induzidas pela tensão.[6] Para uma criança que é alvejada no pátio de uma escola, que vê os coleguinhas sangrando e morrendo — ou para um professor ali, incapaz de deter a carnificina —, a impotência deve ter sido palpável.

O PTSD COMO DISTÚRBIO LÍMBICO

Fazia meses que um grande terremoto a pusera para fora da cama e a fizera sair gritando em pânico pela casa às escuras à procura do filho de 4 anos. Os dois passaram horas abraçados na fria noite de Los Angeles, sob a proteção de um vão de porta, presos ali sem comida, água ou luz, com as sucessivas ondas de tremores sacudindo o solo a seus pés. Hoje, meses depois, ela já se recuperou bastante do pânico súbito que se apoderava dela nos dias subsequentes ao terremoto, quando o bater de uma porta a fazia começar a tremer de medo. O único sintoma que ficou foi a impossibilidade de dormir, um problema que só a ataca nas noites em que o marido está ausente — como na noite do terremoto.

Os principais sintomas desse medo aprendido — inclusive o tipo mais intenso, o PTSD — podem ser explicados por mudanças nos circuitos límbicos que se concentram na amígdala cortical.[7] Algumas das principais alterações ocorrem no *locus ceruleus,* uma estrutura que regula a secreção pelo cérebro de duas substâncias chamadas *catecolaminas*: a adrenalina e a noradrenalina. Esses produtos neuroquímicos mobilizam o corpo para uma emergência; a mesma onda de catecolamina grava lembranças com uma força especial. No PTSD, esse sistema torna-se hiper-reativo, secretando doses muito grandes desses produtos químicos do cérebro, em resposta a situações pouco ou nada ameaçadoras, mas que de algum modo evocam o trauma original, como as crianças da Escola Primária Cleveland que entravam em pânico quando ouviam uma sirene de ambulância semelhante às que tinham ouvido na escola após o tiroteio.

O *locus ceruleus* e a amígdala estão estreitamente ligados, junto com outras estruturas límbicas como o hipocampo e o hipotálamo: os circuitos das catecolaminas estendem-se até o córtex. Presume-se que alterações nesses circuitos sejam responsáveis pelos sintomas do PTSD, que incluem ansiedade, medo, hipervigilância, irritabilidade e provocação, disposição para lutar-ou-fugir e indelével codificação de intensas lembranças emocionais.[8] Um estudo constatou que os veteranos do Vietnã com PTSD tinham 45% menos receptores para deter a catecolamina do que aqueles que não apresentavam esses sintomas — o que sugere que o cérebro deles sofrera uma alteração permanente, com um controle inadequado da secreção de catecolamina.[9]

Outras mudanças ocorrem no circuito que liga o cérebro límbico à glândula pituitária, que regula a liberação de CRF, o principal hormônio de estresse que o corpo secreta para mobilizar a resposta lutar-ou-fugir numa emergência. As mudanças levam a uma supersecreção desse hormônio — sobretudo na amígdala, hipotálamo e *locus ceruleus* —, colocando o corpo em alerta para uma emergência que na verdade não existe.[10]

Como disse o Dr. Charles Nemeroff, psiquiatra da Universidade Duke:

— O excesso de CRF faz com que reajamos de forma exagerada. Por exemplo, se você é um veterano do Vietnã, tem PTSD e ouve o barulho de um cano de descarga de um carro no estacionamento de um shopping center, é o disparo de CRF que o inunda com os mesmos sentimentos do trauma original: começa a suar, fica com medo, tem arrepios e tremores, pode ter flashbacks. Nas pessoas que hipersecretam CRF, a reação de susto é superativa. Por exemplo, se você chegar sorrateiramente por trás de alguém e bater palmas, a pessoa levará um susto, mas depois já não mais se assustará. Acontece que as pessoas com excesso de CRF não se habituam: reagem com a mesma intensidade à quarta repetição da palma quanto à primeira.[11]

Um terceiro conjunto de mudanças ocorre no sistema opióidico do cérebro, que secreta endorfinas para amortecer a sensação de dor. Também ele se torna hiperativo. Esse circuito neural também envolve a amígdala, desta vez em combinação com uma região do córtex cerebral. Os opioides são produtos químicos do cérebro, poderosos agentes entorpecentes, como o ópio e outros narcóticos, seus primos químicos. Quando com altos níveis de opioides ("a morfina do cérebro"), as pessoas têm uma maior tolerância à dor — fato observado em campos de batalha por cirurgiões que constataram que soldados seriamente feridos precisavam de doses mais baixas de narcóticos para aguentar a dor do que civis com ferimentos muito menos sérios.

Alguma coisa semelhante parece ocorrer no PTSD.[12] Mudanças na endorfina dão uma nova dimensão à mistura neural pela reexposição ao trauma: um *entorpecimento* de certas sensações. Isso parece explicar um conjunto de sintomas psicológicos "negativos" há muito notados no PTSD: anedonia (incapacidade de sentir prazer) e um embotamento emocional generalizado, a sensação de estar isolado da vida ou o desinteresse pelos sentimentos dos outros. Aqueles que convivem com essas pessoas podem achar que essa indiferença se deva a uma ausência de empatia. Outro possível efeito é a dissociação, incluindo a incapacidade de lembrar minutos, horas ou mesmo dias cruciais do fato traumático.

As mudanças gerais do PTSD também tornam a pessoa mais susceptível a sofrer outros traumas. Vários estudos em animais constataram que, mesmo expostos a uma tensão *branda* quando jovens, eles eram muito mais vulneráveis que os animais não tensos a mudanças no cérebro provocadas por um trauma sofrido quando mais velhos (o que sugere a necessidade de tratar imediatamente crianças com PTSD). Esse parece ser um dos motivos pelos quais, expostas a uma mesma catástrofe, uma pessoa fica com PTSD e outra não: a amígdala é preparada para descobrir perigo, e quando a vida lhe apresenta mais uma vez um perigo concreto, seu alarme soa mais alto.

Todas essas mudanças neurais proporcionam vantagens de curto prazo para lidar com as emergências sinistras e aflitivas que as causam. Sob pressão, a amígdala adapta-se para ficar altamente vigilante, estimulada, pronta para qualquer coisa, indiferente à dor, o corpo preparado para demandas físicas constantes e — naquele momento — indiferente ao que de outro modo poderiam ser fatos intensamente perturbadores. Essas vantagens de curto prazo, porém, tornam-se problemas duradouros quando a alteração cerebral é de tal monta que elas se tornam predisposições, como um carro com o câmbio emperrado em marcha alta. Quando a amígdala e as regiões a ela ligadas no cérebro assumem um novo ponto de partida num momento de trauma intenso, essa mudança de excitabilidade — essa acrescida prontidão para disparar um sequestro neural — significa que tudo o que acontece na vida está na iminência de tornar-se uma emergência, e um acontecimento qualquer pode detonar uma explosão desenfreada de medo.

REAPRENDIZADO EMOCIONAL

Essas lembranças traumáticas parecem permanecer como pontos fixos da função cerebral porque interferem no aprendizado posterior — especificamente, no reaprendizado de uma resposta mais normal a esses fatos traumatizantes. No medo adquirido como o PTSD, os mecanismos de aprendizado e memória se desorientam; também aqui, é a amígdala que é a chave entre as regiões do cérebro envolvidas. Mas, na superação do medo adquirido, o neocórtex é fundamental.

Medo condicionado é o nome que os psicólogos empregam para designar o processo pelo qual uma coisa que não apresenta ameaça alguma se torna temida por estar associada na mente de alguém a algo assustador. Quando tais pavores são induzidos em animais de laboratório, observa Charney, o medo pode durar anos.[13] A região-chave do cérebro que aprende, retém e age com base nessa reação de medo é o circuito entre os tálamos, amígdala e lobo pré-frontal — a rota do sequestro neural.

Em geral, quando alguém aprende a assustar-se com uma coisa por estar condicionado pelo medo, o medo passa com o tempo. Isso ocorre através de um reaprendizado natural, à medida que o objeto temido é de novo encontrado em circunstâncias diferentes. Assim, uma criança que tem medo de cachorro porque um dia foi perseguida por um rosnante pastor-alemão vai aos poucos e naturalmente perdendo o medo se, digamos, se muda para perto de alguém que tem um pastor-alemão simpático, e passa seu tempo brincando com o cachorro.

No PTSD espontâneo, o reaprendizado não ocorre. Charney sugere que há a possibilidade de que as mudanças causadas pelo PTSD no cérebro sejam tão fortes que, na verdade, o sequestro da amígdala ocorre toda vez que aparece alguma coisa ainda que vagamente reminiscente do trauma original, fortalecendo a rota do medo. Isso quer dizer que não há uma só vez em que o que tememos se iguale com um sentimento de calma — a amígdala nunca reaprende uma reação menos intensa. "A extinção do medo", observa, "parece envolver um processo de aprendizado ativo", que está ele próprio danificado nas pessoas com PTSD, "o que leva à anormal persistência de lembranças emocionais".[14]

Mas se ocorrerem experiências adequadas, mesmo o PTSD pode desaparecer; fortes lembranças emocionais, e os padrões de pensamento e reação que elas disparam, *podem* mudar com o tempo. Charney sugere que esse reaprendizado seja cortical. O medo original entranhado na amígdala não vai embora completamente; em vez disso, o córtex pré-frontal suprime ativamente o comando que a amígdala envia para o resto do corpo responder com medo.

— Resta saber quanto tempo leva para que a gente se livre do medo aprendido — diz Richard Davidson, psicólogo da Universidade de Wisconsin que descobriu o papel do córtex pré-frontal esquerdo como um amortecedor de angústia.

Numa experiência laboratorial em que as pessoas primeiro aprendiam a ter aversão a um ruído alto — um paradigma do medo aprendido e um discreto paralelo do PTSD —, Davidson constatou que aqueles que tinham mais atividade no córtex pré-frontal esquerdo superavam mais rapidamente o medo adquirido, o que também sugere que o córtex atua na liberação da angústia aprendida.[15]

REEDUCANDO O CÉREBRO EMOCIONAL

Uma das mais promissoras descobertas sobre o PTSD veio de um estudo com sobreviventes do Holocausto, três quartos dos quais, mais ou menos, meio século depois ainda tinham sintomas ativos de PTSD. A descoberta mais importante foi que um quarto dos sobreviventes outrora perturbados por tais sintomas não mais os tinham; de alguma forma, os fatos naturais de suas vidas haviam contrabalançado o problema. Aqueles que ainda apresentavam os sintomas mostravam indícios de alterações cerebrais relacionadas com a catecolamina típicas do PTSD — mas os que haviam se recuperado não tinham tais mudanças.[16] Essa descoberta e outras iguais sugerem que as mudanças cerebrais no PTSD não são indeléveis, e que as pessoas podem se recuperar mesmo das mais angustiantes cicatrizes emocionais — em suma, que os circuitos emocionais podem ser reeducados. A notícia boa, portanto, é que traumas profundos causadores do PTSD podem ser curados, e que a rota para essa cura passa pelo reaprendizado.

Uma das formas como essa cura emocional ocorre espontaneamente — pelo menos em crianças — é através de jogos como o "Purdy". Essas brincadeiras, feitas repetidas vezes, permitem que as crianças revivam o drama num ambiente em que se sintam seguras, brincando. Isso oferece duas rotas de cura: de um lado, a memória repete o contexto de baixa ansiedade, dessensibilizando-a e permitindo que um conjunto de respostas não traumatizadas se associem a ela. Outra rota de cura é que, em suas cabecinhas, as crianças podem magicamente dar à tragédia um "final feliz": às vezes, ao brincarem de Purdy, elas o matam, fortalecendo seu senso de domínio sobre aquele traumático momento de impotência.

Brincadeiras como "Purdy" são previsíveis em crianças que passaram por uma violência tão arrasadora. Essas brincadeiras macabras criadas por crianças traumatizadas foram pela primeira vez observadas pela Dra. Lenore Terr, psiquiatra infantil de São Francisco.[17] Ela identificou essas brincadeiras entre crianças de Chowchilla, na Califórnia — a pouco mais de uma hora, pelo Central Valley, de Stockton, onde Purdy criou aquele inferno —, que em 1973 haviam sido sequestradas quando voltavam de um dia de acampamento. Os sequestradores enterraram o ônibus que as trazia, com as crianças e tudo, e o sofrimento durou 27 horas.

Cinco anos depois, a Dra. Terr descobriu o sequestro ainda sendo reencenado nas brincadeiras das vítimas. As meninas, por exemplo, faziam sequestros simbólicos com suas bonecas Barbie. Uma delas, que detestara a sensação da urina das outras crianças em sua pele, quando estavam amontoadas e aterrorizadas, não parava de dar banho em sua Barbie. Outra brincava de Barbie Viajante, em que a boneca viaja para um lugar qualquer e retorna em segurança, que é o objetivo da brincadeira. A brincadeira preferida por outra menina se dava num cenário em que a boneca era metida num buraco e sufocava.

Enquanto adultos que passaram por um trauma arrasador podem sofrer um entorpecimento psíquico, bloqueando a lembrança ou sensação da catástrofe, a psique das crianças muitas vezes lida diferentemente com ele. A Dra. Terr acredita que elas se tornam menos frequentemente entorpecidas para o trauma porque recorrem à fantasia, às brincadeiras e aos devaneios para lembrar e elaborar o sofrimento por que passaram. Essas reencenações voluntárias do trauma impedem a necessidade de represá-lo em poderosas lembranças que podem depois irromper como flashbacks. Se o trauma é menor, como ir ao dentista para fazer uma obturação, apenas uma ou duas vezes podem bastar. Mas se é arrasador, a criança precisa de incontáveis repetições, reencenando o drama muitas vezes, num ritual sinistro e monótono.

Uma das formas de chegar à imagem congelada na amígdala é através da arte, que é uma das formas de expressão do inconsciente. O cérebro emocional é altamente sintonizado com simbolismos e com o que Freud chamou de "processo primário": as mensagens da metáfora, história, mito, as artes. Esse recurso é muito utilizado no tratamento de crianças traumatizadas. Às vezes, a arte oferece à criança a oportunidade de falar do momento de horror sobre o qual não ousaria falar em outras circunstâncias.

Spencer Eth, psiquiatra de Los Angeles especializado em tratar dessas crianças, fala de um menino de 5 anos que, junto com a mãe, foi sequestrado por um ex-namorado dela. O homem levou-os para um quarto de hotel, mandou o menino ficar debaixo de um cobertor enquanto espancava a mãe até a morte. O menino, compreensivelmente, relutava em falar com Eth sobre o massacre que ouvira e vira de debaixo do cobertor. Por isso o psiquiatra pediu-lhe que desenhasse qualquer coisa.

Eth lembra que o desenho era de um piloto de corridas com uns olhos impressionantemente grandes. Ele interpretou isso como uma referência à ousadia do menino ao espiar o assassino. Essas referências ocultas à cena traumática quase sempre aparecem nos trabalhos artísticos de crianças traumatizadas; Eth utiliza o desenho no tratamento de crianças com esse tipo de problema, a jogada de abertura da terapia. As potentes lembranças que as preocupam invadem o desenho tal como invadem seus pensamentos. Além disso, o ato de desenhar é em si terapêutico, iniciando o processo de controle do trauma.

REAPRENDIZADO EMOCIONAL E RECUPERAÇÃO DE UM TRAUMA

Irene foi a um encontro romântico que acabou em tentativa de estupro. Embora ela houvesse resistido ao atacante, ele continuou a persegui-la: incomodando-a com telefonemas obscenos, ameaçando-a, telefonando no meio da noite, tocaiando-a e observando todos os seus movimentos. A certa altura, quando ela pediu ajuda à polícia, os policiais consideraram que seu problema não era caso de polícia, já que "nada de fato acontecera". Quando recorreu à terapia, Irene tinha sintomas de PTSD, desistira de toda vida social e sentia-se prisioneira em sua própria casa.

O caso de Irene é citado pela Dra. Judith Lewis Herman, psiquiatra de Harvard cujo trabalho pioneiro traça as etapas para a recuperação de um trauma. Ela vê três etapas: obter uma sensação de segurança, lembrar os detalhes do trauma e lamentar a perda que ele trouxe e, finalmente, restabelecer uma vida normal. Há uma lógica biológica na ordenação dessas etapas, como veremos: essa sequência parece se refletir no cérebro emocional, que reaprende que a vida não precisa ser encarada como uma emergência iminente.

O primeiro passo, a reconquista do sentimento de segurança, tem por objetivo descobrir formas de acalmar os circuitos emocionais demasiado amedrontados e facilmente disparáveis, bastantes o suficiente para ensejar o reaprendizado.[18] Muitas vezes isso começa com a ajuda aos pacientes para que entendam que seu nervosismo e pesadelos, hipervigilância e pânicos fazem parte dos sintomas do PTSD. Ao entenderem esse mecanismo, os próprios sintomas se tornam menos assustadores.

Outro passo consiste em ajudar os pacientes a reconquistar algum senso de controle sobre o que lhes acontece, um desaprendizado direto da lição de impotência transmitida pelo trauma que sofreram. Irene, por exemplo, mobilizou a família e os amigos para formar um anteparo entre ela e seu perseguidor, e conseguiu fazer com que a polícia interviesse.

A sensação de "insegurança" dos pacientes com PTSD vai além do temor de estarem cercados por perigos ocultos; a insegurança deles começa mais intimamente, com um sentimento de descontrole sobre o próprio corpo e as emoções. Isto é compreensível, em vista do gatilho sensível para o sequestro criado pelo PTSD com a hipersensibilização dos circuitos da amígdala.

A medicação auxilia os pacientes a não se sentirem tão à mercê dos alarmes emocionais que os inundam de inexplicável ansiedade, que lhes tiram o sono ou que causam pesadelos. Os farmacólogos esperam um dia preparar remédios específicos que atuem diretamente sobre os efeitos do PTSD sobre a amígdala cortical e circuitos neurotransmissores a ela ligados. Mas, enquanto isso não acontece, há medicamentos que combatem apenas algumas dessas mudanças, notadamente os antidepressivos, que atuam no sistema de liberação da serotonina, e os betabloqueadores como o propanolol, que bloqueiam a ativação do sistema nervoso simpático. Os pacientes também podem aprender técnicas de relaxamento que lhes permitam combater a ansiedade e o nervosismo. A calma fisiológica oferece espaço para que os brutalizados circuitos emocionais redescubram que a vida não é uma ameaça, e para dar aos pacientes a sensação de haverem recuperado a segurança que tinham antes da ocorrência do trauma.

Outro passo na cura envolve contar e reconstruir a história sob a proteção dessa segurança propiciada pelo remédio ou pelo relaxamento, o que permite que os circuitos emocionais adquiram uma compreensão e resposta novas e mais realistas à lembrança traumática e seus gatilhos. À medida que os pacientes narram os horríveis detalhes do trauma, a memória começa a transformar-se, tanto em seu significado emocional quanto em seus efeitos sobre o cérebro emocional. O ritmo dessa narrativa é delicado; idealmente, imita o ritmo que ocorre naturalmente nas pessoas que conseguem recuperar-se do trauma sem sofrer PTSD. Nesses casos, muitas vezes parece haver um relógio interno que "dosa" as lembranças intrusas que revivem o trauma, que as interrompe durante semanas ou meses nas quais o paciente mal se lembra de alguma coisa dos horríveis acontecimentos.[19]

Essa alternância de reimersão e alívio permite um exame espontâneo do trauma e o reaprendizado da resposta emocional a ele. Para aqueles cujo PTSD é mais difícil de ser tratado, diz a Dra. Herman, narrar a sua história às vezes dispara temores arrasadores, caso em que o terapeuta deve reduzir o ritmo para manter as reações do paciente dentro de um certo nível de tolerância, de forma a não comprometer o reaprendizado.

O terapeuta encoraja o paciente a contar os fatos traumáticos o mais vividamente possível, como se fora filme de terror, recuperando cada sórdido detalhe. Isso inclui não apenas as coisas específicas que viu, ouviu, cheirou e sentiu, mas também suas reações — pavor, nojo, náusea. O objetivo aqui é expressar a lembrança em palavras, o que significa captar partes dela que podem ter sido dissociadas e, portanto, estar ausentes da memória consciente. Quando detalhes sensoriais e sentimentos são expressos em palavras, presume-se que as lembranças fiquem mais sob o controle do neocórtex, onde as reações que elas disparam podem ser tornadas mais compreensíveis e também mais controláveis. O reaprendizado emocional nesse ponto é, em grande parte, conseguido pelo reviver dos fatos e das próprias emoções, mas desta vez num ambiente de segurança, em companhia de alguém em quem se confia, no caso o terapeuta. Isso começa a transmitir uma lição reveladora aos circuitos emocionais — de que se pode sentir segurança, e não implacável terror, juntamente com as lembranças do trauma.

O menino de 5 anos que desenhou olhos enormes depois de assistir ao sangrento assassinato de sua mãe não fez mais nenhum outro desenho depois do primeiro; em vez disso, ele e o terapeuta, Spencer Eth, brincaram, estabelecendo um elo entre si. Só muito aos poucos o garoto começou a contar a história do assassinato, a princípio de uma forma estereotipada, recitando cada detalhe exatamente da mesma forma a cada repetição. Aos poucos, porém, sua narrativa foi se tornando mais aberta e solta, o corpo se relaxando à medida que ele falava. Ao mesmo tempo, seus pesadelos com a cena tornaram-se menos frequentes, uma indicação, diz Eth, de um certo "domínio do trauma". Gradualmente, a conversa dos dois foi se afastando dos temores deixados pelo trauma e passando mais para o que acontecia no cotidiano do menino, que estava se ajustando num novo lar com o pai. E finalmente ele pôde falar apenas de sua vida diária, enquanto a força do trauma desaparecia.

Finalmente, a Dra. Herman constata que os pacientes precisam lamentar a perda trazida pelo trauma — seja um ferimento, a morte de um ente querido ou o rompimento de uma relação, o arrependimento por não ter feito alguma coisa para salvar alguém, ou apenas a perda da confiança nas pessoas. O lamento que se segue ao contar esses fatos dolorosos serve a um fim crucial: assinala a capacidade de livrar-se em certa medida do trauma. Isso quer dizer que, em vez de ficar perpetuamente preso naquele momento do passado, os pacientes podem começar a olhar para a frente, até mesmo ter esperança, e reconstruir uma nova vida, livre das garras do trauma. É como se o constante reciclar e reviver do terror do trauma pelos circuitos emocionais fosse um sortilégio que pôde ser finalmente quebrado. Cada sirene não precisa trazer um dilúvio de medo; cada som na noite não precisa impor um flashback de terror.

Muitas vezes persistem efeitos posteriores ou recorrências ocasionais de sintomas, diz a Dra. Herman, mas há sinais específicos de que o trauma foi em grande parte superado. Entre esses sinais estão a redução dos sintomas fisiológicos a um nível controlável e a capacidade de suportar os sentimentos associados a lembranças do trauma. Especialmente significativo é não ter mais erupções de lembranças do trauma em momentos incontroláveis, mas antes poder rememorá-los voluntariamente, como qualquer outra lembrança — e, o que é talvez mais importante, afastá-los como qualquer outra lembrança. Finalmente, significa reconstruir uma nova vida, com relações fortes, de confiança, e um sistema de crenças que encontra sentido mesmo num mundo onde acontece tal injustiça.[20] Tudo isso junto são sinais de sucesso na reeducação do cérebro emocional.

A PSICOTERAPIA COMO UM CURSO EMOCIONAL

Felizmente, os momentos catastróficos em que as lembranças traumáticas se gravam são raros na vida da maioria de nós. Mas os mesmos circuitos que gravam tão fortemente as lembranças traumáticas também estão supostamente em ação nos melhores momentos da vida. As mais comuns agruras da infância, como ser constantemente ignorado e privado de atenção ou carinho dos pais, o abandono, perda ou rejeição social podem não ser traumatizantes, embora certamente fiquem marcados na memória emotiva, gerando problemas — e lágrimas, e sentimentos irados — nas relações íntimas da vida adulta. Se é possível curar o PTSD, o mesmo pode acontecer com os arranhões sociais que tantos de nós trazemos; esta é uma tarefa para a psicoterapia. E, em geral, é no aprender a lidar habilmente com essas carregadas reações que entra a inteligência emocional.

A dinâmica entre a amígdala e as reações mais completamente informadas do córtex pré-frontal oferece um modelo neuroanalítico para a maneira como a psicoterapia remodela padrões emocionais profundos e mal-adaptados. Como conjetura Joseph LeDoux, o neurocientista que descobriu o papel de gatilho sensível da amígdala nas explosões emocionais:

— Uma vez que nosso sistema emocional aprende alguma coisa, parece que nunca mais nos livraremos dela. O que a terapia faz é ensinar-nos a controlá-la: ensina nosso neocórtex a inibir nossa amígdala. A tendência à impulsividade é suprimida, enquanto a emoção básica sobre ela continua sob contenção.

Considerando que a arquitetura do cérebro está por trás do reaprendizado emocional, o que parece permanecer, mesmo após uma psicoterapia bem-sucedida, é uma reação residual, um resto da sensibilidade ou medo original na raiz de um problema emocional perturbador.[21] O córtex pré-frontal pode aprimorar ou frear o impulso desenfreado da amígdala, mas não pode simplesmente impedi-lo de reagir. Assim, embora não possamos decidir *quando* temos nossas explosões emocionais, temos mais controle sobre o *quanto* elas duram. Um tempo mais rápido de recuperação dessas explosões talvez seja um sinal de maturidade emocional.

Durante a terapia, o que parece mudar principalmente são as *respostas* que as pessoas dão assim que uma reação emocional é disparada — mas a tendência para a reação ser disparada não desaparece inteiramente. Isso é indicado por uma série de estudos em psicoterapia realizados por Lester Luborsky e seus colegas na Universidade da Pensilvânia.[22] Eles analisaram os principais conflitos de relacionamento que levavam dezenas de pacientes à psicoterapia — questões como o profundo anseio por ser aceito ou encontrar intimidade, ou o temor de ser um fracasso ou superdependente. Eles analisaram então cuidadosamente as respostas típicas (sempre negativas) que os pacientes davam quando esses desejos e medos eram ativados em seus relacionamentos — respostas como ser muito exigente, que geravam reações de raiva ou frieza na outra pessoa, ou retirar-se como uma autodefesa de uma ofensa prevista, deixando a outra pessoa triste com a suposta rejeição. Durante esses malfadados contatos, os pacientes, compreensivelmente, sentiam-se inundados por sentimentos perturbadores — desesperança e tristeza, ressentimento e raiva, tensão e medo, culpa e autorrecriminação e por aí adiante. Qualquer que fosse o padrão específico do paciente, a sensação perturbadora parecia surgir na maioria dos mais importantes relacionamentos, com o cônjuge ou o namorado, filho ou pai, ou colegas e chefes no trabalho.

Durante a terapia de longo prazo, porém, esses pacientes passavam por dois tipos de mudança: sua reação emocional aos fatos disparadores tornava-se menos angustiante, e até calma e divertida, e suas respostas abertas tornavam-se mais efetivas na obtenção do que eles realmente queriam do relacionamento. O que não mudava, porém, era o subjacente desejo ou medo e a pontada de sentimento inicial. Quando o tratamento já estava chegando ao término, os relatos que faziam indicavam que já estavam reagindo negativamente de forma menos intensa e já havia duas vezes mais probabilidade de obter a resposta positiva que profundamente desejavam da outra pessoa. Mas o que não mudava de modo algum era a sensibilidade particular na raiz dessas necessidades.

Em termos do cérebro, podemos especular, os circuitos límbicos mandariam sinais de alarme em resposta a indícios de um fato temido, mas o córtex pré-frontal e zonas relacionadas teriam aprendido uma nova e mais saudável resposta. Em suma, as lições emocionais — mesmo os hábitos mais profundamente arraigados do coração, aprendidos na infância — podem ser reformuladas. A aprendizagem emocional é para toda a vida.

14

Temperamento Não é Destino

Os padrões emocionais aprendidos podem ser mudados, porque temperamento não é destino. Mas o que dizer sobre as respostas que são parte de nossa herança genética — como mudar reações habituais de pessoas que, por natureza, por exemplo, são muito explosivas ou terrivelmente tímidas? Essa faixa do comportamento emocional é parte do temperamento, o murmúrio de sentimentos de fundo que assinalam nossa disposição básica. O temperamento pode ser definido em termos dos estados de espírito que tipificam nossa vida emocional. Em certa medida, cada um de nós tem um tipo de emoção favorecida; o temperamento é um dado no nascimento, parte da loteria genética que tem força compulsória no desenrolar da vida. Qualquer pai sabe disso: desde o nascimento, a criança é calma e plácida, ou obstinada e difícil. O que cabe indagar é se um dado conjunto emocional pode ser mudado pela experiência. Nossa biologia determina o nosso destino, ou é possível a uma criança que nasça tímida tornar-se um adulto mais confiante?

A resposta mais esclarecedora a essa questão está no trabalho de Jerome Kagan, eminente psicólogo desenvolvimentista da Universidade de Harvard.[1] Ele afirma que existem pelo menos quatro tipos de temperamento — tímido, ousado, otimista e melancólico — e que cada um deles é função de um padrão diferente de atividade cerebral. Provavelmente, há inúmeras diferenças de herança temperamental, cada uma baseada em diferenças inatas nos circuitos emocionais; diante de um determinado tipo de emoção, as pessoas podem diferir na facilidade com que ela dispara, no quanto dura, na intensidade que alcança. O trabalho de Kagan se centra num desses padrões: a dimensão de temperamento que vai da ousadia à timidez.

Durante décadas, mães têm levado seus bebês e filhos pequenos ao Laboratório de Desenvolvimento Infantil de Kagan, no 14º andar do William James Hall, em Harvard, para participar de estudos sobre o desenvolvimento infantil. Foi ali que Kagan e copesquisadores observaram sinais iniciais de timidez num grupo de crianças de um ano e nove meses. Nas brincadeiras com outras crianças, algumas eram esfuziantes e espontâneas, brincando sem a menor hesitação. Outras, porém, mostravam-se inseguras e hesitantes, ficando de fora, grudadas às mães, quietinhas olhando as outras. Quase quatro anos depois, quando essas mesmas crianças já estavam no jardim de infância, o grupo de Kagan voltou a observá-las. Nos anos seguintes, nenhuma das crianças desembaraçadas se tornara tímida, enquanto dois terços das tímidas continuavam reticentes.

Kagan constata que crianças muito sensíveis e medrosas tornam-se adultos tímidos e medrosos; desde o nascimento, cerca de 15 a 20% das crianças são "inibidas do ponto de vista comportamental", segundo ele diz. Em bebês, essas crianças se intimidam diante de qualquer coisa que não lhes seja familiar. Hesitam em comer algo novo, relutam em aproximar-se de animais que nunca viram ou de locais onde nunca estiveram e são tímidas em presença de estranhos. Também são sensíveis sob outras formas — por exemplo, sentem-se facilmente culpadas e tendem à autorrecriminação. São crianças que ficam ansiosamente paralisadas nos contatos sociais: na sala de aula e no pátio de recreio, quando encontram novas pessoas, sempre que acontece de serem centro das atenções. Na idade adulta, tendem a ficar pelos cantos e têm um medo mórbido de falar ou de se apresentar em público.

Tom, um dos meninos observados por Kagan, é o tímido típico. Em toda avaliação durante a infância — 2, 5 e 7 anos — foi considerado como um dos mais tímidos. Quando entrevistado aos 13 anos, Tom estava tenso e rígido, mordendo os lábios e contorcendo as mãos, o rosto impassível, insinuando um sorriso apenas quando se referia à sua namorada; respostas curtas, modos contidos.[2] Por todos os anos da infância, até cerca dos 11 anos, Tom lembra que foi muitíssimo tímido, ficando encharcado de suor sempre que tinha de se aproximar de colegas de brincadeiras. Também era tomado por medos intensos: de sua casa pegar fogo, de mergulhar numa piscina, de ficar sozinho no escuro. Em pesadelos frequentes, era atacado por monstros. Embora tenha se sentido menos tímido nos últimos dois anos, mais ou menos, ainda sente certa ansiedade em presença de outros meninos, e agora é preocupadíssimo com seu desempenho escolar, embora esteja entre os 5% melhores de sua turma. Filho de um cientista, acha atraente esse tipo de profissão, uma vez que a relativa solidão serve às suas inclinações introvertidas.

Ralph, ao contrário, foi uma das crianças mais ousadas e extrovertidas durante toda a infância. Sempre descontraído e falador, aos 13 anos recostava-se à vontade na cadeira, não tinha maneirismos nervosos e falava num tom confiante, amistoso, como se o entrevistador fosse um colega — embora a diferença de idade entre eles fosse de 25 anos. Na infância, tivera apenas dois temores, de curta duração: de cachorros em geral e, depois, especificamente de um cachorro que o atacou quando tinha 3 anos. Teve medo de viajar de avião, aos 7 anos, quando ouviu falar de um acidente aéreo. Sociável e querido pelas pessoas, Ralph nunca se considerou uma pessoa tímida.

É possível que as crianças tímidas nasçam com circuitos neurais que as tornam mais reativas mesmo a tensões brandas — desde o nascimento, diante de circunstâncias estranhas ou novas, seus corações batem mais rápido que os de outras crianças. Com um ano e nove meses, quando os bebês reticentes ficavam de fora das brincadeiras, monitores de ritmo cardíaco mostravam que seus corações disparavam de ansiedade. Essa ansiedade, que é facilmente acionada, parece justificar sua timidez a vida toda: eles encaram cada nova pessoa ou situação como uma ameaça em potencial. Talvez por causa disso, as mulheres de meia-idade que relatam terem sido muito tímidas na infância, quando comparadas com outras que foram mais extrovertidas, tendem a viver com mais temores, preocupações e culpas, e também a ter problemas associados a tensão, como enxaquecas, constipação intestinal e problemas estomacais.[3]

A NEUROQUÍMICA DA TIMIDEZ

Kagan acredita que a diferença entre o cauteloso Tom e o ousado Ralph está na excitabilidade de um circuito neural centrado na amígdala cortical. Ele sugere que pessoas medrosas como Tom nascem com uma neuroquímica que torna esse circuito facilmente estimulável, e por isso elas evitam o desconhecido, recuam diante da incerteza e são ansiosas. Aquelas que, como Ralph, têm um sistema nervoso calibrado com um limiar muito mais alto de estimulação da amígdala se assustam com menos facilidade, são naturalmente mais abertas e ávidas por explorar novos lugares e conhecer novas pessoas.

Um primeiro sinal, na criança, de comportamento herdado é sua irritabilidade e comportamento difícil em bebê, e até onde se perturba quando diante de alguma coisa ou alguém que não conhece. Enquanto cerca de um em cinco bebês se encaixa na categoria dos tímidos, cerca de dois em cinco têm temperamento ousado — pelo menos ao nascer.

Parte dos indícios coletados por Kagan vem de observações em gatos anormalmente tímidos. Cerca de um em sete gatos domésticos tem um padrão de medo semelhante ao das crianças tímidas: afasta-se das coisas novas (em vez de exibir a lendária curiosidade do gato), reluta em explorar novos territórios e ataca apenas os roedores menores, por ser muito tímido para enfrentar os maiores, os quais seriam caçados com prazer por outros felinos, mais corajosos. Sondagens feitas diretamente no cérebro desses gatos detectaram que partes da amígdala são incomumente excitáveis, sobretudo quando, por exemplo, ouvem o rosnado ameaçador de outro gato.

A timidez dos gatos surge com cerca de um mês de idade, momento em que a amígdala amadurece o suficiente para assumir o controle dos circuitos do cérebro que ordenam abordar ou evitar. Um mês de amadurecimento do cérebro de um gatinho equivale a oito num bebê humano; é aos oito ou nove meses, observa Kagan, que o medo do "desconhecido" surge nos bebês — se a mãe abandona o aposento e há um estranho presente, o bebê chora. Kagan afirma que as crianças tímidas podem ter herdado cronicamente altos níveis de norepinefrina ou outros produtos químicos cerebrais que ativam a amígdala e com isso criam um baixo limiar de excitabilidade, fazendo a amígdala disparar com mais facilidade.

Um dos sinais dessa maior sensibilidade é identificável através de medições feitas em laboratório em rapazes e moças que foram muito tímidos em criança. Expostos a tensões como maus cheiros, o ritmo cardíaco deles continua muito mais elevado que o dos colegas mais abertos — um sinal de que a onda de norepinefrina mantém sua amígdala excitada e, através de circuitos neurais relacionados, também o sistema nervoso simpático.[4] Kagan constatou que as crianças tímidas reagem com maior intensidade a toda a gama de índices do sistema nervoso simpático, desde uma pressão sanguínea mais alta, quando em repouso, a uma dilatação maior das pupilas e níveis mais altos de marcadores de norepinefrina na urina.

O silêncio é outro barômetro de timidez. Sempre que a equipe de Kagan observou crianças tímidas e ousadas num ambiente natural — no jardim de infância, diante de crianças que não conheciam ou conversando com um entrevistador —, as tímidas falavam menos. Uma criança tímida de jardim de infância não dizia nada quando outras falavam com ela, e passava a maior parte do dia apenas olhando os outros brincarem. Kagan especula que um tímido silêncio diante da novidade ou de alguma coisa vista como uma ameaça é sinal da atividade de um circuito neural que liga o cérebro anterior, a amígdala e as estruturas límbicas próximas que controlam a capacidade de vocalizar (os mesmos circuitos que nos fazem "sufocar" sob tensão).

Essas crianças sensíveis correm alto risco de apresentar problemas de ansiedade, como a crise de pânico, já a partir da sexta ou sétima série. Num estudo em 754 meninos e meninas nessas séries, descobriu-se que 44 já haviam sofrido pelo menos um episódio de pânico, ou tinham tido vários sintomas preliminares. Esses episódios eram em geral disparados pelos alarmes comuns do início da adolescência, como o primeiro namoro ou uma prova importante — alarmes com os quais a maioria das crianças lida sem apresentar problemas mais sérios. Mas os adolescentes tímidos por temperamento e anormalmente assustados com novas situações tinham sintomas de pânico como palpitações cardíacas, respiração curta ou sensação de sufocação, juntamente com a sensação de que alguma coisa horrível ia acontecer-lhes, como enlouquecer ou morrer. Os pesquisadores acreditam que, embora os episódios não fossem suficientemente importantes para que fosse diagnosticada uma "síndrome do pânico", esses adolescentes correriam maior risco de contrair o problema com o passar dos anos; muitos adultos que sofrem de ataques de pânico dizem que eles começaram na adolescência.[5]

O início dos ataques de ansiedade estavam estreitamente relacionados com a puberdade. As meninas com discretos sinais de puberdade não relataram terem tido esses ataques, mas entre aquelas que já haviam passado pela puberdade, 8% disseram que tinham sentido pânico. Quando experimentam uma crise de pânico, os adolescentes tendem a ter medo de ter a crise novamente, o que leva ao retraimento social.

NADA ME PREOCUPA: O TEMPERAMENTO ANIMADO

Na década de 1920, quando mocinha, minha tia June deixou sua casa na cidade de Kansas e aventurou-se numa viagem a Xangai — uma viagem, naquela época, perigosa para uma mulher sozinha. Lá, June conheceu e casou-se com um detetive britânico da força de polícia colonial daquele centro internacional de comércio e intriga. Quando os japoneses tomaram Xangai no início da Segunda Guerra Mundial, minha tia e o marido foram internados no campo de prisioneiros descrito no filme e livro *O Império do Sol*. Após sobreviverem a cinco horrorosos anos nesse campo, ela e o marido haviam, literalmente, perdido tudo. Sem um tostão, foram repatriados para a Colúmbia Britânica.

Lembro-me da primeira vez que, em criança, vi June, uma velhinha ebuliente cuja vida tomara um rumo extraordinário. Nos últimos anos, ela sofrera um derrame que a deixou semiparalítica; após uma lenta e árdua recuperação, conseguiu voltar a andar, mas capengando. Lembro-me de que, na época, saí para passear com ela, então na casa dos 70 anos. Ela foi se afastando e, algum tempo depois, ouvi um gritinho — era June pedindo socorro. Caíra e não conseguia se levantar sozinha. Corri para ajudá-la, e enquanto o fazia, em vez de queixar-se ou lamentar-se, ela ria de seu apuro. Apenas comentou alegremente: "Bem, pelo menos posso andar de novo."

Por alguma razão, as emoções de algumas pessoas parecem, como as da minha tia, gravitar para o polo positivo; essas pessoas são naturalmente otimistas e dadas, enquanto outras são sombrias e melancólicas. Essa amplitude de temperamento — ebuliência numa ponta, melancolia na outra — parece estar ligada à relativa atividade das áreas pré-frontais esquerda e direita, os polos superiores do cérebro emocional. Esse entendimento é, em grande parte, fruto do trabalho de Richard Davidson, psicólogo da Universidade de Wisconsin. Ele descobriu que as pessoas com maior atividade no lobo frontal esquerdo do que no direito são por temperamento animadas: geralmente sentem prazer em estar com outras pessoas e com o que a vida lhes oferece, dando a volta por cima dos reveses, como minha tia June. Mas aquelas com maior atividade no lado direito são dadas ao negativismo e ao azedume, e perturbam-se facilmente com os problemas da vida; num certo sentido, parecem sofrer por não poderem evitar a preocupação e a depressão.

Num dos experimentos de Davidson, compararam-se voluntários que exibiam uma atividade mais pronunciada nas áreas frontais esquerdas com outros

15 que apresentavam mais atividade no lado direito. Aqueles com acentuada atividade frontal direita mostraram um padrão diferente de negativismo num teste de personalidade: encaixavam-se na caricatura retratada por Woody Allen, do alarmista que vê catástrofes nas menores coisas — medrosos e rabugentos, desconfiados de um mundo que consideram cheio de problemas terríveis e de perigos a cada esquina. Diferentemente dos melancólicos, aqueles que têm uma mais forte atividade frontal esquerda viam o mundo de uma forma bem diferente. Sociáveis e animados, tinham, geralmente, uma sensação de alegria, estavam sempre num alto astral e sentiam-se prazerosamente engajados na vida. Suas contagens de pontos em testes psicológicos sugeriam um risco menor de contrair depressão e outros problemas emocionais durante toda a vida.[6]

Davidson constatou que as pessoas com um histórico de depressão clínica tinham menores níveis de atividade cerebral no lobo pré-frontal esquerdo, e mais no direito, quando comparadas com outras que nunca estavam deprimidas. Encontrou o mesmo padrão em pacientes com depressão recém-diagnosticada. Davidson especula que as pessoas que superam a depressão aprenderam a aumentar o nível de atividade no lobo pré-frontal esquerdo — uma especulação que ainda aguarda testagem experimental.

Davidson diz que, embora sua pesquisa se refira aos mais ou menos 30% de pessoas nos extremos, praticamente todo mundo pode ser classificado por padrões de ondas cerebrais como tendendo para um ou outro tipo. O contraste entre tristes e alegres mostra-se de muitas formas, grandes e pequenas. Por exemplo, num experimento, voluntários viram pequenos trechos de filmes. Uns eram divertidos — um gorila tomando banho, um cachorrinho brincando. Outros, como um filme didático para enfermeiros, exibia detalhes sanguinolentos de cirurgias, eram bastante perturbadores. As pessoas cujo hemisfério direito era dominante, soturnas, acharam os filmes alegres apenas medianamente divertidos, mas sentiram extremo medo e náusea em reação à sangueira cirúrgica. As pessoas do grupo alegre reagiram muito pouco à cirurgia; reagiram com intensa alegria quando viram os filmes alegres.

Assim, nós parecemos, por temperamento, preparados para responder à vida segundo um registro positivo ou negativo. A tendência para um temperamento melancólico ou alegre — como para a timidez ou ousadia — surge no primeiro ano de vida, um fato que sugere fortemente que ele seja geneticamente determinado. Como a maior parte do cérebro, os lobos pré-frontais ainda estão amadurecendo nos primeiros meses de vida, e assim sua atividade não pode ser medida com segurança até em torno dos dez meses. Mas, em bebês de cerca de dez meses, Davidson descobriu que o nível de atividade nos lobos pré-frontais predizia se iam chorar quando as mães deixassem o quarto. A correlação era praticamente de 100%: de dezenas de bebês assim testados, todos os que choravam tinham mais atividade cerebral no lado direito, e entre os que não choravam, a atividade cerebral era mais acentuada no lado esquerdo.

Ainda assim, mesmo que essa dimensão básica de temperamento venha de nascença, ou de muito próximo, aqueles que apresentam o padrão de tristeza não estão necessariamente condenados a levar a vida meditativos e excêntricos. O aprendizado emocional adquirido na infância pode ter um profundo impacto no temperamento, ampliando ou reduzindo uma predisposição inata. A grande plasticidade do cérebro na infância indica que as experiências então vividas podem causar um impacto duradouro no esculpir das rotas neurais para o resto da vida. Talvez a melhor ilustração dos tipos de experiência que podem melhorar o temperamento esteja na observação que surgiu da pesquisa de Kagan com crianças tímidas.

DOMANDO A AMÍGDALA SUPEREXCITÁVEL

A grande novidade trazida pelos estudos de Kagan é que nem todos os bebês medrosos serão retraídos quando adultos — temperamento não é destino. Pode-se domar a amígdala superexcitável, com as experiências adequadas. O que é importante são as lições e respostas emocionais que as crianças aprendem durante o seu desenvolvimento. Para a criança tímida, o que importa no início é como ela é tratada pelos pais, e como aprende a lidar com sua timidez natural. Os pais que criam, de forma gradual, situações para que os filhos tenham experiências encorajadoras, estão lhes proporcionando uma espécie de corretivo de seu medo, para toda a vida.

Cerca de um em três bebês que nascem com todos os sinais de amígdala superexcitável perde a timidez quando chega ao jardim de infância.[7] Observações que foram feitas junto a crianças que, em casa, eram medrosas constatam que os pais, sobretudo as mães, desempenham um papel importante para determinar se uma criança, com o decorrer dos anos, vai se tornar mais ousada ou continuará a fugir do que é novo e perturbar-se diante de um desafio. A equipe de pesquisa de Kagan constatou que algumas das mães tinham como premissa proteger os bebês tímidos de qualquer coisa perturbadora; outras achavam mais importante ajudá-los a enfrentar situações e, desta forma, adaptarem-se às pequenas batalhas da vida. A conduta protetora avalizou o medo, e provavelmente privou as crianças de oportunidades para aprenderem a superar o medo. A filosofia do "aprender a adaptar-se" na criação dos filhos parece ter ajudado crianças medrosas a tornarem-se mais corajosas.

Observações feitas na casa dos bebês quando eles tinham cerca de seis meses constataram que as mães protetoras, ao tentarem dar consolo aos filhos, lhes davam colo quando ficavam inquietos ou choravam, e faziam isso por mais tempo do que as mães que tentavam ajudar os bebês a dominar esses momentos de perturbação. A incidência das vezes em que os bebês eram postos no colo quando estavam calmos e quando estavam perturbados demonstrou que as mães protetoras ficavam com o bebê no colo muito mais tempo durante os períodos de perturbação do que em períodos calmos.

Foi identificado um outro tipo de comportamento quando os bebês já tinham mais ou menos um ano: as mães protetoras eram mais tolerantes, não eram explícitas na imposição de limites quando eles faziam alguma coisa perigosa, como pôr na boca um objeto que podiam engolir. As outras mães, ao contrário, eram enfáticas, impunham limites com firmeza, dando ordens diretas, impedindo que a criança agisse de uma determinada forma, insistindo na obediência.

Por que a firmeza diminuiria o medo? Kagan especula que algo é aprendido quando o bebê engatinha em direção a algo que para ele é intrigante (mas que é perigoso, segundo o julgamento da mãe), mas é detido com uma advertência: "Afaste-se disso!" O bebê é, de repente, obrigado a lidar com uma leve incerteza. A repetição desse desafio centenas e centenas de vezes no primeiro ano de vida proporciona ao bebê contínuos ensaios, em pequenas doses, para o enfrentamento, na vida, do inesperado. No caso de crianças medrosas, é exatamente esse tipo de contato que tem de ser dominado, e doses controláveis bastam para que elas aprendam. Quando o fato acontece com pais que, embora amorosos, não correm a pegar e consolar o bebê a cada pequena perturbação, ele vai aprendendo aos poucos, e por si só, a lidar com tais momentos. Aos 2 anos, crianças medrosas que retornam ao laboratório de Kagan estão menos medrosas e com menor probabilidade de romper no choro quando um estranho faz uma careta, ou um pesquisador aperta um medidor de pressão em torno de seu braço. Conclusão de Kagan:

— Aparentemente, as mães que protegem seus bebês que reagem intensamente diante de frustrações e que são ansiosos, na esperança de obterem um bom resultado, na verdade exacerbam a insegurança do bebê e produzem o efeito contrário.[8]

Em outras palavras, a estratégia protetora sai pela culatra, privando os bebês tímidos da oportunidade de acalmarem-se diante do desconhecido, e com isso adquirir um pequeno domínio de seus medos. No nível neurológico, supostamente, isso significa que seus circuitos pré-frontais perderam a oportunidade de aprender respostas alternativas ao medo intenso; ao contrário, a tendência ao medo desabrido pode ter sido fortalecida simplesmente pela repetição.

Por outro lado, disse Kagan:

— As crianças que se tornaram menos tímidas quando chegam ao jardim de infância parecem ter tido pais que lhes aplicavam delicada pressão para serem mais expansivas. Embora esse traço experimental pareça ligeiramente mais difícil de mudar — provavelmente devido à sua base fisiológica —, nenhuma qualidade humana é imutável.

Por toda a infância, algumas crianças tímidas vão se encorajando mais à medida que a experiência continua a moldar os principais circuitos neurais. Um dos sinais de que a criança tímida terá mais probabilidade de superar essa inibição natural é o fato de ela ter ou não um nível superior de aptidão social: ser cooperativa e se dar bem com outras crianças; ser empática, inclinada a dar e dividir, e atenciosa; e poder criar amizades íntimas. Esses traços eram característicos de um grupo de crianças identificadas primeiro como sendo tímidas aos 4 anos, e que, aos 10, já não apresentavam mais o problema.[9]

Ao contrário, as crianças tímidas de 4 anos cujo temperamento pouco mudou ao longo daqueles mesmos seis anos tendiam a ser menos capazes emocionalmente: choravam e se desmontavam facilmente sob tensão; eram emocionalmente incompetentes; medrosas, rabugentas ou caprichosas; demasiado sensíveis à crítica, ou desconfiadas. Essas falhas emocionais, é claro, provavelmente significam que, se puderem superar a relutância inicial de juntarem-se a outras crianças, o seu relacionamento com elas não será agradável.

Ao contrário, é fácil ver por que crianças emocionalmente mais competentes — embora tímidas por temperamento — superam espontaneamente sua timidez. Porque mais hábeis nos contatos sociais, tinham maior probabilidade de ter uma série de experiências positivas com outras crianças. Mesmo que hesitassem, digamos, em falar com um novo coleguinha, assim que o gelo quebrava elas eram capazes de ser socialmente brilhantes. A repetição regular desses sucessos sociais durante muitos anos naturalmente fazia com que os tímidos ficassem mais seguros de si.

Esses avanços para a ousadia são encorajadores; sugerem que mesmo os padrões emocionais inatos podem mudar em certa medida. A criança que nasce com tendência a se assustar pode aprender a ser mais tranquila, ou mesmo aberta, diante do desconhecido. O sentimento de medo — ou qualquer outro temperamento — pode, em parte, ser um dado biológico para a nossa vida emocional, mas não estamos necessariamente limitados por nossos traços hereditários a um cardápio emocional específico. Há uma gama de possibilidades mesmo dentro dessas limitações genéticas. Como observam os geneticistas comportamentais, os genes, por si só, não determinam o comportamento; o ambiente em que vivemos, sobretudo quando experimentamos e aprendemos enquanto crescemos, molda a maneira de uma predisposição temperamental manifestar-se no desenrolar da vida. Nossas aptidões emocionais não são um fato determinado; com o aprendizado certo, podem ser aperfeiçoadas. Isto está ligado à maneira como o cérebro humano amadurece.

INFÂNCIA: MOMENTO DE BOAS OPORTUNIDADES

O cérebro humano não está totalmente formado no nascimento. Continua a moldar-se durante a vida, com um ritmo mais intenso de crescimento durante a infância. As crianças nascem com muito mais neurônios do que reterá o seu cérebro maduro; por um processo conhecido como "poda", o cérebro, na verdade, perde as ligações neuronais menos usadas e forma outras, fortes, nos circuitos sinápticos mais utilizados. A poda, eliminando sinapses estranhas, melhora a relação sinal-ruído no cérebro, eliminando a causa do "ruído". O processo é constante e rápido; formam-se ligações sinápticas em questão de horas ou dias. A experiência, sobretudo na infância, esculpe o cérebro.

A clássica demonstração do impacto da experiência no desenvolvimento do cérebro foi feita pelos ganhadores do Prêmio Nobel Thorsten Wiesel e David Hubel, ambos neurocientistas.[10] Eles mostraram que nos gatos e macacos havia um período crítico, durante os primeiros meses de vida, para o desenvolvimento das sinapses que levam os sinais do olho ao córtex visual, onde são interpretados. Se um olho fosse fechado durante esse período, o número de sinapses desse olho para o córtex visual reduzia-se, e o número das do olho aberto multiplicava-se. Se, depois de encerrado o período crítico, se reabria o olho fechado, o animal estava funcionalmente cego desse olho. Embora não houvesse problema com o olho propriamente dito, os circuitos para o córtex visual eram muito reduzidos para que os sinais desse olho fossem interpretados.

Nos seres humanos, o período crítico correspondente para a visão são os seis primeiros anos de vida. Durante esse tempo, a visão normal estimula a formação de circuitos neurais cada vez mais complexos para a visão que começa no olho e termina no córtex visual. Caso se tape o olho da criança, ainda que por umas poucas semanas, isso pode produzir um déficit mensurável na acuidade visual desse olho. Se a criança tem um olho fechado durante vários meses nesse período, e depois o restauram, a visão desse olho estará prejudicada para a percepção de detalhes.

Uma vívida demonstração do impacto da experiência no cérebro em desenvolvimento está nos estudos de ratos "ricos" e "pobres".[11] Os ratos "ricos" viviam em pequenos grupos em gaiolas com bastantes diversões, como escadas e esteiras rolantes. Os ratos "pobres" viviam em gaiolas semelhantes mas sem nada, nem diversões. Durante meses, os neocórtices dos ratos ricos desenvolveram redes muito mais complexas de circuitos sinápticos interligando os neurônios; os circuitos neuronais dos ratos pobres, em comparação, eram esparsos. A diferença era tão grande que os cérebros dos ratos ricos eram mais pesados, e, o que talvez não surpreenda, eles eram muito mais espertos na saída de labirintos que os ratos pobres. Experiências semelhantes com macacos mostram essas diferenças entre "ricos" e "pobres", e com certeza o mesmo efeito se dá nos seres humanos.

A psicoterapia — isto é, o reaprendizado emocional sistemático — surge como um exemplo de como a experiência pode, ao mesmo tempo, mudar padrões emocionais e moldar o cérebro. A demonstração mais sensacional vem de um estudo de pessoas que estavam se tratando de perturbações obsessivo-compulsivas.[12] Uma das compulsões mais comuns é lavar as mãos, o que é feito muitas vezes, até mesmo centenas de vezes por dia, a ponto de a pele da pessoa rachar. Estudos analíticos de varredura PET mostram que os obsessivo-compulsivos têm uma atividade maior que a normal nos lobos pré-frontais.[13]

Metade dos pacientes sob estudo recebeu o tratamento químico padrão, fluoxetina (mais conhecida pelo nome comercial de Prozac), e metade fez terapia comportamental. Durante a terapia, foram sistematicamente expostos ao objeto de sua obsessão ou compulsão sem satisfazê-la; pacientes com compulsão para lavar as mãos foram postos junto a uma pia, mas sem permissão de lavá-las. Ao mesmo tempo, aprendiam a questionar os temores e medos que os mobilizavam — por exemplo, não lavar as mãos significava que iam pegar uma doença e morrer. Aos poucos, após meses de tais sessões, as compulsões foram acabando, tal como se deu através do uso de medicamentos!

A descoberta notável, porém, foi um teste de varredura PET que mostrou que os pacientes em terapia comportamental tinham uma redução tão significativa na atividade de uma parte-chave do cérebro emocional, o núcleo caudato, quanto os pacientes que foram tratados, com sucesso, com a fluoxetina. A experiência deles mudara a função cerebral — e aliviara os sintomas — tão eficazmente quanto a medicação.

MOMENTOS CRUCIAIS

De todas as espécies, a nossa — seres humanos — é a que requer mais tempo para o amadurecimento do cérebro. Embora cada área do cérebro se desenvolva em ritmo diferente durante a infância, o início da puberdade assinala um dos períodos mais abrangentes de poda em todo o cérebro. Várias áreas cerebrais críticas para a vida emocional são as de mais lento amadurecimento. Embora as áreas sensoriais amadureçam durante a primeira infância, e os sistemas límbicos, na puberdade, os lobos frontais — sede do autocontrole emocional, compreensão e hábil resposta — continuam a se desenvolver até o fim da adolescência, num momento qualquer entre os 16 e os 18 anos.[14]

Os hábitos de controle emocional repetidos muitas vezes durante a infância e na adolescência ajudam, por si, a moldar esses circuitos. Isso faz com que a infância seja um momento crucial para que sejam moldadas, para toda a vida, as tendências emocionais; os hábitos adquiridos na infância tornam-se fixos na fiação sináptica básica da arquitetura neural e são mais difíceis de mudar em idade mais avançada. Dada a importância dos lobos pré-frontais no controle da emoção, o amplo espaço de tempo para a escultura sináptica nessa região do cérebro talvez possa significar que, no grande projeto do cérebro, as experiências vividas pela criança, ao longo dos anos, moldam ligações duradouras nos circuitos reguladores do cérebro emocional. Como vimos, dentre as mais importantes experiências que uma criança pode ter, é a constatação de até onde seus pais são confiáveis e atendem às suas necessidades, as oportunidades e orientação que a criança tem no aprendizado de como lidar com sua perturbação e controlar o impulso, e a prática da empatia. Pelo mesmo motivo, o abandono ou os maus-tratos, a falta de sintonia de um pai que gira apenas em torno de si mesmo, ou indiferente ou uma disciplina brutal deixam sua marca nos circuitos emocionais.[15]

Uma das mais essenciais lições emocionais, aprendida primeiro no início da infância e durante toda ela aprimorada, é como consolar-se quando perturbado. Para os bebês muito novos, o consolo vem de quem cuida deles: a mãe ouve o bebê chorar, pega-o no colo e balança-o até acalmá-lo. Essa sintonia biológica, sugerem alguns teóricos, ajuda a criança a aprender a fazer o mesmo sozinha.[16] Durante o período crítico entre dez meses e um ano e meio, a área orbitofrontal do córtex pré-frontal está formando rapidamente as ligações com o cérebro límbico que o transformarão numa chave liga-desliga para a perturbação. O bebê que, em incontáveis episódios em que é consolado, recebe ajuda para aprender a acalmar-se, especula-se, terá ligações mais fortes nesse circuito para controle da perturbação, e assim, por toda a vida, saberá consolar-se quando perturbado.

É evidente que a arte de se consolar requer muitos anos de aprendizagem e com novos meios, já que o amadurecimento do cérebro oferece à criança, progressivamente, ferramentas emocionais mais sofisticadas. Lembrem, os lobos pré-frontais, tão importantes no controle do impulso límbico, amadurecem na adolescência.[17] Outro circuito-chave que continua a formar-se na infância centra-se no nervo vago, que, numa ponta, regula o coração e outras partes do corpo e, na outra, envia sinais das adrenais para a amígdala, levando-a a secretar as catecolaminas, que preparam a resposta lutar-ou-fugir. Uma equipe da Universidade de Washington que avaliou o impacto na criação de filhos descobriu que pais emocionalmente capazes causavam uma melhora na função do nervo vago.

Como explicou John Gottmnan, o psicólogo que chefiou a pesquisa:

— Os pais modificam o tom vagal dos filhos (uma medida da facilidade com que o nervo vago é disparado), treinando-os emocionalmente: conversando com eles sobre seus sentimentos e como compreendê-los, não sendo críticos nem julgadores, solucionando problemas de sofrimento sentimental, ensinando-lhes o que fazer, como outras alternativas em vez de bater ou retirar-se quando se está triste.

Quando os pais desempenham bem essa função, as crianças são mais capazes de suprimir a atividade vagal que mantém a amígdala preparando o corpo com hormônios para lutar-ou-fugir — e assim se comportam melhor.

É racional que as aptidões-chave da inteligência emocional tenham, cada uma, períodos críticos que se estendem por vários anos na infância. Cada período oferece espaço para que a criança possa adquirir hábitos emocionais benéficos, ou, se perdida a oportunidade, dificultar a recepção, mais tarde, de lições corretivas. O esculpimento e a poda maciça dos circuitos neurais na infância podem ser um dos motivos subjacentes pelos quais as primeiras dificuldades e traumas emocionais têm efeitos tão duradouros e generalizados na idade adulta. Também podem explicar por que a psicoterapia muitas vezes leva tanto tempo para alterar um desses padrões — e por quê, como vimos, mesmo após a terapia esses padrões tendem a permanecer como tendências subjacentes, embora com uma cobertura de novas intuições e respostas reaprendidas.

É claro que o cérebro permanece maleável durante toda a vida, embora não na medida espetacular vista na infância. Todo aprendizado implica alteração cerebral, o fortalecimento de uma ligação sináptica. As mudanças no cérebro dos pacientes com perturbações obsessivo-compulsivas mostram que os hábitos emocionais são maleáveis, em qualquer momento da vida, desde que haja um esforço constante, mesmo no nível neural. O que acontece com o cérebro no PTSD (ou na terapia, aliás) é um análogo dos efeitos trazidos por todas as experiências emocionais repetidas ou intensas, para melhor ou para pior.

Algumas das mais reveladoras dessas lições são dos pais para o filho. Há muitos hábitos emocionais diferentes instilados pelos pais cuja sintonia significa que as necessidades emocionais de uma criança são reconhecidas e satisfeitas, ou cuja disciplina inclui empatia, de um lado, ou pais egocêntricos, que ignoram a aflição da criança ou a disciplinam severamente, gritando e batendo. Grande parte da psicoterapia é, num certo sentido, um remédio mediante orientação e aconselhamento sobre o que, antes, foi distorcido ou completamente perdido. Mas por que não fazermos o possível para prevenir essa necessidade, dando às crianças, de pronto, a proteção e orientação que cultivam as aptidões emocionais essenciais?

PARTE CINCO

ALFABETIZAÇÃO EMOCIONAL

15

Quanto Custa o Analfabetismo Emocional

Tudo começou com uma briguinha, mas degringolou. Ian Moore, graduando do Ginásio Jefferson, no Brooklyn, e Tyrone Sinkler, do primeiro ano, tinham brigado com um colega, Khalil Sumpter, de 15 anos. Depois passaram a provocá-lo e a ameaçá-lo. Foi aí que a coisa explodiu.

Khalil, com medo de que Ian e Tyrone fossem lhe bater, levou uma pistola calibre 38 para a escola e, a uns 3 metros do guarda do ginásio, matou os dois garotos com tiros disparados à queima-roupa no corredor.

O fato é muito chocante. Mas é também mais um indicador, à nossa disposição, para que tomemos consciência da necessidade, urgente, de ensinamentos que objetivem o controle das emoções, as resoluções de desentendimentos de forma pacífica e, enfim, a boa convivência entre as pessoas. Os educadores, há muito preocupados com as notas baixas dos alunos em matemática e leitura, começam a constatar que existe um outro tipo de deficiência e que é mais alarmante: o analfabetismo emocional.[1] Apesar dos louváveis esforços que visam melhorar o desempenho acadêmico, esse novo tipo de deficiência ainda não ganhou espaço no currículo escolar. Como disse um professor do Brooklyn, a atual ênfase do ensino parece sugerir que "nos preocupamos mais com a qualidade da leitura e escrita dos alunos do que em saber se eles vão estar vivos na semana que vem".

Podemos ver sinais dessa deficiência em incidentes violentos como o que foi relatado anteriormente, e que se tornam cada vez mais frequentes nas escolas norte-americanas. Esses não são casos isolados. Nos Estados Unidos — país que é arauto da tendência mundial —, as estatísticas mostram um aumento da turbulência entre os adolescentes e de problemas da infância.[2]

Em 1990, comparativamente com as duas décadas anteriores, os Estados Unidos tiveram um aumento de prisões de jovens que praticaram crimes violentos; as prisões de adolescentes por estupro dobraram; o número de assassinatos cometidos por adolescentes quadruplicaram, em sua maioria devido ao aumento de tiroteios.[3] Durante as mesmas duas décadas, o número de suicídios entre adolescentes triplicou, e também triplicou o número de menores de 14 anos vítimas de assassinato.[4]

Um maior número de adolescentes, e cada vez mais jovens, engravida. Em 1993, constatou-se que o número de meninas, entre 10 e 14 anos, que se tornaram mães aumentara constantemente durante cinco anos seguidos — elas são os "bebês que têm bebês" —, e a mesma ocorrência se deu com a proporção de gestação indesejada em adolescentes e a pressão de colegas para fazer sexo. As taxas de doenças venéreas triplicaram nas últimas três décadas.[5]

Embora esses números sejam desencorajadores, se olharmos a juventude afro-americana, sobretudo nos centros urbanos, eles são absolutamente sombrios — todos os percentuais são muito mais altos, às vezes triplicados, ou ainda mais altos. Por exemplo, o uso de heroína e cocaína entre a juventude branca subiu cerca de 300% nas duas décadas antes da de 90; entre os afro-americanos, saltou assombrosas *13 vezes* o percentual de vinte anos antes.[6]

A maior causa de invalidez entre adolescentes é psicológica. Sintomas de depressão, severa ou branda, afetam até um terço dos adolescentes; nas garotas, a incidência de depressão dobra na puberdade. A incidência de problemas caracterizados como desordens de alimentação entre adolescentes atingiu nível estratosférico.[7]

Finalmente, a menos que algo de novo aconteça, as perspectivas a longo prazo de os jovens casais viverem juntos de forma frutífera e estável tornam-se cada vez mais lúgubres a cada geração. Como vimos no Capítulo 9, enquanto nas décadas de 1970 e 80 o percentual de divórcio era por volta de 50%, quando entramos na década de 1990 a previsão era de que dois em três recém-casados se divorciariam.

MAL-ESTAR EMOCIONAL

Essas estatísticas alarmantes são como o canário no túnel do trabalhador de mina de carvão, cuja morte avisa que há pouco oxigênio. As estatísticas, porém, não mostram o que ainda não se configurou como crise de fato. As circunstâncias problemáticas em que vivem nossas crianças podem ser vistas em níveis mais sutis, no dia a dia de suas vidas. Talvez os mais reveladores de todos os dados — um barômetro direto da queda nos níveis de competência emocional — venham de uma amostragem nacional de crianças americanas de 7 a 16 anos, que comparou sua condição emocional em meados da década de 1970 e no fim da de 80.[8] Com base em avaliações de pais e professores, houve uma piora constante. Nenhum problema se destacou; todos os indicadores simplesmente apontaram para o lado negativo. As crianças, em média, não estavam bem nos seguintes pontos específicos:

- *Retraimento ou problemas de relacionamento social*: preferir ficar só; ser cheio de segredos; amuar-se muito; falta de energia; sentir-se infeliz; ser muito dependente.
- *Ansioso e deprimido*: ser solitário; ter muitos medos e preocupações; autoexigência exacerbada; não se sentir amado; sentir-se nervoso, triste e deprimido.
- *Problemas de atenção ou de raciocínio*: dificuldade de concentração; devaneio; agir impulsivamente; nervoso demais para concentrar-se; mau desempenho escolar; incapacidade de afastar pensamentos.
- *Delinquente ou agressivo*: andar com garotos que se metem em encrencas; mentir e trapacear; discutir muito; ser mau com os outros; chamar atenção para si; destruir as coisas dos outros; desobedecer em casa e na escola; ser teimoso e macambúzio; falar demais; provocar demais; ter pavio curto.

Ainda que cada um desses problemas, isoladamente, não seja preocupante, como um todo são barômetros de uma mudança de maré, de um novo tipo de toxicidade vazando e envenenando a experiência da infância, significando abrangentes déficits de aptidões emocionais. Esse mal-estar emocional parece ser o preço que a modernidade cobra às crianças. Embora os americanos muitas vezes alardeiem seus problemas como particularmente ruins em comparação com outras culturas, estudos em todo o mundo constatam taxas do mesmo nível ou piores que nos Estados Unidos. Por exemplo, na década de 1980, professores e pais na Holanda, China e Alemanha diziam que as crianças desses países tinham mais ou menos os mesmos tipos de problemas identificados, em 1976, nas crianças americanas. E, em alguns países, o problema infantil era pior que aqueles hoje identificados nas crianças dos Estados Unidos, entre eles a Austrália, França e Tailândia. Mas isso talvez não continue assim por muito tempo. Comparadas às de muitos outros países desenvolvidos, as forças maiores que empurram para baixo a espiral descendente em competência emocional parecem estar ganhando velocidade nos Estados Unidos.[9]

Nenhuma criança, rica ou pobre, é imune a problemas; isso é universal e ocorre em todos os grupos étnicos, raciais e de renda. Assim, embora as crianças pobres tenham o pior registro em indicadores de aptidões emocionais, a respectiva *taxa* de deterioração com o correr das décadas não foi pior que aquela das crianças da classe média ou rica: todas mostram uma queda constante. Também houve um triplo aumento correspondente no número de crianças que receberam ajuda psicológica (talvez um bom sinal, que indica a disponibilidade de mais ajuda), além de uma quase duplicação do número de crianças com problemas emocionais que *sugerem* a necessidade desse tipo de ajuda, mas que não a recebem (um mau sinal) — de cerca de 9% em 1976 para 18% em 1989.

Urie Bronfenbrenner, eminente psicólogo da Universidade de Cornell, que realizou uma pesquisa comparativa sobre o bem-estar de crianças, em nível internacional, declara:

— Na falta de bons sistemas de apoio, as tensões externas tornaram-se tão grandes que mesmo famílias bem-estruturadas estão desmoronando. A atividade febril, instabilidade e inconsistência da vida diária grassam em todos os segmentos de nossa sociedade, incluindo os bem-educados e ricos. O que está em jogo é a próxima geração, sobretudo a dos homens que, quando adultos, ficam especialmente vulneráveis a forças desintegradoras como os efeitos devastadores do divórcio, da pobreza e do desemprego. O status das crianças e famílias americanas está mais desesperador que nunca... Estamos privando milhões de crianças da competência e caráter moral.[10]

Esse não é um fenômeno americano, mas global. A competitividade econômica, em nível mundial, que barateia o custo da mão de obra, cria forças econômicas que pressionam a família. Vivemos tempos de famílias economicamente acossadas, em que os pais trabalham muitas horas, de modo que os filhos são deixados por sua própria conta e risco ou aos cuidados da televisão, a babá substituta; em que mais crianças do que nunca são criadas na pobreza; em que famílias-de-um-só-pai ou mãe são cada vez mais comuns; em que mais bebês e crianças pequenas são deixados em creches tão mal equipadas que equivalem ao abandono. Tudo isso acarreta, mesmo para pais bem-intencionados, a perda, cada vez maior, de incontáveis oportunidades para pequenos e protetores intercâmbios com seus filhos, fundamentais para o desenvolvimento das aptidões emocionais.

Se as famílias não mais têm condições de dar aos seus filhos um embasamento para que pisem em solo firme, o que devemos fazer? Um olhar mais atento sobre o mecanismo dos problemas específicos sugere como determinados dados sobre aptidões emocionais ou sociais colocam as fundações para graves problemas — e como corretivos ou preventivos bem orientados podem manter mais crianças no caminho certo.

DOMANDO A AGRESSÃO

Em minha escola primária, o valentão era Jimmy, quartanista quando entrei na primeira série. Era ele quem roubava o dinheiro da nossa merenda, tomava nossa bicicleta, preferia bater a conversar conosco. Era o arruaceiro clássico, partindo para a briga à menor provocação, ou sem que houvesse qualquer provocação. Todos tínhamos medo dele — e nos mantínhamos a distância. Todos o detestavam e temiam; ninguém queria brincar com ele. Era como se houvesse, por onde quer que ele andasse no pátio, um invisível guarda-costas que afastava as crianças da frente dele.

Garotos como Jimmy são visivelmente problemáticos. Mas o que talvez não seja tão óbvio é que uma agressividade tão flagrante na infância é sinal de que, no futuro, esses garotos problemáticos sofrerão perturbações emocionais e de outra ordem. Jimmy já estava preso por agressão aos 16 anos.

O que a agressividade na infância lega para o resto da vida de garotos como Jimmy consta de muitos estudos.[11] Como vimos, a vida em família dessas crianças agressivas inclui, normalmente, pais que alternam abandono com castigos severos e arbitrários, um comportamento que, talvez compreensivelmente, torna a criança meio paranoica ou belicosa.

Nem todas as crianças raivosas são brigonas; algumas são marginalizados sociais retraídos, que reagem com exagero às provocações ou ao que consideram ser ofensa ou injustiça. Mas uma falha de percepção comum a essas crianças agressivas é que elas veem pequenas ofensas onde não há intenção, imaginando que os colegas lhe são mais hostis do que na verdade são. Isso as leva a interpretar atos insignificantes como ameaças — um inocente esbarro é visto como uma provocação — e a contra-atacar. Isso, claro, faz com que as outras crianças as evitem, tornando-as ainda mais isoladas. Essas crianças zangadas, isoladas, são muitíssimo sensíveis a injustiças e a tratamentos que não sejam isentos. Em geral, se sentem como vítimas e podem citar uma série de circunstâncias em que, por exemplo, os professores as culparam por terem feito algo que de fato não fizeram. Outra característica dessas crianças é que, uma vez no calor da raiva, só pensam num modo de reagir: na porrada.

Essa percepção distorcida pode ser constatada através de experimentos laboratoriais, em que os brigões são emparelhados com crianças mais pacíficas, numa sessão de vídeos. Num dos vídeos, um garoto deixa cair os livros quando outro esbarra nele, e as crianças em redor riem; o garoto que deixou cair os livros se zanga e tenta bater num dos que riram. No comentário sobre o filme, o brigão acha que o garoto que bateu estava certo. Mais revelador ainda, quando têm de classificar a agressividade dos garotos durante a discussão sobre o filme, os brigões consideram que o garoto que esbarrou no outro é mais combativo, e que a raiva do menino que bateu é justificada.[12]

Esse julgamento precipitado denuncia uma profunda distorção perceptiva nas pessoas que em geral são agressivas: agem com base na presunção de hostilidade ou ameaça, dando muito pouca atenção ao que de fato se passa. Assim que presumem ameaça, partem para a ação. Por exemplo, se um garoto agressivo joga xadrez com outro que mexe uma pedra fora de hora, ele acha que houve "trapaça", sem parar para pensar se foi um engano. Ele sempre supõe a maldade, nunca a inocência; e a reação é de hostilidade automática. Juntamente com a percepção reflexa de um ato hostil, vem uma agressão igualmente automática; em vez de, digamos, chamar a atenção do outro para o engano, ele parte para a acusação, berrando, batendo. E quanto mais essas crianças agridem, mais automática se torna a agressão, e mais o repertório de alternativas — a polidez, o gracejo — fica reduzido.

Essas crianças são emocionalmente vulneráveis, pois têm um baixo limiar de perturbação, irritando-se muitas vezes com as mais variadas coisas; uma vez perturbadas, não raciocinam com clareza, de modo que veem atos benignos como hostis e recaem no superaprendido hábito de bater.[13]

Essas distorções perceptivas para a hostilidade já estão a postos na primeira série. Enquanto a maioria das crianças, e sobretudo os meninos, é bagunceira no jardim de infância e na primeira série, as mais agressivas não aprenderam um mínimo de autocontrole na segunda série. Quando outras crianças já começaram a aprender a negociar e a chegar a um acordo nas desavenças que ocorrem no pátio, os brigões optam cada vez mais pela força e pelo grito. Eles pagam um preço social: após duas ou três horas do primeiro contato no pátio de recreio com um brigão, as outras crianças já declaram que não gostam dele.[14]

Mas estudos que acompanharam crianças desde os anos do pré-escolar até a adolescência constatam que metade dos alunos que na primeira série eram desordeiros, incapazes de se dar com os outros, desobedientes com os pais e resistentes com os professores se torna delinquente na adolescência.[15] Claro, nem todas essas crianças agressivas seguem o caminho que conduz à violência e à criminalidade na vida posterior. Mas, de todas as crianças, são essas as que tendem a cometer crimes violentos.

A tendência para o crime aparece muitíssimo cedo na vida dessas crianças. Quando crianças de um jardim de infância de Montreal foram classificadas por grau de hostilidade e criação de caso, aquelas a quem, aos 5 anos, fora atribuído um mais alto grau, já tinham dado muito mais provas de delinquência apenas cinco a oito anos depois, no início da adolescência. Comparadas com outras crianças, havia a possibilidade três vezes maior de haverem batido em alguém sem motivo, furtado lojas, usado arma numa briga, arrombado ou roubado peças de carro e se embriagado — tudo isso antes de chegarem aos 14 anos.[16]

Crianças que, na primeira e segunda séries, são agressivas e difíceis de lidar, já apresentam um protótipo de violência e criminalidade.[17] Em geral, desde os primeiros anos de escola elas apresentam dificuldades no controle de impulsos, o que contribui para que sejam más alunas, vistas e vendo-se como "burras" — um julgamento que se confirma ao serem encaminhadas para classes de educação especial (e nem todas elas têm um maior grau de "hiperatividade" e problemas na aprendizagem). As crianças que, ao entrarem na escola, já trazem de casa um estilo "coercitivo" — ou seja, ameaçador — também são descartadas pelos professores, que têm de passar muito tempo mantendo a disciplina. O não cumprimento das regras da sala de aula que é característico dessas crianças as faz disperdiçar um tempo que poderia ser utilizado para aprenderem; o futuro fracasso acadêmico se torna óbvio por volta da terceira série. Embora os meninos propensos à delinquência tendam a ter QI mais baixo, o que está mais diretamente em causa é a impulsividade deles: a impulsividade em meninos de 10 anos é um indicador de delinquência muito mais seguro do que o nível de seus QIs.[18]

Na quarta ou quinta séries, esses garotos — a essa altura considerados como arruaceiros, ou apenas "difíceis" — são rejeitados pelos colegas e incapazes de fazer amigos com facilidade, quando o fazem, e já se tornaram fracassos acadêmicos. Sentindo-se sem amigos, gravitam para o lado de outros que também são socialmente marginalizados. Entre a quarta série e o segundo grau, ligam-se a esse grupo e passam a praticar atos de desrespeito à lei; aí, quintuplicam as faltas às aulas, o consumo de bebidas e drogas, que aumenta consideravelmente entre a sétima e a oitava séries. No secundário, junta-se a eles outro tipo de "atrasados", atraídos por seu estilo contestador; esses atrasados muitas vezes são meninos completamente sem supervisão em casa, e que começaram a vagar pelas ruas já no primário. No ginásio, esse grupo marginalizado normalmente abandona a escola, descamba para a delinquência, dedicando-se a pequenos delitos como furtos em lojas, roubos e tráfico de drogas.

(Uma diferença reveladora surge nessa trajetória entre meninos e meninas. Um estudo de meninas "más" na quarta série — que criam caso com os professores e violam regras, mas que não são rejeitadas pelas colegas — constatou que 40% delas se tornaram mãe já no final do ginásio.[19] Isso era três vezes a taxa de gravidez para as garotas de suas escolas. Em outras palavras, as adolescentes antissociais não se tornam violentas — ficam grávidas.)

Não há, claro, uma única via para a violência e a criminalidade. Há outros fatores, como a criança nascer num bairro de alta criminalidade, onde ficam expostas a mais tentações ao crime e à violência, vir de uma família que vive sob grande tensão, ou viver na pobreza. Mas nenhum desses fatores é determinante para uma vida criminal. Tudo mais sendo igual, as forças psicológicas que atuam em crianças agressivas aumentam muito a probabilidade de virem a ser criminosos violentos. Como diz Gerald Patterson, um psicólogo que seguiu de perto as carreiras de centenas de meninos até a idade adulta:

— Os atos antissociais de um menino de 5 anos podem ser protótipos dos atos do adolescente delinquente.[20]

ESCOLA PARA ARRUACEIROS

A distorção mental que as crianças agressivas carregam pela vida afora quase sempre determina que elas vão levar uma vida complicada. Um estudo de criminosos juvenis condenados por crimes violentos e de ginasianos agressivos constatou que havia entre eles um determinado tipo de disposição mental: quando têm problemas com alguém, essa pessoa é vista como um antagonista e concluem que ela é hostil, sem buscar qualquer outra informação nem tentar pensar numa maneira pacífica de acertar suas diferenças. Ao mesmo tempo, nunca lhes passa pela cabeça as consequências negativas de uma ação violenta — uma briga, normalmente. Justificam a agressividade com crenças do tipo: "Está certo bater em alguém quando você fica com muita raiva"; "Se você fugir da briga, todo mundo vai achar que você é covarde" e "As pessoas que apanham muito na verdade não sofrem tanto assim".[21]

Mas uma ajuda oportuna pode fazer com que esse tipo de predisposição se altere e seja detida a trajetória para a delinquência: vários programas experimentais têm tido algum sucesso na ajuda a esses garotos agressivos para aprenderem a controlar sua tendência antissocial antes que se metam em problemas mais sérios. Um, na Universidade Duke, trabalhou com garotos raivosos que criam caso na escola primária, em sessões de treinamento de quarenta minutos, duas vezes por semana, durante períodos que foram de um mês e meio a três meses. Ensinou-se aos garotos, por exemplo, a ver que alguns dos sinais sociais que eles interpretavam como hostis eram, na verdade, neutros ou amistosos. Aprenderam a adotar a perspectiva de outras crianças, a saber como eram vistos pelos outros e a perceber o que outras crianças poderiam estar pensando e sentindo nos embates que os deixavam tão irados. Também receberam treinamento direto de controle da raiva através de encenações de provocações, que podiam levá-los a perder a calma. Uma das aptidões-chave para o controle da raiva consistia em monitorar os próprios sentimentos — tomar consciência das sensações corporais, como o enrubescimento e a tensão muscular quando estavam começando a ficar zangados e considerar essas sensações como um alarme: deviam parar e pensar como reagir, em vez de agir impulsivamente.

John Lochman, psicólogo da Universidade Duke que foi um dos idealizadores do programa, disse:

— Eles discutem situações que viveram recentemente, como receber no corredor um encontrão que julgam proposital. Os garotos dizem como poderiam ter agido. Um deles disse, por exemplo, que simplesmente encararia o garoto que esbarrasse nele e lhe diria para não fazer mais aquilo, e seguiria em frente. Isso o punha em posição de exercer algum controle e manter a autoestima, sem iniciar uma briga.

Esse programa tem um forte apelo; muitos garotos agressivos ficam infelizes por terem perdido tão facilmente a calma e, portanto, são receptivos ao treinamento que lhes ensine como controlá-la. No calor do momento, claro, respostas sóbrias como afastar-se ou contar até dez, até passar o impulso de agredir, antes de reagir, não são automáticas; os meninos praticam tais alternativas em cenas onde desempenham papéis como entrar num ônibus onde outros garotos o provocam. Assim, podem experimentar respostas amistosas que preservem sua dignidade e lhes deem, ao mesmo tempo, uma alternativa que não seja bater, chorar ou fugir envergonhado.

Três anos depois de os garotos passarem pelo treinamento, Lochman comparou-os com outras crianças agressivas que não haviam participado do programa de controle da raiva. Descobriu que, na adolescência, os garotos que concluíram o programa eram muito menos perturbadores nas salas de aula, se sentiam melhor consigo mesmos e havia uma menor probabilidade de que fossem beber ou usar drogas. E quanto mais tempo tinham participado do programa, menos agressivos eram como adolescentes.

PREVENINDO A DEPRESSÃO

> Dana, de 16 anos, sempre parecera se dar bem. Mas agora, de repente, simplesmente não conseguia se relacionar com outras garotas, e, o que mais a perturbava, não conseguia segurar os namorados, mesmo indo para a cama com eles. Mal-humorada e constantemente cansada, não queria mais comer nem ter qualquer tipo de diversão; dizia que estava sem perspectivas e que se sentia incapaz de fazer alguma coisa para sair desse estado de espírito, e pensava em suicídio.
>
> Ela havia entrado em depressão por ter rompido um namoro. Dizia que não sabia sair com um garoto sem se envolver logo sexualmente — ainda que se sentisse constrangida com isso — nem acabar com um relacionamento, mesmo insatisfatório. Ia para a cama com os rapazes, dizia, quando o que queria mesmo era conhecê-los melhor.
>
> Acabara de entrar para uma nova escola e sentia-se tímida quanto a fazer novas amizades com as garotas dali. Por exemplo, não puxava conversa e só falava se os colegas se dirigissem a ela. Não conseguia falar de si própria e não sabia o que dizer depois do "Oi, como vai?".[22]

Dana foi fazer terapia num programa experimental para adolescentes deprimidos na Universidade de Colúmbia. O tratamento era centrado em ajudá-la a lidar melhor com seus relacionamentos: fazer amigos, sentir-se mais confiante com outros adolescentes, impor limites de proximidade sexual, se envolver, manifestar seus sentimentos. Em essência, uma orientação remediadora de algumas das mais básicas aptidões emocionais. E deu certo, a depressão dela passou.

Sobretudo nos jovens, os problemas de relacionamento são um gatilho para a depressão. A dificuldade, muitas vezes, está tanto nas relações das crianças com os pais quanto com os colegas. As crianças e adolescentes deprimidos muitas vezes não podem ou não querem falar de sua tristeza. Parecem incapazes de definir seus sentimentos com precisão mostrando em vez disso uma mal-humorada irritabilidade, impaciência, instabilidade e raiva — sobretudo em relação aos pais. Isso, por sua vez, torna mais difícil para os pais oferecer o apoio e a orientação emocional que o jovem está precisando, pondo em movimento uma espiral descendente que acaba, normalmente, em constantes discussões e alienação.

Um novo exame das causas da depressão nos jovens identifica déficits em duas áreas de competência emocional: dificuldade nos relacionamentos, de um lado, e uma maneira de interpretar reveses que promovem a depressão, do outro. Embora parte da tendência à depressão quase certamente se deva a predisposições genéticas, outra parte parece dever-se a hábitos de pensamento pessimistas reversíveis, que predispõem os jovens a reagir às pequenas derrotas da vida — uma nota ruim, discussões com os pais, uma rejeição social — ficando deprimidos. E há indícios de que a predisposição à depressão, qualquer que seja a origem, é cada vez mais comum entre os jovens.

O PREÇO DA MODERNIDADE: AUMENTO DOS CASOS DE DEPRESSÃO

A virada do milênio iniciou uma Era da Melancolia, do mesmo modo como o século XX se tornou a Era da Ansiedade. Dados internacionais mostram uma espécie de epidemia moderna de depressão, que se espalha de mãos dadas com a adoção, em todo o mundo, de modos modernos. Desde o início do século XXI, cada nova geração tem vivido sob maior risco que aquela que a antecedeu de sofrer uma depressão grave — não a mera tristeza, mas uma paralisante apatia, desânimo e autopiedade — no transcorrer da vida.[23] E esses episódios estão começando cada vez mais cedo. A depressão na infância, antes praticamente desconhecida (ou, pelo menos, não reconhecida), surge como um dado do panorama moderno.

Embora a probabilidade de ficar deprimido aumente com a idade, a maior incidência tem ocorrido entre os jovens. Para os que nasceram após 1955, a probabilidade de sofrerem uma depressão grave em algum momento da vida é, em muitos países, três vezes maior que para seus avós. Entre os americanos nascidos antes de 1905, o percentual dos que tiveram uma depressão grave durante toda a vida foi de apenas 1%; para os nascidos após 1955, aos 24 anos cerca de 6% já tinham ficado deprimidos. Para os nascidos entre 1945 e 1954, a possibilidade de sofrer uma depressão grave antes dos 34 anos seria dez vezes maior que para os nascidos entre 1905 e 1914.[24] E para cada geração, o início do primeiro episódio de depressão tem tendido a ocorrer cada vez mais cedo.

Um estudo mundial com mais de 39 mil pessoas descobriu a mesma tendência em Porto Rico, Canadá, Itália, Alemanha, França, Taiwan, Líbano e Nova Zelândia. Em Beirute, a incidência de depressão acompanhava de perto os acontecimentos políticos, a tendência ascendente chegando às alturas nos períodos de guerra civil. Na Alemanha, para os nascidos antes de 1914, o percentual de depressão aos 35 anos era de 4%; para os nascidos na década antes de 1944, seria de 14% aos 35 anos. Em todo o mundo, gerações que chegaram à maioridade em tempos politicamente agitados tinham taxas superiores de depressão, embora a tendência geral ascendente se mantenha independentemente de quaisquer fatos políticos.

Na infância, a depressão tem ocorrido numa idade cada vez menor, em qualquer parte do mundo. Quando pedi a especialistas que arriscassem um palpite sobre o motivo, surgiram várias hipóteses.

O Dr. Frederick Goodwin, então diretor do Instituto Nacional de Saúde Mental, especulou:

— Houve uma tremenda erosão da família nuclear: o dobro da taxa de divórcios, a redução do tempo que os pais têm para os filhos e o aumento da migração. Não somos mais educados conhecendo outros membros da família, além de pai e mãe. A perda dessas referências para a autoidentidade acarretam uma maior susceptibilidade à depressão.

O Dr. David Kupfer, presidente do conselho de psiquiatria da faculdade de medicina da Universidade de Pittsburgh, apontou para outra tendência:

— Com a disseminação da industrialização após a Segunda Guerra Mundial, num certo sentido ninguém tem mais um lar. Num número cada vez maior de famílias, vem aumentando a indiferença dos pais pelas necessidades dos filhos enquanto eles crescem. Isso não é uma causa direta da depressão, mas cria uma vulnerabilidade. A tensão no jovem altera o desenvolvimento neurônico, o que leva à depressão quando se está sob grande tensão mesmo décadas depois.

Martin Seligman, psicólogo da Universidade da Pensilvânia, sugeriu:

— Nos últimos trinta ou quarenta anos, vimos a ascensão do individualismo e o desaparecimento das crenças maiores na religião e nos amparos da comunidade e da família maior. Isso importa numa perda dos recursos que podem nos proteger de reveses e fracassos. Na medida em que encaramos um fracasso qualquer como uma coisa duradoura e o ampliamos de modo a atingir tudo em nossa vida, tendemos a deixar que uma derrota momentânea se torne uma fonte duradoura de desesperança. Mas se temos uma perspectiva maior, como a crença em Deus e numa outra vida, e perdemos o emprego, é apenas uma derrota temporária.

Sejam quais forem as causas, a depressão nos jovens é um problema premente. Nos Estados Unidos, as estimativas variam largamente sobre quantas crianças e adolescentes estão deprimidos em um dado ano, em oposição à vulnerabilidade durante toda a vida. Alguns estudos epidemiológicos, usando critérios estritos — os sintomas diagnósticos oficiais da depressão —, constataram que para meninos e meninas entre 10 e 13 anos o percentual de depressão séria no curso de um ano chega a 8 ou 9%, embora outros estudos apontem para cerca da metade desse percentual (e alguns a rebaixem até 2%). Alguns dados sugerem que, na puberdade, a taxa quase dobra para as meninas; até 16% das meninas entre 14 e 16 anos sofrem uma crise de depressão, enquanto para os meninos não há mudança.[25]

O PERCURSO DA DEPRESSÃO NOS JOVENS

O fato de, nas crianças, a depressão merecer não apenas tratamento, mas também ser *prevenida* fica evidenciado numa descoberta alarmante: mesmo episódios brandos de depressão numa criança podem antecipar outros mais severos mais tarde.[26] Isso vai de encontro à antiga crença de que a depressão na infância não importa a longo prazo, pois as crianças, supostamente, a superam com a idade. Claro, toda criança fica triste de vez em quando; a infância e a adolescência são, como a idade adulta, tempos de ocasionais decepções e grandes e pequenas perdas, com o consequente sofrimento. A necessidade de prevenção não é para esses tempos, mas para as crianças nas quais a tristeza se torna uma "fossa" que as deixa desesperadas, irritáveis e retraídas — uma melancolia muito mais séria.

Entre as crianças cuja depressão era suficientemente séria para que fossem submetidas a tratamento, três quartos tiveram um episódio posterior de severa depressão, segundo dados coletados por Maria Kovacs, psicóloga do Instituto e Clínica Psiquiátricos Ocidentais em Pittsburgh.[27] Ela estudou crianças com diagnóstico de depressão já aos 8 anos, avaliando-as de tempos em tempos, algumas até os 24.

As crianças com séria depressão tinham episódios que duravam cerca de 11 meses em média, embora em uma em cada seis delas a depressão persistisse até um ano e meio. As depressões brandas, que começavam já aos 5 anos em algumas crianças, eram menos incapacitantes, mas duravam muito mais — uma média de quatro anos. E, constatou Maria Kovacs, as crianças com uma depressão branda têm mais probabilidade de que ela se transforme em depressão grave — a chamada dupla depressão. Os que desenvolvem dupla depressão são muito mais inclinados a sofrer episódios recorrentes com o passar dos anos. Quando as crianças que já tinham vivido um episódio de depressão chegaram à adolescência e à idade adulta, sofreram de depressão ou problemas maníaco-depressivos, em média um em cada três anos.

O preço para as crianças vai além do sofrimento causado pela própria depressão. Maria Kovacs me disse:

— As crianças aprendem aptidões sociais no convívio com os colegas, por exemplo, o que fazer quando querem uma coisa e não a conseguem, vendo como as outras crianças lidam com a situação e depois tentando por si mesmas. Mas as crianças deprimidas provavelmente estão entre as crianças isoladas pelas outras, que não querem brincar com ela.[28]

O mau humor ou tristeza que essas crianças sentem as leva a não provocar qualquer contato social, ou a desviar o olhar quando as outras tentam entrar em contato com elas — um sinal social que as outras crianças simplesmente consideram como rejeição; o resultado é que as crianças deprimidas acabam rejeitadas ou isoladas no pátio da escola. Essa lacuna em sua experiência interpessoal lhes priva de aprendizagens que ocorreriam nos trancos e barrancos das brincadeiras, e isso as deixa com um retardo social e emocional, com muita coisa a alcançar depois que passa a depressão.[29] Na verdade, quando se compararam crianças deprimidas com outras sem depressão, descobriu-se que elas eram mais socialmente ineptas, tinham menos amigos, eram menos preferidas que as outras como companheiras nas brincadeiras, eram menos amadas e tinham relacionamentos mais conturbados com as outras.

Outro preço para essas crianças é o desempenho escolar; a depressão interfere na memória e concentração, tornando mais difícil prestar atenção na aula e reter ensinamentos. A criança que não sente alegria com nada achará mais difícil reunir a energia para dominar lições complexas, quanto mais para sentir o fluxo no aprendizado. Compreensivelmente, quanto mais tempo as crianças no estudo de Maria Kovacs passavam deprimidas, mais suas notas caíam e pior se saíam elas nos testes de aproveitamento e, portanto, tinham maior probabilidade de ficarem atrasadas na escola. Na verdade, havia uma correlação direta entre o tempo que a depressão durava e as notas escolares, com uma queda constante no decorrer do episódio. Toda essa dificuldade acadêmica, claro, agrava a depressão. Como observa Maria Kovacs:

— Imagine que você já se sente deprimido e começa a dar-se mal na escola, e fica em casa sozinho em vez de estar brincando com as outras crianças.

MODOS DE PENSAR GERADORES DE DEPRESSÃO

Do mesmo modo como nos adultos, modos pessimistas de interpretar as derrotas da vida parecem alimentar os sentimentos de impotência e desesperança no fundo da depressão da criança. Que as pessoas *já* deprimidas pensam assim, há muito se sabe. O que só recentemente foi descoberto, porém, é que as crianças mais inclinadas à melancolia tendem para essa perspectiva pessimista *antes* de ficarem deprimidas. Essa intuição mostra que existe um momento em que é possível aplicar uma vacina contra a depressão antes que ela surja.

Uma série de indícios vem de estudos acerca das crenças das crianças sobre a capacidade que têm de controlar o que acontece em suas vidas — por exemplo, poder mudar tudo para melhor. Isso é constatável através da autoavaliação: "Quando eu tenho problemas em casa, sou melhor que as outras crianças na ajuda para a solução desses problemas" e "Quando eu dou duro, tiro notas boas". As crianças que dizem que nenhuma dessas descrições positivas se adapta a elas têm pouco senso de que podem fazer qualquer coisa para mudar as coisas; essa sensação de impotência é maior nas crianças mais deprimidas.[30]

Um estudo revelador examinou alunos da quinta e sexta séries poucos dias depois de haverem recebido seus boletins. Como todos lembramos, os boletins escolares são uma das maiores fontes de euforia e desespero na infância. Mas os pesquisadores descobrem uma acentuada consequência na maneira como as crianças avaliam seu papel quando tiram uma nota pior do que esperavam. Aquelas que acham que receberam uma nota ruim porque têm algum problema pessoal ("Eu sou idiota") se sentem mais deprimidas que as que descartam a coisa em termos de algo que podem mudar ("Se eu der mais duro nos deveres de casa de matemática, tiro uma nota melhor").[31]

Os pesquisadores identificaram um grupo de alunos da terceira, quarta e quinta séries rejeitados pelos colegas e quais deles continuavam a ser rejeitados nas novas turmas no ano seguinte. A maneira como as crianças explicavam a rejeição parecia crucial para saber se ficavam deprimidas. As que viam sua rejeição como devida a algum defeito pessoal ficavam mais deprimidas. Mas as otimistas, que sentiam que podiam fazer alguma coisa para melhorar, não ficavam especialmente deprimidas mesmo continuando a ser rejeitadas.[32] E num estudo de crianças que faziam a transição, notoriamente criadora de tensão, para o ginásio, as que tinham uma atitude pessimista reagiam com maior intensidade a brigas na escola e a qualquer tensão extra em casa ficando deprimidas.[33]

O indício mais direto de que uma perspectiva pessimista torna as crianças altamente susceptíveis à depressão vem de um estudo de cinco anos com crianças, iniciado quando elas estavam na terceira série.[34] Entre as mais novas, o fator mais forte de previsão da depressão era a perspectiva pessimista combinada com um grande golpe, como pais se divorciando ou uma morte na família, que deixava a criança perturbada, instável e, supõe-se, com pais menos capazes de oferecer um anteparo protetor. Na escola primária, havia uma mudança reveladora na maneira como avaliavam acontecimentos bons e maus, atribuindo-os às suas próprias características: "Eu tiro boas notas porque sou inteligente"; "Eu não tenho muitos amigos porque não tenho graça nenhuma". Essa mudança parece ir se estabelecendo aos poucos da terceira à quinta séries. Quando isso acontece, as crianças que desenvolvem uma perspectiva pessimista — atribuir os reveses em suas vidas a alguma terrível falha pessoal — começam a ser presas de estados de espírito depressivos como reação aos reveses. E o que é pior, a experiência da própria depressão parece reforçar o pessimismo, de tal forma que, mesmo depois de superada a depressão, a criança fica com uma espécie de cicatriz emocional, um conjunto de convicções alimentadas pela depressão e solidificadas na mente: que não pode se sair bem na escola e nada pode fazer para fugir de seus estados de espírito sorumbáticos. Essas ideias fixas podem deixar as crianças ainda mais vulneráveis a uma posterior depressão.

BLOQUEANDO A DEPRESSÃO

A boa nova: há todos os indícios de que ensinar às crianças meios mais produtivos de ver suas dificuldades reduz os riscos de depressão.* Num estudo em escola ginasial do Oregon, cerca de um em cada quatro alunos tinha o que os psicólogos chamam de "baixo nível de depressão", não suficientemente séria para dizer-se que ia além da infelicidade comum.[35] Alguns se achavam nas primeiras semanas ou meses dos primórdios de uma depressão.

Numa classe especial pós-escola, 75 dos alunos com depressão branda aprenderam a contestar os padrões de pensamento associados à depressão, tornan-

* Nas crianças, ao contrário dos adultos, a medicação não é uma alternativa clara para a terapia ou a educação preventiva no tratamento da depressão; elas metabolizam os remédios de um modo diferente dos adultos. Os antidepressivos tricíclicos, muitas vezes eficientes em adultos, em estudos com crianças não se mostraram melhores que um placebo inativo. Novos medicamentos para a depressão, incluindo o Prozac, ainda não foram testados para uso em crianças. E a desipramina, um dos mais comuns (e seguros) tricíclicos usados em adultos, é no momento em que escrevo objeto de uma investigação do Departamento de Alimentos e Medicamentos (FDA em inglês) como possível causa de morte em crianças.

do-se mais capazes de fazer amigos, dar-se melhor com os pais e participar de atividades sociais que achavam agradáveis. No fim do programa de dois meses, 55% dos estudantes haviam se recuperado da depressão branda, e apenas um quarto de outros igualmente deprimidos e que não participaram do programa começara a sair dela. Um ano depois, um quarto dos que pertenciam ao grupo de comparação entrara numa grande depressão, contra apenas 14% dos integrantes do programa de prevenção. Embora durassem apenas dois meses, as classes pareceram reduzir pela metade o risco de depressão.[36]

Constatações igualmente promissoras vieram de uma classe especial, uma vez por semana, dada a jovens de 10 a 13 anos com problemas com os pais e mostrando alguns sinais de depressão. Na sessão após as aulas, eles aprenderam algumas aptidões emocionais básicas, incluindo como lidar com discordâncias, pensar antes de agir e, talvez mais importante, contestar as crenças pessimistas associadas à depressão — por exemplo, resolvendo estudar mais após sair-se mal numa prova, em vez de pensar: "Eu não sou muito inteligente mesmo."

— O que a criança aprende nessas aulas é que sentimentos como ansiedade, tristeza e raiva simplesmente não se abatem sobre nós sem que tenhamos qualquer controle sobre eles, mas que podemos mudar o que sentimos utilizando o raciocínio — observa o psicólogo Martin Seligman, um dos criadores do programa de três meses.

Como a contestação dos pensamentos depressivos vence o estado de melancolia em formação, Seligman acrescenta: "é um reforço instantâneo que se torna um hábito."

Também aqui as sessões especiais reduziram à metade a taxa de depressão — e isso até dois anos depois. Um ano após essas aulas, apenas 8% dos que participaram tinham uma média de pontos de moderada a severa num teste de depressão, contra 29% dos de um grupo de comparação. E, dois anos depois, cerca de 20% dos que participaram do curso mostravam pelo menos alguns sinais de branda depressão, em comparação com 44% dos do grupo-controle.

Aprender essas aptidões emocionais no início da adolescência pode ser especialmente proveitoso. Observa Seligman:

— Essas crianças parecem lidar melhor com os rotineiros tormentos de rejeição na adolescência. Parecem ter aprendido isso num momento crucial para o risco de depressão, que é a entrada na adolescência. E a lição parece persistir e fortalecer-se no decorrer dos anos, o que nos faz supor que estão de fato usando-a na vida diária.

Outros especialistas em depressão na infância aplaudem os novos programas:

— Se há vontade de fazer alguma coisa importante mesmo em doenças psiquiátricas como a depressão, é preciso agir antes que os jovens adoeçam, em primeiro lugar — comentou Maria Kovacs. — A verdadeira solução é uma vacinação psicológica.

DISTÚRBIOS DE ALIMENTAÇÃO

Em meus dias de pós-graduação em psicologia clínica, no fim da década de 1960, conheci duas mulheres que sofriam de distúrbios de alimentação, embora eu só fosse compreender isso muitos anos depois. Uma delas era uma brilhante estudante de pós-graduação em matemática em Harvard, amiga dos tempos de faculdade; a outra, funcionária do Instituto de Tecnologia de Massachusetts (M.I.T.). A matemática, apesar de esquelética, simplesmente não conseguia comer; dizia ter nojo da comida. A bibliotecária tinha um corpo enorme e era dada a verdadeiras orgias de sorvetes, tortas de cenoura e outras sobremesas; depois — como uma vez confessou com certo embaraço —, ia escondido ao banheiro e provocava vômito. Hoje a matemática receberia o diagnóstico de anorexia; e a bibliotecária, bulimia.

Naquele tempo não havia esses rótulos. Os clínicos apenas começavam a comentar o problema. Hilda Bruch, a pioneira desse movimento, publicou seu artigo seminal sobre distúrbios de alimentação em 1969.[37] Intrigada com as mulheres que morriam por falta de alimentação, acredita que uma das várias causas desse distúrbio é a incapacidade de identificar e reagir adequadamente a impulsos físicos — notadamente, claro, a fome. Desde então, a literatura clínica sobre distúrbios de alimentação floresceu, com uma série de hipóteses sobre as causas, que vão desde garotas cada vez mais jovens sentindo-se obrigadas a competir com padrões de beleza inatingíveis, a mães enxeridas que envolvem as filhas numa teia controladora de culpa e censura.

A maioria dessas hipóteses apresentava uma grande falha: eram extrapolações de observações feitas nas sessões de psicoterapia. Muito mais desejável, do ponto de vista científico, são estudos de grandes grupos de pessoas num período de vários anos, que identifica quais delas vão contrair o problema. Esse tipo de estudo propicia uma nítida comparação que permite identificar, por exemplo, se o fato de ter pais controladores predispõe a garota a distúrbios de alimentação. Além disso, pode identificar o conjunto de condições que levam ao problema e distingui-las de condições que podem parecer causa, mas na verdade se encontram tanto em pessoas sem o problema quanto nas que buscam tratamento.

Quando um estudo desse tipo foi feito, de forma minuciosa, com mais de novecentas garotas da sétima série ao segundo grau, descobriu-se que os déficits emocionais — sobretudo a incapacidade de distinguir sentimentos e de não controlá-los — eram os principais fatores que causavam os distúrbios de alimentação.[38] Mesmo no segundo grau, já havia 61 garotas nesse ginásio frequentado por filhos da classe abastada de Minneapolis com sérios sintomas de anorexia e bulimia. Quanto maior o problema, mais elas reagiam aos reveses, dificuldades e pequenos aborrecimentos com intensos sentimentos negativos que não podiam resolver, e menor a consciência do que exatamente estavam sentindo. Quando essas duas tendências emocionais se juntavam a uma grande insatisfação com o próprio corpo, o resultado era anorexia ou bulimia. Descobriu-se que pais que são muito controladores não desempenham um papel causal nos distúrbios de alimentação. (Como advertira a própria Hilda Bruch, não era provável que teorias baseadas numa visão *a posteriori* fossem exatas; por exemplo, os pais podem facilmente tornar-se muito controladores *em reação* aos distúrbios de alimentação da filha, no desespero de ajudá-la.) Também julgadas irrelevantes foram algumas explicações como medo da sexualidade, início precoce da puberdade e baixa autoestima.

Em vez disso, as correntes causais reveladas por esse estudo começavam com os efeitos sobre as meninas de uma sociedade preocupada com uma magreza antinatural como sinal de beleza feminina. Muito antes da adolescência, as meninas já se preocupam com seu peso. Uma garotinha de 6 anos, por exemplo, rompeu em prantos quando a mãe a convidou para ir nadar, dizendo que ficava gorda de maiô. Na verdade, diz o pediatra dela, que conta a história, o peso da menina era normal para a sua altura.[39] Num estudo de 271 jovens adolescentes, metade das garotas se julgava gorda demais, embora a maioria tivesse peso normal. Mas o estudo de Minneapolis mostrou que a obsessão com o excesso de peso não é suficiente, em si, para explicar por que algumas garotas passam a ter distúrbios de alimentação.

Algumas pessoas obesas são incapazes de distinguir entre medo, raiva e fome, e assim embolam todos esses sentimentos como significando fome, o que as leva a comer demais sempre que não estão bem.[40] Alguma coisa semelhante parece acontecer com essas garotas. Gloria Leon, psicóloga da Universidade de Minneapolis que fez o estudo das meninas e dos distúrbios de alimentação, observou que elas "têm pouca consciência de seus sentimentos e dos sinais de seus corpos; esse era o mais forte fator de previsão de que iam ter um distúrbio de alimentação nos próximos dois anos. A maioria das crianças aprende a distinguir suas sensações, a saber a diferença entre o tédio, a raiva, a depressão ou a fome — é uma parte básica do aprendizado emocional. Mas essas garotas têm dificuldade em distinguir seus sentimentos mais básicos. Podem ter um problema com o namorado e não saber se estão com raiva, ansiosas ou deprimidas — sentem apenas uma difusa tempestade emocional com a qual não sabem lidar efetivamente. Em vez disso, aprendem a se sentir melhor comendo; isso pode tornar-se um hábito emocional fortemente entranhado".

Mas quando esse hábito para aliviar-se interage com as pressões que as garotas sentem para permanecer magras, está aberto o caminho para o surgimento de distúrbios de alimentação.

— A princípio, ela pode começar com orgias de comida — observa Gloria Leon. — Mas para continuar magra tem de recorrer a vômitos ou laxativos, ou intenso exercício físico para perder o peso ganho com o excesso de comida. Outro caminho que essa luta para lidar com a confusão emocional pode tomar é a garota não comer nada; pode ser um meio de sentir que tem pelo menos algum controle sobre esses sentimentos esmagadores.

A combinação de pouca consciência interior e fracas aptidões sociais faz com que essas garotas, quando perturbadas por amigos ou parentes, não ajam efetivamente para melhorar o relacionamento ou sua própria aflição. Em vez disso, a perturbação dispara o distúrbio de alimentação, seja bulimia, anorexia ou simplesmente orgias de comida. Gloria Leon acredita que o tratamento eficaz para essas garotas precisa incluir alguma instrução terapêutica sobre as aptidões emocionais que lhes faltam.

— Os clínicos constatam — ela me disse — que, se os déficits nas aptidões emocionais forem abordados, a terapia funciona melhor. Essas garotas precisam aprender a identificar seus sentimentos e aprender melhores meios de aliviar-se ou lidar com seus relacionamentos, sem recorrer aos hábitos alimentares mal adequados para resolver o problema.

REJEITADO PELOS COLEGAS: EVASÃO ESCOLAR

É um drama do primário: Ben, um menino da quarta série com poucos amigos, acabou de saber pelo único companheiro, Jason, que os dois não vão brincar juntos no recreio — Jason quer brincar com outro menino, Chad. Ben, arrasado, deixa pender a cabeça e chora. Depois que passam os soluços, vai à mesa onde comem Jason e Chad.

— Odeio você — berra para Jason.

— Por quê? — pergunta Jason.

— Porque você mentiu — diz Ben, em tom acusador. — Você disse a semana toda que ia brincar comigo e mentiu.

E sai danado da vida para uma mesa vazia, chorando baixinho. Jason e Chad aproximam-se dele e tentam conversar, mas Ben tapa os ouvidos com os dedos, decidido a ignorá-los, e sai correndo do refeitório para esconder-se atrás do depósito de lixo da escola. Um grupo de meninas que assistiu ao diálogo tenta desempenhar um papel pacificador, chegando perto de Ben e dizendo-lhe que Jason quer brincar com ele também. Mas Ben não quer saber de nada e pede que o deixem em paz. Trata de suas feridas, macambúzio e soluçando, desafiadoramente solitário.[41]

Um momento pungente, sem dúvida; o sentimento de ser rejeitado e de estar sem amigos é um daqueles pelos quais a maioria passa num ou noutro momento da infância ou da adolescência. Mas o que é mais revelador na reação de Ben é que ele não correspondeu à tentativa de Jason de refazer a amizade dos dois, uma atitude que aumentou seu sofrimento, quando devia tê-lo encerrado. Essa incapacidade de aproveitar deixas-chave é típica de crianças impopulares; como vimos no Capítulo 8, crianças socialmente rejeitadas são, normalmente, fracas na interpretação de sinais emocionais e sociais; mesmo quando compreendem esses sinais, podem ter limitados repertórios de respostas.

A evasão escolar é um risco particular para as crianças rejeitadas pelos colegas. A taxa é entre duas e oito vezes maior que para as que têm amigos. Um estudo constatou, por exemplo, que cerca de 25% das crianças "isoladas" no primário abandonaram os estudos antes de concluir o ginásio, em comparação com uma taxa geral de 8%.[42] Não é de admirar: imaginem passar trinta horas por semana num lugar onde ninguém gosta da gente.

Dois tipos de tendências emocionais levam as crianças a se tornarem socialmente marginalizadas. Como vimos, uma é a tendência a explosões de cólera e a sentir hostilidade mesmo onde não há intenção. A segunda é a timidez, a ansiedade e a depressão. Mas, além e acima desses fatores temperamentais, são as crianças "chatas" — cuja canhestrice deixa sempre as pessoas pouco à vontade — que tendem a ser evitadas.

Uma maneira de essas crianças serem "chatas" está nos sinais emocionais que enviam. Quando foi pedido a alunos do primário que tinham poucos amigos que combinassem uma emoção como nojo ou raiva com rostos que exibiam uma gama de emoções, elas cometeram muito mais erros que as crianças que são benquistas. Quando se pediu a crianças de jardim de infância que descrevessem formas de fazer amigos ou evitar uma briga, foram as chatas — aquelas com as quais as outras evitavam brincar — que apresentaram as respostas erradas ("Dar um pau nele", em relação à disputa por um brinquedo, por exemplo), ou vagos pedidos de ajuda a um adulto. E quando se pediu a adolescentes que interpretassem tristeza, raiva ou malícia, os mais "chatos" foram os mais inconvincentes. Talvez não surpreenda o fato de esses jovens se sentirem incapazes de fazer amigos; a incompetência social deles torna-se uma profecia que se autocumpre. Em vez de aprender novas formas de fazer amigos, simplesmente continuam fazendo as mesmas coisas que não deram certo antes, ou apresentam reações ainda mais ineptas.[43]

Na loteria do gostar ou não gostar, essas crianças ficam aquém em critérios emocionais importantes: não são consideradas como uma companhia divertida e não sabem, como as outras crianças, se sentir à vontade. Observações sobre esse tipo de criança revelam que, por exemplo, são elas que provavelmente vão trapacear, emburrar-se, desistir de jogar quando estão perdendo, ou exibir-se e gabar-se das vitórias. Claro, a maioria das crianças quer ganhar num jogo — mas, ganhando ou perdendo, a maioria pode conter sua reação emocional, para não solapar o relacionamento com o amigo com o qual jogam.

Embora as crianças sem sensibilidade social — que continuamente têm dificuldade para interpretar e reagir a emoções — se transformem em párias sociais, isso não se aplica, claro, a crianças que vivem um momento em que se sentem de fora. Mas, para os que são continuamente rejeitados, essa situação dolorosa de estar à margem as estigmatiza durante todo o tempo escolar. E as consequências para a vida adulta são potencialmente grandes. É no caldeirão das amizades íntimas e no tumulto das brincadeiras que as crianças aprimoram as aptidões sociais e emocionais que levarão para relacionamentos posteriores na vida. As crianças que não usufruem desse aprendizado ficam, inevitavelmente, em desvantagem.

Compreensivelmente, os que são rejeitados apresentam grande ansiedade e muitas preocupações, além de ficarem deprimidos e solitários. Na verdade, mostrou-se que o desempenho emocional na infância é melhor indicador de sua saúde mental aos 18 anos que qualquer outra coisa — classificações de professores e enfermeiros, desempenho escolar e QI e mesmo contagens em testes psicológicos.[44] E, como vimos, em estágios posteriores da vida, pessoas com poucos amigos e cronicamente solitárias correm maior risco de contrair doenças e de morrer cedo.

Como observou o psicanalista Harry Stack, aprendemos a negociar relações íntimas — resolver divergências e partilhar nossos mais profundos sentimentos — em nossas primeiras amizades com os coleguinhas do mesmo sexo. Mas as crianças socialmente rejeitadas só têm metade das possibilidades que têm seus colegas de fazer um melhor amigo durante os anos cruciais da escola primária, e com isso perdem uma das oportunidades essenciais de crescimento emocional.[45] Um amigo pode fazer a diferença — mesmo quando todos os outros dão as costas (e mesmo quando essa amizade não é tão sólida assim).

TREINAMENTO PARA A AMIZADE

Há esperança para as crianças rejeitadas, apesar de sua inépcia. Steven Asher, psicólogo da Universidade de Illinois, projetou uma série de sessões de "treinamento para a amizade", para crianças rejeitadas por seus colegas, que mostrou algum êxito.[46] Identificando alunos da terceira e quarta séries que eram os menos queridos de suas classes, ofereceu-lhes seis sessões sobre como "tornar as brincadeiras mais divertidas", sendo "amigo, divertido e legal". Para evitar estigmas, dizia-se às crianças que elas atuavam como "consultoras" do treinador, que tentava aprender que tipos de coisas tornam mais agradáveis as brincadeiras.

As crianças foram treinadas para agir da forma — identificada por Asher — como se comportavam as crianças que eram queridas pelos coleguinhas. Por exemplo, eram estimuladas a pensar em sugestões e acordos alternativos (em vez de brigar), se discordavam das regras das brincadeiras; lembrar-se de conversar e fazer perguntas sobre a outra criança enquanto brincam; escutar e olhar a outra criança para ver como ela está se sentindo; dizer alguma coisa simpática quando a outra pessoa faz algo bem-feito; sorrir e oferecer ajuda ou sugestões e encorajamento. As crianças também experimentaram essas amenidades sociais básicas quando jogavam, por exemplo, o tira-varinhas, com um colega de classe, e eram treinadas depois sobre até onde se haviam saído bem. Esse minicurso de entrosamento teve um efeito notável: um ano depois, as crianças treinadas — todas escolhidas por serem as menos queridas em suas classes —

achavam-se na faixa de popularidade mediana na sala de aula. Nenhuma era uma estrela social, mas nenhuma era uma rejeitada.

Resultados semelhantes foram conseguidos por Stephen Nowicki, psicólogo na Universidade Emery.[47] Seu programa treina aqueles que são socialmente marginalizados para que aprimorem a capacidade de interpretar e reagir adequadamente aos sentimentos de outras crianças. As crianças, por exemplo, são filmadas em vídeo enquanto exercitam a expressão de sentimentos como a alegria ou tristeza, e treinadas para aprimorar a expressão das emoções. Depois, experimentam esse aprendizado com uma criança que querem ter como amiga.

Esses programas apresentam um índice de sucesso de 50 a 60% na elevação da popularidade de crianças rejeitadas. Parecem funcionar melhor (pelo menos como hoje projetados) para alunos de terceira e quarta séries do que de séries mais altas, e serem mais proveitosos para crianças socialmente ineptas do que para aquelas que são muito agressivas. Mas tudo isso é uma questão apenas de sintonia fina; o sinal auspicioso é que muitas das crianças rejeitadas podem ser trazidas para o círculo de amizade com algum treinamento emocional básico.

BEBIDA E DROGAS: O VÍCIO COMO AUTOMEDICAÇÃO

Os estudantes da universidade local chamam de *beber até apagar* — encharcar-se de cerveja a ponto de desmaiar. Uma das técnicas: encaixar um funil numa mangueira de jardim para beber uma lata de cerveja em cerca de dez segundos. O método não é mera curiosidade. Uma pesquisa descobriu que dois quintos dos universitários homens tomam sete ou mais drinques de uma vez, enquanto 11% se dizem "bebedores da pesada". Seria mais apropriado chamá-los de "alcoólatras".[48] Cerca de metade dos homens e 40% das mulheres na universidade têm pelo menos dois episódios de embriaguez por mês.[49]

Embora, nos Estados Unidos, o uso da maioria das drogas entre jovens em geral tenha declinado na década de 1980, há uma tendência constante para um maior uso de álcool em pessoas cada vez mais jovens. Uma pesquisa de 1993 constatou que 35% de universitárias diziam que bebiam para se embebedar, enquanto apenas 10% faziam o mesmo em 1977; no todo, um em cada três estudantes bebe para ficar bêbado. Isso traz outras consequências: 90% de todos os estupros oficialmente comunicados em universidades aconteceram quando o atacante ou a vítima — ou os dois — tinham bebido.[50] Acidentes relacionados com o álcool são a principal causa de morte entre jovens de 15 a 24 anos.[51]

Experimentar drogas e álcool parece ser um rito de passagem para os adolescentes, mas esse primeiro gostinho pode ter resultados de longa duração para alguns. Para a maioria dos alcoólatras e viciados em drogas, o início do vício remonta aos anos de adolescência, embora poucos dos que experimentam se tornem alcoólatras ou viciados em drogas. Quando os estudantes deixam o ginásio, mais de 90% já experimentaram bebida, mas apenas 14% acabam virando alcoólatras; dos milhões de americanos que experimentaram cocaína, menos de 5% ficaram viciados.[52] Por que uns são diferentes de outros?

Claro, os que vivem em bairros de alta criminalidade, onde o crack é vendido na esquina e o traficante de drogas é o mais destacado modelo local de sucesso econômico, correm mais risco de abuso de drogas. Alguns podem se viciar por virem a ser, eles próprios, ocasionais passadores, outros, simplesmente, por causa do fácil acesso ou por uma cultura de colegas que glamoriza as drogas — um fator que aumenta o risco de uso em qualquer bairro, mesmo (e talvez sobretudo) nos mais ricos. Mas ainda assim permanece a questão: de todos os expostos a essas seduções e pressões, e que chegam a experimentar, quais aqueles com mais probabilidade de se viciarem?

Uma nova teoria científica diz que os que contraem o hábito, tornando-se às vezes mais dependentes do álcool ou das drogas, usam essas substâncias como uma espécie de medicação, uma maneira de aliviar sintomas de ansiedade, raiva ou depressão. Ao se iniciarem na droga, eles "descobrem" um remédio químico, uma maneira de resolver os sentimentos de ansiedade ou melancolia que os atormentavam. Assim, de várias centenas de alunos de sétima e oitava séries acompanhados durante dois anos, foram os que apresentavam níveis mais altos de perturbação emocional que depois passaram a ter as mais altas taxas de abuso de substâncias.[53] Isso pode explicar por que tantos jovens podem experimentar drogas e álcool sem se viciarem, enquanto outros se tornam dependentes quase desde o início: os mais vulneráveis ao vício parecem encontrar na droga ou no álcool uma maneira instantânea de aliviar emoções que os afligem há anos.

Como diz Ralph Tarter, psicólogo do Instituto e Clínica Psiquiátricos Ocidentais em Pittsburgh:

— Para as pessoas biologicamente predispostas, o primeiro drinque ou dose é imensamente reforçante, de uma forma que não funciona para outras pessoas. Muitos que estão se recuperando do vício em drogas dizem: "Assim que experimentei a droga, me senti normal pela primeira vez na vida." Ela os estabiliza fisiologicamente, pelo menos a curto prazo.[54]

Esse, claro, é o pacto com o diabo do vício: uma boa sensação a curto prazo, em troca da constante deterioração de nossa vida.

Certos padrões emocionais parecem tornar mais provável que algumas pessoas encontrem mais alívio emocional numa substância que em outra. Por exemplo, há dois caminhos emocionais para o alcoolismo. Um começa com alguém que era tenso e ansioso na infância e descobre na adolescência que o álcool alivia a ansiedade. Com muita frequência, são filhos — em geral homens — de alcoólatras que recorreram eles mesmos ao álcool para se acalmarem. Um marcador biológico desse padrão é a subsecreção do GABA, um neurotransmissor que regula a ansiedade — pouco GABA traz um alto nível de tensão. Um estudo constatou que filhos de pais alcoólatras tinham baixos níveis de GABA e eram altamente ansiosos, mas, quando tomavam álcool, os níveis de GABA subiam e a ansiedade baixava.[55] Esses filhos de alcoólatras bebem para aliviar sua tensão, encontrando no álcool um relaxamento que não conseguiam obter de outra forma. Essas pessoas podem ser vulneráveis ao abuso de sedativos, além do álcool, para obterem o mesmo efeito de alívio da ansiedade.

Um estudo neurofisiológico em filhos de alcoólatras que, aos 12 anos, apresentavam sinais de ansiedade, como aceleração de batimentos cardíacos em resposta à tensão, além de impulsividade, constatou que os meninos também tinham fraco funcionamento do lobo pré-frontal.[56] Assim, a área do cérebro que poderia ajudar a aliviar sua tensão ou controlar sua impulsividade trazia-lhes menos ajuda que nos outros meninos. E, como os lobos pré-frontais também lidam com o funcionamento da memória — que guardam as consequências das diversas ações para a tomada de decisões —, seu déficit pode reforçar a tendência para o alcoolismo, ajudando-os a ignorar a "rebordosa" da bebida, no momento em que encontraram uma sedação imediata da ansiedade por meio do álcool.

O anseio por calma parece ser um marcador emocional da susceptibilidade ao alcoolismo. Um estudo de 1.300 parentes de alcoólatras constatou que os filhos de alcoólatras que corriam mais riscos de contrair o vício eram os que comunicavam níveis de ansiedade cronicamente altos. Na verdade, os pesquisadores concluíram que o alcoolismo se desenvolve nessas pessoas como "automedicação de sintomas de ansiedade".[57]

Um segundo caminho emocional para o alcoolismo vem de um alto nível de agitação, impulsividade e tédio. Esse comportamento se apresenta na infância sob a forma de inquietação, instabilidade e dificuldade de ser controlado; no curso primário, como ter o "bicho-carpinteiro", hiperatividade e meter-se em encrencas, uma tendência que, como vimos, pode fazer com que essas crianças procurem amigos na periferia — às vezes entrando numa carreira de crime ou obtendo o diagnóstico de "distúrbios de personalidade antissocial". Essas pessoas (e são sobretudo homens) têm como principal queixa emocional a agitação; principal fraqueza, a incontida impulsividade; reação habitual ao tédio — de que muitas vezes sofrem —, uma impulsiva busca de correr riscos e excitabilidade. Em adultos, pessoas com esse comportamento (que pode estar ligado a deficiências em dois outros neurotransmissores, serotonina e MAO) descobrem que o álcool alivia sua agitação. E o fato de não suportarem a monotonia as torna dispostas a experimentar qualquer coisa; combinado com sua impulsividade geral, isso as torna propensas ao abuso de uma lista quase aleatória de drogas, além do álcool.[58]

Embora a depressão possa levar alguns a beber, os efeitos metabólicos do álcool muitas vezes simplesmente a agravam, após uma breve euforia. As pessoas que recorrem ao álcool como um paliativo emocional o fazem na maioria das vezes mais para diminuir a ansiedade do que por motivo de depressão; um tipo inteiramente diferente de drogas alivia as sensações das pessoas deprimidas — pelo menos temporariamente. A sensação de infelicidade crônica predispõe as pessoas para a dependência de estimulantes como a cocaína, que proporciona um antídoto direto para a depressão. Um estudo constatou que metade dos pacientes que se tratavam numa clínica de recuperação do vício da cocaína teria sido diagnosticada com severa depressão antes de contraírem o vício, e quanto mais profunda a depressão anterior, mais forte o vício.[59]

A raiva crônica leva a mais um tipo de susceptibilidade. Num estudo de quatrocentos pacientes que se tratavam do vício em heroína e outros opioides, o padrão emocional mais impressionante foi a dificuldade, durante a vida toda, de lidar com a raiva e a rapidez com que se encolerizavam. Alguns dos pacientes disseram que com os opiados finalmente se sentiam normais e relaxados.[60]

Embora a predisposição para o abuso de substâncias tenha em alguns casos base no cérebro, os sentimentos que levam as pessoas a "automedicar-se" com bebidas e drogas podem ser controlados sem que se recorra à medicação, como demonstram há décadas os Alcoólicos Anônimos e outros grupos de recuperação. A aquisição da capacidade de lidar com esses sentimentos — aliviar a ansiedade, sair da depressão, acalmar a raiva — elimina, prontamente, o ímpeto de usar drogas ou álcool. Essas aptidões emocionais são ensinadas, paliativamente, em programas sobre abuso de drogas e álcool. Seria muito melhor, claro, se fossem aprendidas mais cedo na vida, muito antes de o vício se instalar.

CHEGA DE GUERRAS ISOLADAS: A PREVENÇÃO PARA TUDO

Na última década, mais ou menos, proclamaram-se "guerras", sucessivamente, à gravidez na adolescência, à evasão escolar, às drogas e, mais recentemente, à violência. O problema dessas campanhas, porém, é que chegam tarde demais, depois que o problema visado já atingiu proporções epidêmicas e deitou firmes raízes na vida dos jovens. São intervenções em crises, o que equivale a enviar ambulâncias para o resgate, em vez de dar uma vacina que previna a doença. Em vez de mais "guerras" desses tipos, o que precisamos é seguir a lógica da prevenção, oferecendo às nossas crianças aptidões para enfrentar a vida que aumentarão suas oportunidades de evitar todos esses problemas.[61]

Ao me centrar em déficits emocionais e sociais não estou descartando o papel de outros fatores de risco, como ser criado numa família fragmentada, violenta ou caótica, ou num bairro pobre, de alta criminalidade e com drogas à solta. A própria pobreza desfecha golpes nas crianças: as mais pobres, aos 5 anos, já são mais medrosas, ansiosas e tristes que suas colegas mais bem aquinhoadas, e têm mais problemas de comportamento como frequentes faniquitos e destruição de coisas, uma tendência que continua pela adolescência adentro. A pressão da pobreza também corrói a vida familiar: tende a haver menos expressão de carinho de parte dos pais, mais depressão nas mães (muitas vezes solteiras e desempregadas) e maior recurso a castigos severos como berros, pancadas e ameaças físicas.[62]

Mas a competência emocional desempenha um papel mais forte e mais importante do que as pressões familiares e econômicas — e pode ser decisiva na determinação da medida em que qualquer criança ou adolescente é destruído por esses sofrimentos ou encontra um núcleo de maleabilidade para sobreviver a eles. Estudos de longo prazo com centenas de crianças criadas na pobreza, em famílias que as maltratavam, ou com um dos pais com grave doença mental, mostram que os que são maleáveis mesmo diante dos mais severos sofrimentos tendem a ter aptidões emocionais fundamentais.[63] Entre outras, uma cativante sociabilidade que atrai as pessoas para elas, autoconfiança, persistência otimista diante do fracasso ou frustração, capacidade de rápida recuperação de perturbações e uma natureza aberta.

A grande maioria das crianças enfrenta essas dificuldades sem terem essas vantagens. Claro, muitas dessas aptidões são inatas, a loteria dos genes — mas mesmo qualidades de temperamento podem mudar para melhor, como vimos no Capítulo 14. Uma linha de intervenção, claro, é política e econômica, dirigida à pobreza e a outras condições sociais que são a causa desses problemas. Mas, além dessas estratégias (que parecem estar cada vez mais excluídas da agenda social), muito se pode oferecer às crianças para ajudá-las a tentar superar dificuldades tão debilitantes.

Vejam o caso dos problemas emocionais, males que cerca de um em cada dois americanos enfrenta durante a vida. Um estudo de uma mostra representativa de 8.098 americanos descobriu que 48% haviam sofrido pelo menos um problema psiquiátrico.[64] Os mais seriamente afetados eram os 14% de pessoas que tinham três ou mais problemas psiquiátricos de uma só vez. Esse grupo era o mais perturbado, respondendo por 60% de todas as perturbações psiquiátricas que ocorrem em qualquer dado momento e 90% das mais sérias e incapacitantes. Embora precisem de tratamento intensivo agora, o método ideal seria, sempre que possível, prevenir esses problemas. Claro, nem todo problema mental pode ser prevenido — mas alguns, talvez muitos, podem. Ronald Kessler, o sociólogo da Universidade de Michigan que fez o estudo, me disse:

— Precisamos intervir cedo na vida. Veja a garota que sofre de fobia social na sexta série e começa a beber no primeiro ano do secundário para lidar com suas ansiedades sociais. Quando perto dos 30 anos, momento em que aparece em nossa pesquisa, ainda é medrosa, tornou-se viciada em álcool e drogas e está deprimida porque sua vida já está complicada. A grande questão é: que poderíamos ter feito antes na vida dela para deter toda essa espiral descendente?

O mesmo se aplica, claro, à evasão escolar ou à violência, ou à maior parte da litania de perigos hoje enfrentados pelos jovens. Programas educacionais para prevenir um ou outro problema específico como uso de drogas e violência interferiram desenfreadamente na última década, mais ou menos, criando uma indústria dentro do mercado da educação. Mas muitos deles — incluindo muitos dos mais espertamente divulgados e amplamente usados — mostraram-se eficazes. Alguns, para pesar dos educadores, até mesmo pareceram aumentar a probabilidade dos problemas que pretendiam evitar, sobretudo o abuso de drogas e o sexo na adolescência.

Informação não Basta

Um caso instrutivo a esse respeito é o abuso sexual em crianças. A partir de 1993, cerca de 200 mil casos comprovados foram comunicados anualmente nos Estados Unidos, com um crescimento de cerca de 10% ao ano. E, embora as estimativas sejam muito variadas, a maioria dos especialistas concorda que entre 20 e 30% de meninas e mais ou menos metade dessa porcentagem de meninos é vítima de algum tipo de abuso sexual aos 17 anos (os números aumentam ou diminuem a depender de como se define o abuso sexual, entre outros fatores).[65] Não há um perfil único da criança particularmente vulnerável ao abuso sexual, mas a maioria se sente desprotegida, incapaz de resistir sozinha e isolada pelo que lhe aconteceu.

Conscientes desses riscos, muitas escolas começaram a oferecer programas para a prevenção de abuso sexual. A maioria desses programas concentra-se firmemente em fornecer informações básicas sobre tais abusos, ensinando as crianças, por exemplo, a diferenciar contatos físicos "bons" e "maus", alertando-as para os perigos e encorajando-as a contar a um adulto se alguma coisa imprópria lhes acontecer. Mas uma pesquisa nacional com 2 mil crianças constatou que esse treinamento básico era quase nada — ou na verdade pior que nada — na ajuda para que as crianças fizessem alguma coisa que as protegesse de um arruaceiro da escola ou de um molestador potencial.[66] Pior ainda, a probabilidade de as crianças que tiveram apenas esse treinamento básico, e mais tarde foram vítimas de ataque sexual, comunicarem o fato na verdade era *metade* daquelas que não participaram de nenhum programa.

Por outro lado, as crianças que receberam treinamento mais abrangente — incluindo aptidões emocionais e sociais relacionadas — eram mais capazes de proteger-se contra a ameaça de serem vitimizadas: era muito mais provável que pedissem para ser deixadas em paz, gritassem ou resistissem, ameaçassem contar e, na verdade, contassem, se alguma coisa de mal lhes acontecesse. Essa última vantagem — comunicar o abuso — é preventiva num sentido revelador: muitos molestadores de crianças enganam centenas delas. Um estudo de molestadores de crianças na casa dos 40 anos constatou que, em média, eles faziam, desde a adolescência, uma vítima por mês. Um relatório sobre um motorista de ônibus e um professor de informática de ginásio revela que, somados os dois, eles molestavam cerca de trezentas crianças por ano — e, no entanto, nenhuma das crianças comunicou o abuso sexual; a coisa só veio à luz depois que um dos meninos que fora molestado pelo professor começou a molestar sexualmente a irmã.[67]

Essas crianças que frequentaram os programas mais abrangentes tinham três vezes mais probabilidade que as outras, em programas estritos, de comunicar os abusos. O que era que funcionava tão bem? Esses programas não eram dados de uma vez só, mas conforme o nível de escolaridade da criança, como parte da educação sanitária ou sexual. Os pais eram recrutados para passar a mensagem à criança, junto com o que se ensinava na escola (as crianças cujos pais faziam isso eram as melhores na resistência a ameaças de abuso sexual).

Além disso, aptidões sociais e emocionais eram fundamentais. Não basta a criança simplesmente saber sobre "bons" e "maus" contatos físicos: as crianças precisam da autoconsciência para saber quando uma situação *parece* errada ou aflitiva muito antes de começar o contato. Isso implica não apenas autoconsciência, mas também autoconfiança e assertividade para confiar e agir com base nesses sentimentos, mesmo diante de um adulto que esteja tentando lhe assegurar que "está tudo bem". E aí a criança precisa de um repertório de recursos para evitar o que está para acontecer — tudo, desde fugir a ameaçar contar. Por esses motivos, os melhores programas ensinam as crianças a defender o que querem, afirmar seus direitos em vez de ficar passivas, saber quais são suas fronteiras e defendê-las.

Os programas mais eficazes, portanto, complementavam a informação básica sobre abuso sexual com habilidades emocionais e sociais. Esses programas ensinavam as crianças a encontrar meios de resolver conflitos interpessoais de modos mais positivos, ter mais autoconfiança, não se sentirem culpadas por algo que tenha acontecido e a sentir que tinham nos professores e pais um esquema de apoio a que podiam recorrer. E se alguma coisa má lhes acontecia, era muito mais provável que contassem.

Os Ingredientes Ativos

Essas constatações levaram a uma revisão de quais devem ser os ingredientes de um programa ideal, baseado naqueles que avaliações imparciais mostraram ser realmente eficazes. Num projeto quinquenal patrocinado pela Fundação W. T. Grant, um grupo de pesquisadores estudou esse panorama e destilou os ingredientes ativos que pareciam fundamentais para o sucesso dos programas que realmente funcionavam.[68] A lista dos principais talentos que o grupo entendeu deverem ser abrangidos, independentemente do problema específico que pretendia prevenir, são os ingredientes da inteligência emocional (ver lista completa no Apêndice D).[69]

Entre os talentos emocionais estão: autoconsciência; identificar, expressar e controlar sentimentos; controle de impulso e adiamento de satisfação; e controlar tensão e ansiedade. Um talento-chave no controle de impulso é saber a diferença entre sentimentos e ações e aprender a tomar melhores decisões emocionais controlando primeiro o impulso para agir, depois identificando ações alternativas e suas consequências antes de agir. Muitas aptidões são interpessoais: interpretar sinais sociais e emocionais, ouvir, ser capaz de resistir a influências negativas, considerar as perspectivas dos outros e compreender qual comportamento é aceitável numa determinada situação.

Esses são talentos emocionais e sociais fundamentais para a vida e incluem, pelo menos, soluções parciais para a maioria ou para todas as dificuldades que discuti neste capítulo. A escolha de problemas específicos contra os quais esses talentos podem ser utilizados, à guisa de vacina, é quase arbitrária — pode-se utilizar o mesmo argumento para destacar o papel de aptidões emocionais e sociais, por exemplo, na gravidez ou no suicídio na adolescência.

É evidente que as causas de todos esses problemas são complexas, entremeando diversos dados de herança biológica, dinâmica familiar, uma política aplicada à questão da pobreza e à cultura das ruas. Não existe um tipo único de intervenção, inclusive aquele que diz respeito às emoções, que possa solucioná-los. Mas, na medida em que deficiências emocionais aumentam o risco para a criança — e vimos que aumentam muito —, deve-se dar atenção aos remédios emocionais juntamente com outras medidas. A pergunta seguinte é: como é uma educação sobre emoções?

16

Ensinando as Emoções

A principal esperança de um país está na educação adequada de sua juventude.

Erasmo

É uma estranha chamada, que percorre o círculo de 15 alunos da quinta série sentados no chão à moda hindu. Quando o professor chama seus nomes, os alunos não respondem com o vago "Presente", mas gritam um número que indica como se sentem; um significa deprimido; dez, muito energizado.

Hoje os ânimos estão lá em cima:

— Jessica.

— Dez: estou a mil, é sexta-feira.

— Patrick.

— Nove: excitado, meio nervoso.

— Nicole.

— Dez: numa boa, feliz...

É uma aula de Ciência do Eu no Centro de Aprendizado Nueva Lengua, uma escola na antiga grande mansão da família Crocker, a dinastia que fundou um dos maiores bancos de São Francisco. Agora a casa, que se assemelha a uma versão em miniatura da Ópera de São Francisco, abriga uma escola particular que oferece um tipo de treinamento modelar em inteligência emocional.

O tema da Ciência do Eu são os sentimentos — os nossos e os que irrompem nos relacionamentos.

O tema, por sua própria natureza, exige que professores e alunos se concentrem no tecido emocional da vida da criança — uma concentração decididamente ignorada em quase todas as outras salas de aula dos Estados Unidos. A estratégia aqui inclui o uso das tensões e traumas da vida das crianças como o tema do dia. Os professores falam de problemas reais — a mágoa por ser deixado de fora, inveja, desacordos que podem se transformar numa batalha no pátio de recreio. Como diz Karen Stone McCown, criadora do Currículo da Ciência do Eu e diretora da Nueva:

— O aprendizado não pode ocorrer de forma distante dos sentimentos das crianças. Ser emocionalmente alfabetizado é tão importante na aprendizagem quanto a matemática e a leitura.[1]

A Ciência do Eu é pioneira, o primeiro anúncio de uma ideia que se espalha por escolas de todo o país.* As disciplinas oferecidas pela Nueva são "desenvolvimento social", "aptidões para a vida" e "aprendizado social e emocional". Alguns, referindo-se à ideia de múltiplas inteligências de Howard Gardner, usam o termo "inteligências pessoais". A ideia básica é elevar o nível de competência social e emocional nas crianças como parte de sua educação regular — não apenas uma coisa ensinada como paliativo para crianças que estão ficando para trás e que são "perturbadas", mas um conjunto de aptidões e compreensões essenciais para cada criança.

Os cursos de alfabetização emocional têm algumas raízes remotas no movimento de educação afetiva da década de 1960. A ideia então era de que para uma profunda aprendizagem de lições psicológicas e motivacionais era necessário que fosse colocado em prática o que estava sendo ensinado em teoria. O movimento de alfabetização emocional, porém, vira pelo avesso a expressão *educação afetiva* — em vez de utilizar o afeto como um meio para a aprendizagem, ensina o afeto em si.

De uma maneira mais imediata, muitos desses cursos e o impulso que eles deram vêm de uma série de programas preventivos em andamento, cada um visando um problema específico: fumo, abuso de drogas, gravidez e evasão escolar na adolescência e, mais recentemente, a violência. Como vimos no último capítulo, o estudo do Consórcio W. T. Grant dos programas de prevenção constatou que são obtidos melhores resultados quando é ensinado um núcleo de aptidões emocionais e sociais, como controlar o impulso, a raiva e como encontrar soluções criativas para provações sociais. Desse princípio, surgiram novas formas de intervenção.

Como vimos no Capítulo 15, as intervenções destinadas a tratar dos déficits específicos em aptidões emocionais e sociais que estão por trás de problemas como agressão ou depressão podem ser altamente eficazes como amortecedores para as crianças. Mas essas intervenções bem-intencionadas, em geral, têm sido feitas por psicólogos pesquisadores de modo experimental. O próximo passo é aplicar os ensinamentos obtidos através desses programas altamente concentrados e generalizá-los como uma medida preventiva para toda a população escolar, ensinada por professores comuns.

Os métodos mais sofisticados e eficazes de prevenção incluem informação sobre problemas como Aids, drogas e coisas semelhantes, no exato momento da vida em que os jovens começam a enfrentá-los. Mas seu tema principal,

* Para maiores informações sobre cursos de alfabetização emocional: The Collaborative for the Advancement of Social and Emotional Learning — CASEL), Yale Child Study Center, P.O. Box 207900, 230 South Frontage Road, New Haven, CT 06520-7900.

contínuo, é a aptidão central que se aplica a qualquer um desses dilemas específicos: inteligência emocional.

Esse novo caminho para levar a alfabetização emocional às escolas insere as emoções e a vida social em seus currículos normais, em vez de tratar essas facetas importantíssimas do dia da criança como intrusões irrelevantes, ou, quando levam a explosões, relegando-as a ocasionais visitas disciplinares ao gabinete do orientador ou do diretor.

As próprias aulas, a princípio, podem parecer não apresentar nenhuma novidade, e muito menos uma solução para os dramáticos problemas de que tratam. Mas isso é em grande parte porque, como a boa criação em casa, as lições transmitidas são pequenas mas reveladoras, dadas regularmente e durante muitos anos. É assim que o aprendizado emocional se entranha; à medida que as experiências são repetidas e repetidas, o cérebro reflete-as como caminhos fortalecidos, hábitos neurais que entram em ação nos momentos de provação, frustração, dor. E embora a substância quotidiana das aulas de alfabetização emocional possa parecer banal, o resultado — seres humanos decentes — é mais crítico que nunca para nosso futuro.

UMA LIÇÃO DE COOPERAÇÃO

Comparem um momento de uma aula de Ciência do Eu com as experiências escolares de que se lembram.

Um grupo da quinta série vai jogar Quadrados de Cooperação, em que os alunos se dividem em grupos para montar um quebra-cabeça com pecinhas quadradas. O macete: a equipe fica em silêncio, não sendo permitida nenhuma gesticulação.

A professora Jo-An-Varga divide a classe em três grupos, cada um numa mesa diferente. Três observadores, todos familiarizados com o jogo, recebem uma ficha para avaliar, por exemplo, quem no grupo toma a iniciativa na organização, quem é o palhaço, quem perturba.

Os alunos jogam as peças dos quebra-cabeças na mesa e dão início ao trabalho. Em cerca de um minuto, já se sabe que um grupo é surpreendentemente eficiente como equipe; acaba em poucos minutos. Um outro grupo, formado por quatro pessoas, se esforça cada um trabalhando por si, de forma paralela, em separado, o seu próprio quebra-cabeça e não consegue ir a parte alguma. Depois começam aos poucos a trabalhar coletivamente para montar o primeiro quadrado, e continuam a trabalhar em conjunto até montar o quebra-cabeça.

Mas o terceiro grupo ainda se debate, com apenas um quebra-cabeça próximo da conclusão, e mesmo assim parecendo mais um trapézio que um quadrado. Sean, Fairlie e Rahman ainda não atingiram a tranquila coordenação em que os dois outros grupos entraram. Estão visivelmente frustrados e olham frenéticos as peças sobre a mesa, tentando acertar de forma aleatória e pondo-as junto dos quadrados semiconcluídos, apenas para se decepcionarem porque não se encaixam.

A tensão desfaz-se um pouco quando Rahman pega duas das peças e as põe diante dos olhos como uma máscara; os parceiros riem. Esse será o momento crucial da lição do dia.

Jo-An-Varga, a professora, dá um pouco de estímulo:

— Os que acabaram podem dar uma só dica aos que ainda não acabaram.

Dagan aproxima-se do grupo que está ainda em apuros, indica duas peças que se projetam do quadrado e sugere:

— Vocês têm de rodar essas duas peças.

De repente, Rahman, a cara larga franzida em concentração, pega a nova gestalt, e as peças rapidamente se encaixam no primeiro quebra-cabeça, depois nos outros. Ouvem-se aplausos espontâneos quando a última peça se encaixa e o quebra-cabeça é inteiramente montado.

UM PONTO DE ATRITO

Mas quando a classe passa a refletir sobre as lições extraídas do trabalho em equipe, emerge outro diálogo, mais intenso. Rahman, alto e com uma juba de revoltos cabelos negros cortados numa longa escovinha, e Tucker, o observador do grupo, engalfinham-se numa acirrada discussão sobre a regra que não permite a gesticulação. Tucker, os cabelos louros bem penteados a não ser por uma mecha rebelde, usa uma camiseta folgadona com os dizeres "Seja Responsável", que, de certa maneira, enfatiza seu papel oficial.

— Você pode oferecer uma peça: isto não é fazer um gesto — diz Tucker a Rahman, num tom enfático, de discussão.

— É, sim — insiste Rahman, veemente.

Jo-An percebe o volume alterado e o crescente *staccato* do diálogo e aproxima-se da mesa deles. Trata-se de um incidente crítico, uma troca espontânea de sentimentos acalorados; é em tais momentos que as lições já aprendidas dão dividendos, e outras novas podem ser ensinadas com mais proveito. E, como sabe todo bom professor, as lições aplicadas nesses momentos elétricos perdurarão na memória dos alunos.

— Isso não é uma crítica... você cooperou muito bem... mas, Tucker, tente dizer o que quer num tom de voz que não pareça tão crítico — ensina Jo-An.

Tucker, agora num tom mais calmo, diz a Rahman:

— Você só pode botar uma peça onde acha que se encaixa, entregar ao outro a peça que você acha que ele precisa, sem fazer qualquer indicação. Só dar.

Rahman responde num tom irado:

— É só a gente fazer assim — e ele coça a cabeça para ilustrar o movimento inocente — e lá vem ele com "Nada de gestos".

Evidentemente, há algo mais na raiva de Rahman do que essa discussão sobre o que constitui ou não um gesto. Seus olhos se dirigem constantemente para a ficha de avaliação que Tucker preencheu e que — embora ainda não tenha sido mencionada — na verdade provocou a tensão entre os dois. Nela, Tucker escreveu o nome de Rahman no espaço destinado a indicar "Quem perturba?".

Jo-An, vendo que Rahman olha a ficha revoltante, arrisca um palpite, dizendo a Tucker:

— Ele acha que você usou uma palavra negativa... *perturbador*... sobre ele. Que foi que você quis dizer?

— Eu não quis dizer que fosse um tipo *ruim* de perturbação — diz Tucker, agora conciliador.

Rahman não aceita, mas também acalmou a voz.

— Isso é um pouco exagerado, se quer saber.

Jo-An sugere uma maneira positiva de abordar o assunto.

— Tucker está tentando dizer que o que se pode considerar perturbador também pode suavizar um pouco as coisas num momento de frustração.

— Mas — protesta Rahman, mais objetivamente — *perturbador* é quando a gente está muito concentrado numa coisa, e se eu fizesse assim — faz uma expressão ridícula, apalhaçada, os olhos esbugalhados, as bochechas inchadas — isso ia ser perturbador.

Jo-An tenta passar mais um ensino emocional, dizendo a Tucker:

— Ao tentar ajudar, você não quis dizer que ele era perturbador no mau sentido. Mas deu uma mensagem que não corresponde ao que você quis dizer. Rahman precisa que você ouça e aceite o que ele sente. Ele disse que receber palavras negativas como *perturbador* lhe parece injusto. Não gosta de ser chamado assim.

Depois, para Rahman, acrescenta:

— Eu gosto da forma como você está sendo assertivo com Tucker. Não está atacando. Mas não é agradável que nos rotulem de *perturbador*. Quando você levou as peças aos olhos, parece que estava se sentindo frustrado e queria alegrar o ambiente. Mas Tucker chamou isso de perturbador porque não entendeu sua intenção. Está certo?

Os dois meninos assentem com a cabeça, enquanto os outros alunos acabam de recolher os quebra-cabeças. Esse pequeno melodrama de sala de aula chega ao seu *finale*.

— Estão se sentindo melhor? — pergunta Jo-An. — Ou isso ainda os aborrece?

— Ééé, está legal — diz Rahman, a voz mais baixa, agora que se sente ouvido e entendido.

Tucker também balança a cabeça, sorrindo. Os meninos, percebendo que todos os demais já saíram para a aula seguinte, voltam-se e saem correndo juntos.

POST-MORTEM: UMA BRIGA QUE NÃO HOUVE

Quando um novo grupo começa a ocupar as cadeiras, Jo-An disseca o que acabou de acontecer. O acalorado diálogo e seu esfriamento baseiam-se no que os meninos vêm aprendendo sobre solução de conflitos. O que normalmente se transforma em conflito começa, como diz ela, com a "falta de comunicação, em fazer suposições e tirar conclusões, enviar uma mensagem 'dura', tornando difícil a pessoa ouvir o que estamos dizendo".

Os alunos da Ciência do Eu aprendem que a questão não é evitar inteiramente o conflito, mas resolver a discordância e ressentimento antes que descambe para uma briga aberta. Há sinais dessas primeiras lições na maneira como Tucker e Rahman lidaram com a disputa. Os dois, por exemplo, fizeram algum esforço: para expressar seu ponto de vista de uma forma que não acelerasse o conflito. Essa assertividade (que é diferente de agressão ou passividade) é ensinada na Nueva a partir da terceira série. Acentua a expressão direta dos sentimentos, mas de uma maneira que não se torne uma agressão. No início do conflito, nenhum dos meninos olhava um para o outro, mas, com a continuação, foram dando mostras de "escuta ativa", frente a frente, olho no olho, enviando os sinais tácitos que transmitem àquele que fala que ele está sendo ouvido.

Pondo-se esses instrumentos em ação, ajudados por um certo treinamento, a "assertividade" e a "escuta ativa" para esses meninos são mais que expressões vazias num questionário — tornam-se formas de reagir a que podem recorrer em situações de emergência.

O domínio no campo emocional é difícil porque as aptidões precisam ser adquiridas exatamente no momento em que as pessoas em geral estão menos capazes de receber nova informação e aprender novos hábitos de resposta — quando estão perturbadas. Treiná-las nesses momentos ajuda.

— Qualquer um, adulto ou menino da quinta série, precisa de alguma ajuda quando está tão perturbado — observa Jo-An. — O coração da gente martela, as mãos suam, a gente treme e tenta escutar com clareza, mantendo ao mesmo tempo o autocontrole para passar por aquele momento sem gritar, culpar ou entrar na defensiva.

Para qualquer um que conhece o tumulto dos meninos da quinta série, o que talvez seja mais notável é que tanto Tucker quanto Rahman tentassem afirmar seus pontos de vista sem recorrer a censuras, xingamentos ou berros. Nenhum deles deixou que seus sentimentos escalassem para um desprezivo "Vai se f...!" ou uma briga de socos, nem cortou o outro saindo danado da sala. O que poderia ser a semente de uma batalha total aumentou, ao contrário, o domínio dos meninos sobre as nuanças para a solução de um conflito. Como tudo poderia ter saído diferente em outras circunstâncias. Os jovens saem no tapa diariamente — ou coisa pior — por muito menos.

PREOCUPAÇÕES DO DIA

No círculo que normalmente abre cada aula de Ciência do Eu, o número não é sempre tão grande quanto foi hoje. Quando é pequeno — os uns, dois ou três que indicam sentirem-se péssimos —, isso abre o caminho para alguém perguntar: "Quer falar do que está sentindo hoje?" E, se o aluno quer (ninguém é pressionado para falar sobre o que não quer), isso permite ventilar o que é tão perturbador — e a oportunidade de examinar opções criativas para lidar com a situação.

Os problemas que surgem variam com o nível de escolaridade. Nas séries mais baixas, em geral são provocações, sentir-se de fora, medos. Por volta da sexta série, surge um novo conjunto de preocupações — sentimentos de mágoa por não ser convidado para um encontro, ou ser deixado de fora; amigos imaturos; as dolorosas provações dos jovens ("Os meninos maiores estão pegando no meu pé"; "Meus amigos fumam e vivem tentando me fazer fumar também").

Esses são temas de dramática importância na vida de uma criança, ventilados na periferia da escola — na merenda, no ônibus, na casa de um amigo —, quando são. Na maioria das vezes, são os problemas que as crianças guardam para si, obcecando-se com eles sozinhas à noite, não tendo ninguém com quem partilhá-los. Na Ciência do Eu, podem se tornar os tópicos do dia.

Cada uma dessas discussões é grão potencial para o objetivo explícito da Ciência do Eu, que é iluminar o sentimento que a criança tem de si e do relacionamento com os outros. Embora o curso tenha um planejamento, é flexível o bastante para que, quando ocorrem momentos como o conflito entre Rahman e Tucker, eles sejam capitalizados. As questões que os alunos trazem proporcionam exemplos vivos aos quais tanto eles quanto os professores podem aplicar as aptidões que estão aprendendo, como os métodos de solução de conflito que esfriaram o calor entre os dois meninos.

O BÊ-Á-BÁ DA INTELIGÊNCIA EMOCIONAL

Em uso há quase vinte anos, o Currículo da Ciência do Eu é um modelo para o ensino de Inteligência Emocional. As lições, às vezes, são surpreendentemente sofisticadas, como me disse a diretora da Nueva, Karen Stone McCown:

— Quando falamos sobre a raiva, ajudamos as crianças a entender que ela é quase sempre uma reação secundária e a buscar o que está por trás: você está magoado, com ciúmes? Nossas crianças aprendem que sempre há opções para reagir a uma emoção, e quanto mais meios temos para lidar com as emoções, mais rica é a nossa vida.

Uma lista de conteúdos da Ciência do Eu é quase um casamento ponto por ponto com os ingredientes da inteligência emocional — e com o núcleo de aptidões recomendadas como prevenção básica para a gama de armadilhas que ameaçam as crianças (ver lista completa no Apêndice E).[2] Entre os tópicos ensinados, está a autoconsciência, cujo objetivo é reconhecer sentimentos, e montar um vocabulário para eles e ver as ligações entre pensamentos, sentimentos e reações; saber se são os pensamentos ou os sentimentos que governam uma decisão; avaliar as consequências de opções alternativas; e aplicar essas intuições em questões como drogas, fumo e sexo. A autoconsciência também se dá no reconhecimento de nossas forças e fraquezas, na possibilidade de nos vermos a uma luz positiva, mas realista (com isso evitando uma armadilha comum do movimento de autoestima).

Outra ênfase é no controle das emoções: compreender o que está por trás de um sentimento (por exemplo, a mágoa que dispara a raiva) e aprender como lidar com ansiedades, ira e tristeza. Ainda outra ênfase é assumir a responsabilidade por decisões e atos e cumprir compromissos.

Uma aptidão social fundamental é a empatia, ou seja, a compreensão dos sentimentos dos outros e a adoção da perspectiva deles, e o respeito às diferenças no modo como as pessoas encaram as coisas. Os relacionamentos são um foco importante, incluindo aprender a ser um bom ouvinte e um bom questionador; distinguir entre o que alguém diz ou faz e nossas reações e julgamentos; ser mais assertivo, e não raivoso ou passivo; e aprender as artes da cooperatividade, solução de conflitos e negociação de compromissos.

Não se dão notas na Ciência do Eu; a própria vida é a prova final. Mas, no fim da oitava série, quando os alunos estão para deixar a Nueva, cada um passa por um exame socrático, uma prova oral de Ciência do Eu. Uma pergunta de uma prova recente: "Descreva uma sugestão adequada para ajudar um amigo a resolver um conflito com alguém que o pressiona para usar drogas, ou com um amigo provocador." Ou: "Cite algumas maneiras saudáveis de lidar com a tensão, ansiedade, raiva e medo."

Se vivo estivesse hoje, Aristóteles, tão preocupado com aptidões emocionais, bem poderia aprovar.

ALFABETIZAÇÃO EMOCIONAL NOS CENTROS URBANOS

Os céticos com certeza perguntarão se um curso como o de Ciência do Eu funciona num cenário menos privilegiado, ou se só é possível numa escola particular como a Nueva, onde cada criança é, de um certo modo, talentosa. Em suma, pode-se ensinar competência emocional onde ela se faz mais urgente, no rude caos de uma escola pública de um centro urbano? Uma resposta é visitar a Escola Augusta Lewis Troup em New Haven, distante da Nueva tanto do ponto de vista social e econômico como geograficamente.

Claro, a atmosfera na Troup tem muito da mesma excitação com o aprendizado — a escola também é conhecida como Academia de Ciência Ímã Troup, e é uma das duas desse tipo, naquele distrito, destinadas a atrair alunos da quinta à oitava série de toda New Haven a um currículo mais amplo. Os alunos ali podem fazer perguntas sobre a física do espaço cósmico, através de uma conexão por antena parabólica, aos astronautas em Houston, ou programar seus computadores para tocar música. Mas, apesar dessas amenidades acadêmicas, como em muitas cidades, a revoada dos brancos para as áreas suburbanas de New Haven fez com que o corpo discente da Troup passasse a se constituir de 90% de negros e hispânicos.

A apenas algumas quadras do campus de Yale — e também aqui um distante universo —, a Troup fica num decadente bairro de classe operária que, na década de 1950, tinha 20 mil pessoas empregadas em fábricas próximas, da Olin Brass Mill à Winchester Arms. Hoje, essa base de emprego reduziu-se a menos de 3 mil, reduzindo também o horizonte econômico das famílias que vivem lá. New Haven, como muitas outras cidades fabris da Nova Inglaterra, afundou num poço de pobreza, drogas e violência.

Foi em resposta às urgências desse pesadelo urbano que, na década de 1980, um grupo de psicólogos e educadores de Yale idealizou o Programa de Competência Social, um conjunto de cursos que cobre praticamente o mesmo terreno do currículo da Ciência do Eu do Centro de Aprendizado Nueva. Mas, em Troup, a ligação com os tópicos é muitas vezes mais direta e bruta. Não se trata de simples exercício acadêmico quando, na aula de educação sexual na oitava série, os alunos aprendem que saber tomar uma decisão pode ajudá-los a evitar doenças como a Aids. New Haven tem a mais alta proporção de mulheres com Aids nos Estados Unidos; várias das mães que mandam os filhos para a Troup têm a doença — e também alguns dos alunos. Apesar do currículo enriquecido, os alunos da Troup lutam com todos os problemas de um centro urbano; muitas crianças têm situações domésticas tão caóticas, senão horrorosas, que simplesmente às vezes não conseguem ir à escola.

Como em todas as escolas de New Haven, o mais destacado sinal que recebe o visitante está na figura conhecida de um sinal de trânsito em forma de diamante, mas que diz "Zona Livre de Drogas". Na porta está Mary Ellen Collins, a assistente da escola — uma *ombudsman* que cuida dos problemas especiais quando aparecem e cujo papel inclui ajudar os professores com as exigências do currículo de competência social. Se um professor não se considera seguro para ensinar uma lição, Mary Ellen vai à classe mostrar.

— Eu ensinei nesta escola durante vinte anos — ela diz, ao me receber. — Veja só este bairro. Não posso mais ver apenas ensinarem matérias acadêmicas, diante dos problemas que esses garotos enfrentam simplesmente vivendo. Veja os garotos daqui que lutam porque têm Aids ou que têm um aidético em casa; não sei se eles diriam isso durante a discussão sobre a Aids, mas assim que um garoto sabe que um professor vai ouvir um problema emocional, não só os escolares, está aberto o caminho para esse tipo de conversa.

No terceiro andar da velha escola de tijolos, Joyce Andrews conduz seus alunos da quinta série na aula de aptidão social que eles têm três vezes por semana. Joyce, como todos os outros professores da quinta série, fez um curso especial de verão sobre como ensiná-la, mas sua exuberância sugere que os tópicos de competência social lhe vêm naturalmente.

A aula de hoje é sobre identificação de sentimentos; poder dar nome aos sentimentos e, com isso, poder melhor distingui-los, é uma aptidão emocional importante. O dever de casa tinha sido recortar de uma revista a fotografia de uma pessoa, nomear que emoção o rosto exibe e explicar como saber que a pessoa tem esses sentimentos. Após recolher os trabalhos, Joyce lista os sentimentos no quadro-negro — tristeza, preocupação, excitação, felicidade e assim por diante — e lança-se numa acelerada sabatina com os 18 alunos que conseguiram chegar à escola nesse dia. Sentados em quatro conjuntos de carteiras, os estudantes erguem as mãos excitados, esforçando-se para chamar a atenção dela para darem a resposta.

Quando acrescenta *frustrado* à lista no quadro, Joyce pergunta:

— Quantos algumas vezes se sentem frustrados?

Todas as mãos se erguem.

— Como vocês se sentem quando estão frustrados?

As respostas vêm em cascata: "Cansado." "Confuso." "A gente não pensa direito." "Ansioso."

Quando *ofendido* é acrescentado à lista, Joyce diz:

— Esse eu conheço. Quando um professor se sente ofendido?

— Quando todo mundo está conversando — sugere uma menina, sorrindo.

Sem perder um segundo, Joyce distribui uma folha de trabalho mimeografada. Numa coluna estão rostos de meninos e meninas, cada um exibindo uma das seis emoções básicas — feliz, triste, irado, surpreso, com medo, enojado — e uma descrição da atividade muscular facial por baixo de cada um, por exemplo:

COM MEDO:

- A boca aberta e repuxada para trás.
- Os olhos abertos e os cantos internos erguidos.
- Sobrancelhas elevadas e franzidas.
- Rugas no meio da testa.[3]

Enquanto leem a lista, expressões de medo, raiva, surpresa ou nojo flutuam pelos rostos dos garotos da classe de Joyce, que imitam as imagens e seguem as receitas faciais para cada emoção. Essa lição vem direto da pesquisa de Paul Ekman sobre expressão facial; como tal, é ensinada nos cursos universitários de introdução à psicologia da maioria das universidades — e raramente, se chega a ser, no primário. Essa lição elementar de ligar um nome a um sentimento, e o sentimento a uma expressão facial que combine com ele, parece tão óbvia que não precisa ser ensinada. Contudo, pode servir como antídoto para lapsos surpreendentemente comuns de alfabetização emocional. Os brigões no pátio de recreio, lembrem-se, muitas vezes atacam irados porque interpretam mal mensagens e expressões neutras tomando-as como hostis, e as meninas que contraem distúrbios de alimentação não distinguem raiva e ansiedade de fome.

ALFABETIZAÇÃO EMOCIONAL DISFARÇADA

Com o currículo já assoberbado por uma proliferação de novas disciplinas e programas, alguns professores que compreensivelmente se sentem sobrecarregados resistem a dedicar tempo extra do básico para mais um curso. Assim, uma nova estratégia de educação emocional não é criar um nova classe, mas fundir lições sobre sentimentos e relacionamentos com as outras matérias. As lições emocionais podem fundir-se naturalmente com leitura e escrita, saúde, ciência, estudos sociais e também com outras disciplinas-padrão. Embora nas escolas de New Haven o curso de Aptidões para a Vida seja uma matéria distinta em algumas séries, em outros anos o currículo de desenvolvimento social se funde com cursos como saúde ou leitura. Algumas lições são dadas até como parte da aula de matemática — notadamente aptidões básicas de estudo como afastar distrações, motivar-se para estudar e controlar os impulsos para poder acompanhar o ensino.

Alguns programas de aptidões emocionais e sociais não usam o tempo destinado a outras disciplinas, mas, ao contrário, entram como ensinamentos dentro do próprio tecido da vida escolar. Um método para essa técnica — essencialmente um curso de competência emocional e social invisível — é o Projeto de Desenvolvimento da Criança, criado por uma equipe dirigida pelo psicólogo Eric Schaps. O projeto, situado em Oakland, na Califórnia, está atualmente sendo testado num punhado de escolas em todo o país, a maioria em bairros que têm os problemas do centro decadente de New Haven.[4]

O projeto oferece um conjunto pré-organizado de material escolar que se encaixa nos cursos existentes. Assim, os alunos da primeira série têm em sua classe de leitura uma história, "A Rã e o Sapo São Amigos", em que a Rã, querendo brincar com o amigo Sapo, que está em hibernação, arma um truque para que ele acorde cedo. A história é usada como ponto de partida para uma discussão, na classe, sobre a amizade e questões como a maneira como as pessoas se sentem quando alguém lhes prega uma peça. Uma sucessão de aventuras traz tópicos como a autoconsciência, a consciência das necessidades de um amigo, como se sente quem é provocado e o partilhamento de sentimentos com amigos. Um plano de currículo fixo oferece histórias cada vez mais sofisticadas à medida que as crianças passam pelo primário e ginásio, dando aos professores abertura para discutir questões como empatia, adoção de perspectiva e interesse.

Outro modo de entremear as lições emocionais no tecido da vida escolar existente é ajudar os professores a repensar como disciplinar os alunos que se comportam mal. O pressuposto do programa de Desenvolvimento da Criança é que esses momentos são oportunidades ideais para o ensinamento às crianças das aptidões que lhes faltam — controle de impulso, explicar os sentimentos, resolver conflitos — e que há melhores maneiras de disciplinar do que a coerção. Um professor que vê três meninos da primeira série se atropelando para ser o primeiro no refeitório pode sugerir que cada um diga um número e que o vencedor entre primeiro. A lição que, no ato, as crianças aprendem é que há maneiras imparciais e justas de resolver tais disputinhas, e também recebem o ensinamento maior que é que se podem negociar as disputas. E como esse é um método que essas crianças podem levar consigo para resolver disputas semelhantes (o "Primeiro eu!", afinal, é epidêmico nas séries mais baixas — senão na vida toda, sob várias formas) tem uma mensagem mais positiva que a sempre presente e autoritária "Parem com isso!".

O CRONOGRAMA EMOCIONAL

"Minhas amigas Alice e Lynn não querem brincar comigo."

Essa pungente reclamação é de uma menina da terceira série da Escola Primária John Muir, em Seattle. A remetente anônima a pôs na "caixa de correspondência" de sua classe — na verdade, uma caixa de papelão especialmente pintada — onde ela e os colegas são encorajados a escrever suas queixas e problemas para que toda a classe os discuta e reflita sobre as diversas formas de lidar com eles. A discussão conduzida pelo professor não cita os nomes dos envolvidos; em vez disso, o professor observa que todas as crianças têm tais problemas de vez em quando. Enquanto discutem como se sente quem é deixado de fora, ou o que poderia fazer para ser incluído, têm a oportunidade de testar novas soluções para esses dilemas — um corretivo para a ideia bitolada que vê o conflito como o único caminho para solucionar desavenças.

A caixa de correspondência permite flexibilidade sobre que crises e questões, exatamente, serão temas da aula, pois um programa muito rígido pode entrar em descompasso com as vicissitudes da infância. À medida que as crianças se modificam e crescem, as preocupações do momento também mudam. Para serem mais eficazes, as lições emocionais devem estar de acordo com o desenvolvimento da criança e ser repetidas em diferentes idades de maneira que se encaixem em sua compreensão e desafios que estão sempre em mudança.

Quando começar? Alguns dizem que nunca é cedo demais começar nos primeiros anos. O pediatra T. Berry Brazelton, de Harvard, sugere que muitos pais podem beneficiar-se se forem treinados como mentores emocionais de seus bebês e filhos pequenos, como fazem alguns programas de visita familiar. Podemos defender fortemente a ênfase a ser atribuída a uma das mais sistemáticas aptidões sociais emocionais em programas do pré-escolar como o Head Start; como vimos no Capítulo 12, a disponibilidade da criança para a aprendizagem escolar depende demais da aquisição de algumas dessas aptidões emocionais básicas. Os anos que antecedem a ida para a escola são cruciais para deitar as bases das aptidões, e há algum indício de que o Head Start, quando bem aplicado (uma importante advertência), pode trazer grandes benefícios, a longo prazo, em questões emocionais e sociais, mesmo no início da vida adulta — menos problemas de drogas e prisões, melhores casamentos, maior capacidade de ganhar dinheiro.[5]

Essas intervenções funcionam melhor quando identificam o cronograma emocional do desenvolvimento.[6] Como testemunha o choro dos recém-nascidos, os bebês têm sentimentos intensos a partir do momento em que nascem. Mas o cérebro deles está longe da maturidade; como vimos no Capítulo 15, só quando o sistema nervoso chega ao desenvolvimento final — um processo que se desenrola segundo um relógio biológico inato durante toda a infância e início da adolescência — as emoções da criança amadurecem inteiramente. O repertório de sentimentos do recém-nascido é primitivo, em comparação com a gama emocional de um menino de 5 anos; que por sua vez é falho quando comparado com a variedade de sentimentos de um adolescente. Na verdade, os adultos caem muito prontamente na armadilha de esperar que as crianças atinjam um amadurecimento que só irá ocorrer muito mais tarde, esquecendo que cada emoção tem seu momento programado para aparecer no crescimento da criança. Um fanfarrão de 4 anos, por exemplo, pode ser censurado pelo pai — e, no entanto, a autoconsciência que traz a humildade só aparece, normalmente, lá pelos 5 anos, mais ou menos.

O cronograma do crescimento emocional está entrelaçado com linhas aliadas de desenvolvimento, sobretudo para o conhecimento, de um lado, e maturação do cérebro e biológica, do outro. Como vimos, aptidões emocionais como empatia e autorregulação emocional começam a formar-se praticamente a partir da primeira infância. Os anos de jardim de infância assinalam um pico de amadurecimento das "emoções sociais" — sentimentos como insegurança e humildade, ciúme e inveja, orgulho e confiança —, os quais exigem a capacidade de comparar-se com os outros. A criança de 5 anos, ao entrar no mundo social mais amplo, entra também no mundo da comparação social. Não é apenas a mudança externa que traz essas comparações, mas também o surgimento de uma capacidade cognitiva: poder comparar-se com os outros em determinadas qualidades, sejam talentos de popularidade, atração ou skate. Essa é uma idade em que, por exemplo, ter uma irmã mais velha que só tira dez pode fazer com que a irmã caçula, por comparação, se sinta "burra".

O Dr. David Hamburg, psiquiatra e presidente da Carnegie Corporation, que avaliou alguns programas pioneiros de educação emocional, vê os anos de transição para a escola primária e depois o ginásio ou escola média como assinalando dois pontos cruciais no ajustamento da criança.[7] Dos 6 aos 11 anos, ele diz, "a escola é um cadinho e uma experiência definidora que irá influenciar maciçamente a adolescência da criança e além. A sensação de autoestima da criança depende substancialmente de sua capacidade de rendimento na escola. A que fracassa na escola põe em movimento as atitudes de autoderrota que comprometem as perspectivas de toda uma vida". Entre os pontos essenciais para beneficiar-se na escola, observa Hamburg, está a capacidade de "adiar a satisfação, ser socialmente responsável de forma apropriada, manter controle sobre as emoções e ter uma perspectiva otimista" — em outras palavras, inteligência emocional.[8]

A puberdade — por ser um tempo de extraordinária mudança na biologia da criança, na capacidade de pensar e no funcionamento do cérebro — é também um momento crucial para o aprendizado de lições emocionais e sociais. Quanto aos anos de adolescência, Hamburg observa que "a maioria dos adolescentes tem de 10 a 15 anos quando é exposta à sexualidade, álcool e drogas, fumo" e outras tentações.[9]

A transição para a escola média ou ginásio assinala o fim da infância e é em si um grande desafio emocional. Além de todos os outros problemas, quando entram nesse novo esquema escolar praticamente todos os estudantes têm uma perda na autoconfiança e um salto na autoconsciência; mesmo o que eles pensam de si mesmos fica abalado e tumultuado. Um dos maiores golpes específicos é na "autoestima" social — a certeza de que podem fazer e manter amigos. É nessa conjuntura, observa Hamburg, que ajuda imensamente reforçar a capacidade de meninos e meninas para estabelecerem relacionamentos estreitos e superar as crises nas amizades, e alimentar sua autoconfiança.

Hamburg observa que, quando os estudantes entram no curso médio, bem no início da adolescência, os que tiveram aulas de alfabetização emocional se diferenciam: não se perturbam diante de pressões políticas dos colegas, com as exigências acadêmicas e resistem mais à tentação de fumar e usar drogas. Dominaram aptidões emocionais que, pelo menos a curto prazo, os vacinam contra o torvelinho e as pressões que vão enfrentar.

TUDO TEM SEU TEMPO CERTO

Quando psicólogos desenvolvimentistas e outros mapeiam o surgimento das emoções, têm condições de ser mais específicos sobre exatamente quais lições a criança deve aprender em cada ponto no desenrolar da inteligência emocional, quais déficits duradouros são prováveis naqueles que não dominam as aptidões fundamentais na hora adequada e que tipo de terapia pode compensar o que foi perdido.

No programa de New Haven, por exemplo, as crianças menores têm lições básicas de autoconsciência, relacionamentos e processo de decisão. Na primeira série, os alunos sentam-se em círculo e rodam o "cubo dos sentimentos", que tem palavras como *triste* ou *excitado* em cada lado. Quando chega a sua vez, descrevem um momento em que tiveram esse sentimento, um exercício que lhes dá mais certeza na associação de sentimentos a palavras e ajuda na empatia quando ouvem outros com os mesmos sentimentos que eles.

Na quarta e quinta séries, quando as relações com os colegas assumem uma imensa importância em suas vidas, eles têm lições que ajudam a amizade a funcionar melhor: empatia, controle de impulso e da raiva. A aula de Aptidões para a Vida sobre interpretação de emoções em expressões faciais que os alunos da quinta série da escola Troup testavam, por exemplo, é essencialmente sobre empatia. Para controle de impulso, exibe-se com destaque um cartaz com um sinal de trânsito de seis etapas:

Sinal vermelho: 1. Pare, se acalme e pense antes de agir.
Sinal amarelo: 2. Diga qual é o problema e como você se sente.
3. Estabeleça uma meta positiva.
4. Pense em muitas soluções.
5. Tente prever as consequências.
Sinal verde: 6. Siga e tente o melhor plano.

A noção do sinal de trânsito é invocada regularmente quando a criança, por exemplo, está para atacar furiosa, ou retraída num descontentamento por alguma ofensa, ou cai em prantos por ter sido provocada, e proporciona um conjunto concreto de passos para lidar com esses momentos carregados de uma forma mais comedida. Além do controle dos sentimentos, aponta um caminho para uma ação mais eficaz. E como uma maneira habitual de controlar o impulso emocional mais rebelde — pensar antes de agir com base nos sentimentos — pode evoluir numa estratégia básica para lidar com os riscos da adolescência e mais além.

Na sexta série, as lições se relacionam mais diretamente com as tentações e pressões de sexo, drogas ou bebida que começam a entrar na vida dos jovens. No segundo grau, quando os adolescentes se veem diante de realidades sociais mais ambíguas, enfatiza-se a capacidade de adotar múltiplas perspectivas — a nossa e as dos outros envolvidos.

— Se o garoto está furioso porque viu a namorada conversando com outro — diz um dos professores de New Haven —, sugerimos que imagine o que está se passando do ponto de vista deles também, em vez de simplesmente entrar num confronto.

ALFABETIZAÇÃO EMOCIONAL COMO PREVENÇÃO

Alguns dos mais efetivos programas de alfabetização emocional foram desenvolvidos em resposta a um problema específico, notadamente a violência. Um desses cursos de alfabetização emocional inspirados na prevenção que mais rápido cresce é o Programa de Solução Criativa para Conflitos, adotado em centenas de escolas públicas da cidade de Nova York e em outras em todo o país. O curso de solução de conflito enfoca como resolver brigas no pátio de recreio as quais podem se transformar em tiros como os que mataram Ian Moore e Tyrone Sinkler, no corredor do Ginásio Jefferson, disparados por um colega de classe.

Linda Lantieri, fundadora do Programa de Solução Criativa para Conflitos e diretora do centro nacional desse método, sediado em Manhattan, o vê como uma missão que vai além da prevenção de brigas. Ela diz:

— O programa mostra aos estudantes que eles têm muitas opções para lidar com conflitos, além da passividade ou agressão. Mostramos a eles a futilidade da violência, substituindo-a por aptidões concretas. As crianças aprendem a garantir seus direitos sem recorrer à violência. São aptidões para a vida toda, não apenas para aqueles mais inclinados à violência.[10]

Num dos exercícios, os alunos pensam num único passo realista, por menor que seja, que poderia tê-los ajudado a solucionar um conflito que tiveram. Em outro, encenam uma irmã mais velha que está fazendo o dever de casa e se irrita com o som do rap que a irmã menor está ouvindo. Aborrecida, a maior desliga a fita, apesar dos protestos da menor. Todas as crianças da turma pensam em todas as possibilidades para resolver o conflito, de uma forma satisfatória para as duas irmãs.

Uma chave para o êxito do programa de solução de conflitos é estendê-lo para além da sala de aula, até o pátio e a lanchonete, onde é mais provável que os ânimos se acirrem. Para isso, alguns alunos são treinados como mediadores, um papel que podem começar a exercer ao final do primário. Quando surge a tensão, os alunos podem procurar um mediador para ajudá-los a resolvê-la. Os mediadores de pátio aprendem a lidar com brigas, provocações e ameaças, incidentes inter-raciais e outros potencialmente incendiários da vida escolar.

Os mediadores aprendem a mostrar seus pontos de vista de uma forma imparcial. A tática inclui sentar-se com os envolvidos e fazê-los ouvir um ao outro sem interrupções nem insultos. Os dois devem se acalmar e expor as respectivas posições, depois o mediador pede que eles parafraseiem o que o outro disse para que fique claro que de fato ouviram. Depois tentam soluções com as quais os dois lados podem conviver; as soluções muitas vezes são na forma de um acordo assinado.

Além da mediação numa determinada disputa, o programa ensina os alunos a pensar, em primeiro lugar, de forma diferente sobre os desacordos. Como diz Angel Perez, treinado como mediador na escola primária, o programa "mudou minha maneira de pensar. Antes eu pensava, ora, se alguém me provoca, se alguém me faz alguma coisa, a única solução é brigar, fazer alguma coisa para descontar. Depois que participei desse programa, penso de forma mais positiva. Se me fazem alguma coisa ruim, eu não retribuo da mesma forma;

tento solucionar o problema". E ele acabou disseminando a técnica em sua comunidade.

Embora o foco do Programa de Solução Criativa para Conflitos esteja na prevenção da violência, Linda Lantieri considera que há uma missão mais ampla. Sua opinião é que as aptidões necessárias à prevenção da violência não são algo à parte de todo o espectro de competência emocional — saber, por exemplo, o que estamos sentindo ou saber controlar os impulsos ou lidar com a mágoa é tão importante para a prevenção da violência quanto para o controle da raiva. Grande parte do treinamento se relaciona com questões emocionais básicas, como reconhecer uma gama mais ampla de sentimentos e poder nomeá-los. Quando descreve os resultados de seu programa, Linda observa com muito orgulho tanto o aumento de "consideração entre as crianças" quanto a queda nas brigas, humilhações e xingamentos.

Uma convergência semelhante de alfabetização emocional ocorreu com um grupo de psicólogos que fez um trabalho com jovens cujas trajetórias de vida eram marcadas pelo crime e pela violência. Dezenas de estudos desses garotos — como vimos no Capítulo 15 — mostraram um sentido claro do caminho que a maioria tomava, começando da impulsividade e da rapidez com que se encolerizavam nos primeiros anos de escola, passando pela rejeição social no fim do primário, até juntar-se a um círculo de outros como eles e iniciar orgias de crime nos anos de curso médio. No início da idade adulta, grande parte desses garotos já eram fichados na polícia e estavam voltados para a prática de atos violentos.

Quando foram discutidas as intervenções capazes de desviá-los do caminho que conduz à violência, a opção foi, mais uma vez, por um programa de alfabetização emocional.[11] Um desses, criado por um grupo do qual fazia parte Mark Greenberg, da Universidade de Washington, é o currículo PATHS (sigla de *Parents and Teachers Helping Students* — Pais e Mestres Ajudando Alunos). Embora os que correm o risco de chegarem ao crime e à violência sejam os que mais precisam desse ensinamento, o curso se estende a toda uma classe, evitando qualquer estigmatização de um subgrupo mais perturbado.

Mesmo assim, as lições são úteis para todas as crianças. Entre elas está, por exemplo, aprender nos primeiros anos de escola a controlar os impulsos; sem essa aptidão, as crianças têm problema especial para prestar atenção ao que se ensina, e ficam para trás no aprendizado e nas notas. Outra é reconhecer os próprios sentimentos; o currículo do PATHS tem cinquenta lições sobre diferentes emoções, ensinando as mais básicas, como felicidade e raiva, às crianças mais novas, e depois tocando em sentimentos mais complexos como ciúme, orgulho e culpa. As lições de consciência emocional incluem como monitorar o que eles e os outros em volta estão sentindo e — o mais importante para os inclinados à agressão — como reconhecer quando alguém é de fato hostil, e quando nós é que estamos supondo a hostilidade.

Uma das lições mais importantes, claro, é o controle da raiva. A premissa básica que as crianças aprendem sobre esse tipo de sentimento (e todas as outras emoções também) é que "é legal ter todos os sentimentos", mas algumas reações são corretas e outras não. Aqui, um dos instrumentos para ensinar autocontrole é o mesmo exercício de "sinal de trânsito" usado em New Haven. Outras unidades ajudam as crianças com suas amizades, um contrapeso da rejeição social que pode facilitar o caminho para a violência.

REPENSANDO AS ESCOLAS: O ENSINO PELO SER, COMUNIDADES QUE SE ENVOLVEM

Como a vida em família não mais proporciona a crescentes números de crianças uma base segura na vida, as escolas permanecem como o único lugar a que a comunidade pode recorrer em busca de corretivos para as deficiências da garotada em competência emocional e social. Isso não quer dizer que as escolas, sozinhas, possam substituir todas as instituições sociais que muitas vezes já estão ou se aproximam do colapso. Mas, como praticamente toda criança vai à escola (pelo menos no início), este é um lugar que pode proporcionar às crianças os ensinamentos básicos para a vida que talvez elas não recebam nunca em outra parte. Alfabetização emocional implica um mandado ampliado para as escolas, entrando no lugar de famílias que falham na socialização das crianças. Essa temerária tarefa exige duas grandes mudanças: que os professores vão além de sua missão tradicional e que as pessoas na comunidade se envolvam mais com as escolas.

Se há ou não uma classe explicitamente dedicada à alfabetização emocional importa muito menos do que *como* se ensinam essas lições. Talvez não haja outro tema em que a qualificação do professor seja mais importante, uma vez que a maneira como ele lida com a classe é, por si mesma, um modelo, uma lição *de fato* de competência — ou incompetência — emocional. Sempre que um professor responde a um aluno, vinte ou trinta outros aprendem uma lição.

Há uma seleção natural do tipo de professor que gravita para cursos como esses, porque nem todos possuem o temperamento adequado. Para começar, eles precisam se sentir à vontade para falar sobre sentimentos; nem todos são ou querem ser assim. Pouca coisa ou nada na educação padrão dos professores os prepara para esse tipo de ensinamento. É por essa razão que os programas de alfabetização emocional, normalmente, fornecem aos professores em perspectiva várias semanas de treinamento especial na técnica.

Embora muitos professores possam relutar no início a enfrentar um tópico que julgam tão estranho à sua formação e rotinas, há indícios de que, uma vez que se dispõem a tentar, a maioria fica mais satisfeita do que aborrecida. Nas escolas de New Haven, quando os professores souberam que iam ser treinados para dar os novos cursos de alfabetização emocional, 31% disseram que relutavam em fazê-lo. Após um ano dando os cursos, mais de 90% disseram que estavam satisfeitos, e que queriam voltar a dá-los no ano seguinte.

UMA MISSÃO MAIOR PARA AS ESCOLAS

Além do treinamento do professor, a alfabetização emocional amplia nossa visão acerca do que é a escola, explicitando-a como um agente da sociedade encarregado de constatar se as crianças estão obtendo os ensinamentos essenciais para a vida — isto significa um retorno ao papel clássico da educação. Esse projeto maior exige, além de qualquer coisa específica no currículo, o aproveitamento das oportunidades, dentro e fora das salas de aula, para ajudar os alunos a transformar momentos de crise pessoal em lições de competência emocional. Também funciona melhor quando as lições em classe são coordenadas com o que se passa na casa das crianças. Muitos programas de alfabetização emocional incluem aulas especiais para pais, a fim de transmitir a eles o que seus filhos estão aprendendo, não apenas para complementar o que se dá na escola, mas para ajudar os pais que querem lidar mais efetivamente com a vida emocional de seus filhos.

Assim, as crianças recebem mensagens consistentes sobre competência emocional em todas as áreas da vida. Nas escolas de New Haven, diz Tim Shriver, diretor do Programa de Competência Social, "se os garotos se metem numa briga na lanchonete, são mandados a um colega mediador, que se senta com eles e soluciona o conflito com a mesma técnica de adoção de perspectiva que eles aprenderam na aula. Treinadores usam a técnica de solução de conflito no campo de esportes. Temos classes para pais sobre o uso desses métodos com as crianças em casa".

Essas linhas paralelas de reforço das lições emocionais — não apenas na sala de aula, mas também no pátio; não apenas na escola, mas também em casa — são ideais. Isso implica interligar mais estreitamente a escola, os pais e a comunidade. Aumenta a probabilidade de que o que as crianças aprenderam nas classes de alfabetização emocional não ficará para trás na escola, mas será testado, praticado e afiado nos desafios reais da vida.

Outra maneira como esse tipo de abordagem acarreta a reformulação das escolas é a criação de uma cultura universitária que faz dela uma "comunidade envolvida", um lugar onde os alunos se sentem respeitados, cuidados e ligados aos colegas, professores e à própria escola.[12] Por exemplo, as escolas em lugares como New Haven, onde as famílias se desintegram em ritmo acelerado, oferecem uma gama de programas que recrutam pessoas interessadas na comunidade para envolver-se com estudantes cuja vida familiar, na melhor das hipóteses, esteja sofrendo algum abalo. Nas escolas de New Haven, adultos responsáveis apresentam-se como voluntários para serem mentores, companheiros regulares de estudantes que estão falhando e têm poucos, quando têm, adultos protetores na vida familiar.

Em suma, o projeto ideal dos programas de alfabetização emocional é começar cedo, ser apropriado à idade, cobrir todo o tempo de escolaridade e entremear os trabalhos na escola, em casa e na comunidade.

Embora grande parte disso se encaixe tranquilamente em partes existentes do dia escolar, esses programas são uma grande mudança em qualquer currículo. Seria ingênuo não prever obstáculos para introduzir esses programas na escola. Muitos pais podem achar que a matéria, em si, é um campo muito pessoal para ser deixado a cargo da escola, que é melhor deixar essas coisas com os pais (um argumento que ganha crédito se os pais de fato *se encarregarem* desses assuntos — e é menos convincente quando não o fazem). Os professores podem relutar em dedicar mais uma parte do dia escolar a assuntos que parecem não estar relacionados com o básico acadêmico; alguns professores podem sentir-se muito pouco à vontade para ensinar esse tipo de matéria e todos precisarão de treinamento especial para fazê-lo. Também algumas crianças poderão resistir, sobretudo quando essas lições estão fora de sincronia com suas preocupações reais, ou senti-las como intromissoras imposições em sua intimidade. E depois há o dilema de manter a alta qualidade e providenciar para que os espertos comerciantes da educação não mascateiem programas de competência emocional ineptamente projetados, que repitam os desastres dos, digamos, malconcebidos cursos sobre drogas e gravidez na adolescência.

Diante de todos esses obstáculos, por que nos darmos o trabalho de tentar?

A ALFABETIZAÇÃO EMOCIONAL FAZ ALGUMA DIFERENÇA?

É o pesadelo de todo professor: um dia, Tim Shriver abriu o jornal local e leu que Lamont, um de seus ex-alunos favoritos, tinha recebido nove tiros numa rua de New Haven e seu estado de saúde era crítico.

— Lamont tinha sido um dos líderes da escola, um enorme... mais de 1,80 metro ... e muito querido jogador de rúgbi, sempre sorridente — lembra Shriver. — Naquele tempo, ele gostava de frequentar um clube de liderança que eu dirigia, onde jogava com as ideias num modelo de solução de problemas conhecido como SOCS.

A sigla é de *Situation, Options, Consequence, Solutions* [Situação, Opções, Consequência, Soluções] — um método em quatro etapas: dizer qual é a situação e como nos faz sentir; pensar em nossas opções para solucionar o problema e quais podem ser suas consequências; escolher uma solução e executá-la — uma versão adulta do método do sinal de trânsito. Lamont, acrescentou Shriver, adorava pensar em todas as formas imagináveis, mas potencialmente efetivas de lidar com os prementes dilemas da vida ginasial, tipo problemas com namoradas e como evitar brigas.

Mas essas poucas lições pareceram faltar-lhe após o ginásio. Vagando pelas ruas num mar de pobreza, drogas e armas, Lamont, aos 26 anos, jazia num leito de hospital, envolto em bandagens. Ao correr para o hospital, Shriver encontrou-o mal podendo falar, a mãe e a namorada amontoadas em cima dele. Vendo o antigo professor, Lamont chamou-o com um gesto para o lado da cama e, quando Shriver se curvou para ouvir, ele murmurou:

— Shriver, quando eu sair daqui vou usar o método SOCS.

Ele fizera o Ginásio de Hillhouse antes que se desse ali o curso de desenvolvimento social. A sua vida teria sido outra caso ele houvesse tido o benefício desse tipo de aprendizagem durante o tempo em que estivera na escola, como ocorre agora com as crianças das escolas públicas de New Haven? Tudo indica que sim, embora não se possa ter certeza.

Como disse Tim Shriver:

— Uma coisa está clara: o campo de provas para a solução de problemas sociais não é só a sala de aula, mas a lanchonete, as ruas, o lar.

Vejam o depoimento de professores no programa de New Haven. Um conta que uma ex-aluna, ainda solteira, lhe procurou para dizer que com certeza já seria uma mãe solteira "se não tivesse aprendido a defender seus direitos em nossas aulas de Desenvolvimento Social".[13] Outro professor lembra que o relacionamento de uma estudante com a mãe era tão ruim que as conversas das duas em geral acabavam em gritaria; depois que a garota aprendeu a se acalmar e pensar antes de reagir, a mãe disse ao professor que agora podiam conversar sem brigas. Na escola Troup, uma aluna da sexta série passou um bilhete para o professor de Desenvolvimento Social; a melhor amiga dela, dizia a nota, estava grávida, não tinha ninguém com quem conversar sobre o que fazer e estava pensando em suicídio — mas sabia que o professor ia se interessar.

Um momento revelador ocorreu quando eu observava uma classe da sétima série de Desenvolvimento Social numa escola de New Haven e o professor pediu que "alguém falasse sobre uma desavença recente e que tinha sido resolvida de forma positiva".

Uma gordinha de 12 anos levantou a mão:

— Tinha uma garota que eu tinha como amiga e aí uma pessoa me disse que ela queria brigar comigo. Disseram que ela ia me pegar na esquina depois da aula.

Mas, em vez de enfrentar furiosa a outra menina, ela aplicara uma técnica aprendida na aula — descobrir o que se passa antes de saltar a conclusões:

— Então, eu procurei a menina e perguntei por que ela tinha dito aquilo. E ela disse que nunca tinha dito. Por isso a gente nunca brigou.

A história parece bastante inócua. Só que a garota que conta a história já tinha sido expulsa de outra escola por briga. Agredia primeiro e fazia as perguntas depois — ou nem fazia. Para ela, abordar um suposto adversário de maneira construtiva, em vez de partir imediatamente para um irado confronto, é uma vitória pequena mas concreta.

Talvez o sinal mais revelador do impacto causado pelas aulas de alfabetização emocional sejam os dados que me foram fornecidos pelo diretor da escola dessa menina de 12 anos. Uma regra inflexível ali é que as crianças surpreendidas brigando são suspensas. Mas, à medida que as aulas de alfabetização emocional se estenderam ao longo dos anos, verificou-se uma queda constante no número de suspensões.

— No ano passado — diz o diretor — houve 106 suspensões. Até agora este ano... estamos chegando em março... houve apenas 26.

Há vantagens concretas. Mas, além dessas historinhas de vítimas melhoradas ou salvas, há a questão empírica da verdadeira importância das aulas de alfabetização emocional para aqueles que as tiveram. Os dados sugerem que, embora esses cursos não mudem ninguém da noite para o dia, à medida que as crianças avançam no currículo de série em série, verificam-se melhoras discerníveis no tom de uma escola e na perspectiva — e nível de competência emocional — das meninas e meninos que os fazem.

Há muitas avaliações objetivas, as melhores das quais comparam alunos que participaram desses cursos com outros que não participaram, onde observadores independentes avaliam o comportamento das crianças. Outro método é identificar mudanças nos alunos antes e depois do treinamento, com base em medidas objetivas de seu comportamento, como o número de brigas no pátio e suspensões. O conjunto dessas avaliações sugere um generalizado proveito na competência social e emocional das crianças, em seu comportamento dentro e fora da escola e em sua capacidade de aprender (ver detalhes no Apêndice F):

AUTOCONSCIÊNCIA EMOCIONAL

- Melhora no reconhecimento e designação das próprias emoções
- Maior capacidade de entender as causas dos sentimentos
- Diferenciar sentimentos e atos

CONTROLE DE EMOÇÕES

- Melhor tolerância à frustração e controle da raiva
- Menos ofensas verbais, brigas e perturbação na sala de aula
- Maior capacidade de expressar adequadamente a raiva, sem brigar
- Menos suspensões e expulsões
- Menos comportamento agressivo ou autodestrutivo
- Mais sentimentos positivos sobre si mesmo, a escola e a família
- Melhor no lidar com a tensão
- Menos solidão e ansiedade social

CANALIZAR PRODUTIVAMENTE AS EMOÇÕES

- Melhor comunicabilidade
- Maior capacidade de se concentrar na tarefa imediata e prestar atenção
- Menor impulsividade; mais autocontrole
- Melhores notas nas provas

EMPATIA: LER EMOÇÕES

- Maior capacidade de adotar a perspectiva do outro

- Melhor empatia e sensibilidade em relação aos sentimentos dos outros
- Melhor no ouvir os outros

LIDAR COM RELACIONAMENTOS

- Maior capacidade de analisar e compreender relacionamentos
- Melhor na solução de conflitos e negociação de desacordos
- Melhor na solução de problemas em relacionamentos
- Mais assertivo e hábil no comunicar-se
- Mais benquisto; amistoso e envolvido com os colegas
- Mais procurado pelos colegas
- Mais preocupado e atencioso
- Mais "pró-social" e harmonioso em grupos
- Maior partilhamento, cooperação e prestatividade
- Mais democrático no lidar com os outros

Um item desta lista exige especial atenção: os programas de alfabetização melhoram as notas de aproveitamento *acadêmico* das crianças e o desempenho na escola. Isso não é uma constatação isolada; repete-se muitas vezes nesses estudos. Numa época em que um grande número de crianças não é capaz de lidar com suas perturbações, de ouvir ou de se concentrar, frear um impulso, sentir-se responsável por seu trabalho ou se ligar na aprendizagem, qualquer coisa que reforce essas aptidões ajudará na educação delas. Neste sentido, a alfabetização emocional aumenta a aptidão da escola para dar ensinamentos. Mesmo num tempo de retorno ao básico e cortes no orçamento, pode-se argumentar que esses programas ajudam a deter a maré de declínio educacional e dão suporte às escolas no cumprimento de sua missão principal e, portanto, o investimento vale a pena.

Além dessas vantagens educacionais, os cursos parecem ajudar as crianças a melhor desempenhar seus papéis na vida, tornando-se melhores amigos, alunos, filhos e filhas — e no futuro têm mais probabilidade de serem melhores maridos e esposas, trabalhadores e chefes, pais e cidadãos. Embora nem todo garoto ou garota venha a adquirir essas aptidões com igual êxito, na medida em que o fizerem estarão melhor por isso.

— Uma enchente eleva todos os barcos — como diz Tim Shriver. — Não apenas os garotos com problemas, mas todos os garotos podem lucrar com essas aptidões; são uma vacinação para toda a vida.

CARÁTER, MORALIDADE E AS ARTES DA DEMOCRACIA

Há uma palavra meio fora de moda para definir o conjunto de aptidões que a inteligência emocional representa: *caráter*. O caráter, escreve Amitai Etzioni, teórica social da Universidade de Washington, é "o músculo psicológico necessário para a conduta moral".[14] E o filósofo John Dewey diz que uma educação moral é mais poderosa quando as lições são ensinadas às crianças no curso de fatos reais, não apenas como lições abstratas — o modo da alfabetização emocional.[15]

Se o desenvolvimento do caráter é uma das bases das sociedades democráticas, pensem em algumas das maneiras como a inteligência emocional as reforça. O princípio fundamental do caráter é a autodisciplina; a vida virtuosa, como têm observado os filósofos desde Aristóteles, se baseia no autocontrole. Uma pedra de toque que guarda afinidade com o caráter é a capacidade de motivar-se e orientar-se, seja ao fazer o dever de casa, concluir um trabalho ou levantar-se pela manhã. E, como vimos, a capacidade de adiar a satisfação e controlar e canalizar nossos impulsos para agir é uma aptidão emocional básica, que em outros tempos se chamava de força de vontade. "Precisamos ter controle sobre nós mesmos — nossos apetites, nossas paixões — para agir direito com os outros", observa Thomas Lickona, quando escreve sobre educação do caráter.[16] "É preciso força de vontade para manter a emoção sob o controle da razão."

A capacidade de pôr de lado nosso foco e impulsos autocêntricos tem vantagens sociais: abre o caminho para a empatia, para ouvir de fato, para adotar a perspectiva de outra pessoa. A empatia, como vimos, leva ao envolvimento, ao altruísmo e à piedade. Ver as coisas da perspectiva dos outros quebra estereótipos tendenciosos e, assim, gera a tolerância e a aceitação das diferenças. Essas aptidões são cada vez mais exigidas numa sociedade cada vez mais pluralística, permitindo que as pessoas convivam em respeito mútuo e criando a possibilidade do discurso público produtivo. São artes básicas da democracia.[17]

As escolas, observa Etzioni, têm um papel central no cultivo do caráter pela inculcação de autodisciplina e empatia, que por sua vez permitem o verdadeiro compromisso com valores cívicos e morais.[18] Ao fazer isso, não basta pregar valores às crianças; é preciso praticá-los, o que acontece quando as crianças formam as aptidões emocionais e sociais essenciais. Nesse sentido, a alfabetização emocional anda de mãos dadas com a educação para ter caráter, desenvolvimento moral e cidadania.

UMA ÚLTIMA PALAVRA

No momento em que concluo este livro, algumas perturbadoras notícias de jornais me chamam a atenção. Uma anuncia que as armas se tornaram a causa número um de morte nos Estados Unidos, superando os acidentes de carro. A segunda diz que, no ano passado, o percentual de homicídios subiu 3%.[19] Particularmente perturbadora é a previsão nessa segunda matéria, de autoria de um criminologista, de que estamos vivendo numa calmaria, porque o "vendaval de crime" virá na próxima década. Segundo o articulista, os assassinatos cometidos por adolescentes de até 14 e 15 anos estão em ascensão, e a essa faixa etária pertencem milhões de jovens. Na próxima década, esse grupo estará com 18 a 20 anos, idade em que a prática de crimes violentos é o auge de uma carreira criminosa. Os prenúncios estão no horizonte. Uma terceira matéria diz que, nos quatro anos entre 1988 e 1992, cifras do Departamento de Justiça mostram um salto de 68% no número de jovens acusados de assassinato, lesões corporais com agravantes, assalto e estupro, sendo que as lesões corporais aumentaram em 80%.[20]

Esses adolescentes são a primeira geração a ter não apenas armas, mas armas automáticas à sua inteira disposição, da mesma forma que a geração de seus pais foi a primeira a ter um grande acesso às drogas. O uso de armas por adolescentes implica que, se no passado as desavenças eram resolvidas na porrada, hoje podem tranquilamente ser resolvidas a tiros. E, observa um especialista, esses adolescentes "não são muito bons nessa coisa de evitar brigas".

Um dos motivos por que são tão ruins nessa aptidão básica para a vida, claro, é que como sociedade não tivemos a preocupação de garantir a todas as crianças o mínimo de competência para lidar com a raiva e para resolver conflitos de forma positiva — tampouco nos preocupamos em ensinar empatia, controle de impulso ou qualquer dos outros fundamentos da competência emocional. Deixando ao acaso a aprendizagem de lições emocionais, corremos o enorme risco de não aproveitar os momentos mais oportunos — proporcionados pelo lento processo de maturação do cérebro — para proporcionar às crianças o cultivo de um repertório emocional saudável.

Apesar do grande interesse que têm os educadores na alfabetização emocional, esse gênero de treinamento é difícil de ser encontrado; a maioria dos professores, diretores e pais simplesmente nem sabe que eles existem. Os melhores modelos estão, em sua maioria, fora da corrente principal da educação, em algumas poucas escolas particulares e em poucas centenas de escolas públicas. Claro que nenhum programa, inclusive este de que falo, é solução para qualquer tipo de problema. Mas, em vista da crise que nós e nossos filhos estamos enfrentando e das perspectivas alvissareiras trazidas pelos cursos de alfabetização emocional, devemos nos perguntar: não devíamos — agora mesmo — já estar ensinando a todas as crianças essas essencialíssimas aptidões para a vida?

Se não for agora, quando será?

APÊNDICE A

Que é Emoção?

Uma palavra sobre o que quero dizer sob a rubrica *emoção,* termo cujo significado preciso psicólogos e filósofos discutem há mais de um século. Em seu sentido mais literal, o *Oxford English Dictionary* define *emoção* como "qualquer agitação ou perturbação da mente, sentimento, paixão; qualquer estado mental veemente ou excitado". Entendo que *emoção* se refere a um sentimento e seus pensamentos distintos, estados psicológicos e biológicos, e a uma gama de tendências para agir. Há centenas de emoções, juntamente com suas combinações, variações, mutações e matizes. Na verdade, existem mais sutilezas de emoções do que as palavras que temos para defini-las.

Os pesquisadores continuam a discutir sobre precisamente quais emoções podem ser consideradas primárias — o azul, vermelho e amarelo dos sentimentos dos quais saem as misturas — ou mesmo se existem de fato essas emoções primárias. Alguns teóricos propõem famílias básicas, embora nem todos concordem com elas. Principais candidatas e alguns dos membros de suas famílias:

- *Ira*: fúria, revolta, ressentimento, raiva, exasperação, indignação, vexame, acrimônia, animosidade, aborrecimento, irritabilidade, hostilidade e, talvez no extremo, ódio e violência patológicos.
- *Tristeza*: sofrimento, mágoa, desânimo, desalento, melancolia, autopiedade, solidão, desamparo, desespero e, quando patológica, severa depressão.
- *Medo*: ansiedade, apreensão, nervosismo, preocupação, consternação, cautela, escrúpulo, inquietação, pavor, susto, terror e, como psicopatologia, fobia e pânico.
- *Prazer*: felicidade, alegria, alívio, contentamento, deleite, diversão, orgulho, prazer sensual, emoção, arrebatamento, gratificação, satisfação, bom humor, euforia, êxtase e, no extremo, mania.
- *Amor*: aceitação, amizade, confiança, afinidade, dedicação, adoração, paixão, *ágape*.
- *Surpresa:* choque, espanto, pasmo, maravilha.
- *Nojo*: desprezo, desdém, antipatia, aversão, repugnância, repulsa.
- *Vergonha*: culpa, vexame, mágoa, remorso, humilhação, arrependimento, mortificação e contrição.

Claro, esta lista não resolve toda a questão de como caracterizar a emoção. Por exemplo, que dizer de combinações como o ciúme, uma variante da ira que também funde tristeza e medo? E das virtudes como esperança e fé, coragem e perdão, certeza e equanimidade? Ou alguns dos vícios clássicos, sentimentos como dúvida, complacência, preguiça e torpor — ou o tédio? Não há respostas claras; continua o debate científico sobre como classificar as emoções.

A defesa da existência de umas poucas emoções básicas depende em certa medida da descoberta por Paul Ekman, na Universidade da Califórnia, em São Francisco, de que as expressões faciais de quatro delas (medo, ira, tristeza e alegria) são reconhecidas por povos de culturas de todo o mundo, inclusive povos pré-letrados supostamente intocados pela exposição ao cinema ou à televisão — o que sugere sua universalidade. Ekman mostrou fotos que retratavam expressões faciais de precisão técnica a pessoas em culturas tão remotas como a Fore da Nova Guiné, uma tribo isolada, na Idade da Pedra, das montanhas distantes, e constatou que todos em toda parte reconheciam as mesmas emoções básicas. Essa universalidade das expressões faciais da emoção provavelmente foi notada pela primeira vez por Darwin, que a viu como indício de que as forças da evolução haviam gravado esses sinais em nosso sistema nervoso central.

Ao buscar princípios básicos, sigo Ekman e outros no pensar nas emoções em termos de famílias ou dimensões, tomando as famílias principais — ira, tristeza, medo, amor e assim por diante — como exemplos dos intermináveis matizes de nossa vida emocional. Cada uma dessas famílias tem no centro um núcleo emocional básico, com os parentes partindo dali em ondas de incontáveis mutações. Nas ondas externas, estão os *estados de espírito,* que, em termos técnicos, são mais contidos e duram muito mais que uma emoção (embora seja relativamente raro permanecer no pleno calor da ira o dia todo, por exemplo, não é tão raro ficar num humor rabugento, irritável, no qual se disparam facilmente ataques mais curtos de ira). Além dos estados de espírito, há os *temperamentos,* a disposição para evocar uma determinada emoção ou estado de espírito que torna as pessoas melancólicas, tímidas ou alegres. E ainda, além dessas disposições emocionais, estão os *distúrbios* das emoções, como a depressão clínica ou a ansiedade constante, em que alguém se vê perpetuamente colhido num estado tóxico.

APÊNDICE B

Características da Mente Emocional

Só recentemente foi elaborado um modelo científico da mente emocional que explica por que muitas de nossas ações são determinadas pela emoção — por que somos tão racionais num determinado momento e tão irracionais em outros — e também foi firmado o entendimento de que as emoções têm uma razão e uma lógica que lhe são tão peculiares. As duas melhores análises da mente irracional estão, talvez, em Paul Ekman, diretor do Laboratório de Interação Humana da Califórnia, em São Francisco, e em Seymour Epstein, psicólogo clínico da Universidade de Massachusetts.[1] Embora cada um deles tenha trabalhado com diferentes indicadores científicos, do estudo dos dois podemos extrair uma lista básica de características que distinguem as emoções do resto da vida mental.[2]

Uma Resposta Rápida e Simplificada

A mente emocional é muito mais rápida que a racional, agindo irrefletidamente, sem parar para pensar. Essa rapidez exclui a reflexão deliberada, analítica, que caracteriza a mente racional. No curso da evolução humana, essa agilidade, muito provavelmente, teve como objetivo exclusivo a mais básica decisão: o que merecia a nossa atenção e, uma vez vigilantes, quando, por exemplo, ao enfrentarmos um animal, decidir, em frações de segundos: eu como isso ou isso me come? As espécies que não foram capazes de uma reação imediata tiveram pouca probabilidade de deixar uma progênie que passasse adiante seus lentos genes de atuação.

As ações desencadeadas pela mente emocional carregam uma forte sensação de certeza, que é um subproduto de um tipo de comportamento bastante simplificado, de encarar determinadas coisas que, para a mente racional, são intrigantes. Quando a poeira assenta, ou mesmo durante a reação, aí pensamos: "Por que fiz isso?" — este é o sinal de que a mente racional percebeu o que aconteceu, mas não com a agilidade da mente emocional.

Como o intervalo entre o que dispara uma emoção e sua erupção é, em geral, praticamente nulo, os mecanismos que avaliam a percepção de um acontecimento são muito velozes, mesmo em tempo cerebral, que é calculado em milésimos de segundo. A constatação de que é preciso agir tem de ser automática e, de tal forma, que não chegue nunca ao nível da consciência.[3] Somos tomados por uma reação emotiva "rápida e rasteira", normalmente muito antes de sabermos, com exatidão, o que se passa.

Esse modo rápido de percepção perde em precisão para ganhar em rapidez. Baseia-se em primeiras impressões e reage ao panorama global ou aos seus aspectos mais gritantes. Capta tudo num relance, reage e não perde tempo com uma análise mais minuciosa dos detalhes. A grande vantagem, aí, é que a mente emocional é capaz de captar rapidamente uma emoção (ele está furioso comigo; ela está mentindo; isso está fazendo ele ficar triste) e, assim, de forma fulminante, dizer do que nos acautelar, em quem confiar, quem está com problemas. Ela é o nosso radar para o perigo; se nós (ou nossos ancestrais) fôssemos aguardar que a mente racional tomasse uma decisão, é possível não só que houvéssemos cometido erros — também teríamos desaparecido como espécie. Por outro lado, esse modo de percepção tem suas desvantagens — as impressões e julgamentos intuitivos, feitos num estalar de dedos, podem ser equivocados e dirigidos ao alvo errado.

Paul Ekman vê a rapidez com que as emoções se apossam de nós — antes mesmo que nos demos conta de que já se instalaram em nós — como uma adaptabilidade emocional essencial: mobiliza-nos para agir nas emergências, sem perda de tempo ponderando se ou quando reagir. Ekman desenvolveu um sistema capaz de detectar alterações sutis na musculatura facial e na fisiologia corporal, que ocorrem em milésimos de segundo após a ocorrência do fato que causou determinada emoção. Há, por exemplo, alteração no fluxo sanguíneo e nos batimentos cardíacos, que se iniciam rapidamente. Essa rapidez ocorre sobretudo nas emoções intensas, como naquela associada ao sentimento de medo diante de uma ameaça súbita.

Ekman afirma que, em termos técnicos, o auge da emoção dura um momento breve — segundos, e não minutos, horas ou dias. Segundo ele, as emoções teriam uma má adaptabilidade caso se apoderassem do cérebro e do corpo como um todo por muito tempo, sem levar em consideração as cambiantes circunstâncias. Se ficássemos tomados pelas emoções durante muito tempo e invariavelmente, apesar de já decorrido o fato que as desencadeou e independentemente do que mais se passasse à nossa volta, os sentimentos delas decorrentes seriam péssimos guias para a ação. Para que as emoções permaneçam em nós por mais tempo, o gatilho tem de ser mantido, ou seja, o sentimento — por exemplo, o luto pela perda de um ente querido — tem de ser continuamente evocado. Quando os sentimentos persistem durante muito tempo tornam-se estado de espírito, uma forma contida. Os estados de espírito estabelecem um afeto, mas não formam percepções de maneira tão forte como ocorre no calor da emoção.

Primeiro os sentimentos — os pensamentos vêm depois

Já que a mente racional demora mais para registrar e reagir aos fatos do que a mente emocional, o "primeiro impulso", em circunstâncias emotivas, não vem da cabeça, mas do coração. Há um outro tipo de reação emocional que não é tão rápido — fervilha e fermenta no pensamento antes de se configurar como sentimento. Esse segundo caminho que leva à eclosão de emoções é mais deliberado e, em geral, temos consciência do raciocínio que leva à emoção. A reação que se desencadeia é precedida de uma avaliação extensa: nossos pensamentos — o processo cognitivo — desempenham, no caso, um papel importante na determinação de quais emoções serão despertadas. Tão logo fazemos uma constatação — "Este taxista está me roubando", "Este bebê é lindo" —, a resposta emocional é adequada. Nesse processo mais lento, um pensamento mais articulado precede o sentimento. Emoções mais complexas, como o nervosismo e a apreensão diante de uma prova que teremos de fazer, seguem essa rota lenta, levando segundos ou minutos para se formarem — são emoções provocadas por pensamentos.

No processo de resposta rápida, ao contrário, o sentimento precede ou é simultâneo ao pensamento. Essa reação emocional do tipo "jogo rápido" assume o comando em situações com a urgência da sobrevivência primal. Eis o poder desse tipo de reação emocional: mobilizar-nos, num átimo, para enfrentar uma emergência. Nossos sentimentos mais intensos são reações involuntárias; não cabe a nós decidir quando vão acontecer. "O amor", disse Stendhal, "é como uma febre que vem e vai, independente de nossa vontade." Mas isso não ocorre só no amor, mas também na raiva e no medo que nos toma, em que temos a sensação de que algo aconteceu *conosco,* sem nossa deliberação. Esse tipo de circunstância serve até como álibi. "O fato de *não podermos escolher que emoções teremos",* observa Ekman, permite que as pessoas justifiquem seus atos alegando terem estado sob o impacto da emoção.[4]

Da mesma forma que há caminhos rápidos e lentos para o desencadeamento de uma emoção — pela percepção imediata e pela reflexão, respectivamente —, há emoções que convidamos para estarem conosco. É o caso, por exemplo, de sensações propositalmente provocadas, um recurso que os atores utilizam para, ao evocar coisas tristes, conseguirem chorar. Os atores são seres um pouco mais hábeis do que nós na arte de utilizar essa segunda rota para provocar a emoção — a sensação via pensamento. Embora não possamos facilmente determinar que tipo de emoção um pensamento vai desencadear, em geral podemos escolher no que pensar. Assim como as fantasias sexuais produzem sensações sexuais, as lembranças agradáveis nos alegram e os pensamentos tristes nos deixam sorumbáticos.

A mente racional, por outro lado, em geral não decide que emoções *devemos* ter. Ao contrário, nossos pensamentos em geral nos chegam como um *fait accompli.* Diante disso, o que a mente racional pode fazer é controlar o curso de nossa reação. Salvo exceções, não decidimos *quando* ficar furiosos, tristes etc.

A mente emocional e seus símbolos — feito uma criança

A mente emocional possui uma lógica *associativa*; elementos que simbolizam uma realidade ou que de alguma forma lembrem essa realidade são, para a mente emocional, a própria realidade. É por isso que símiles, metáforas e imagens têm comunicação direta com a mente emocional, e também a arte — romances, filmes, poesia, música, teatro, ópera. Grandes mestres espirituais, como Buda e Jesus, falaram ao coração de seus discípulos através da linguagem da emoção, ensinando por parábolas, fábulas e contos. Na realidade, o símbolo e o rito não fazem muito sentido do ponto de vista racional; são representações vernaculares de acesso ao coração.

Essa lógica do coração — ou da mente emocional — é muito bem descrita por Freud quando ele fala do "processo primário" de pensamento; é a lógica religiosa e da poesia, da psicose e da criança, do sonho e do mito (como disse Joseph Campbell, "os sonhos são mitos particulares, os mitos são sonhos públicos"). O processo primário é a chave para a abertura do significado de obras como *Ulisses,* de James Joyce: no processo primário do pensamento, as livres associações determinam o fluir de uma narrativa, um objeto simboliza outro, um sentimento vem sob a forma de outro sentimento, que toma seu lugar, o todo é representado por suas partes. Tudo é atemporal e não há causa nem efeito. No processo primário, na verdade, não existe o interdito, porque tudo é possível. A psicanálise aplicada é, em parte, a arte de buscar o significado dessas substituições, decifrando e desenredando-as.

Se a mente emocional segue essa lógica e suas próprias regras, com um elemento representando outro, as coisas não precisam, necessariamente, ser definidas através de sua identidade objetiva: o que importa é como são *percebidas*; as coisas são como parecem ser. A lembrança evocada pela percepção de alguma coisa pode ser muitíssimo mais importante do que a coisa "é". De fato, na vida emocional, as identidades podem ser como um holograma em que uma parte evoca o todo. Como observa Seymour Epstein, enquanto a mente racional faz conexões lógicas entre causa e efeito, a mente emocional não faz qualquer discriminação. Liga coisa com coisa que, entre si, guardam uma longínqua similaridade.[5]

A mente emocional atua, sob muitas formas, feito uma criança e, quanto mais criança, mais intenso é o seu comportamento. Uma dessas formas é o pensamento *categórico,* onde as coisas são em preto e branco, sem a coloração cinzenta intermediária; assim, alguém que fica mortificado por um *faux pas* pensará imediatamente "Eu *sempre* faço a coisa errada". Um outro indício dessa "criancice" é o pensamento *personalizado,* ou seja, os eventos são vivenciados como dirigidos à própria pessoa — é o caso do motorista que, depois de um acidente, diz que "O poste telefônico veio direto na minha direção".

Esse modo infantil de pensar se autoconfirma, na medida em que descarta ou ignora lembranças que possam abalar sua crença e se agarra em tudo que possa mantê-la. As crenças de mente racional, ao contrário, não são firmes; uma nova evidência pode alterá-las e substituí-las — a mente racional lida com fatos objetivos. A mente emocional, no entanto, considera que suas crenças são totalmente verdadeiras e, portanto, descarta qualquer coisa que lhes seja contrária. Eis por que é tão difícil fazer com que alguém, sob perturbação emocional, raciocine; não importa quão válida a argumentação do ponto de vista lógico — nada que não esteja enquadrado nas convicções emocionais do momento pode influir. Os sentimentos se autojustificam por uma série de percepções e de "provas" convincentes.

O passado dentro do presente

Na ocorrência de um evento que traga para a mente emocional, por um mínimo detalhe, fortes sensações do passado, a reação que se desencadeia é idêntica àquela vivida originalmente. A mente emocional reage ao presente *como reagiu no passado.*[6] Isto é problemático, especialmente quando essa avaliação é rápida e automática, porque às vezes não percebemos que o que valeu antes agora não vale mais. Uma pessoa adulta que, durante a infância, sofreu castigos dolorosos e por isso aprendeu a sentir muito medo e antipatia diante de uma cara raivosa, terá sensações similares ao ver uma cara raivosa que, efetivamente, não constitua ameaça.

Se as sensações são fortes, então a reação que desencadeiam são óbvias. Mas se vagas ou sutis, é possível que não percebamos exatamente que emoção estamos tendo, ainda que ela esteja exercendo uma influência na forma como reagimos ao momento. Os pensamentos e as reações nesse instante estarão sendo influenciados por sensações do passado, mesmo que possa parecer que a nossa reação é devida unicamente às condições do momento presente. Nossa mente emocional aparelhará a mente racional para seus fins, e então justificaremos nossos sentimentos e reações — racionalizamos — diante do que está acontecendo, sem que nos demos conta das influências da memória emocional. Dessa forma, não temos a menor ideia do que realmente está ocorrendo, embora acreditemos piamente que sabemos. Nesses momentos, a mente emocional arrebata a mente racional, colocando-a a seu serviço.

A realidade de um estado emocional específico

A tarefa da mente emocional é, em grande parte, determinar um estado emocional específico, ditado por determinadas sensações que são dominantes num dado momento. A maneira como pensamos e agimos quando nos sentimos românticos é totalmente diferente da forma como nos comportamos quando com raiva ou abatidos. Na mecânica da emoção, cada sentimento tem um diferente repertório de pensamentos, de reações e mesmo de memórias. Esse repertório emocional específico se torna mais dominante nos momentos de intensa emoção.

A memória seletiva é um dos sinais de que esse repertório está ativo. Parte do desempenho mental diante de uma situação emocional consiste em fustigar a memória e as opções para agir a fim de que as mais relevantes fiquem no topo da hierarquia e, desta forma, possam ser mais prontamente acionadas. E, como vimos, cada grande emoção tem sua assinatura biológica característica, um padrão de alterações avassaladoras no corpo à medida que a emoção ascende e um tipo exclusivo de sinais que o corpo automaticamente emite quando sob a emoção.[7]

APÊNDICE C

O Circuito Neural do Medo

A amígdala cortical desempenha um papel central no medo. Quando uma rara doença cerebral destruiu a amígdala (mas não as outras estruturas cerebrais) de S.M., o medo desapareceu de seu repertório mental. S.M. tornou-se incapaz de identificar o medo no rosto de outras pessoas, e mesmo de expressar o seu próprio medo. Como observa o seu neurologista: "Se alguém colocar uma arma na cabeça de S.M., ela saberá, racionalmente, ter medo, mas não saberá sentir o medo como ocorre conosco."

Os neurocientistas mapearam o circuito do medo nos mínimos detalhes possíveis, no entanto, mesmo na vanguarda deste campo de estudo, a totalidade dos circuitos de nenhum tipo de emoção foi completamente pesquisada. O medo, no curso da evolução humana, tem sido fundamental: talvez, mais do que qualquer outra emoção, tem sido crucial para a sobrevivência. É claro que, nas circunstâncias atuais, os sentimentos equivocados são a praga do nosso cotidiano e, por isso, vivemos inquietos, angustiados e com uma série de preocupações ou, no extremo patológico, com crises de pânico, fobias ou desordem obsessivo-compulsiva.

Imagine que é noite e você está sozinho em casa, lendo um livro. De repente, você ouve um barulho em outro cômodo. O que, em seguida, acontece em seu cérebro, é propício para o circuito neural do medo e para o funcionamento do sistema de alarme da amígdala. O primeiro circuito cerebral envolvido simplesmente capta o barulho como ondas físicas desorganizadas e as transforma na linguagem cerebral que lhe dirá que fique atento. Esse circuito parte do ouvido para o tronco cerebral e daí para o tálamo. E, nesse ponto, há duas ramificações: um menor feixe de projeções se dirige à amígdala e ao vizinho hipotálamo; a outra ramificação, que perfaz um caminho maior, conduz ao córtex auditivo no lobo temporal, onde os sons são submetidos a uma ordenação e compreendidos pelo que representam.

O hipocampo, importante local para o armazenamento da memória, rapidamente compara esse "barulhão" com outros sons que você já tenha ouvido para verificar se é familiar — você é capaz de imediatamente identificar que tipo de "barulhão" é esse? Enquanto isso, o córtex auditivo está tratando de fazer uma análise mais sofisticada do som a fim de entender de onde ele vem — será o gato? A porta que bate ao vento? Um ladrão? O córtex auditivo começa a aventar hipóteses — pode ser o gato derrubando uma lâmpada de cima da mesa, digamos, mas também pode ser um ladrão — e, então, envia uma mensagem para a amígdala e para o hipocampo que, por sua vez, fazem comparações com memórias sonoras similares.

Se a conclusão for tranquilizadora (é apenas a porta que bate sempre que venta muito), então o alerta geral não avança mais. Em caso contrário, outro circuito, em espiral, que reverbera entre a amígdala, o hipocampo e o córtex pré-frontal, aumenta a insegurança e fixa a sua atenção, fazendo-o ficar mais ligado na identificação da origem do barulho. Se dessa análise mais acurada não advier nenhuma resposta satisfatória, a amígdala dispara o alarme, sua área central ativa o hipotálamo, o tronco cerebral e o sistema nervoso autônomo.

A soberba arquitetura da amígdala, que faz dela um sistema essencial de alarme para o cérebro, se evidencia nesse momento de ansiedade apreensiva e subliminar. Os diversos feixes de neurônios da amígdala têm, cada um, um conjunto diferente de projeções com receptores afinados para diferentes neurotransmissores, tal como as empresas que se dedicam a alarmes domésticos e que, para tanto, mantêm operadores de prontidão para que, sempre que o alarme soar, enviem chamadas ao Corpo de Bombeiros, à polícia e a um vizinho.

As diferentes partes da amígdala recebem informações diferenciadas. Para o núcleo central da amígdala são enviadas projeções do tálamo e dos córtices auditivos e visuais. Os cheiros, via bulbo olfativo, seguem para a área corticomedial da amígdala e os gostos e mensagens vindos da víscera, para a área central. Esses sinais mantêm a amígdala como sentinela, que escrutina qualquer experiência sensória.

Da amígdala estendem-se projeções para as partes importantes do cérebro. Das áreas centrais e mediais, um ramo segue para áreas do hipotálamo que secretam uma substância de resposta a emergências, que é o hormônio que libera corticropina (CRH), que mobiliza a reação lutar-fugir através de uma cascata de outros hormônios. A área basal da amígdala lança ramificações para o *corpus striatum,* ligando-se ao sistema de movimento do cérebro. E, via núcleo central, a amígdala envia sinais, através da medula, para o sistema nervoso autônomo, ativando uma enorme quantidade de respostas a pontos distantes no sistema cardiovascular, nos músculos e nas entranhas.

Da área basolateral partem ramos para o córtex cingulado e, das fibras conhecidas como "cinzento central", células que regulam os grandes músculos do esqueleto. São essas células que fazem com que um cachorro rosne e com que um gato arqueie o dorso à guisa de ameaça a invasores de seus territórios. Nos seres humanos, esse mesmo circuito causa a compressão das cordas vocais que, então, emitem uma voz estridente de pavor.

Da amígdala também parte um outro caminho que conduz ao *locus ceruleus,* localizado no tronco cerebral. Aqui é fabricada a norepinefrina (também chamada "noradrenalina"), que é espalhada pelo cérebro. A norepinefrina causa um aumento da reatividade das áreas do cérebro que a recebem, o que determina maior sensibilidade dos circuitos sensórios. A norepinefrina impregna o córtex, o tronco cerebral, o próprio sistema límbico — em suma, deixa o cérebro "tinindo". A partir desse momento, qualquer barulhinho é capaz de fazer com que seu corpo trema de medo. A maior parte desse tipo de alteração acontece de forma inconsciente e, de tal modo, que você não saiba que está sentindo medo.

À medida, porém, que você vai percebendo que está com medo — ou seja, quando a ansiedade inconsciente se torna consciente — a amígdala comanda uma ordem para que haja uma ampla reação. Envia sinais às células do tronco cerebral para que aponham uma expressão de medo em seu rosto, para que você fique nervoso e assustadiço, para que paralisem os movimentos que os seus músculos estejam executando naquele momento, para que o seu ritmo cardíaco se acelere, elevem a pressão sanguínea e reduzam a respiração. Para ouvir mais claramente o barulho que lhe causou o medo, você percebe que passou a conter a respiração aos primeiros sinais do sentimento de medo. Isso é apenas uma parte de uma série de alterações meticulosamente coordenadas que a amígdala e áreas relacionadas promovem para assumirem, em situações de crise, o controle do cérebro.

Nesse meio-tempo, a amígdala, junto com o hipocampo a ela interligado, ordena às células que enviem neurotransmissores-chave que, por exemplo, irão disparar a dopamina que fixará a sua atenção na origem do medo — os barulhos estranhos — e colocará seus músculos de prontidão para reagir de acordo. Ao mesmo tempo, a amígdala envia sinais para as áreas sensórias relativas à visão e à atenção, para se assegurar de que os olhos estão atentos para o que seja relevante naquelas circunstâncias. Simultaneamente, os sistemas da memória cortical são rearranjados de forma que o conhecimento e as lembranças mais relevantes para aquela situação de emergência emocional sejam rapidamente trazidos para o presente e tenham precedência sobre qualquer ideia menos importante que ocorra.

Tão logo esses sinais são recebidos, você fica inteiramente possuído pelo medo: percebe o característico aperto nas entranhas, o coração acelerado, a contração da musculatura do pescoço e dos ombros, o tremor nos membros; o corpo se imobiliza, você fica atento a outros sons e, em sua cabeça, você visualiza todos os perigos possíveis e como vai reagir a cada um deles. Toda essa sequência — da surpresa para a incerteza, da incerteza para a apreensão, da apreensão para o medo — ocorre em torno de um segundo. (Para mais informações, ver *Galen's Prophecy,* de Jerome Kagan. Nova York: Basic Books, 1994.)

APÊNDICE D

Consórcio W. T. Grant: Ingredientes Ativos dos Programas de Prevenção

Entre os ingredientes-chave de programas eficazes estão:

APTIDÕES EMOCIONAIS

- Identificar e rotular sentimentos
- Expressar sentimentos
- Avaliar a intensidade dos sentimentos
- Lidar com sentimentos
- Adiar a satisfação
- Controlar impulsos
- Reduzir tensão
- Saber a diferença entre sentimentos e ações

APTIDÕES COGNITIVAS

- Falar consigo mesmo — ter um "diálogo interior", como uma forma de enfrentar um assunto ou reforçar o próprio comportamento.
- Ler e interpretar indícios sociais — por exemplo, reconhecer influências sociais sobre o comportamento e ver-se na perspectiva da comunidade maior.
- Usar etapas para resolver problemas e tomar decisões — por exemplo, controlar impulsos, estabelecer metas, identificar ações alternativas, prever consequências.
- Compreender a perspectiva dos outros.
- Compreender normas de comportamento (qual comportamento é adequado ou não).
- Autoconsciência — por exemplo, criar expectativas realistas para si mesmo.

APTIDÕES COMPORTAMENTAIS

- Não verbais — comunicar-se por contato visual, expressão facial, tom de voz, gestos e assim por diante.
- Verbais — fazer pedidos claros, responder eficientemente à crítica, resistir a influências negativas, ouvir os outros, participar de grupos positivos de colegas.

Fonte: W. T. Grant Consortium on the School-Based Promotion of Social Competence, "Drug and Alcohol Prevention Curricula", em *Communities that Care* (São Francisco: Jossey-Bass, 1992).

APÊNDICE E

O Currículo da Ciência do Eu

PRINCIPAIS COMPONENTES:

- *Autoconsciência*: observar a si mesmo e saber exatamente o que está sentindo; formar um vocabulário para nomear os sentimentos; saber a relação entre pensamentos, sentimentos e reações.
- *Tomar decisões*: examinar suas ações e avaliar as consequências delas; saber se uma decisão está sendo ditada pela razão ou pela emoção; utilizar essas intuições para questões que digam respeito a sexo e ao uso de drogas.
- *Lidar com sentimentos*: monitorar a "conversa consigo mesmo" para captar rapidamente mensagens negativas tais como, por exemplo, repreensões internas; compreender o que está por trás de um sentimento (por exemplo, a mágoa por trás da raiva); encontrar meios de lidar com o medo, a ansiedade, a raiva e a tristeza.
- *Lidar com a tensão*: aprender o valor de exercícios, imagística orientada, métodos de relaxamento.
- *Empatia*: compreender os sentimentos e preocupações dos outros e adotar a perspectiva deles; reconhecer as diferenças no modo como as pessoas se sentem em relação às coisas.
- *Comunicação com o outro*: falar efetivamente de sentimentos; ser um bom ouvinte e um bom perguntador; distinguir entre o que alguém faz ou diz e suas próprias reações ou julgamento a respeito; enviar mensagens do "Eu" em vez de culpar.
- *Autorrevelação*: valorizar a franqueza e construir confiança num relacionamento; saber quando convém falar de seus sentimentos.
- *Intuição*: identificar padrões em sua vida e reações emocionais; reconhecer padrões semelhantes nos outros.
- *Autoaceitação*: aceitar-se tal como é e ver-se sob uma luz positiva; reconhecer suas forças e fraquezas; ser capaz de rir de si mesmo.
- *Responsabilidade pessoal*: assumir responsabilidade; reconhecer as consequências de suas decisões e ações, aceitar seus sentimentos e estados de espírito, ir até o fim nos compromissos (por exemplo, nos estudos).
- *Assertividade*: declarar suas preocupações e sentimentos sem raiva nem passividade.

- *Dinâmica de grupo*: cooperação; saber quando e como tomar a liderança e quando se submeter a uma liderança.
- *Solução de conflitos*: como lutar limpo com outras crianças, com os pais, com os professores; o modelo vencer/vencer para negociar acordos.

Fonte: *Self Science: The Subject Is Me,* de Karen F. Stone e Harold Q. Dillehunt (Santa Mônica: Goodyear Publishing Co., 1978).

APÊNDICE F

Aprendizado Social e Emocional: Resultados

PROJETO DE DESENVOLVIMENTO DA CRIANÇA

Eric Schaps, Centro de Estudos do Desenvolvimento, Oakland, Califórnia.

Avaliação em escolas do norte da Califórnia, séries jardim de infância 6; classificação por observadores independentes, comparando com escolas de controle.

RESULTADOS:

- mais responsável
- mais assertivo
- mais popular e aberto
- mais pró-social e prestativo
- mais compreensão dos outros
- mais atencioso, interessado
- mais harmonioso
- mais "democrático"
- melhores aptidões na solução de conflitos

Fontes: E. Schaps e V. Battistich, "Promoting Health Development Through School-Based Prevention: New Approaches", *OSAP Prevention Monograph, no. 8: Preventing Adolescent Drug Use: From Theory to Practice.* Eric Gopelrud (ed.), Rockville, MD: Office of Substance Abuse Prevention, U.S. Dept. of Health and Human Services, 1991.

D. Solomon, M. Watson, V. Battistich, E. Schaps e K. Delucchi, "Creating a Caring Community: Educational Practices That Promote Children's Prosocial Development", in F. K. Oser, A. Dick, e J.-L. Patry, eds., *Effective and Responsible Teaching: The New Synthesis* (São Francisco: Jossey-Bass, 1992).

CAMINHOS:

Mark Greenberg, Projeto Pista de Alta Velocidade, Universidade de Washington.

Avaliado em escolas de Seattle, de primeira à quinta séries; classificações por professores, comparando alunos de controle entre 1) alunos regulares, 2) alunos surdos, 3) alunos em educação especial.

RESULTADOS:

- Melhora nas aptidões cognitivas sociais
- Melhora em emoção, reconhecimento e compreensão
- Melhor autocontrole
- Melhor planejamento para resolver tarefas cognitivas
- Mais reflexão antes da ação
- Mais efetiva solução de conflitos
- Mais positiva atmosfera na sala de aula

ALUNOS COM NECESSIDADES ESPECIAIS:

- Tolerância à frustração
- Aptidões sociais assertivas
- Orientação de tarefa
- Aptidões com colegas
- Partilha
- Sociabilidade
- Autocontrole

MELHOR COMPREENSÃO EMOCIONAL:

- Reconhecimento
- Rotulação
- Redução de comunicação de tristeza e depressão
- Redução de ansiedade e retraimento

Fontes: Conduct Problems Research Group, "A Developmental and Clinical Model for the Prevention of Conduct Disorder: The Fast Track Program", *Development and Psychopathology 4* (1992).

M. T. Greenberg e C. A. Kusche, *Promoting Social and Emotional Development in Deaf Children: The PATHS Project* (Seattle: University of Washington Press, 1993).

M. T. Greenberg, C. A. Kusche, E. T. Cook e J. P. Quamma, "Promoting Emotional Competence in School-Aged Children: The Effects of the PATHS Curriculum", *Development and Psychopathology* 7(1995).

PROJETO DE DESENVOLVIMENTO SOCIAL DE SEATTLE

J. David Hawkins, Grupo de Pesquisa de Desenvolvimento Social, Universidade de Washington.

Avaliado em escolas primárias e médias de Seattle por padrões de testagem independentes e objetivos, em comparação com escolas que não estavam no programa:

RESULTADOS:

- Mais positiva ligação com a família e a escola
- Meninos menos agressivos, meninas menos autodestrutivas
- Menos suspensões e expulsões entre os alunos de baixo aproveitamento
- Menos delinquência
- Melhores contagens em testes padrão de rendimento

Fontes: E. Schaps e V. Battistich, "Promoting Health Development Through School-Based Prevention: New Approaches", *OSAP Prevention Monograph, no. 8: Preventing Adolescent Drug Use: From Theory to Practice.* Eric Gopelrud (ed.), Rockville, MD: Office of Substance Abuse Prevention, U.S. Dept. of Health and Human Services, 1991.

J. D. Hawkins *et al.*, "The Seattle Social Development Project", in J. McCord e R. Tremblay, eds., *The Prevention of Antisocial Behavior in Children* (Nova York: Guilford, 1992).

J. D. Hawkins, E. Von Cleve e R. F. Catalano, "Reducing Early Childhood Aggression: Results of a Primary Prevention Program", *Journal of The American Academy of Child and Adolescent Psychiatry* 30, 2(1991), p. 208-217.

J. A. O'Donnell, J. D. Hawkins, R. F. Catalano, R. D. Abbott e L.E. Day, "Preventing School Failure, Drug Use, and Delinquency Among Low-Income Children: Effects of a Long-Term Prevention Project in Elementary Schools", *American Journal of Orthopsychiatry* 65(1994).

PROGRAMA DE PROMOÇÃO DE COMPETÊNCIA SOCIAL DE YALE-NEW HAVEN

Roger Weissberg, Universidade de Illinois em Chicago.

Avaliado em Escolas Públicas de New Haven, de quinta à oitava séries, por observadores independentes e relatórios de alunos e professores, em comparação com grupo de controle.

RESULTADOS:

- Melhores aptidões para solução de problemas
- Mais envolvimento com os colegas
- Melhor controle de impulsos
- Melhor comportamento
- Melhor efetividade e popularidade interpessoal
- Melhores aptidões para enfrentar situações
- Mais aptidão para lidar com problemas interpessoais
- Melhor no enfrentar ansiedades
- Comportamentos menos delinquentes
- Melhores aptidões para solução de conflitos

Fontes: M. J. Elias e R. P. Weissberg, "School-Based Social Competence Promotion as a Primary Prevention Strategy: A Tale of Two Projects", *Prevention in Human Services* 7, 1 (1990) p. 177-200.

M. Caplan, R. P. Weissberg, J. S. Grober, P. J. Sivo, K. Grady e C. Jacobby, "Social Competence Promotion with Inner-City and Suburban Young Adolescents: Effects of Social Adjustment and Alcohol Use", *Journal of Consulting and Clinical Psychology* 60, (1992), p. 56-63.

PROGRAMA DE SOLUÇÃO CRIATIVA DE CONFLITOS

Linda Lantieri, Centro Nacional do Programa de Solução Criativa de Conflito (iniciativa dos Educadores em Defesa da Responsabilidade Social), cidade de Nova York.

Avaliado em escolas da cidade de Nova York, séries jardim de infância 12, por classificações de professores, antes e depois do programa.

RESULTADOS:

- Menos violência em sala de aula
- Menos censuras verbais em sala de aula
- Atmosfera mais atenciosa
- Maior disposição para cooperar
- Mais empatia
- Melhores aptidões de comunicação

Fonte: Metis Associates Inc., *The Resolving Conflict Creatively Program: 1988-1989. Summary of Significant Findings of RCCP New York Site* (Nova York: Metis Associates, maio de 1990).

PROJETO DE MELHORIA DA CONSCIÊNCIA SOCIAL — SOLUÇÃO DE PROBLEMA SOCIAL

Maurice Elias, Universidade Rutgers.

Avaliado em escolas de New Jersey, séries jardim de infância 6, por classificações de professores, avaliações de colegas e registros escolares, em comparação com não participantes.

RESULTADOS:

- Mais sensível aos sentimentos dos outros
- Melhor compreensão das consequências de seu comportamento
- Maior capacidade de "medir" situações interpessoais e planejar ações adequadas
- Maior autoestima
- Melhor comportamento pró-social
- Procurado por colegas para ajudar
- Lida melhor com a transição para a escola média
- Comportamento menos antissocial, autodestrutivo e socialmente perturbado, mesmo quando acompanhado até o ginásio
- Melhores aptidões para "aprender a aprender"
- Mais autocontrole, consciência social e tomadas de decisão sociais dentro e fora da sala de aula

Fontes: M. J. Elias, M. A. Gara, T. F. Schuyler, L. R. Branden-Muller e M. A. Sayette, "The Promotion of Social Competence: Longitudinal Study of a Preventive School-Based Program", *American Journal of Orthopsychiatry* 61 (1991), p. 409-417.

M. J. Elias e J. Clabby, *Building Social Problem Solving Skills: Guidelines From* a *School-Based Program* (São Francisco: Jossey-Bass,1992).

Agradecimentos

Ouvi pela primeira vez a expressão "alfabetização emocional" de Eileen Growald, então fundadora e presidente do Instituto para o Progresso da Saúde. Foi essa conversa casual que espicaçou meu interesse e deu forma às pesquisas que finalmente deram corpo a este livro. Desde então, tem sido um prazer ver Eileen cuidando desse campo.

O apoio do Instituto Fetzer, em Kalamazoo, no estado de Michigan, deu-me a oportunidade de estudar mais profundamente o que significaria "alfabetização emocional", e sou grato pelo crucial encorajamento inicial de Rob Lehman, presidente do instituto, e a constante colaboração com David Sluyter, o diretor de programa desse instituto. Foi Rob Lehman quem, no começo de minhas pesquisas, me exortou a escrever um livro sobre alfabetização emocional.

Entre minhas maiores dívidas, está aquela com centenas de pesquisadores que durante esses anos partilharam comigo suas descobertas, e cujos trabalhos são analisados e sintetizados aqui. A Peter Salovey, de Yale, devo o conceito de "inteligência emocional". Também ganhei muito participando diretamente do trabalho em andamento de muitos educadores e praticantes da arte de prevenção básica, que estão na linha de frente do nascente movimento pela alfabetização emocional. Os trabalhos em prática que estão empenhados em levar maiores aptidões sociais e emocionais às crianças e recriar escolas como ambientes mais humanos foram uma inspiração. Entre eles estão Mark Greenberg e David Hawkins, da Universidade de Washington; David Schaps e Catherine Lewis, do Centro de Estudos Desenvolvimentistas, em Oakland, na Califórnia; Tim Shriver, no Centro de Estudos da Criança de Yale; Roger Weissberg, na Universidade de Illinois, em Chicago; Maurice Elias, em Rutgers; Shelly Kessler, do Instituto Goddard de Ensino e Aprendizado em Boulder, no Colorado; Chevy Martin e Karen Stone McCown, no Centro de Aprendizado Nueva, em Hillsbourogh, na Califórnia; e Linda Lantieri, diretora do Centro Nacional para Solução Criativa para Conflitos, na cidade de Nova York.

Tenho uma dívida especial com os que reviram e comentaram partes do manuscrito: Howard Gardner, da Faculdade de Educação da Universidade de Harvard; Peter Salovey, do departamento de psicologia da Universidade de Yale; Paul Ekman, diretor do Laboratório de Interação Humana da Universidade da Califórnia, em São Francisco; Michael Lerner, diretor da Commonweal em Bolinas,

Califórnia; Denis Prager, então diretor do programa de saúde da Fundação John D. e Catherine T. MacArthur; Mark Gerzon, diretor da Common Enterprise, em Boulder, no Colorado; Mary Schwab-Stone, médica, Centro de Estudos da Criança, Faculdade de Medicina da Universidade de Yale; David Spiegel, médico, Departamento de Psiquiatria da Faculdade de Medicina da Universidade de Stanford; Mark Greenberg, diretor do Programa Fast Track da Universidade de Washington; Shoshona Zuboff, Escola de Comércio de Harvard; Joseph LeDoux, Centro de Ciência Neural da Universidade de Nova York; Richard Davidson, diretor do Laboratório de Psicofisiologia da Universidade de Wisconsin; Paul Kaufman, Mind and Media, Point Reyes, Califórnia; Jessica Brackman, Naomi Wolf e, sobretudo, Fay Goleman.

Proveitosas consultas eruditas me foram concedidas por Page DuBois, estudiosa do idioma grego da Universidade do Sul da Califórnia; Matthew Kapstein, filósofo de ética e religião da Universidade de Colúmbia; e Steven Rockefeller, biógrafo intelectual de John Dewey, na Universidade de Middleburg. Joy Nolan reuniu vinhetas de episódios emocionais; Margaret Howe e Annete Spychalla prepararam o apêndice sobre os efeitos do currículo de alfabetização emocional. Sam e Susan Harris forneceram equipamento essencial.

Meus editores no *New York Times* na última década deram um enorme apoio a muitas das minhas pesquisas sobre as novas descobertas no campo das emoções, publicadas primeiro nas páginas do jornal, e que muito informam este livro.

Toni Burbank, minha editora na Bantam Books, entrou com o entusiasmo e a acuidade editorial que aguçaram minha decisão e pensamento.

E minha esposa, Tara Bennett-Goleman, proporcionou, o tempo todo, o casulo de calor humano e inteligência que abrigou este projeto.

Serviços

A primeira edição deste livro não podia ter uma página como esta, direcionando os leitores que querem obter mais informações sobre os melhores serviços — em 1995, praticamente não havia nenhum serviço sobre inteligência emocional, enquanto hoje eles parecem estar proliferando rapidamente. A simples existência desta página demonstra como esse campo avançou. Para um acesso mais específico a ferramentas e descobertas de pesquisa, serviços práticos e pessoas-chave nesta área, recomendo as seguintes organizações, páginas na internet e livros. (Procurei incluir apenas os livros que conheço e que são baseados em pesquisas sérias, porém, o fato de eu não ter incluído um determinado livro não significa que ele não possa ser útil ou não seja legítimo.)

EDUCAÇÃO

A Cooperativa de Aprendizado Acadêmico, Social e Emocional (CASEL), na Universidade de Illinois, em Chicago, busca aprimorar o sucesso de crianças na escola e na vida ao promover aprendizado social, emocional e acadêmico baseado em provas como parte fundamental da educação desde a pré-escola até o segundo grau. Página na Internet: www.casel.org.

O Centro de Educação Social e Emocional (CSEE), no Teacher's College, Universidade de Columbia, é uma organização de desenvolvimento educacional e profissional dedicada ao apoio ao aprendizado, ensino e liderança socioemocional eficientes nas escolas. Página na Internet: www.csee.net.

Alguns Programas SEL Modelo

Responsive Classroom: http://responsiveclassroom.org.
Developmental Studies Center: http://www.devstu.org.
Educators for Social Responsibility: http://www.esrnational.org/home.htm.
Search Institute: http://www.search-institute.org.
Social Development Research Group: http://depts.washington. edu/sdrg/index.html.

Modelos de Aprendizagem: Para um modelo de política estadual que determina padrões educacionais detalhados de aprendizado social e emocional, ver o trabalho do Conselho Estadual de Educação de Illinois. Esta formulação avançadíssima e adequadamente desenvolvida pode ser adotada por qualquer sistema educacional interessado em oferecer SEL a suas crianças. Página na internet: www.isbe.net/ils/social_emotional/standards.htm.

Livros Recomendados

Bar-On, Reuven, J. G. Maree e M. J. Elias (eds.). *Educating People to Be Emotionally Intelligent*. Portsmouth, NH: Heinemann Educational Publishers, 2005.

Cohen, Jonathan (ed.). *Educating Minds and Hearts: Social Emotional Learning and the Passage into Adolescence*. Nova York: Teachers College Press, 1999.

Cooperativa de Aprendizado Acadêmico, Social e Emocional. *Safe and Sound: An Educational Leader's Guide to Evidence-based Social and Emotional Learning Programs*. Chicago: Cooperativa de Aprendizado Acadêmico, Social e Emocional, 2003.

Elias, Maurice J., A. Arnold e C. S. Hussey (eds.). *EQ + IQ = Best Leadership Practices for Caring and Successful Schools*. Thousand Oaks, CA: Corwin Press, 2003.

Elias, Maurice *et al*. *Promoting Social and Emotional Learning: Guidelines for Educators*. Alexandria, VA: Association for Supervision and Curriculum Development, 1997.

Haynes, Norris, Michael Bem-Avie e Jacque Ensign. *How Social and Emotional Development Add Up: Getting Results in Math and Science Education*. Nova York: Teachers College Press, 2003.

Lantieri, Linda e Janet Patti. *Waging Peace in Our Schools*. Boston: Beacon Press, 1996.

Novick, B., J. S. Kress e Maurice Elias. *Building Learning Communities with Character: How to Integrate Academic, Social, and Emotional Learning*. Alexandria, VA: Association for Supervision, and Curriculum Development, 2002.

Patti, Janet e J. Tobin. *Smart School Leaders: Leading with Emotional Intelligence*. Dubuque, IA: Kendall Hunt, 2003.

Salovey, Peter e David Sluyter (eds.). *Inteligência Emocional da Criança: Aplicação na Educação e no Dia a dia*. Rio de Janeiro: Campus, 1999.

Zins, Joseph, Roger Weissberg, Margaret Wang e Herbert Walberg. *Building Academic Sucess on Social and Emotional Learning: What Does the Research Say?* Nova York: Teachers College Press, 2004.

VIDA ORGANIZACIONAL

O Consórcio para Pesquisa sobre Inteligência Emocional em Organizações (CREIO) fica na Faculdade de Psicologia Aplicada e Profissional da Universidade de Ritgers. Diretor: Cary Cherniss. Página na Internet: www.eiconsortium.org.

Livros Recomendados

Ashkanasy, Neal, Wilfred Zerbe e Charmine Hartel. *Managing Emotions in the Workplace.* Armonk, NY: M. E. Sharpe, 2002.

Boyatzis, Richard e Annie Mckee. *Resonant Leadership: Inspiring Yourself and Others Through Mindfulness, Hope and Compassion.* Boston: Harvard Business School Press, 2005.

Caruso, David R. e Peter Salovey. *The Emotionally Intelligent Manager: How to Develop the Four Key Skills of Leadership.* São Francisco: Jossey-Bass, 2004.

Cherniss, Cary e Daniel Goleman, eds. *The Emotionally Intelligent Workplace: How to Select For, Measure, and Inprove Emotional Intelligence in Individuals, Groups and Organizations.* São Francisco: Jossey-Bass, 2001.

Druskat, Vanessa, Fabio Sala e Gerald Mount (eds.). *Linking Emotional Intelligence and Perfomance at Work: Current Research Evidence.* Mahwah, NJ: Lawrence Erlbaum, 2005.

Fineman, Stephen (ed.). *Emotion in Organizations.* 2ª ed. Londres: Sage Publications, 2000.

Frost, Peter J. *Emoções Tóxicas no Trabalho.* São Paulo: Futura, 2003.

Riggio, Ronald, Susan E. Murphy e Francis Pirozzolo. *Multiple Intelligences and Leadership.* Mahwah, NJ: Lawrence Erlbaum, 2002.

PATERNIDADE

Elias, Maurice, Steven E. Tobias e Brian S. Friedland. *Pais e Mães Emocionalmente Inteligentes.* Rio de Janeiro: Objetiva, 1999.

Elias, Maurice, Steven E. Tobias e Brian S. Friedlander. *A Adolescência e a Inteligência Emocional.* Rio de Janeiro: Objetiva, 2001.

Gottman, John. *Inteligência Emocional e a Arte de Educar Nossos Filhos.* Rio de Janeiro: Objetiva, 1996.

Schure, Myma. *Raising a Thinking Child.* Nova York: Pocket Books, 1994.

GERAL

6 Seconds é uma organização não lucrativa de âmbito internacional que apoia a inteligência emocional nas escolas, empresas e famílias. É uma excelente fonte de informações sobre serviços, artigos e conferências. Página na Internet: www.6seconds.org.

Livros Recomendados

Bar-On, Reuven e Parker, James DA (eds.). *Manual de Inteligência Emocional.* Porto Alegre: Artmed, 2002.

Barret, Lisa Feldman e Peter Salovey. *The Wisdom of Feeling: Psychological Processes in Emotional Intelligence.* Nova York: Guilford Press, 2002.

Geher, G. (ed.). *Measuring Emotional Intelligence: Common Ground and Controversy*: Hauppauge, NY: Nova Science Publishers, 2004.

Salovey, Peter, Marc A. Brackett e John Mayer. *Emotional Intelligence: Key Readings on the Mayer and Salovey Model.* Port Chester, Nova York: Dude Publishing, 2004.

Williams, Virginia e Redford Williams. *Lifeskills.* Nova York: Times Books, 1997.

Uma Crítica Cuidadosa

Matthews, Gerald, Moshe Zeidner e Richard D. Roberts. *Emotional Intelligence: Science and Myth.* Cambridge: MIT Press, 2002.

Notas

INTRODUÇÃO

1. J. A. Durlak e R. P. Weissberg, "A Major Meta-Analysis of Positive Youth Development Programs", apresentado no encontro anual da Associação Americana de Psicologia (APA, na sigla em inglês), Washington, DC, agosto de 2005. Ver também R. P. Weissberg, "Social and Emotional Learning for School and Life Sucess", apresentado à Sociedade de Pesquisa e Ação Comunitária (Divisão 27 da APA), Prêmio de Contribuição Notável à Teoria e Pesquisa, no encontro anual da Associação Americana de Psicologia, Washington, DC, agosto de 2005.

2. N. R. Riggs, M. T. Greenberg, C. A. Kusche e M. A. Pentz, "The Role of Neurocognitive Change in the Behavioral Outcomes of a Social-Emotional Prevention Program in Elementary School Students: Effects of the PATHS Curriculum", 2005, em revisão.

3. Os modelos de QE parecem estar se tornando um quadro influente na psicologia. Os campos psicológicos que são atualmente orientados pelos modelos de QE (e que os orientam) vão desde a neurociência até a psicologia de saúde. As áreas mais vinculadas ao QE incluem: psicologia de desenvolvimento, educação, clínica e de consulta, social e industrial/organizacional, entre outras. De fato, essas matérias já incluem rotineiramente segmentos sobre QE em muitos cursos de graduação.

4. J. D. Mayer, P. Salovey e D. R. Caruso, "Models of Emotional Intelligence", em R. J. Sternberg (ed.), *Handbook of Inteligence*, Cambridge, Ing: Cambridge University Press, 2000.

5. Crianças avaliadas em 1999: Thomas M. Achenbach *et al.*, "Are American Children's Problems Still Getting Worse: A 23-year Comparison", *Journal of Abnormal Child Psychology*, 31 (2003), p. 1-11.

PARTE UM: O CÉREBRO EMOCIONAL

Capítulo 1: Para que Servem as Emoções?

1. Associated Press, 15 de setembro de 1993.

2. A atemporalidade desse tema de amor desprendido é sugerida pela maneira como impregna a mitologia mundial: os contos de Jataka, repetidos por toda a Ásia durante milênios, narram, todos, variações sobre essas parábolas de autossacrifício.

3. Amor altruísta e sobrevivência humana: as teorias evolucionistas que defendem as vantagens do altruísmo estão bem resumidas em Malcolm Slavin e Daniel Kriegman, *The Adaptive Design of the Human Psyche* (Nova York: Guilford Press, 1992).

4. Grande parte desta discussão se baseia no ensaio-chave de Paul Ekman, "An Argument for Basic Emotions", *Cognition and Emotion*, 6, 1992, p. 169-200. Este ponto é do ensaio de P. N. Johoson-Laird e K. Oatley no mesmo número da publicação.

5. Os tiros de Matilda Crabtree: *The New York Times*, 11 de novembro de 1994.

6. Só em adultos: uma observação de Paul Ekman, Universidade da Califórnia, São Francisco.

7. Mudanças do corpo nas emoções e seus motivos evolucionistas. Algumas das mudanças estão documentadas em Robert W. Levenson, Paul Ekman e Wallace V. Friesen, "Voluntary Facial Action Generates Emotion-Specific Autonomous Nervous System Activity", *Psychophysiology*, 27, 1990. A lista é extraída daí e de outras fontes. Nesta altura, uma lista dessas continua sendo, em certa medida, especulativa; discute-se cientificamente a assinatura biológica precisa de cada emoção, com alguns pesquisadores adotando a posição de que há muito mais sobre posição que diferença entre as emoções, ou que nossa atual capacidade de medir os correlatos biológicos da emoção é ainda imatura para que sejam feitas distinções confiáveis entre elas. Sobre esse debate, ver Paul Ekman e Richard Davidson (eds.), *Fundamental Questions About Emotions* (Nova York: Oxford University Press, 1994).

8. Como diz Paul Ekman: "A raiva é a emoção mais perigosa; alguns dos principais problemas que destroem atualmente a sociedade envolvem o desencadeamento da raiva. É a emoção menos adaptável hoje, porque nos mobiliza para a luta. Nossas emoções evoluíram quando não tínhamos a tecnologia disponível para lidar com elas. Em tempos pré-históricos, quando se tinha uma raiva instantânea e por um segundo se queria matar alguém, não era possível fazê-lo com muita facilidade — mas agora já é."

9. Erasmo de Rotterdam, *In Praise of Folly*, trad. para o inglês de Eddie Radice (Londres: Penguin, 1971), p. 87.

10. Essas respostas básicas definiram o que pode passar pela "vida emocional" — mais apropriadamente a "vida dos instintos" — dessa espécie. Mais importantes em termos de evolução, são as decisões cruciais para a sobrevivência; os animais que podiam tomá-las bem, ou suficientemente bem, sobreviviam para passar adiante seus genes. Nesses tempos primordiais, a vida mental era abrutalhada: os sentidos e um repertório simples de reações aos estímulos que recebiam faziam um lagarto, rã, pássaro ou peixe — e, talvez, um brontossauro — chegar ao final do dia. Mas esse cérebro anão ainda não permitia o que nós concebemos como emoção.

11. O sistema límbico e as emoções: R. Joseph, *The Naked Neuron: Evolution and the Languages of the Brain and Body* (Nova York: Plenum Publishing, 1993); Paul D. MacLean, *The Triune Brain in Evolution* (Nova York: Plenum, 1990).

12. Bebês Rhesus e adaptabilidade: "Aspects of Emotion conserved across species", Dr. Ned Kalin, Departamentos de Psicologia e Psiquiatria, Universidade de Wisconsin, preparado para o Encontro MacArthur de Neurociência Afetiva, novembro de 1992.

Capítulo 2: Anatomia de um Sequestro Emocional

1. O caso do homem sem sentimentos foi descrito por R. Joseph, *op. cit.*, p. 83. Por outro lado, pode haver alguns vestígios de sentimentos em pessoas que não têm a amígdala cortical (ver Paul Ekman e Richard Davidson (eds.), *Questions About Emotions*, Nova York: Oxford University Press, 1994). As diferentes constatações talvez dependam de exatamente quais partes dessa amígdala e circuitos relacionados estavam faltando; a última palavra sobre a detalhada neurologia da emoção está longe de ser dada.

2. Como muitos neurocientistas, LeDoux trabalha em vários níveis, estudando, por exemplo, como lições específicas no cérebro de um rato mudam o comportamento dele; identificando, minuciosamente, o caminho de neurônios individuais; elaborando complicadas experiências para condicionar o medo em ratos cujos cérebros foram cirurgicamente alterados. Suas descobertas, e outras examinadas aqui, estão na vanguarda da exploração na neurociência e, portanto, permanecem um pouco especulativas — sobretudo as implicações que parecem fluir dos dados brutos para uma compreensão de nossa vida emocional. Mas o trabalho de LeDoux é sustentado por um crescente conjunto de indícios convergentes, de uma variedade de neurocientistas que estão desvendando constantemente os esteios neurais das emoções. Ver, por exemplo, Joseph LeDoux, "Sensory Systems and Emotion", *Integrative Psychology*, 4, 1986; Joseph LeDoux, "Emotion and the Limbic System Concept", *Concepts in Neuroscience*, 2, 1992.

3. A ideia de o sistema límbico ser o centro emocional do cérebro foi introduzida pelo neurologista Paul MacLean há mais de quarenta anos. Em anos recentes, descobertas como as de LeDoux aperfeiçoaram o conceito, mostrando que algumas de suas estruturas centrais como o hipocampo estão menos diretamente envolvidas nas emoções, enquanto circuitos que ligam outras partes do cérebro — sobretudo os lobos pré-frontais — à amígdala são mais fundamentais. Além disso, há um crescente reconhecimento de que cada emoção pode ativar distintas áreas do cérebro. O pensamento mais corrente é que não há um único "cérebro emocional" claramente distinto, mas sim vários sistemas de circuitos que dispersam a regulação de uma determinada emoção para partes distantes, mas coordenadas, do cérebro. Os neurocientistas acreditam que quando se conseguir o mapeamento completo das emoções no cérebro, cada emoção importante terá sua própria topografia, um mapa distinto de caminhos neuronais determinando suas qualidades únicas, embora muitos ou a maioria desses circuitos provavelmente estejam interligados em junções-chave no sistema límbico, como a amígdala, e no córtex pré-frontal. Ver

Joseph LeDoux, "Emotional Memory Systems in the Brain", *Behavioral Brain Research*, 58, 1993.

4. Circuitos cerebrais dos diferentes níveis do medo: esta análise se baseia na excelente síntese feita por Jerome Kagan, *Galen's Prophecy* (Nova York: Basic Books, 1994).

5. Escrevi sobre a pesquisa de Joseph LeDoux em *The New York Times* de 15 de agosto de 1989. A discussão deste capítulo se baseia em entrevistas com ele e em vários de seus artigos, incluindo Joseph LeDoux, "Emotional Memory Systems in the Brain", *Behavioral Brain Research*, 58, 1993; Joseph LeDoux, "Emotion, Memory and the Brain", *Scientific American*, junho de 1994; Joseph LeDoux, "Emotion and the Limbic System Concept", *Concepts in Neuroscience*, 2, 1992.

6. Preferências inconscientes: William Raft Kunst-Wilson e R. B. Zajonc, "Affective Discrimination of Stimuli That Cannot Be Recognized", *Science* (1º de fevereiro de 1980).

7. Opinião inconsciente: John A. Bargh, "First Second: The Preconscious in Social Interactions", apresentado no encontro da Sociedade Psicológica Americana, Washington, DC (junho de 1994).

8. Memória emocional: Larry Cahill e outros, "Beta-adrenergic activation and memory for emotional events", *Nature* (20 de outubro de 1994).

9. Teoria psicanalítica e maturação do cérebro: a mais detalhada discussão dos primeiros anos e as consequências emocionais do desenvolvimento do cérebro está em Allan Schore, *Affect Regulation and the Origin of Self* (Hillsdale, NJ: Lawrence Erlbaum Associates, 1994).

10. Perigoso, mesmo que não se saiba o que é: LeDoux, citado em "How Scary Things Get That Way", *Science* (6 de novembro de 1992), p. 887.

11. Grande parte dessa especulação sobre a sintonia fina da resposta emocional pelo neocórtex vem de Ned Kalin, *op. cit.*

12. Uma olhada mais atenta à neuroanatomia mostra que os lobos pré-frontais atuam como administradores emocionais. Muitos indícios apontam para partes do córtex pré-frontal como o sítio onde se juntam a maior parte ou todos os circuitos corticais envolvidos numa reação emocional. Nos seres humanos, as mais fortes ligações entre neocórtex e amígdala vão para o lobo pré-frontal esquerdo e o lobo temporal abaixo, e para o lado do lobo frontal (o lobo temporal é fundamental na identificação do que é um objeto). Essas duas ligações são feitas numa única projeção, sugerindo uma rápida e poderosa rota, uma virtual autoestrada neural. A projeção de neurônios individuais entre a amígdala e o córtex pré-frontal vai para uma área chamada córtex orbitofrontal. É a área que parece mais crítica na avaliação de respostas emocionais quando estamos no meio delas e fazendo correções de percurso.

O córtex orbitofrontal tanto recebe sinais da amígdala como tem sua própria e complexa rede de projeções por todo o cérebro límbico. Por intermédio dessa rede, desempenha um papel na regulação das respostas emocionais — inclusive inibindo sinais do cérebro límbico quando alcançam outras áreas do córtex, e moderando assim a urgência neural desses sinais. As ligações do córtex orbitofrontal com o cérebro límbico são tão extensas que alguns neuroanatomistas o chamaram de uma espécie de "córtex límbico" — a parte pensante do cérebro emocional. Ver Ned Kalin, Departamentos de Psicologia e Psiquiatria, Universidade de Wisconsin, "Aspects of Emotion Conserved Across Species", manuscrito inédito preparado para o Encontro MacArthur de Neurociência Afetiva, novembro de 1992; e Allan Schore, *Affect Regulation and the Origin of Self* (Hillsdale, NJ: Lawrence Erlbaum Associates, 1994).

Não há apenas uma ponte estrutural entre a amígdala e o córtex pré-frontal, mas também, como sempre, uma ponte bioquímica: tanto a parte ventromedial do córtex pré-frontal quanto a amígdala têm alta concentração especialmente de receptores químicos para o neurotransmissor serotonina. Esse produto químico do cérebro parece, entre outras coisas, aprimorar a cooperatividade: macacos com altíssima densidade de receptores de serotonina no circuito amígdala-pré-frontal são "socialmente bem sintonizados", enquanto os de baixa concentração são hostis e antagônicos. Ver Antonio Damasio, *Descartes' Error* (Nova York: Grosset/Putnam, 1994).

13. Estudos em animais mostram que quando áreas dos lobos pré-frontais são lesionadas, para não mais modularem os sinais vindos da área límbica, eles se tornam instáveis, explodindo impulsiva e imprevisivelmente com raiva ou encolhendo-se de medo. O brilhante neuropsicólogo russo A. R. Luria sugeria, já na década de 1930, que o córtex pré-frontal era fundamental para o autocontrole e para conter explosões emocionais; pacientes que haviam sofrido danos nessa área, observava, eram impulsivos e dados a surtos de medo e cólera. E um estudo com duas dúzias de homens e mulheres condenados por assassinatos cometidos sob impulso, no calor da paixão, constatou, após tomografias para obtenção de imagens do cérebro, que eles tinham um nível muito mais baixo de atividade que o habitual nessas mesmas partes do cérebro pré-frontal.

14. Parte do trabalho principal sobre lobos lesionados em ratos foi feita por Victar Dannenberg, psicólogo da Universidade de Connecticut.

15. Lesões no hemisfério esquerdo e jovialidade: G. Gianotti, "Emotional Behavior and Hemispheric Side of Lesion", *Cortex*, 8, 1972.

16. O caso do derrame que deixou o paciente mais feliz foi relatado par Mary K. Morris, do Departamento de Neurologia da Universidade da Flórida, no Encontro da Sociedade Neurofisiológica Internacional, 13-16 de fevereiro de 1991, em San Antonio.

17. Córtex pré-frontal e memória funcional: Lynn D. Selemon e outros, "Prefrontal Cortex", *American Journal of Psychiatry*, 152, 1995.

18. Lobos frontais defeituosos: Philip Harden e Robert Pihl, "Cognitive Function, Cardiovascular Reactivity, and Behavior in Boys at High Risk for Alcoholism", *Journal of Abnormal Psychology*, 104, 1995.

19. Córtex pré-frontal: Antonio Damasio. *Descartes' Error: Emotion, Reason and the Human Brain* (Nova York: Grosset/Putnam, 1994).

PARTE DOIS: A NATUREZA DA INTELIGÊNCIA EMOCIONAL

Capítulo 3: Quando o Inteligente é Idiota

1. A história de Jason H. foi contada em "Warning by a Valedictorian Who Faced Prison", *The New York Times* (23 de junho de 1992).

2. Diz um observador: Howard Gardner, "Cracking Open the IQ Box", *The American Prospect*, inverno de 1995.

3. Richard Hernstein e Charles Murray, *The Bell Curv: Intelligence and Class Structure in American Life* (Nova York: Free Press, 1994), p. 66.

4. George Vaillant, *Adaptation to Life* (Boston: Little, Brown, 1977). A pontuação SAT média do grupo de Harvard era 584, numa escala em que 800 é o máximo. O Dr. Vaillant, hoje na Faculdade de Medicina da Universidade de Harvard, me falou do relativamente fraco valor previsivo das contagens de testes para o sucesso na vida, nesse grupo de privilegiados.

5. J. K. Felsman e G. E. Vaillant, "Resilient Children as Adults: A 40-year Study", em E. J. Anderson e B. J. Cohler, eds., *The Invulnerable Child* (Nova York: Guilford Press, 1987).

6. Karen Arnold, que fez o estudo sobre "primeiros de turma" com Terry Denny na Universidade de Illinois, foi citada em *The Chicago Tribune* (29 de maio de 1992).

7. Projeto Spectrum: os principais colegas de Gardner na criação do Projeto Spectrum foram Mara Krechevsky e David Feldman.

8. Entrevistei Howard Gardner sobre sua teoria de múltiplas inteligências em "Rethinking the Value of Intelligence Tests", *The New York Times Education Supplement* (3 de novembro de 1986), e várias vezes desde então.

9. A comparação entre testes de QI e aptidões Spectrum é relatada num capítulo, co-escrito com Mara Krechevsky, em Howard Gardner, *Multiple Intelligences: The Theory in Practice* (Nova York: Basic Books, 1993).

10. O resumo é de Howard Gardner, *Multiple Intelligences*, p. 9.

11. Howard Gardner e Thomas Hatch, "Multiple Intelligences Go to School", *Education Researcher* 18, 8 (1989).

12. O modelo de inteligência emocional foi proposto pela primeira vez por Peter Salovey e John D. Mayer, em "Emotional Intelligence", *Imagination, Cognition, and Personality* 9 (1990).

13. Inteligência e aptidões pessoais: Robert J. Sternberg, *Beyond I.Q.* (Nova York: Cambridge University Press, 1985).

14. A definição básica de "inteligência emocional" está em Salovey e Mayer, "Emotional Inteligence", p. 189. Outro dos primeiros modelos de inteligência emocional está em Reuven Bar-On, "The Development of a Concept Psychological Well-Being", dissertação de doutorado, Rhodes University, África do Sul, 1988.

15. QI *versus* Inteligência Emocional: manuscrito inédito de Jack Block, Universidade da Califórnia, Berkeley, fevereiro de 1993. Block usa o conceito de "maleabilidade do ego", em vez de inteligência emocional, mas observa que entre os principais componentes estão a autorregulação emocional, controle adaptável de impulso, o senso de autoeficácia e inteligência social. Como estes são elementos principais da inteligência emocional, a maleabilidade do ego pode ser vista como uma medição substituta de inteligência emocional, em grande parte como as pontuações SAT o são do QI. Block analisou dados de um estudo longitudinal de cerca de cem homens e mulheres na adolescência e início dos 20 anos, e usou métodos estatísticos para avaliar os correlatos de personalidade e comportamento de alto QI independente de inteligência emocional, e da inteligência emocional independente do QI. Ele constata que há uma modesta correlação entre QI e maleabilidade do ego, mas os dois são coisas independentes.

Capítulo 4: Conhece-te a Ti Mesmo

1. Utilizo o termo "autoconsciência" para referir-me a uma atenção reflexiva, introspectiva, à nossa própria experiência, às vezes chamada conscienciosidade.

2. Ver também: Jon Kabat-Zinn, *Wherever You Go, There You Are* (Nova York: Hyperion, 1994).

3. O ego que observa: uma penetrante comparação da atitude de atenção e autoconsciência do psicanalista aparece em Mark Epstein, *Thoughts Without a Thinker* (Nova York: Basic Books, 1995). Epstein observa que se essa aptidão for profundamente cultivada, ela pode deixar a autoconsciência do observador e tornar-se um "'ego desenvolvido' mais flexível e corajoso, capaz de abarcar a vida toda".

4. William Styron, *Darkness Visible: A Memoir of Madness* (Nova York: Random House, 1990), p. 64.

5. John D. Mayer e Alexander Stevens, "An Emerging Understanding of the Reflective (Meta) Experience of Mood", manuscrito inédito (1993).

6. Mayer e Stevens, "An Emerging Understanding". Alguns dos termos desses estilos de autoconsciência são adaptações minhas das categorias.

7. A intensidade das emoções: grande parte desse trabalho foi feito por ou com Randy Larsen, ex-aluno de Diener, hoje na Universidade de Michigan.

8. Gary, o médico emocionalmente inane, é descrito em Hillel I. Swiller, "Alexithymia: Treatment Utilizing Combined Individual and Group Psychotherapy", *International Journal for Group Psychotherapy* 38,1 (1988), p. 47-61.

9. Analfabeto emocional foi termo usado por M. B. Freedman e B. S. Sweet, "Some Specific Features of Group Psychotherapy", *International Journal for Group Psycotherapy* 4 (1954), p. 335-368.

10. As características clínicas da alexitimia são descritas em Graeme J. Taylor, "Alexithymia: History of the Concept", trabalho apresentado no encontro anual da Associação Psiquiátrica em Washington, DC. (maio de 1986).

11. A descrição da alexitimia é de Peter Sifneos, "Affect, Emotional Deficit: An Overview", *Psychotherapy-and-Psychosomatics* 56 (1991).

12. A história da mulher que não sabia por que chorava é contada em H. Warnes em "Alexithymia, Clinical and Therapeutic Aspects", *Psychotherapy-and-Psychosomatics* 46 (1986), p. 96-104.

13. Papel das emoções no processo de raciocínio: Damasio, *Descartes' Error.*

14. Medo inconsciente: os estudos com as cobras são descritos em *Galen's Prophecy*, de Kagan.

Capítulo 5: Escravos da Paixão

1. Para maiores detalhes da relação entre sentimentos positivos, negativos e bem-estar, ver Ed Diener e Randy J. Larsen, "The Experience of Emotional Well-Being", em Michael Lewis e Jeanette Havilland, *Handbook of Emotions* (Nova York: Guilford Press, 1993).

2. Entrevistei Diane Tice sobre sua pesquisa de como as pessoas se libertam de estados de espírito negativos em dezembro de 1992. Ela publicou suas descobertas sobre a raiva num capítulo que escreveu com o marido, Roy Baumeister, em Daniel Wegner e James Pennebaker (eds.), *Handbook of Mental Control,* v. 5 (Englewood Cliffs, NJ: Prentice-Hall, 1993).

3. Cobradores de dívidas: também descritos em Arlie Hochschild. *The Managed Heart* (Nova York: Free Press, 1980).

4. O argumento contra a raiva e a favor do autocontrole se baseia em grande parte em Diane Tice e Roy F. Baumeister, "Controlling Anger: Self-Induced Emotion Change", em Wegner e Pennebaker, *Handbook of Mental Control.* Ver também Carol Tavris, *Anger: The Misunderstood Emotion* (Nova York: Touchstone, 1989).

5. A pesquisa sobre a raiva está relatada em Dolf Zillmann, "Mental Control of Angry Aggression", em Wegner e Pennebaker, *Handbook of Mental Control.*

6. O passeio para acalmar: citado em Tavris, *Anger: The Misunderstood Emotion*, p. 135.

7. As estratégias de Redford Williams para controlar a hostilidade estão detalhadas em Redford Williams e Virginia Williams, *Anger Kills* (Nova York: Times Books, 1993).

8. Dar vazão à raiva não acaba com ela: ver, por exemplo, S. K. Mallick e B. R. McCandless, "A Study of Catharsis Aggression", *Journal of Personality and Social* 4 (1966). Para um resumo dessa pesquisa, ver Tavris, *Anger: The Misunderstood Emotion*.

9. Quando despejar a raiva funciona: Tavris, *Anger: The Misunderstood Emotion*.

10. A tarefa da preocupação: Lizabeth Roemer e Thomas Borkovec, "Worry: Unwanted Cognitive Activity That Controls Unwanted Somatic Experience", em Wegner e Pennebaker, *Handbook of Mental Control*.

11. Medo de germes: David Riggs e Edna Foa, "Obsessive-Compulsive Disorder", em David Barlow, ed., *Clinical Handbook of Psychological Disorders* (Nova York: Guilford Press, 1993).

12. O paciente preocupado foi citado em Roemer e Borkovec, "Worry", p. 221.

13. Terapias para distúrbio de ansiedade: ver, por exemplo, *Clinical Handbook of Psychological Disorders*, de David H. Barlow, ed. (Nova York: Guilford Press, 1993).

14. A depressão de Styron: de William Styron, *Darkness Visible: A Memoir of Madness* (Nova York: Random House, 1990).

15. As preocupações dos deprimidos são relatadas em Susan Noen-Hoeksma, "Sex Differences in Control of Depression", em Wegner e Pennebaker, *Handbook of Mental Control*, p. 307.

16. Terapia para a depressão: K. S. Dobson, "A Meta-analysis of the Efficacy of Cognitive Therapy for Depression", *Journal of Consulting and Clinical Psychology* 57 (1989).

17. O estudo dos padrões de pensamento de pessoas deprimidas é relatado em Richard Wenzlaff, "The Mental Control of Depression", em Wegner e Pennebaker, *Handbook of Mental Control*.

18. Shelley Taylor e outros, "Maintaining Positive Illusions in the Face of Negative Information", *Journal of Clinical and Social Psychology* 8 (1989).

19. Os universitários repressores estão em Daniel A. Weinberger, "The Construct Validity of the Repressive Coping Style", em J. L. Singer, ed., *Repression and Dissociation* (Chicago: University of Chicago Press, 1990). Weinberger, que criou o conceito de repressores em estudos anteriores com Gary F. Schwartz e Richard Davidson, tornou-se o principal pesquisador do assunto.

Capítulo 6: A Aptidão Mestra

1. O terror do exame: Daniel Goleman, *Vital Lies, Simple Truths: The Psychology of Self--Deception* (Nova York: Simon and Schuster, 1985).

2. Memória funcional: Alan Baddeley, *Working Memory* (Oxford: Clarendon Press, 1986).

3. Córtex pré-frontal e memória funcional: Patricia Goldman-Rakic, "Cellular and Circuit Basis of Working Memory in Prefrontal Cortex of Nonhuman Primates", em *Progress in Brain Research*, 85, 1990; Daniel Weinberger, "A Connectionist Approach to the Prefrontal Cortex", *Journal of Neuropsychiatry* 5 (1993).

4. Motivação e desempenho de elite: Anders Ericsson, "Expert Performance: Its Structure and Acquisition", *American Psychologist* (agosto de 1994).

5. Vantagem dos asiáticos em QI: Herrnstein e Murray, *The Bell Curve.*

6. QI e ocupação de ásio-americanos: James Flynn, *Asian-American Achievement Beyond IQ* (New Jersey: Lawrence Erlbaum, 1991).

7. O estudo do adiamento da satisfação em crianças de 4 anos foi relatado em Yuichi Shoda, Walter Mischel e Philip K. Peake, "Predicting Adolescent Cognitive and Self--regulatory Competencies From Preschool Delay of Gratification", *Developmental Psychology*, 26, 6 (1990), p. 978-986.

8. Contagens SAT de crianças impulsivas e autocontroladas: a análise dos dados do SAT foi feita por Phil Peake, psicólogo do Smith College.

9. QI *versus* adiamento como previsores de contagens SAT: comunicado pessoal de Phil Peake, psicólogo do Smith College, que analisou os dados do SAT no estudo do adiamento da satisfação de Walter Mischel.

10. Impulsividade e delinquência: ver a discussão em Jack Block, "On the Relation Between IQ, Impulsivity, and Delinquency", *Journal of Abnormal Psychology*, 104 (1995).

11. A mãe preocupada: Timothy A. Brown e outros, "Generalized Anxiety Disorder", em David H. Barlow (ed.), *Clinical Handbook of Psychological Disorders* (Nova York: Guilford Press, 1993).

12. Controladores de tráfego aéreo e ansiedade: W. E. Collins e outros, "Relationships of Anxiety Scores to Academy and Field Training Performance of Air Traffic Control Specialists", *FAA Office of Aviation Medicine Reports* (maio de 1989).

13. Ansiedade e desempenho acadêmico: Bettina Seipp, "Anxiety and Academic Performance: A Meta-analysis", *Anxiety Research* 4,1 (1991).

14. Preocupados: Richard Metzger e outros, "Worry Changes Decision-making: The Effects of Negative Thoughts on Cognitive Processing", *Journal of Clinical Psychology* (janeiro de 1990).

15. Ralph Haber e Richard Alpert, "Test Anxiety", *Journal of Abnormal and Social Psychology* 13 (1958).

16. Alunos ansiosos: Theodore Chapin, "The Relationship of Trait Anxiety and Academic Performance to Achievement Anxiety", *Journal of College Student Development* (maio de 1989).

17. Pensamentos negativos e contagens em testes: John Hunsley, "Internal Dialogue During Academic Examinations", *Cognitive Therapy and Research* (dezembro de 1987).

18. Os internos dão um doce de presente: Alice Isen e outros, "The Influence of Positive Affect on Clinical Problem Solving", *Medical Decision Making* (julho-setembro de 1991).

19. A esperança e uma nota ruim: C. R. Snyder e outros, "The Will and the Ways: Development and Validation of an Individual-Differences Measure of Hope", *Journal of Personality and Social Psychology* 60, 4 (1991), p. 579.

20. Entrevistei C. R. Snyder para o *New York Times* (24 de dezembro de 1991).

21. Nadadores otimistas: Martin Seligman, *Learned Optimism* (Nova York: Knopf, 1991).

22. Otimismo realista *versus* ingênuo: ver, por exemplo, Carol Whalen e outros, "Optimism in Children's Judgments of Health and Environmental Risks", *Health Psychology* 13 (1994).

23. Entrevistei Martin Seligman sobre otimismo para o *New York Times* (3 de fevereiro de 1987).

24. Entrevistei Albert Bandura sobre autoeficácia para o *New York Times* (8 de maio de 1988).

25. Mihaly Csikszentmihalyi, "Play and Intrinsic Rewards", *Journal of Humanistic Psychology* 15, 3 (1973).

26. Mihaly Csikszentmihalyi: *Flow: The Psychology of Optimal Experience.* (Nova York: Harper and Row, 1990).

27. "Como uma cachoeira": *Newsweek* (28 de fevereiro de 1994).

28. Entrevistei o Dr. Csikszentmihalyi para o *New York Times* (4 de março de 1986).

29. O cérebro em fluxo: Jean Hamilton e outros, "Intrinsic Enjoyment and Boredom Coping Scales: Validation With Personality, Evoked Potential and Attention Measures", *Personality and Individual Differences* 5, 2 (1984).

30. Ativação cortical e cansaço: Ernest Hartmann, *The Functions of Sleep* (New Haven: Yale University Press, 1973).

31. Entrevistei o Dr. Csikszentmihalyi para o *New York Times* (22 de março de 1992).

32. Estudo do fluxo e dos alunos de matemática: Jeanne Nakamura "Optimal Experience and the Uses of Talent", em Mihaly Csikszentmihalyi e Isabella Csikszentmihalyi, *Optimal Experience: Psychological Studies of Flow in Consciousness* (Cambridge: Cambridge University Press, 1988).

Capítulo 7: As Origens da Empatia

1. Autoconsciência e empatia: ver, por exemplo, John Mayer e Melissa Kirkpatrick, "Hot Information-Processing Becomes More Accurate With Open Emotional Experience", Universidade de New Hampshire, manuscrito inédito (outubro de 1994); Rand Larsen e outros, "Cognitive Operations Associated With Individual Differences in Affect Intensity", *Journal of Personality and Social Psychology* 53 (1987).

2. Rober Rosenthal e outros. "The PONS Test: Measuring Sensitivity to Nonverbal Cues", em P. Reynolds, ed., *Advances in Psychological Assessment* (São Francisco: Jossey-Bass, 1977).

3. Stephen e Marshall Duke, "A Measure of Nonverbal Social Processing Ability in Children Between the Ages of 6 and 10", trabalho apresentado no encontro da Sociedade Psicológica Americana (1989).

4. As mães que agiram como pesquisadoras foram treinadas por Marian Radke-Yarrow e Carolyn Zan-Waxler, no Laboratório de Psicologia Desenvolvimentista, Instituto Nacional de Saúde Mental.

5. Escrevi sobre empatia, suas raízes desenvolvimentistas e sua neurologia em *The New York Times* (28 de março de 1989).

6. Incutindo empatia nas crianças: Marian Radke-Yarrow e Carolyn Zahn-Waxler, "Roots, Motives and Patterns in Children's Prosocial Behavior", em Ervin Staub e outros (eds.), *Development and Maintenance of Prosocial Behavior* (Nova York: Plenum, 1984).

7. Daniel Stern, *The Interpersonal World of the Infant* (Nova York: Basic Books, 1987), p. 30.

8. Stern, *op. cit.*

9. Os bebês deprimidos são descritos em Jefey Pickens e Tiffany Field, "Facial Expressivity in Infants of Depressed Mothers", *Developmental Psychology* 29, 6 (1993).

10. O estudo da infância de estupradores violentos foi feito por Robert Prentky, psicólogo de Filadélfia.

11. A empatia em pacientes limite: "Giftedness and Psychological Abuse in Borderline Personality Disorder: Their Relevance to Genesis and Treatment", *Journal of Personality Disorders* 6 (1992).

12. Leslie Brothers, "A Biological Perspective on Empathy", *American Journal of Psychiatry* 146, 1 (1989).

13. Brothers, "A Biological Perspective", p. 16.

14. Fisiologia da empatia: Robert Levenson e Anna Ruef, "Empathy: A Physiological Substrate", *Journal of Personality and Social Psychology* 63, 2 (1992).

15. Martin L. Hoffman, "Empathy, Social Cognition, and Moral Action", em W. Kurtines e J. Gerwitz, eds., *Moral Behavior and Development: Advances in Theory, Research, and Applications* (Nova York: John Wiley and Sons, 1984).

16. Os estudos da ligação entre empatia e ética estão em Hoffman, "Empathy, Social Cognition, and Moral Action".

17. Escrevi sobre o ciclo emocional que culmina em crimes sexuais em *The New York Times* (14 de abril de 1992). A fonte é William Pithers, psicólogo do Departamento Correcional de Vermont.

18. A natureza da psicopatia é descrita com mais detalhes num artigo que escrevi no *The New York Times* de 7 de julho de 1987. Grande parte do que escrevo aqui vem de Robert Hare, psicólogo da Universidade da Colúmbia Britânica, especialista em psicopatas.

19. Leon Bing, *Do or Die* (Nova York: HarperCollins, 1991).

20. Espancadores de esposas: Neil S. Jacobson e outros, "Affect, Verbal Content and Psychophysiology in the Arguments of Couples With a Violent Husband". *Journal of Clinical and Consulting Psychology* (julho de 1994).

21. Os psicopatas não têm medo — o efeito é visto quando criminosos psicopatas vão receber um choque. Uma das mais recentes réplicas do efeito está em Christopher Patrick e outros, "Emotion in the Criminal Psychopath: Fear Image Processing", *Journal of Abnormal Psychology* 103 (1994).

Capítulo 8: A Arte de Viver em Sociedade

1. O diálogo entre Jay e Len foi relatado por Judy Dunn e Jane Brown em "Relationships, Talk About Feelings, and the Development of Affect Regulation in Early Childhood", Judy Garber e Kenneth A. Dodge, eds., *The Development of Emotion Regulation and Dysregulation* (Cambridge: Cambridge University Press 1991). Os floreados dramáticos são meus mesmo.

2. As regras de exibição estão em Paul Ekman e Wallace Friesen, *Unmasking the Face* (Englewood Cliffs, NJ: Prentice Hall, 1975).

3. Monges no calor da batalha: a história é contada por David Busch em "Culture Cul-de-Sac", *Arizona State University Research* (primavera/verão de 1994).

4. O estudo de transferência de estado de espírito foi comunicado por Ellen Sullins no número de abril de 1991 do *Personality and Social Psychology Bulletin.*

5. Os estudos de transmissão e sincronia de estados de espírito são de Frank Bernieri, psicólogo da Universidade do Estado do Oregon; escrevi sobre o trabalho dele em *The New York Times*. Grande parte de sua pesquisa está relatada em Bernieri e Robert Rosenthal, "Interpersonal Coordination, Behavior Matching, and Interpersonal Synchrony", em Robert Feldman e Bernard Rime (eds.), *Fundamentals of Nonverbal Behavior* (Cambridge: Cambridge University Press, 1991).

6. A teoria do arrasto é proposta por Bernieri e Rosenthal, *Fundamentals of Nonverbal Behavior*.

7. Thomas Hatch, "Social Intelligence in Young Children", trabalho apresentado no encontro anual da Associação Psicológica Americana (1990).

8. Camaleões sociais: Mark Snyder, "Impression Management: The Self in Social Interaction", em L. S. Wrightsman e K. Deaux, *Social Psychology in the 80's* (Monterey, CA: Brooks/Cole, 1981).

9. E. Lakin Philips, *The Social Skills Basis of Psychopathology* (Nova York: Grune and Straton, 1978), p. 140.

10. Distúrbios de aprendizado não verbal: Stephen Nowicki e Marshall Duke, *Helping the Child Who Doesn't Fit In* (Atlanta: Peachtree Publishers, 1992). Ver também Byron Rourke, *Nonverbal Learning Disabilities* (Nova York: Guilford Press, 1989).

11. Nowicki e Duke, *Helping the Child Who Doesn't Fit In*.

12. Essa vinheta e o exame da pesquisa sobre a entrada num grupo são de Martha Putallaz e Aviva Wasserman, "Children's Entry Behavior", em Steven Asher e John Cole, *Peer Rejection in Childhood* (Nova York: Cambridge University Press, 1990).

13. Putallaz e Wasserman, "Children's Entry Behavior".

14. Hatch, "Social Intelligence in Young Children".

15. A história de Terry Dobson do bêbado japonês e o velho é usada com permissão do espólio de Dobson. Também é contada por Ram Dass e Paul Gorman, *How Can I Help?* (Alfred A. Knopf, 1985), pp. 167-71.

PARTE TRÊS: INTELIGÊNCIA EMOCIONAL APLICADA

Capítulo 9: Casamento: Inimigos íntimos

1. Há muitos modos de calcular a taxa de divórcio, e os meios estatísticos usados determinam o resultado. Alguns métodos mostram essa taxa chegando a um máximo de 50% e depois caindo um pouco. Quando se calculam os divórcios pelo número total num determinado ano, a taxa parece ter atingido o pico na década de 1980. As estatísticas que cito aqui, porém, calculam não o número de divórcios que ocorrem num determinado ano, mas sim a probabilidade de um casamento ocorrido num

determinado ano acabar em divórcio. Essa estatística mostra uma taxa de divórcio em ascensão no século que passou. Para mais detalhes: John Gottman, *What Predicts Divorce: The Relationship Between Marital Processes and Marital Outcomes* (Hillsdale, NJ: Lawrence Erlbaum Associates, Inc., 1993).

2. Os mundos separados de meninos e meninas: Eleanor Maccoby e C. N. Jacklin, "Gender Segregation in Childhood", em H. Reese, ed., *Advances in Child Development and Behavior* (Nova York: Academic Press, 1987).

3. Coleguinhas do mesmo sexo: John Gottman, "Same and Cross Sex Friendship in Young Children", em J. Gottman e J. Parker (eds.), *Conversation of Friends*, em Michael Lewis e Jeanette Haviland, eds., *Handbook of Emotions* (Nova York: Guilford Press, 1993).

4. Este e o resumo seguinte sobre as diferenças de sexo na socialização das emoções se baseiam na excelente resenha de Leslie R. Brody e Judith A. Hall, "Gender and Emotion", Michael Lewis e Jeannette Haviland (ed.), *Handbook of Emotions* (Nova York: Guilford Press, 1993).

5. Brody e Hall, "Gender and Emotion", p. 456.

6. As meninas e as artes da agressão: Rohen B. Cairns e Beverley D. Caims, *Lifelines and Risks* (Nova York: Cambridge University Press, 1994).

7. Brody e Hall, "Gender and Emotion", p. 454.

8. As descobertas sobre diferenças de sexo na emoção são examinadas em Brody Hall, "Gender and Emotion".

9. A importância da boa comunicação para as mulheres foi relatada em Mark H. Davis e H. Alan Oathout, "Maintenance of Satisfaction in Romantic Relationships: Empathy and Relational Competence", *Journal of Personality and Social Psychology*, 53, 2 (1987), p. 397-410.

10. Estudo das queixas de maridos e esposas: Robert J. Sternberg, "Triangulating Love", em Robert Sternberg e Michael Barnes (eds.), *The Psychology of Love* (New Haven: Yale University Press, 1988).

11. Leitura de rostos tristes: a pesquisa é do Dr. Ruben C. Gur, da Faculdade de Medicina da Universidade da Pensilvânia.

12. O diálogo entre Fred e Ingrid foi extraído de Gottman, *What Predicts Divorce.*

13. A pesquisa conjugal de John Gottman e colegas na Universidade de Washington é descrita com mais detalhes em dois livros: John Gottman, *Why Marriages Succeed or Fail* (Nova York: Simon and Schuster, 1994) e *What Predicts Divorce.*

14. Fechar-se: Gottman, *What Predicts Divorce.*

15. Pensamentos venenosos: Aaron Beck, *Love Is Never Enough* (Nova York: Harper and Row, 1988), p.145-146.

16. Pensamentos em casamentos problemáticos: Gottman, *What Predicts Divorce.*

17. O pensamento distorcido de maridos violentos é descrito em Amy Holtzworth--Munroe e Glenn Hutchinson, "Attributing Negative Intent to Wife Behavior: The Attributions of Maritally Violent Versus Nonviolent Men", *Journal of Abnormal Psychology* 102, 2 (1993), p. 206-211. Desconfiança de homens sexualmente agressivos: Neil Malamuth e Lisa Brown, "Sexually Aggressive Men's Perceptions of Women's Communications", *Journal of Personality and Social Psychology* 67 (1994).

18. Maridos espancadores. Três tipos de maridos tornam-se violentos: os que raramente ficam, os que ficam impulsivamente quando irados e os que o fazem de maneira fria e calculada. A terapia parece ajudar apenas nos dois primeiros casos. Ver Neil Jacobson *et. al.*, *Clinical Handbook of Marital Therapy* (Nova York: Guilford Press, 1994).

19. Inundação: Gottman, *What Predicts Divorce.*

20. Maridos detestam bate-boca: Robert Levenson e outros, "The lnfluence of Age and Gender on Affect, Physiology, and Their Interrelations: A Study of Long-term Marriages", *Journal of Personality and Social Psychology* 67 (1994).

21. Inundação em maridos: Gottman, *What Predicts Dirvorce.*

22. Os homens se fecham em copas, as mulheres criticam: Gottman, *What Predicts Divorce.*

23. "Esposa Acusada de Atirar no Marido por Causa de Futebol na TV", *The New York Times* (3 de novembro de 1993).

24. Brigas conjugais produtivas: Gottman, *What Predicts Divorce.*

25. Falta de capacidade de fazer reparações nos casais: Gottman, *What Predicts Divorce.*

26. As quatro etapas que levam a "boas brigas" são de Gottman, *Why Marriages Succeed or Fail.*

27. Monitarando o pulso: Gottman, *ibid.*

28. Surpreendendo pensamentos automáticos: Beck, *Love Is Never Enough.*

29. Espelhamento: Harville Hendrix, *Getting the Love You Want* (Nova York: Henry Holt, 1988).

Capítulo 10: Administrar com o Coração

1. A tragédia do piloto intimidante: Carl Lavin, "When Moods Affect Safety: Communications in a Cockpit Mean a Lot a Few Miles Up", *The New York Times* (26 de junho de 1994).

2. Pesquisa com 250 executivos: Michael Maccoby, "The Corporate Climber Has to Find His Heart", *Fortune* (dezembro de 1976).

3. Zuboff: em conversa, junho de 1994. Sobre o impacto das tecnologias de informação, ver o livro dela, *In the Age of the Smart Machine* (Nova York: Basic Books, 1991).

4. A história do vice-presidente sarcástico me foi contada por Hendrie Weisinger, psicólogo da Escola de Comércio da Universidade da Califórnia, em Los Angeles. Seu livro intitula-se *The Critical Edge: How to Criticize Up and Down the Organization and Make It Pay Off* (Boston: Little, Brown, 1989).

5. A pesquisa com os administradores que perderam a cabeça foi feita por Robert Baron, psicólogo do Instituto Politécnico Rensselaer, que entrevistei para o *New York Times* (11 de setembro de 1990).

6. Crítica como causa de conflito: Robert Baron, "Countering the Effects of Destructive Criticism: The Relative Efficacy of Four Interventions", *Journal of Applied Psychology* 75, 3 (1990).

7. Crítica específica e crítica vaga: Harry Levinson, "Feedback to Subordinates", *Addendum to the Levinson Letter*, Instituto Levinson, Waltham, MA (1992).

8. A face em transformação da força de trabalho: uma pesquisa de 645 empresas nacionais americanas pela Towers Perrin, consultores administrativos em Manhattan, publicada no *New York Times* (26 de agosto de 1990).

9. As raízes do ódio: Vamik Volkan, *The Need to Have Enemies and Allies* (Northvale, NJ: Jason Aronson, 1988).

10. Thomas Pettigrew: entrevistei Pettigrew para o *New York Times* (12 de maio de 1987).

11. Estereótipos e preconceitos sutis: Samuel Gaertner e John Davidio, *Prejudice, Discrimination, and Racism* (Nova York: Academic Press, 1987).

12. Preconceito sutil: Gaertner e Davidio, *Prejudice, Discrimination, and Racism.*

13. Relman: citado em Howard Kohn, "Service With a Sneer", *The New York Times Sunday Magazine* (11 de novembro de 1994).

14. IBM: "Responding to a Diverse Work Force", *The New York Times* (16 de agosto de 1990).

15. O poder do protesto: Fletcher Blanchard, "Reducing the Expression of Racial Prejudice", *Psychological Science* (vol. 2, 1991).

16. Os estereótipos desabam: Gaertner e Davidio, *Prejudice, Discrimination, and Racism.*

17. Equipes: Peter Drucker, "The Age of Social Transformation", *The Atlantic Monthly* (novembro de 1994).

18. O conceito de inteligência de grupo é apresentado em Wendy Williams e Robert Sternberg, "Group Intelligence: Why Some Groups Are Better Than Others", *Intelligence* (1988).

19. O estudo das estrelas dos Laboratórios Bell foi relatado em Robert Kelley e Janet Caplan, "How Bell Labs Creates Star Performers", *Harvard Business Review* (julho-agosto de 1993).

20. A utilidade de redes informais é observada por David Krackhardt e Jeffrey R. Hanson, "Informal Networks: The Company Behind the Chart", *Harvard Business Review* (julho-agosto de 1993), p. 104.

Capítulo 11: A Emoção na Clínica Médica

1. Sistema Imunológico como o cérebro do corpo: Francisco Varela no terceiro encontro de Mente e Vida, Dharamsala, Índia (dezembro de 1990).

2. Mensageiros químicos entre o cérebro e o sistema imunológico: ver Robert Ader e outros, *Psychoneuroimmunology*, 2ª edição (San Diego: Academic Press, 1990).

3. Contato entre nervos e células imunológicas: David Felten e outros, "Noradrenergic Sympathetic Innervation of Lymphoid Tissue", *Journal of Immunology* 135 (1985).

4. Hormônios e função imunológica: B. S. Rabin e outros, "Bidirectional Interaction Between the Central Nervous System and the Immune System", *Critical Reviews in Immunology* 9 (4) (1988), p. 279-312.

5. Ligações entre o cérebro e o sistema imunológico: ver, por exemplo, Steven B. Mayer e outros, "Psychoneuroimmunology", *American Psychologist* (dezembro de 1994).

6. Emoções tóxicas: Howard Friedman e S. Boothby-Kewley, "The Disease-Prone Personality: A Meta-Analytic View", *American Psychologist* 42 (1987). Essa ampla análise de estudos usou a "meta-análise", em que os resultados de muitos estudos menores são combinados estatisticamente num estudo imenso. Isso permite que efeitos que talvez não surgissem em nenhum estudo em particular sejam mais facilmente detectados por causa de um maior número de pessoas estudadas.

7. Os céticos afirmam que o quadro emocional ligado a taxas mais altas de doença é o perfil da quintessência do neurótico — um trapo emocional ansioso, deprimido e irado — e que as taxas maiores de doenças que eles relatam se devem não tanto a um fato médico quanto à tendência para se lamentar e queixar de problemas de saúde, exagerando a seriedade deles. Mas Friedman e outros afirmam que o peso dos indícios da relação emoção-doença é sustentado por pesquisas em que são as avaliações, feitas por médicos, de sinais observáveis da doença, e não as queixas dos pacientes, que determinam o nível da doença — uma base mais objetiva. Claro, há a possibilidade de que uma maior perturbação resulte de um problema médico, e que também o precipite; por esse motivo, os dados mais convincentes vêm de estudos em perspectiva, nos quais os estados emocionais são avaliados antes do início da doença.

8. Gail Ironson e outros, "Effects of Anger on Left Ventricular Ejection Fraction in Coronary Artery Disease", *The American Journal of Cardiology* 70, 1992. A eficiência de bombeamento, às vezes chamada de "fração de ejeção", quantifica a capacidade do coração de bombear sangue para as artérias pelo ventrículo esquerdo; ela mede a porcentagem de sangue bombeado pelos ventrículos a cada batida do coração: na doença cardíaca, a queda na eficiência de bombeamento significa um enfraquecimento do músculo cardíaco.

9. De cerca de uma dezena de estudos sobre a hostilidade e morte por doença cardíaca, alguns não conseguiram estabelecer uma ligação. Mas isso pode ser atribuído a diferenças de metodologia, como usar uma baixa medida de hostilidade, e à relativa sutileza do efeito. Por exemplo, o maior número de mortes causadas por hostilidade parece ocorrer na meia-idade. Se um estudo não identifica as causas de morte de pessoas durante esse período, não vê o efeito.

10. Hostilidade e doença cardíaca: Redford Williams, *The Trusting Heart* (Nova York: Times Books/Random House, 1989).

11. Peter Kaufman: entrevistei o Dr. Kaufman para o *New York Times* (1º de setembro de 1992).

12. Estudo em Stanford da raiva e segundos ataques cardíacos: Carl Thoreson, apresentado no Congresso Internacional de Medicina Comportamental, Uppsala, Suécia (julho de 1990).

13. Lynda H. Powell, "Emotional Arousal as a Predictor of Long-Term Mortality and Morbidity in Post M.I. Men", *Circulation*, vol. 82, nº 4, Suplemento III, outubro de 1990.

14. Murray A. Mittleman, "Triggering of Myocardial Infarction Onset by Episodes of Anger", *Circulation*, vol. 89, nº 2 (1994).

15. A supressão da raiva eleva a pressão do sangue: Robert Levenson: "Can We Control Our Emotions, and How Does Such Control Change an Emotional Episode?", em Richard Davidson e Paul Ekman (eds.), *Fundamental Questions About Emotions* (Nova York: Oxford University Press, 1995).

16. Uma forma raivosa de ser: relatei a pesquisa de Redford Williams sobre a ira e o coração no *New York Times Good Health Magazine* (16 de abril de 1989).

17. Redução de 44% em segundos ataques: Thoreson, *op. cit.*

18. Programa de controle da raiva, do Dr. Williams: Williams, *The Trusting Heart.*

19. A mulher preocupada: Timothy Brown e outros, "Generalized Anxiety Disorder", em David H. Barlow (ed.), *Clinical Handbook of Psychological Disorders* (Nova York: Guilford Press, 1993).

20. Tensão e metástase: Bruce McEwen e Eliot Stellar, "Stress and The Individual: Mechanisms Leading to Disease", *Archives of Internal Medicine* 153 (27 de setembro de 1993). O estudo que eles descrevem é de M. Robertson e J. Ritz, "Biology and Clinical Relevance of Human Natural Killer Cells", *Blood* 76 (1990).

21. Pode haver múltiplos motivos para que as pessoas sob tensão sejam mais vulneráveis à doença, além das rotas biológicas. Um deles é que a forma como as pessoas tentam aliviar sua ansiedade — por exemplo, fumando, bebendo ou entregando-se a orgias de comidas gordurosas — são em si nocivas. Outro é que a preocupação e a ansiedade constantes podem fazer com que as pessoas percam o sono ou esqueçam de seguir prescrições médicas — tomar remédio, por exemplo — e assim prolonguem doenças que já têm. O mais provável é que tudo isso atue em combinação para ligar tensão e doença.

22. A tensão enfraquece o sistema imunológico: por exemplo, no estudo de alunos de medicina que enfrentam tensão nas provas, eles tinham não apenas menor controle do vírus do herpes, mas também um declínio na capacidade de suas células brancas matarem células infectadas, além de um aumento nos níveis de um produto químico associado à supressão da capacidade imunológica dos linfócitos, as células brancas fundamentais para a resposta imunológica. Ver Ronald Glaser e Janice Kiecolt--Glaser, "Stress-Associated Depression in Cellular Immunity", *Brain, Behavior, and Immunity* 1 (1987). Mas, na maioria desses estudos que mostram um enfraquecimento das defesas imunológicas com a tensão, não ficou claro que os níveis eram suficientemente baixos para levar a risco médico.

23. Tensão e resfriados: Sheldon Cohen e outros, "Psychological Stress and Susceptibility to the Common Cold", *New England Journal of Medicine* 325 (1991).

24. Perturbação diária e infecção: Arthur Stone e outros, "Secretory IgA as a Measure of Immunocompetence", *Journal of Human Stress* 13 (1987). Em outro estudo, 246 maridos, esposas e filhos mantiveram diários de tensão na vida de suas famílias na temporada da gripe. Os que tinham mais crises familiares também tinham a maior taxa de gripe, medida por dias de febre e por níveis de anticorpos da gripe. Ver R. D. Clover e outros, "Family Functioning and Stress as Predictors of Influenza Infection", *Journal of Family Practice* 28 (maio de 1989).

25. Erupções do vírus do herpes e tensão: uma série de estudos de Ronald Glaser e Janic Kiecolt-Glaser — por exemplo, "Psychological Influences on Immunity", *American Psychologist* 43 (1988). A relação entre tensão e atividade do herpes é tão forte que foi demonstrada num estudo com apenas dez pacientes, usando a erupção de fato de lesões hérpicas como medida; quanto mais ansiedade, brigas e tensão comunicadas pelos pacientes, mais probabilidade tinham de sofrer erupções de herpes na semana seguinte; os períodos calmos em suas vidas levavam à dormência do herpes. Ver H. E. Schmidt e outros, "Stress as a Precipitating Factor in Subjects With Recurrent Herpes Labialis", *Journal of Family Practice*, 20 (1985).

26. Ansiedade em mulheres e doença cardíaca: Carl Thoreson, apresentado no Congresso Internacional de Medicina Comportamental, Uppsala, Suécia (julho de 1990). A ansiedade também pode desempenhar um papel no tornar alguns homens mais vulneráveis à doença cardíaca. Num estudo da faculdade de medicina da Universidade

de Alabama, 1.123 homens e mulheres entre as idades de 45 e 77 anos tiveram seus perfis emocionais avaliados. Os mais inclinados à ansiedade e preocupação na meia-idade tinham muito mais probabilidade que os outros de apresentar hipertensão quando localizados vinte anos depois. Ver Abraham Markowitz e outros, *Journal of the American Medical Association* (14 de novembro de 1993).

27. Tensão e câncer colorretal: Joseph C. Courtney e outros, "Stressful Life Events and the Risk of Colorectal Cancer", *Epidemiology* (setembro de 1993), 4(5).

28. Relaxamento para conter sintomas com base na tensão: ver, por exemplo, Daniel Goleman e Joel Gurin, *Mind Body Medicine* (Nova York: Consumer Report Books/ St. Martin's Press, 1993).

29. Depressão e doença: ver, por exemplo, Seymour Reichlin, "Neuroendocrine-Immune Interactions", *New England Journal of Medicine* (21 de outubro de 1993).

30. Transplante de medula óssea: citado em James Strain, "Cost Offset From a Psychiatric Consultation-Liaison Intervention With Elderly Hip Fracture Patients", *American Journal of Psychiatry* 148 (1991).

31. Howard Burton e outros, "The Relationship of Depression to Survival in Chronic Renal Failure", *Psychosomatic Medicine* (março de 1986).

32. Desesperança e morte por doença cardíaca: Robert Anda e outros, "Depressed Affect, Hopelessness, and the Risk of Ischemic Heart Disease in a Cohort of U.S. Adults", *Epidemiology* (julho de 1993).

33. Depressão e ataque cardíaco: Nancy Frasure-Smith e outros, "Depression Following Myocardial Infarction", *Journal of the American Medical Association* (20 de outubro de 1993).

34. Depressão na múltipla doença: o Dr. Michael von Korff, psiquiatra da Universidade de Washington que fez o estudo, observou que, com esses pacientes que enfrentam tremendos desafios para sobreviverem, "se a gente trata a depressão, vê melhoras além e acima de quaisquer mudanças em seu estado clínico. Se você está deprimido, seus sintomas lhe parecem piores. Ter uma doença física crônica é um grande desafio adaptacional. Se você está deprimido, tem menos capacidade de aprender a cuidar de sua doença. Mesmo com impedimento físico, se você está motivado e tem energia e sentimentos de seu próprio valor — e tudo isso corre risco na depressão —, pode se adaptar admiravelmente mesmo a sérios impedimentos".

35. Otimismo e cirurgia de ponte de safena: Chris Petesson e outros, *Learned Helplessness: A Theory for the Age of Personal Control* (Nova York: Oxford University Press, 1993).

36. Danos na coluna e esperança: Timothy Elliott e outros, "Negotiating Reality After Physical Loss: Hope, Depression, and Disability", *Journal of Personality and Social Psychology* 61, 4 (1991).

37. Risco médico no isolamento social: James House e outros, "Social Relationships and Health", *Science* (29 de julho de 1988). Mas ver também uma constatação contraditória: Carol Smith e outros, "Meta-Analysis of the Associations Between Social Support and Health Outcomes", *Journal of Behavioral Medicine* (1994).

38. Isolamento e risco de mortalidade: outros estudos sugerem um mecanismo biológico em ação. Essas descobertas, citadas em House, "Social Relationships and Health", constataram que a simples presença de outra pessoa pode reduzir a ansiedade e diminuir o distúrbio fisiológico em unidades de tratamento intensivo. Descobriu-se que o efeito reconfortante da presença de outra pessoa baixa não só os batimentos cardíacos e a pressão do sangue, mas também a secreção de ácidos graxos que podem bloquear as artérias. Uma das teorias apresentadas para explicar os efeitos curativos do contato social sugere um mecanismo do cérebro em ação. Essa teoria indica dados sobre animais que mostram um efeito calmante na zona hipotalâmica posterior, uma área do sistema límbico com abundantes ligações com a amígdala. A presença reconfortante de outra pessoa, afirma essa tese, inibe a atividade límbica, baixando a taxa de secreção de acetilcolina, cortisol e catecolaminas, todos produtos neuroquímicos que provocam respiração mais rápida, aceleração dos batimentos cardíacos e outros sinais fisiológicos de tensão.

39. Tensão, "Cost Offset".

40. Sobrevivência a ataque cardíaco e apoio emocional: Lisa Berkman e outros, "Emotional Support and Survival After Myocardial Infarction, A Prospective Population Based Study of the Elderly", *Annals of Internal Medicine* (15 de dezembro de 1992).

41. O estudo sueco: Annika Rosengren e outros, "Stressful Life Events, Social Support, and Mortality in Men Born in 1933", *British Medical Journal* (9 de outubro de 1993).

42. Brigas conjugais e sistema imunológico: Janice Kiecolt-Glaser e outros, "Marital Quality, Marital Disruption, and Immune Function" *Psychosomatic Medicine* 49 (1987).

43. Entrevistei John Cacioppo para o *New York Times* (15 de dezembro de 1992).

44. Falar dos pensamentos perturbadores: James Pennebaker, "Putting Stress Into Words: Health, Linguistic and Therapeutic Implications", trabalho apresentado no encontro da Associação Psicológica Americana, Washington, DC (1992).

45. Psicoterapia e melhora clínica: Lester Luborsky e outros, "Is Psychotherapy Good for Your Health?", trabalho apresentado no encontro da Associação Psicológica Americana, Washington, DC (1993).

46. Grupos de apoio no câncer: David Spiegel e outros, "Effect of Psychosocial Treatment on Survival of Patients with Metastatic Breast Cancer", *Lancet* no. 8668, ii (1989).

47. Perguntas dos pacientes: a descoberta foi citada pelo Dr. Steven Cohen-Cole, psiquiatra da Universidade Emory, quando o entrevistei para o *New York Times* (13 de novembro de 1991).

48. Informação completa: por exemplo, o programa Planetree, no Hospital Presbiteriano do Pacífico, em São Francisco, faz pesquisas sobre pesquisas médicas e leigas sobre qualquer assunto, para quem solicitar.

49. Tornando os pacientes eficientes: um programa foi criado pelo Dr. Mack Lipkin Jr., da Faculdade de Medicina da Universidade de Nova York.

50. Preparação emocional para a cirurgia: escrevi sobre isso em *The New York Times* (10 de dezembro de 1987).

51. Assistência familiar no hospital: também aqui, o Planetree é um modelo, como o são as casas Ronald, que permitem que os pais fiquem na casa ao lado dos hospitais onde seus filhos estão internados.

52. Consideração e medicina: ver Jon Kabat-Zinn, *Full Catastrophe Living* (Nova York: Delacorte, 1991).

53. Programa para reverter doenças cardíacas: ver Dean Ornish, *Dr. Dean Ornish's Program for Reversing Heart Disease* (Nova York: Ballantine, 1991).

54. Medicina centrada no relacionamento: *Health Professions Education and Relationship--Centered Care.* Relatório da Força-tarefa Pew-Fetzer sobre o Progresso da Educação Médica Psicossocial, Comissão de Profissões Médicas e Instituto Fetzer do Centro de Profissões de Saúde, Universidade da Califórnia, São Francisco (agosto de 1994).

55. Deixar o hospital antes: Tensão, "Cost Offsett".

56. É antiético não tratar a depressão em pacientes de doenças cardíacas: Redford Williams e Margaret Chesney, "Psychosocial Factors and Prognosis in Established Coronary Heart Disease", *Journal of the American Medical Association* (20 de outubro de 1993).

57. Carta aberta a um médico: A. Stanley Kramer, "A Prescription for Healing", *Newsweek* (7 de junho de 1993).

PARTE QUATRO: MOMENTOS OPORTUNOS

Capítulo 12: O Ambiente Familiar

1. Leslie e o video game: Beverly Wilson e John Gottman, "Marital Conflict and Parenting: The Role of Negativity in Families", em M. H. Bornstein, ed., *Handbook of Parenting*, vol. 4 (Hillsdale, NJ: Lawrence Erlbaum, 1994).

2. A pesquisa sobre as emoções em família foi uma extensão dos estudos conjugais de John Gottman examinados no Capítulo 9. Ver Carole Hooven, Lynn Katz e John Gottman, "The Family as a Meta-emotion Culture", *Cognition and Emotion* (primavera de 1994).

3. Os benefícios para as crianças de pais emocionalmente capazes: Hooven, Katz e Gottman, "The Family as a Meta-emotion Culture".

4. Bebês otimistas: T. Berry Brazelton, no prefácio a *Heart Start: The Emotional Foundations of School Readiness* (Arlington, VA: National Center for Clinical Infant Programs, 1992).

5. Previsores emocionais de êxito na escola: *Heart Start*.

6. Elementos de disposição para a escola: *Heart Start*, p. 7.

7. Bebês e mães: *Heart Start*, p. 9.

8. Danos por negligência: M. Erickson e outros, "The Relationship Between Quality of Attachment and Behavior Problems in Preschool in a High-Risk Sample", em I. Betherton e E. Waters (eds.), *Monographs of the Society of Research in Child Development*, 50, série nº 209.

9. Lições duradouras dos primeiros quatro anos: *Heart Start*, p. 13.

10. Acompanhamento de crianças agressivas: L. R. Huesman, Leonard Eron e Patty Warnicke-Yarmel, "Intellectual Function and Aggression", *The Journal of Personality and Social Psychology* (janeiro de 1987). Constatações semelhantes foram comunicadas por Alexander Thomas e Stella Chess, no número de setembro de 1988 de *Child Development*, no estudo que fizeram com 75 crianças avaliadas em intervalos regulares desde 1956, quando estavam entre os 7 e os 12 anos. Alexander Thomas e outros, "Longitudinal Study of Negative Emotional States and Adjustments From Early Childhood Through Adolescence", *Child Development* 59 (1988). Uma década depois, as crianças que pais e professores diziam ser as mais agressivas na escola primária passavam pelo maior turbilhão emocional no fim da adolescência. Eram crianças (quase duas vezes mais meninos que meninas) que não apenas viviam puxando briga, mas também apresentavam descaso ou franca hostilidade contra os colegas, e mesmo contra as famílias e professores. Essa hostilidade não mudara com o passar dos anos; como adolescentes, tinham problemas para conviver com os colegas e com a família, e tinham problemas na escola. E, quando procurados como adultos, suas dificuldades iam de envolvimentos com a lei a problemas de ansiedade e depressão.

11. Ausência de empatia em crianças maltratadas: as observações em creches diárias foram relatadas em Mary Main e Carol George, "Responses of Abused and Disadvantaged Toddlers to Distress in Agemates: A Study in the Day-Care Setting", *Developmental Psychology* 21, 3 (1985). As constatações repetiram-se também com crianças do pré-escolar: Bonnie Klimes-Dougan e Janet Kistner, "Physically Abused Preschoolers' Responses to Peers' Distress", *Developmental Psychology* 26 (1990).

12. Dificuldades de crianças maltratadas: Robert Emery, "Family Violence", *American Psychologist* (fevereiro de 1989).

13. Maus-tratos de geração em geração: se as crianças maltratadas se tornam pais que maltratam, é uma questão para debate científico. Ver, por exemplo, Cathy Spatz Widom, "Child Abuse, Neglect and Adult Behavior", *American Journal of Orthopsychiatry* (julho de 1989).

Capítulo 13: Trauma e Reaprendizado Emocional

1. Escrevi sobre o trauma duradouro dos assassinatos na Escola Primária Cleveland na seção "Education Life" em *The New York Times* (7 de janeiro de 1990).

2. Os exemplos de PTSD em vítimas de crime foram dados pela Dra. Shelly Niederbach, psicóloga no Serviço de Assistência a Vítimas, no Brooklyn.

3. A lembrança do Vietnã vem de M. Davis, "Analysis of Aversive Memories Using Fear--Potentiated Startle Paradigma", *The Neuropsychology of Memory* (Nova York: Guilford Press, 1992).

4. LeDoux defende cientificamente a indelebilidade especial dessas lembranças em "Indelibility of Subcortical Emotional Memories", *Journal of Cognitive Neuroscience* (1989), vol. 1, p. 238-243.

5. Entrevistei o Dr. Charney para o *New York Times* (12 de junho de 1990).

6. As experiências com pares de animais de laboratório me foram descritas pelo Dr. John Krystal, e repetidas em vários laboratórios científicos. As principais foram feitas pelo Dr. Jay Weiss na Universidade Duke.

7. A melhor explicação das alterações cerebrais no PTSD, e do respectivo papel da amígdala cortical está em Dennis Charney e outros, "Psychobiologic Mechanisms of Post-Traumatic Stress Disorder", *Archives of General Psychiatry* 50 (abril de 1993), p. 294-305.

8. Parte dos indícios das mudanças produzidas por trauma nessa rede cerebral vem de experiências em que foi injetada, em veteranos do Vietnã que sofriam de PTSD, a yohimbina usada nas pontas das setas de índios sul-americanos para imobilizar sua presa. Doses mínimas desse veneno bloqueiam a ação de um receptor específico (a ponta de um neurônio que recebe um neurotransmissor) que geralmente atua como um freio nas catecolaminas. A yohimbina remove os freios, impedindo esses receptores de sentir a secreção de catecolaminas; o resultado é uma elevação dos níveis de catecolamina. Com os freios neurais à ansiedade desativados pelas injeções da droga, a yohimbina provocou pânico em nove entre 15 pacientes de PTSD e flashbacks realistas em seis. Um veterano teve a alucinação de que um helicóptero caía abatido numa esteira de fumaça e um forte clarão; outro viu a explosão numa mina de terra de um jipe com seus companheiros dentro — a mesma cena que fazia parte de seus pesadelos e retornava em flashbacks por mais de vinte anos. O estudo

com a yohimbina foi feito pelo Dr. John Krystal, diretor do Laboratório de Psicofarmacologia Clínica do Centro Nacional do PTSD, no Hospital de Veteranos de West Haven, Connecticutt, Virgínia.

9. Menos receptores alpha-2 em homens com PTSD: ver Charney, "Psychobiologic Mechanisms".

10. O cérebro, tentanto baixar a taxa de secreção de CRF, compensa reduzindo o número de receptores que o liberam. Um sinal revelador de que é isso que acontece em pessoas com PTSD vem de um estudo em que se injetou CRF em oito pacientes que se tratavam do problema. Em geral, uma injeção de CRF dispara ACTH, o hormônio que corre pelo corpo para disparar catecolaminas. Mas nos pacientes de PTSD, ao contrário de um grupo de comparação sem PTSD, não houve mudança visível nos niveis de ACTH — um sinal de que o cérebro deles cortara os receptores de CRF por já estarem sobrecarregados do hormônio da tensão. A pesquisa me foi descrita por Charles Nemeroff, psiquiatra da Universidade Duke.

11. Entrevistei o Dr. Nemeroff para o *New York Times* (12 de junho de 1990).

12. Parece ocorrer alguma coisa semelhante no PTSD: por exemplo, num experimento foi exibido a veteranos do Vietnã diagnosticados com PTSD um filme de 17 minutos, especialmente editado, com cenas explícitas de combate do filme *Platoon*. Num grupo, os veteranos receberam injeções de naloxona, uma substância que bloqueia as endorfinas; depois de verem o filme, esses veteranos não mostraram mudança alguma na sensibilidade à dor. Mas no grupo sem o bloqueador de endorfina, essa sensibilidade caiu em 30%, indicando secreção de endorfina. As mesmas cenas não causaram o mesmo efeito em veteranos que não sofriam de PTSD, o que sugere que, em vítimas de PTSD, os caminhos neurais que regulam as endorfinas são muito sensíveis ou hiperativos — um efeito que só se tornou visível quando foram reexpostos a alguma coisa que lembrava o trauma original. Nessa sequência, a amígdala primeiro avalia a importância emocional do que vemos. O estudo foi feito pelo Dr. Roger Pitman, psiquiatra de Harvard. Como acontece com outros sintomas de PTSD, essa mudança no cérebro é não apenas aprendida em circunstâncias difíceis, mas pode ser outra vez disparada na ocorrência de algo que lembre o fato original. Por exemplo, Pitman constatou que quando ratos de laboratório recebiam choques numa gaiola, criavam a mesma analgesia baseada na endorfina encontrada nos veteranos do Vietnã a quem se mostrou *Platoon*. Semanas depois, quando os ratos foram postos nas gaiolas onde tinham recebido os choques — mas sem se ligar a corrente —, eles mais uma vez se tornaram insensíveis à dor, como tinham feito originalmente quando receberam os choques. Ver Roger Pitman, "Naloxone-Reversible Analgesic Response to Combat-Related Stimuli in Posttraumatic Stress Disorder", *Archives of General Medicine* (junho de 1990). Ver também Hillel Glover, "Emotional Numbing: A Possible Endorphin-Mediated Phenomenon Associated with Pos-traumatic Stress Disorders and Other Allied Psychopathologic States", *Journal of Traumatic Stress* 5, 4 (1992).

13. Os indícios do cérebro examinados nesta seção se baseiam no excelente artigo de Dermis Charney, "Psychobiologic Mechanisms".

14. Charney, "Psychobiologic Mechanisms", 300.

15. Papel do córtex pré-frontal no desaprendizado do medo: no estudo de Richard Davidson, mediu-se a reação de suor de voluntários (um barômetro da ansiedade) quando ouviam um tom seguido de um barulho alto, desagradável. O alto barulho disparava um aumento de suor. Após algum tempo, só o tom já bastava para provocar o mesmo aumento, mostrando que os voluntários haviam aprendido uma aversão ao tom. Continuando a ouvir o tom sem o barulho desagradável, a aversão aprendida desapareceu — o tom soava sem qualquer aumento de suor. Quanto mais ativo o córtex pré-frontal esquerdo dos voluntários, mais rapidamente eles perdiam o medo aprendido. Em outra experiência que mostra o papel dos lobos pré-frontais na superação do medo, ratos de laboratório — como tantas vezes acontece nesses estudos — aprenderam a temer um tom associado a um choque. Os ratos, então, passavam pelo equivalente a uma lobotomia, uma lesão cirúrgica no cérebro que seccionava os lobos pré-frontais da amígdala. Nos vários dias seguintes, os ratos ouviam o tom sem receber o choque elétrico. Aos poucos, num período de dias, ratos que haviam antes aprendido a temer o tom iam aos poucos perdendo o medo. Mas os que tinham tido os lobos pré-frontais desligados precisavam duas vezes mais tempo para desaprender o medo — o que sugere um papel crucial dos lobos pré-frontais no controle do medo, e, de um modo mais geral, no dominar lições emocionais. Essa experiência foi feita por Maria Morgan, aluna de Joseph LeDoux no Centro de Ciência Neural da Universidade de Nova York.

16. Recuperação de PTSD: soube desse estudo por Rachel Yehuda, neuroquímica e diretora do Programa de Estudos da Tensão Traumática na Faculdade de Medicina Mt. Sinai, em Manhattan. Escrevi sobre os resultados em *The New York Times* (6 de outubro de 1992).

17. Trauma na infância: Lenore Terr, *Too Scared to Cry* (Nova York: HarperCollins, 1990).

18. Caminho para recuperação de um trauma: Judith Lewis Herman, *Trauma and Recovery* (Nova York: Basic Books, 1992).

19. "Dosagem" do trauma: Mardi Horowitz, *Stress Response Syndromes* (Northvale, NJ: Jason Aronson, 1986).

20. Outro nível em que se dá o reaprendizado, pelo menos em adultos, é filosófico. A eterna pergunta da vítima — "Por que eu?" — tem de ser feita. O fato de ser vítima de um trauma despedaça a fé da pessoa em que o mundo é um lugar no qual se pode confiar, e que o que nos acontece nesta vida é justo — quer dizer, que podemos controlar nosso destino vivendo uma vida virtuosa. As respostas aos enigmas da vítima, claro, precisam ser filosóficas ou religiosas; a tarefa é reconstruir um sistema de crença ou fé que permita viver mais uma vez como se se pudesse confiar no mundo e nas pessoas que nele habitam.

21. Que o medo original persiste, mesmo reduzido, foi demonstrado em estudos onde ratos de laboratório foram condicionados para temer um som de uma campainha, aliado a um choque elétrico. Quando ouviam a campainha, reagiam com medo, embora não houvesse choque. Aos poucos, durante um ano (um tempo muito longo para um rato — cerca de um terço de sua vida), já não mais reagiam com medo ao som da campainha. O medo voltou, de forma mais intensa, quando o som foi mais

uma vez combinado com um choque. Esse medo intenso durou um instante — mas levou muitos meses para desaparecer. O paralelo em seres humanos, claro, é quando um medo traumático de muito tempo atrás, adormecido durante anos, retorna a pleno vapor diante de alguma reminiscência do trauma original.

22. A pesquisa da terapia de Luborsky é detalhada em Lester Luborsky e Paul Crits--Christoph, *Understanding Transference: The CCRT Method* (Nova York: Basic Books, 1990).

Capítulo 14: Temperamento Não é Destino

1. Ver, por exemplo, Jerome Kagan e outros, "Initial Reactions to Unfamiliarity", *Directions in Psychological Science* (dezembro de 1992). A descrição mais completa da biologia do temperamento está em Kagan, *Galen's Prophecy*.

2. Tom e Ralph, meninos tipicamente tímidos e expansivos, são descritos em Kagan, *Galen's Prophecy*, p. 155-157.

3. Problemas de toda a vida da criança tímida: Iris Bell, "Increased Prevalence of Stress-related Symptoms in Middle-Aged Women Who Report Childhood Shyness", *Annals of Behavior Medicine* 16 (1994).

4. Aceleração de batimentos cardíacos: Iris R. Bell e outros, "Failure of Heart Rate Habituation During Cognitive and Olfactory Laboratory Stressors in Young Adults With Childhood Shyness", *Annals of Behavior Medicine* 16 (1994).

5. Pânico em adolescentes: Chris Hayward e outros, "Pubertal Stage and Panic Attack History in Sixth- and Seventh-grade Girls", *American Journal of Psychiatry* vol. 149(9) (setembro de 1992), p. 1239-1243; Jerold Rosenbaum e outros, "Behavioral Inhibition in Childhood: Risk Factor for Anxiety Disorders", *Harvard Review of Psychiatry* (maio de 1993).

6. A pesquisa sobre personalidade e diferenças hemisféricas foi feita pelo Dr. Richard Davidson na Universidade de Wisconsin, e pelo Dr. Andrew Tomarken, psicólogo da Universidade Vanderbilt; ver Andrew Tomarken e Richard Davidson, "Frontal Brain Activation in Repressors and Nonrepressors", *Journal of Abnormal Psychology* 103 (1994).

7. As observações de como as mães podem ajudar os bebês tímidos a tornarem-se mais ousados foram feitas com Doreen Arcus. Os detalhes estão em Kagan, *Galen's Prophecy*.

8. Kagan, *Galen's Prophecy*, p. 194-195.

9. Tornar-se menos tímido: Jens Asendorpf, "The Malleability of Behavioral Inhibition: A Study of Individual Developmental Functions", *Developmental Psychology* 30, 6 (1994).

10. Hubel e Wiesel: David H. Hubel, Thorsten Wiesel e S. Levay, "Plasticity of Ocular Columns in Monkey Striate Cortex", *Philosophical Transactions of the Royal Society of London* 278 (1977).

11. Experiência e o cérebro do rato: o trabalho de Marian Diamond e outros está descrito em Richard Thompson, *The Brain* (São Francisco: W. H. Freernan, 1985).

12. Mudanças no cérebro no tratamento do distúrbio obsessivo-compulsivo: L. R. Baxtes e outros, "Caudate Glucose Metabolism Rate Changes With Both Drug and Behavior Therapy for Obsessive-Compulsive Disorder", *Archives of General Psychiatry* 49 (1992).

13. Maior atividade nos lobos pré-frontais: L. R. Baxter e outros, "Local Cerebral Glucose Metabolic Rates in Obsessive-Compulsive Disorder", *Archives of General Psychiatry* 44 (1987).

14. Maturidade dos lobos pré-frontais: Bryan Kolb, "Brain Development, Plasticity, and Behavior", *American Psychologist* 44 (1989).

15. Experiência na infância e poda pré-frontal: Richard Davidson, "Asymmetric Brain Function, Affective Style and Psychopathology: The Role of Early Experience and Plasticity", *Development and Psychopathology* vol. 6 (1994), p. 741-758

16. Sintonia biológica e crescimento do cérebro: Schore, *Affect Regulation.*

17. M. E. Phelps e outros, "PET: A Biochemical Image of the Brain at Work", em N. A. Lassen e outros, *Brain Work and Mental Activity: Quantitative Studies with Radioactive Tracers* (Copenhagen: Munksgaard, 1991).

PARTE CINCO: ALFABETIZAÇÃO EMOCIONAL

Capítulo 15: Quanto Custa o Analfabetismo Emocional

1. Alfabetização emocional: escrevi sobre esses cursos em *The New York Times* (3 de março de 1992).

2. As estatísticas sobre taxas de crimes de adolescentes vêm do Uniform Crime Reports, *Crime in the U.S., 1991, American Psychologist* (fevereiro de 1993).

3. Crimes violentos entre adolescentes: em 1990, a taxa de prisões por crimes violentos subiu a 430 por 100 mil, um salto de 27% em comparação com a taxa de 1980. As taxas de prisões de adolescentes por estupro subiu de 10,9 por 100 mil em 1965 para 21,9 em 1990. A taxa de assassinatos cometidos por adolescentes mais do que quadruplicou de 1965 a 1990, de 2,8% por 100 mil para 12,1; em 1990, três de quatro desses assassinatos se praticaram com armas de fogo, um aumento de 79% durante a década. Os assaltos violentos por adolescentes saltaram 64% de 1980 a 1990. Ver,

por exemplo, Ruby Takanashi, "The Opportunities of Adolescence", *American Psychologist* (fevereiro de 1993)."

4. Em 1950, a taxa de suicídio para os entre 15 e 24 anos era de 4,5 por 100 mil. Em 1989, era três vezes mais alta, 13,3. As taxas de suicídio para crianças de 10 a 14 anos quase triplicaram entre 1968 e 1985. As cifras para suicídio, vítimas de homicídio e gravidez são de *Health*, 1991, Departamento de Saúde e Serviços Humanos, e Children's Safety Network, *A Data Book of Child and Adolescent Injury* (Washington, DC: Centro Nacional para Educação em Saúde Materna e Infantil, 1991).

5. Nas três décadas desde 1960, as taxas de gonorreia saltaram para um nível quatro vezes mais alto entre crianças de 10 a 14 anos, e três vezes mais entre as de 15 a 19. Em 1990, 20% de pacientes de Aids estavam na faixa dos 20 anos, e muitos deles se contaminaram na adolescência. A pressão para fazer sexo cedo torna-se mais forte. Uma pesquisa na década de 1990 constatou que mais de um terço de moças diz que a iniciação na vida sexual se deu por pressão de colegas; há uma geração atrás apenas 13% diziam isso. Ver Ruby Takanashi, "The Opportunities of Adolescence", e Children's Safety Network, *A Data Book of Child and Adolescent Injury*.

6. O uso de heroína e cocaína por brancos subiu de 18 por 100 mil em 1970 para uma taxa de 68 em 1990 — cerca de três vezes mais alta. Mas, nas mesmas duas décadas, entre os negros, o aumento foi de uma taxa em 1970 de 53 por 100 mil para uns estonteantes 766 em 1990 — perto de 13 *vezes* a taxa de 20 anos antes. As taxas de viciados em drogas são de *Crime in the U.S.*, 1991, Departamento de Justiça dos EUA.

7. Até uma em cinco crianças tem problemas psicológicos que prejudicam de alguma forma suas vidas, segundo pesquisas feitas nos Estados Unidos, Nova Zelândia, Canadá e Porto Rico. A ansiedade é o problema mais comum em crianças abaixo dos 11 anos, afligindo 10% com fobias suficientemente severas para interferir com a vida normal, outros 5% com ansiedade generalizada e preocupação constante e outros 4% com ansiedade intensa por serem separados dos pais. As bebedeiras aumentam durante a adolescência entre os meninos para uma taxa de cerca de 20% aos 20 anos. Informei muitos desses dados sobre distúrbios emocionais em crianças no *New York Times* (10 de janeiro de 1989).

8. O estudo nacional de problemas emocionais de crianças e a comparação com outros países: Thomas Achenbach e Catherine Howell, "Are American's Children Problems Getting Worse? A 13-Year Comparison", *Journal of the American Academy of Child and Adolescent Psychiatry* (novembro de 1989).

9. A comparação entre países foi feita por Urie Bronfenbrenner, em Michael Lamb e Kathleen Sternberg, *Child Care in Context: Cross-Cultural Perspectives* (Englewood, NJ: Lawrence Erlbaum, 1992).

10. Urie Bronfenbrenner falava num simpósio na Universidade de Cornell (24 de setembro de 1993).

11. Estudos longitudinais de crianças agressivas e delinquentes: ver, por exemplo, Alexander Thomas e outros, "Longitudinal Study of Negative Emotional State and

Adjustments from Early Childhood Through Adolescence", *Child Development*, vol. 59 (setembro de 1988).

12. Experiência com os valentões: John Lochman, "Social-Cognitive Processes of Severely Violent, Moderately Aggressive, and Nonaggressive Boys", *Journal of Consulting Psychology*, 1994.

13. Pesquisa de meninos agressivos: Kenneth A. Dodge, "Emotion and Social Information Processing", em J Garber e K. Dodge, *The Development of Emotion Regulation and Dysregulation* (Nova York: Cambridge University Press, 1991).

14. Antipatia pelos valentões em poucas horas: J. D. Coie e J. B. Kupersmidt, "A Behavioral Analysis of Emerging Social Status in Boys' Groups", *Child Development* 54 (1983).

15. Até metade das crianças rebeldes: ver, por exemplo, Dan Offord e outros, "Outcome, Prognosis, and Risk in a Longitudinal Follow-up Study", *Journal of the American Academy of Child and Adolescent Psychiatry* 31 (1992).

16. Crianças agressivas e crime: Richard Tremblay e outros, "Predicting Early Onset of Male Antisocial Behavior from Preschool Behavior", *Archives of General Psychiatry* (setembro de 1991).

17. O que acontece na família da criança antes que ela chegue à escola é, claro, fundamental na criação de uma predisposição para a agressão. Um estudo, por exemplo, mostrou que crianças cujas mães as rejeitaram com 1 ano de idade, e cujo nascimento fora mais complicado, tinham quatro vezes mais probabilidade que outras de cometer um crime violento até os 18. Adriane Raines e outros, "Birth Complications Combined with Early Maternal Rejection at Age One Predispose to Violent Crime at Age 18 Years", *Archives of General Psychiatry* (dezembro de 1994).

18. Embora o QI verbal baixo parecesse predizer delinquência (um estudo constatou uma diferença de oito pontos nessas contagens entre delinquentes e não delinquentes), há indícios de que a impulsividade está mais direta e poderosamente em jogo tanto nas baixas contagens de QI quanto na delinquência. Quanto às baixas contagens, as crianças impulsivas não prestam atenção suficiente para aprender as aptidões de linguagem e raciocínio nas quais se baseiam as contagens de QI verbal, e assim a impulsividade baixa essas contagens. No Estudo da Juventude de Pittsburgh, um bem planejado projeto longitudinal em que se avaliaram tanto o QI quanto a impulsividade em crianças de 10 a 12 anos, a impulsividade era quase três vezes mais poderosa que o QI verbal na previsão de delinquência. Ver a discussão em: Jack Block, "On the Relation Between IQ, Impulsivity, and Delinquency, *Journal of Abnormal Psychology* 104 (1995).

19. Meninas "más" e gravidez: Marion Underwood e Melinda Albert, "Fourth-Grade Peer Status as a Predictor of Adolescent Pregnancy", trabalho apresentado no encontro da Sociedade de Pesquisa sobre o Desenvolvimento da Criança, Kansas City, Missouri (abril de 1989).

20. Trajetória para a delinquência: Gerald R. Patterson, "Orderly Change in a Stable World: The Antisocial Trait as Chimera", *Journal of Clinical and Consulting Psychology* 62 (1993).

21. O estado mental da agressão: Ronald Slaby e Nancy Guerra, "Cognitive Mediators of Aggression in Adolescent Offenders", *Developmental Psychology* 24 (1988).

22. O caso de Dana: extraído de Laura Mufson e outros, *Interpersonal Psychotherapy for Depressed Adolescents* (Nova York: Guilford Press, 1993).

23. Taxas crescentes de depressão em todo o mundo: Cross-National Collaborative Group, "The Changing Rate of Major Depression: Cross-National Comparisons", *Journal of the American Medical Association* (2 de dezembro de 1992).

24. Chance dez vezes maior de depressão: Peter Lewinsohn e outros, "Age-Cohort Changes in the Lifetime Occurrence of Depression and Other Mental Disorders", *Journal of Abnormal Psychology* 102 (1993).

25. Epidemiologia da depressão: Patricia Cohen e outros, Instituto Psiquiátrico de Nova York, 1988; Peter Lewinsohn e outros, "Adolescent Psychopathology: I. Prevalence and Incidence of Depression in High School Students", *Journal of Abnormal Psychology* 102 (1993). Ver também Mufson e outros, *Interpersonal Psychotherapy*. Para um exame de estimativas mais baixas: F. Costello, "Developments in Child Psychiatric Epidemiology", *Journal of the Academy of Child and Adolescent Psychiatry* 28 (1989).

26. Padrões de depressão nos jovens: Maria Kovacs e Leo Bastiaens, "The Psychotherapeutic Management of Major Depressive and Dysthymic Disorders in Childhood and Adolescence: Issues and Prospects", em I. M. Goodyer, ed., *Mood Disorders in Childhood and Adolescence* (Nova York: Cambridge University Press, 1994).

27. Depressão em crianças: Kovacs, *op. cit.*

28. Entrevistei Maria Kovacs para o *New York Times* (11 de janeiro de 1994).

29. Atraso social e emocional em crianças deprimidas: Maria Kovacs e David Goldston, "Cognitive and Social Development of Depressed Children and Adolescents", *Journal of the American Academy of Child and Adolescent Psychiatry* (maio de 1991).

30. Desamparo e depressão: John Weiss e outros, "Control-related Beliefs and Self-reported Depressive Symptoms in Late Childhood", *Journal of Abnormal Psychology* 102 (1993).

31. Pessimismo e depressão em crianças: Judy Garber, Universidade Vanderbilt. Ver, por exemplo, Ruth Hilsman e Judy Garber, "A Test of the Cognitive Diathesis Model of Depression in Children: Academic Stressors, Attributional Style, Perceived Competence and Control", *Journal of Personality and Social Psychology* 67 (1994); Judith Garber, "Cognitions, Depressive Symptoms, and Development in Adolescents", *Journal of Abnormal Psychology* 102 (1993).

32. Garber, "Cognitions".

33. Garber, "Cognitions".

34. Susan Nolen-Hoeksema e outros, "Predictors and Consequences of Childhood Depressive Symptoms: A Five-Year Longitudinal Study", *Journal of Abnormal Psychology* 101 (1992).

35. Taxa de depressão reduzida à metade: Gregory Clarke, Centro de Ciências da Saúde da Universidade de Oregon, "Prevention of Depression in At-Risk High School Adolescents", trabalho apresentado na Academia Americana de Psiquiatria da Criança e Adolescente (outubro de 1993).

36. Garber, "Cognitions".

37. Hilda Bruch, "Hunger and Instinct", *Journal of Nervous and Mental Disease* 149 (1969). Seu livro seminal, *The Golden Cage: The Enigma of Nervous Anorexia* (Cambridge, MA: Harvard University Press), só foi publicado em 1978.

38. Estudo de distúrbios de alimentação: Gloria R. Leon e outros, "Personality and Behavioral Vulnerabilities Associated with Risk Status for Eating Disorders in Adolescent Girls", *Journal of Abnormal Psychology* 102 (1993).

39. A menina de 6 anos que se achava gorda era paciente do Dr. William Feldman, pediatra da Universidade de Ottawa.

40. Observado por Sifneos, "Affect, Emotional Conflict, and Deficit".

41. A vinheta da rejeição de Ben vem de Steven Asher e Sonda Gabriel, "The World of Peer-Rejected Children", trabalho apresentado no encontro anual da Associação Americana de Pesquisa Educacional, São Francisco (março de 1989).

42. Taxa de evasão escolar entre crianças socialmente rejeitadas: Asher e Gabriel, "The World of Peer-Rejected Children".

43. As constatações sobre a fraca competência emocional de crianças impopulares são de Kenneth Dodge e Esther Feldman, "Social Cognition and Sociometric Status", em Steven Asher e John Coie, eds., *Peer Rejection in Childhood* (Nova York: Cambridge University Press, 1990).

44. Emory Cowen e outros, "Longterm Follow-up of Early Detected Vulnerable Children", *Journal of Clinical and Consulting Psychology* 41 (1973).

45. Melhores amigos e rejeitados: Jeffrey Parker e Steven Asher, "Friendship Adjustment, Group Acceptance e Social Dissatisfaction in Childhood", trabalho apresentado no encontro anual da Associação Americana de Pesquisa Educacional, Boston (1990).

46. Treinamento para crianças socialmente rejeitadas: Steven Asher e Gladys Williams, "Helping Children Without Friends in Home and School Contexts", *Children's Social Development: Information for Parents and Teachers* (Urbana e Champaign: University of Illinois Press, 1987).

47. Resultados semelhantes: Stephen Nowicki, "A Remediation Procedure for Nonverbal Processing Deficits", manuscrito inédito, Universidade Duke (1989).

48. Dois quintos bebem muito: pesquisa na Universidade de Massachusetts pelo Projeto Pulse, divulgada em *The Daity Hampshire Gazette* (13 de novembro de 1993).

49. Farra de bebida: as cifras são de Harvey Wechsler, diretor de Estudos de Álcool na Universidade, na Escola de Saúde Pública de Harvard (agosto de 1994).

50. Mais mulheres bebem para embebedar-se, com risco de estupro: comunicado do Centro sobre Vício e Abuso de Substâncias da Universidade de Colúmbia (maio de 1993).

51. Principal causa de morte: Alan Maxlatt, relatório no encontro anual da Associação Psicológica Americana (agosto de 1994).

52. Os dados sobre alcoolismo e vício em cocaína são de Meyer Glantz, chefe em exercício da Secção de Pesquisa Etiológica do Instituto Nacional para Abuso de Drogas e Álcool.

53. Aflição e abuso: Jeanne Tschann, "Initiation of Substance Abuse in Early Adolescence", *Health Psychology* 4 (1994).

54. Entrevistei Ralph Taner para o *New York Times* (26 de abril de 1990).

55. Níveis de tensão em filhos de alcoólatras: Howard Moss e outros, "Plasma GABA--like Activity in Response to Ethanol Challenge in Men at High Risk for Alcoholism", *Biological Psychiatry* 27(6) (março de 1990).

56. Déficit no lobo frontal em filhos de alcoólatras: Philip Harden e Robert Pihl, "Cognitive Function, Cardiovascular Reactivity, and Behavior in Boys at High Risk for Alcoholism", *Journal of Abnormal Psychology* 104 (1995).

57. Kathleen Merikangas e outros, "Familial Transmission of Depression and Alcoholism", *Archives of General Psychiatry* (abril de 1985).

58. O alcoólatra inquieto e impulsivo: Moss e outros.

59. Cocaína e depressão: Edward Khantzian, "Psychiatric and Psychodynamic Factors in Cocaine Addiction", em Arnold Washton e Mark Gold (eds.), *Cocaine: A Clinician's Handbook* (Nova York: Guilford Press, 1987).

60. Vício em heroína e raiva: Edward Khantzian, Faculdade de Medicina de Harvard, em conversa, baseado em mais de 200 pacientes viciados em heroína que tratou.

61. Chega de guerras: a expressão me foi sugerida por Tim Shriver, da Cooperativa para o Progresso do Aprendizado Social e Emocional, do Centro de Estudos da Criança, em Yale.

62. Impacto emocional da pobreza: "Economic Deprivation and Early Childhood Development" e "Poverty Experiences of Young Children and the Quality of Their Home Environments". Greg Duncan e Patricia Garrett descreveram ambos os resultados de suas pesquisas em artigos separados em *Child Development* (abril de 1994).

63. Traços de crianças maleáveis: Norman Garmezy, *The Invulnerable Child* (Nova York: Guilford Press, 1987). Escrevi sobre crianças que vencem apesar das dificuldades em *The New York Times* (13 de outubro de 1987).

64. Predominância de distúrbios mentais: Ronald C. Kessler *et. al.*, "Lifetime and 12--month Prevalence of DSM-III R Psychiatric Disorders in the U.S.", *Archives of General Psychiatry* (janeiro de 1994).

65. As cifras para meninos e meninas que comunicam abuso sexual nos Estados Unidos são de Malcolm Brown, do Setor de Violência e Tensão Traumática do Instituto Nacional de Saúde Mental; o número de casos comprovados é do Comitê Nacional para Prevenção de Abuso e Negligência à Criança. Uma pesquisa nacional de crianças constatou que as taxas eram de 3,2% para as meninas e 0,6% para os meninos num determinado ano: David Finkelhor e Jennifer Dziuba-Leatherman, "Children as Victims of Violence: A National Survey", *Pediatrics* (outubro de 1984).

66. A pesquisa nacional com crianças sobre programas de prevenção de abuso sexual foi feita por David Finkelhor, sociólogo da Universidade de New Hampshire.

67. As cifras sobre o número de vítimas dos molestadores de crianças são de uma entrevista com Malcolm Gordon, psicólogo do Setor de Violência e Tensão Traumática do Instituto Nacional de Saúde Mental.

68. Consórcio W. T. Grant sobre a Promoção de Competência Social com Base na Escola, "Drug and Alcohol Prevention Curricula", em J. David Hawkins e outros, *Communities That Care* (São Francisco: Jossey-Bass, 1992).

69. Consórcio W. T. Grant, "Drug and Alcohol Prevention Curricula", p. 136.

Capítulo 16: Ensinando as Emoções

1. Entrevistei Karen Stone McCown para o *New York Times* (7 de novembro de 1993).

2. Karen F. Stone e Harold Q. Dillehunt, *Self-Science: The Subject Is Me* (Santa Mônica: Goodyear Publishing Co., 1978).

3. Comitê para as Crianças, "Guide to Feelings", *Second Step* 4-5 (1992), p. 84.

4. Projeto Desenvolvimento das Crianças: ver, por exemplo, Daniel Solomon e outros, "Enhancing Children's Prosocial Behavior in the Classroom", *American Educational Research Journal* (inverno de 1988).

5. Benefícios do Heart Start: relatório do Fundo de Pesquisa Educacional High/Scope, Ypsilanti, Michigan (abril de 1993).

6. Cronograma emocional: Carolyn Saarni, "Emotional Competence: How Emotions and Relationships Become Integrated", em R. A. Thompson, ed., *Socioemotional Development Nebraska Symposium on Motivation* 36 (1990).

7. A transição para a escola primária e média: David Hamburg, *Today's Children: Creating a Future for a Generation in Crisis* (Nova York: Times Books).

8. Hamburg, *Today's Children*, p. 171-172.

9. Hamburg, *Today's Children*, p. 182.

10. Entrevistei Linda Lantieri para o *The New York Times* (3 de março de 1992).

11. Programas de alfabetização emocional como prevenção primária: Hawkins e outros, *Communities That Care.*

12. Escolas como comunidades que se envolvem: Hawkins e outros, *Communities That Care.*

13. História da menina que não estava grávida: Roger P. Weisberg e outros, "Promoting Positive Social Development and Health Practice in Young Urban Adolescents", em M. J. Elias (ed.), *Social Decision-making in the Middle School* (Gaithersburg, MD: Aspen Publishers, 1992).

14. Formação de caráter e conduta moral: Amitai Etzioni, *The Spirit of Community* (Nova York: Crown, 1993).

15. Lições morais: Steven C. Rockefeller, *John Dewey: Religious Faith and Democratic Humanism* (Nova York: Columbia University Press, 1991).

16. Agindo direito com os outros: Thomas Lickona, *Educating for Character* (Nova York: Bantam, 1991).

17. Os anos de democracia: Francis Moore Lappe e Paul Manin DuBois, *The Quickening of America* (São Francisco: Jossey-Bass, 1994).

18. Cultivando o caráter: Amitai Etzioni e outros, *Character Building for a Democratic, Civil Society* (Washington, DC: The Communitarian Network, 1994).

19. Aumento de 3% nas taxas de assassinato: "Murders Across Nation Rise by 3 Percent, but Overall Violent Crime Is Down", *The New York Times* (2 de maio de 1994).

20. Aumento de crimes entre jovens: "Serious Crimes by Juveniles Soar". Associated Press (2 de julho de 1994).

Apêndice B: Características da Mente Emocional

1. Escrevi sobre o modelo do "inconsciente experiencial" de Seymour Epstein várias vezes no *New York Times*, e grande parte deste resumo se baseia em conversas com ele, cartas dele para mim, seu artigo "Integration of the Cognitive and Psychodynamic Unconscious" (*American Psychologist* 44 [1994]) e seu livro com Archie Brodsky, *You're Smarter Than You Think* (Nova York: Simon & Schuster, 1993). Embora seu modelo da mente experiencial informe o meu da "mente emocional", dei minha própria interpretação.

2. Paul Ekman, "An Argument for the Basic Emotions", *Cognition and Emotion*, 6, 1992, p. 175. A lista das características que distinguem as emoções é um pouco mais longa, mas estas são as que nos interessam aqui.

3. Ekman, *op cit.*, p. 187.

4. Ekman, *op cit.*, p. 189.

5. Epstein, 1993, p. 55.

6. J. Toobey e L. Cosmides, "The Past Explains the Present: Emotional Adaptations and the Structure of Ancestral Environments", *Ethology and Sociobiology*, 11, p. 418-419.

7. Embora possa parecer evidente por si mesmo que cada emoção tem seu próprio padrão biológico, não é assim para os que estudam a psicofisiologia da emoção. Continua havendo um debate altamente técnico sobre se a estimulação emocional é basicamente a mesma para todas as emoções, ou se se podem extrair padrões únicos. Sem entrar nos detalhes do debate, apresentei a posição dos que ficam com perfis biológicos únicos para cada emoção principal.

Índice Remissivo

C

D

E

F

G

H

J

K

L

M

N

O

Q

R

U

V

W

Y

Z

2ª EDIÇÃO [2012] 47 reimpressões

ESTA OBRA FOI COMPOSTA EM ADOBE GARAMOND PELA ABREU'S SYSTEM
E IMPRESSA EM OFSETE PELA LIS GRÁFICA SOBRE PAPEL PÓLEN
DA SUZANO S.A. PARA A EDITORA SCHWARCZ EM JUNHO DE 2024

A marca FSC® é a garantia de que a madeira utilizada na fabricação do papel deste livro provém de florestas que foram gerenciadas de maneira ambientalmente correta, socialmente justa e economicamente viável, além de outras fontes de origem controlada.